sdgupta

TRE SEKUNDER

@partners.org

ROSLUND & HELLSTRÖM

Tre sekunder

Pocketförlaget

Av Roslund & Hellström

Odjuret (2004)
Box 21 (2005)
Edward Finnigans upprättelse (2006)
Flickan under gatan (2007)
Tre sekunder (2009)

www.pocketforlaget.se
info@pocketforlaget.se

ISBN 978-91-86369-26-2

Originalutgåvan utgiven av Piratförlaget
Pocketförlaget ägs av Piratförlaget, Företagslitteratur och Läsförlaget
Omslag: Eric Thunfors
Omslagsfoto: Ozone inc.
Författarfoto: Peter Knutson
Tryckt i Danmark hos Norhaven A/S 2010

Till Vanja
som gjorde våra böcker lite bättre

första delen

söndag

EN TIMME TILL midnatt.

Det var sen vår men mörkare än han hade trott att det skulle vara. Mest var det nog vattnet långt därnere, nästan svart, en hinna som var i vägen för det som tycktes sakna botten.

Han tyckte inte om båtar, eller om det var havet han inte förstod sig på, han frös alltid när det blåste som det gjorde nu och Świnoujście långsamt försvann bort. Han brukade stå med händerna hårt knutna kring relingen och vänta tills husen inte längre var hus, bara små fyrkanter som löstes upp när det mörka omkring honom blev större och större.

Han var tjugonio år och rädd.

Han hörde människor som rörde sig bakom honom, också på väg, en natt och några timmars sömn och de skulle vakna upp i ett annat land.

Han lutade sig fram och blundade, det var som om varje resa var lite jävligare än den förra och hans själ blivit lika medveten om riskerna som hans kropp, händerna som skakade och pannan som svettades och kinderna som brände trots att han frös i den aggressiva snålblåsten. Om två dygn. Om två dygn skulle han stå här igen, men på väg tillbaka, han skulle redan ha glömt hur han svurit på att aldrig göra det igen.

Han släppte räcket och öppnade dörren som bytte kyla mot värme och ledde honom till en av de stora trapporna där ansikten han inte kände igen rörde sig mot sina hytter.

Han ville inte sova, han kunde inte sova, inte än.

Det var inte mycket till bar, *m/f Wawel* var en av de största färjorna mellan norra Polen och södra Sverige men det här, smuliga bord och stolar med fyra magra pinnar som ryggstöd, det var inte meningen att man skulle sitta kvar särskilt länge.

Han svettades fortfarande, händerna jagade smörgåsen och ölglaset, han stirrade rakt fram, försökte att inte visa den, rädslan. Ett par klunkar öl, en halv bit ost, han slogs fortfarande mot illamåendet och hade hoppats att en ny smak skulle sudda ut den andra, först en stor och fet bit fläskkött som han hade varit tvungen att äta tills magsäcken mjukt bäddats in och sedan det gulaktiga som gömts i brun gummimassa, de hade räknat högt varje gång han svalt, tvåhundra gånger tills gummibollarna skrapat sönder svalget.

– *Czy podać panu coś jeszcze?*

Den unga kvinnan som serverade såg på honom, han skakade på huvudet, inte ikväll, inget mer.

Hettan över kinderna var nu bara en bedövad känsla, han mötte ett blekt ansikte i spegeln bredvid kassaapparaten och sköt tallriken med den orörda smörgåsen och det fulla glaset så långt bort på bardisken det var möjligt, pekade på det tills servitrisen förstod och flyttade det till hyllan för disk.

– *Postawić ci piwo?*

En man i hans egen ålder, lätt berusad, en sådan som bara vill prata med någon vem som helst för att slippa känna sig ensam. Han stirrade rakt fram som förut, mot spegelns vita ansikte, vände sig inte ens om, det var svårt att säkert veta vem som frågade och varför, någon som satte sig nära och låtsades vara berusad och ville bjuda på öl kunde vara någon som också kände till syftet med hans resa. Han la tjugo euro på det silverfärgade fatet med kvittot och lämnade det ödsliga rummet med tomma bord och meningslös musik.

Han ville skrika av törst och tungan letade mer saliv för att tillfälligt fukta det torra, han vågade inte dricka, så rädd för illamåendet, att inte kunna behålla allt han svalt.

Han måste göra det, behålla allt, annars, han visste att det var så det fungerade, han var en död man.

HAN LYSSNADE PÅ fåglarna som han brukade göra när det var sen eftermiddag och den varma luften som kom någonstans från Atlanten långsamt vek undan för ännu en kall vårkväll. Det var den stunden på dagen han tyckte mest om, han hade avslutat det han måste men var allt annat än trött och hade därför flera bra timmar kvar innan han måste lägga sig ner i den smala hotellsängen och försöka sova i rummet som fortfarande bara var ensamhet.

Erik Wilson lät det svala studsa mot ansiktet, blundade kort för att slippa de starka strålkastarna som dränkte hela området i ljus som var alldeles för vitt. Han lutade sig bakåt och kisade försiktigt upp på stora balar av vass taggtråd som gjorde det höga stängslet ännu högre och han tvingade bort en märklig känsla av att det föll mot honom.

Ett par hundra meter bort, ljudet från en grupp människor som förflyttade sig över det väldiga och upplysta området av hård asfalt.

Sex svartklädda män framför, bredvid, bakom en sjunde.

En lika svart bil som sakta skuggade.

Wilson följde nyfiket varje steg.

Transport av skyddsobjekt. Transport över öppen yta.

Plötsligt tog ett annat ljud över. Någon som använde ett vapen. Någon som avlossade punkteld, ett skott i taget, mot människorna som gick. Erik Wilson stod stilla, såg hur de två svartklädda som befann sig närmast skyddsobjektet kastade sig över det och tryckte det mot marken, hur de fyra andra vände sig om och sökte åt det håll skotten kom ifrån.

De gjorde det Wilson gjorde, identifierade vapnet genom att lyssna.

En Kalashnikov.

Från en passage mellan två låghus, fyrtio, kanske femtio meter därifrån.

Fåglarna som nyss hade sjungit var borta, till och med den varma vinden som om en stund skulle bli kallare, också den hade flytt.

Erik Wilson hade genom stängslet kontroll över varje rörelse, kunde höra varje tystnad. Männen i svart besvarade elden och bilen accelererade kraftigt för att sedan stanna mycket nära skyddsobjektet och i vägen för skotten som regelbundet fortsatte att komma från de båda låghusen. Ett par sekunder, inte mer, sedan hade den skyddade kroppen dragits in i fordonets baksäte genom en öppen dörr och försvunnit i mörkret.

– Bra.

Rösten kom uppifrån.

– Vi är klara för ikväll.

Högtalarna var placerade strax under de stora strålkastarna. Också den här kvällens president hade överlevt. Wilson sträckte på sig, lyssnade, fåglarna, de var tillbaka. En märklig plats. Tredje gången han besökte den, FLETC, den hette så, *Federal Law Enforcement Training Center*, så långt söderut i staten Georgia det var möjligt att komma, en militärbas ägd av den amerikanska staten, träningsplats för amerikanska polisorganisationer, DEA, ATF, US Marshals, Border Patrol och den här, som just räddat nationen igen, Secret Service. Han var säker på det, granskade den upplysta asfalten, det hade varit deras bil, deras manskap, de övade ofta så här dags.

Han fortsatte att promenera längs stängslet som var gränsen till en annan verklighet. Det var lätt att andas, han hade alltid tyckt om vädret här, så mycket ljusare, så mycket varmare än väntan på en stockholmssommar som aldrig kom.

Det såg ut som vilket hotell som helst, han passerade lobbyn i riktning mot den dyra och trötta restaurangen men ändrade sig och fortsatte mot hissarna, på väg upp till tolfte våningen i huset som under några dagar eller veckor eller månader var gemensamt hem för varje kursdeltagare.

Rummet var kvavt och för varmt. Han öppnade fönstret som vette mot den stora övningsplatsen och såg en stund in i ljuset som bländade, satte på tv:n, bläddrade bland kanaler som alla sände samma program. Han lät den stå på, den skulle göra det tills han gick och la sig, det enda som fick ett hotellrum att nästan kännas levande.

Han var rastlös.

En oro någonstans mitt i kroppen, den kröp från magen till benen till fötterna och han reste sig från sängkanten, sträckte på sig, gick fram till skrivbordet och fem mobiltelefoner som låg uppradade med några centimeters mellanrum på den blanka bordsytan, fem identiska telefoner mellan lampan med lite för stor skärm och skrivunderlägget i mörkt skinn.

Han lyfte upp dem, läste av dem, en i taget. De fyra första, inga samtal, inga meddelanden.

Den femte, han såg det innan handen ens fått tag i den.

Åtta missade samtal.

Alla från samma nummer.

Det var så han hade arrangerat det. Till den här telefonen, samtal från ett enda nummer. Från den här telefonen, samtal till ett enda nummer.

Två oregistrerade kontantkort som bara ringde upp varandra, om någon undersökte, om någon kom över deras telefoner, det fanns inga namn, bara två telefoner som tog emot och ringde samtal från och till två okända abonnenter som inte kunde spåras, någonstans.

Han såg på de fyra som låg kvar på bordet. Alla med samma arrangemang som den här, alla ringde de till ett enda okänt nummer, alla blev de uppringda från ett enda okänt nummer.

Åtta missade samtal.

Erik Wilson höll hårt i den telefon som tillhörde Paula.

Han räknade. Det var efter midnatt i Sverige. Han slog numret.

Paulas röst.

– Vi måste ses. På femman. Om exakt en timme.

Femman.

Vulcanusgatan 15 och Sankt Eriksplan 17.

– Det går inte.

– Vi måste ses.

– Det går inte. Jag är utomlands.

Tunga andetag. Alldeles nära. Och flera hundra mil bort.

– Då har vi ett jävla problem, Erik. Vi genomför en stor leverans om tolv timmar.

– Avbryt den.

– För sent. Femton polska mulor på väg in.

Erik Wilson satte sig på sängkanten, samma plats som förut, överkastet var lätt skrynkligt.

Ett stort köp.

Paula hade trängt långt in i grupperingen, längre än någon han hört talas om.

– Du kliver av. Nu.

– Du vet att det inte fungerar så. Du vet att jag måste fortsätta. Eller ta två kulor i tinningen.

– Jag upprepar, kliv av. Du kan inte, och lyssna nu, få någon backning av mig. Kliv av, för helvete!

Det blir alltid obehagligt tyst när någon lägger på mitt i ett telefonsamtal. Wilson hade aldrig tyckt om sådan elektronisk tomhet. Någon annan som bestämde om ett samtal var slut.

Han gick fram till fönstret igen, letade i det starka ljuset som fick den stora övningsgården att krympa, nästan drunkna i det vita.

En röst som hade varit forcerad, nästan rädd.

Erik Wilson höll fortfarande mobiltelefonen i handen, han såg på den, på tystnaden.

Paula skulle genomföra det på egen hand.

måndag

HAN HADE STANNAT bilen mitt på Lidingöbron.

Solen hade brutit mörkret första gången några minuter efter tre, den hade sedan knuffat och hotat och jagat och det svarta skulle inte våga sig tillbaka förrän sen kväll. Ewert Grens vevade ner fönstret och såg mot vattnet och andades in något som ännu var kallt medan soluppgången blev till morgon och den satans natten lämnade honom ifred.

Han fortsatte till andra sidan och genom den sovande ön till huset som låg så vackert på en klippa och med utsikt över båtarna som passerade långt därnere. Han parkerade på den tomma asfalten, kopplade loss kommunikationsradion från laddaren, fäste mikrofonen på rockslaget. Han hade alltid lämnat den i bilen när han besökt henne, inget anrop hade varit viktigare än deras samtal, men nu, det fanns inget samtal att störa.

Ewert Grens hade kört till vårdhemmet en gång i veckan i tjugonio år och sedan inte slutat. Trots att någon annan bodde i hennes rum nu. Han gick fram till det som hade varit hennes fönster, där hon suttit och tittat ut på livet som pågått och där han suttit bredvid för att försöka förstå vad det var hon egentligen letade efter.

Den enda människa han någonsin litat på.

Han saknade henne så, den här jävla tomheten, den klamrade sig fast, han sprang hela nätterna och den sprang efter, han blev inte av med den, han skrek åt den och den bara fortsatte, han andades den, han hade inte en aning om hur sådan tomhet försvann.

– Kommissarie Grens.

Hennes röst hade kommit från dörren som var av glas och brukade stå öppen när det var vackert väder och alla rullstolar fick plats vid borden på altanen. Susann, läkarstudenten som enligt namnskylten på den vita rockens bröstficka hunnit bli underläkare, som rest med honom och Anni i den där skärgårdsbåten och varnat honom för att hoppas, *för mycket*.

– Hej.

– Du är här igen.

– Ja.

Han hade inte sett henne på mycket länge, sedan då när Anni levde.

– Varför gör du så här?

Han såg mot det tomma fönstret.

– Vad talar du om?

– Varför gör du så här mot dig själv?

Rummet var mörkt, den som bodde där sov ännu.

– Jag förstår inte.

– Jag har sett dig här utanför tolv tisdagar i rad.

– Är det förbjudet eller?

– Samma veckodag, samma klockslag. Som då.

Ewert Grens svarade inte.

– Som när hon levde.

Susann tog ett steg nerför trappan.

– Du gör dig själv illa.

Hon höjde rösten.

– Det är en sak att bära sorg. Men du kan inte schemalägga den. Du lever inte *med* sorgen. Du lever *för* den. Du håller i den, gömmer dig bakom den. Förstår du inte, kommissarie Grens? Det du är rädd för har redan hänt.

Han sökte in i det mörka fönstret, han såg sig själv, solen reflekterade en äldre man som inte visste vad han skulle säga.

– Du måste släppa. Du måste gå vidare. Utan ett schema.

– Jag saknar henne så.

Susann lämnade trappan, tog tag i altandörrens handtag, hon skulle stänga den men stannade halvvägs, ropade.

– Jag vill aldrig mer se dig här.

DET VAR EN vacker lägenhet på femte våningen på Västmannagatan 79. Tre större rum i en äldre fastighet, högt i tak, slipade trägolv, en känsla av ljus med fönster också mot Vanadisvägen.

Piet Hoffmann stod i köket, öppnade kylskåpet och ännu en liter mjölk.

Han såg på mannen som låg på golvet med ansiktet över en röd plasthink. En liten skit från Warszawa, småtjuv och drogberoende, finnig, illa lagade tänder, kläder han burit för länge. Han sparkade honom med skons hårda spets i sidan, den illaluktande fan föll omkull och spydde äntligen, vit mjölk och små bruna bitar gummimassa på byxorna och på det blanka köksgolvet i något slags marmor.

Han skulle dricka mer. *Napij się kurwa.* Och han skulle spy mer.

Piet Hoffmann sparkade på honom igen men inte lika hårt, den bruna gummimassan hade virats kring varje kapsel för att skydda magen från tio gram amfetamin och han ville inte riskera att ett enda gram hamnade där det inte skulle. Den illaluktande mannen framför hans fötter var en av femton preparerade mulor som under natten och morgonen transporterat omkring tvåtusen gram vardera via m/f Wawel från Świnoujście och tåg från Ystad utan att vara medveten om de fjorton andra som korsat gränsen och nu satt på olika platser i Stockholm och väntade på att tömmas.

Han hade länge försökt tala lugnt, han föredrog det, men skrek nu allt *pij do cholery* högre medan han sparkade den lilla skiten, han skulle för helvete dricka ur den jävla mjölkförpackningen och han skulle för helvete *pij do cholery* spy upp tillräckligt med kapslar för att köparen skulle kunna kontrollera och värdera.

Den tunne mannen grät.

Han hade fläckar på byxorna och skjortan och det finniga ansiktet var lika vitt som golvet han låg på.

Piet Hoffmann sparkade inte längre på honom. Han hade räknat de mörka bitarna som simmade i mjölk och behövde inte fler just nu. Han fiskade upp den bruna gummimassan, tjugo nästan runda bollar som han sköljde med plasthandskar på under diskbänkens kran och sedan petade sönder tills de blivit tjugo små kapslar och låg på en av köksskåpets porslinstallrikar.

– Det finns mer mjölk. Och det finns flera kartonger med pizza. Du stannar kvar här. Du dricker och äter och spyr. Vi väntar på resten.

Vardagsrummet var varmt, instängt, de tre män som satt vid ett avlångt bord i mörk ek svettades alla, för mycket kläder och för mycket adrenalin, han öppnade balkongdörren och stod stilla medan sval vind släppte ut förbrukade andetag.

Piet Hoffmann talade polska, de två som skulle förstå vad han sa föredrog det.

– Han har artonhundra gram kvar. Ta hand om det. Och ge honom betalt när han är klar. Fyra procent.

De var ganska lika varandra, fyrtioårsåldern, mörka kostymer som var dyra och såg billiga ut, rakade huvuden som när han stod nära blev en tydlig krans av dygnsgammalt och råttfärgat hår, frånvarande ögon utan glädje och ingen av dem log heller särskilt ofta, han hade nog egentligen aldrig sett någon av dem skratta. De gjorde som han sa, försvann in i köket för att tömma den liggande och spyende mulan, det var ju hans leverans och ingen av dem hade någon lust att i Warszawa förklara ett köp som gått åt helvete.

Han vände sig mot den tredje mannen vid bordet, talade för första gången svenska.

– Det här är tjugo kapslar. Tvåhundra g. Det räcker om du ska värdera.

Han såg på någon som var lång, blond, vältränad och i hans egen ålder, runt trettiofem. Någon som hade svarta jeans och vit t-shirt och mycket silver runt fingrar, handleder, hals. Någon med mordförsök och fyra år på Tidaholm och med två grova misshandlar och tjugosju månader på Mariefred. Allt var rätt. Trots det, den där känslan han inte kunde ta på, som om köparen var påklädd, som om han spelade och inte gjorde det tillräckligt bra.

Piet Hoffmann fortsatte att se på honom när han ur den svarta jeansfickan drog upp ett rakblad och snittade en av kapslarna på längden och böjde sig fram mot porslinsfatet för att lukta på innehållet.

Den där känslan. Den fanns kvar.

Men han som satt där och skulle köpa kanske bara var påtänd. Eller nervös. Eller kanske var det för just det här som Piet mitt i natten hade ringt till Erik, det som inte stämde och var starkt men som han inte hade kunnat formulera per telefon.

Det luktade blommor, tulpaner.

Hoffmann satt två stolar bort men kände det tydligt.

Köparen hade hackat sönder den gulvita och hårda massan till något som liknade pulver, petat upp det på rakbladet och lagt det i ett tomt dricksglas. Han drog upp tjugo milliliter vatten i en spruta och släppte ner det i glaset och på pulvret som löstes upp och blev till en klar men trögflytande vätska. Han nickade, nöjd. Det hade lösts upp snabbt. Det hade blivit en klar vätska. Det var amfetamin och det var lika starkt som säljaren hade lovat.

– Tidaholm. Fyra år. Var det så?

Det hade sett professionellt ut. Men det kändes fortfarande inte bra.

Piet Hoffmann drog tallriken med kapslar till sig, väntade på svar.

– Nittiosju till tvåtusen. Men satt bara tre. Gick ut på delen.

– Vilken avdelning?

Hoffmann studerade köparens ansikte.

Inga muskelryckningar, inga blinkningar, inga andra tecken på nervositet.

Han hade talat svenska med en svag brytning, något grannland, Piet gissade på danska, möjligen norska. Han reste sig plötsligt, en irriterad hand lite för nära Piets ansikte. Det såg fortfarande bra ut men var för sent, sådant känns, han skulle ha blivit kränkt mycket tidigare, svept med den där handen framför ansiktet redan från början, *litar du inte på mig, din jävel.*

– Du har redan sett domen. Eller hur?

Nu, det var som om han *spelade* irriterad.

– En gång till. *Vilken avdelning?*

– C-huset. Nittiosju till nittionio.

– C-huset. Var?

Och han gjorde det för sent.

– Vafan håller du på med?

– *Var?*

– C-huset. Avdelningarna *har* inga nummer på Tidaholm.

Han log.

Piet Hoffmann log tillbaka.

– Vilka satt du med?

– Nu får det för helvete räcka!

Köparen talade högre, han skulle låta ännu mer irriterad, ännu mer kränkt.

Hoffmann hörde något annat.

Någon som lät osäker.

– Ska vi fortsätta det här eller inte? Jag hade fått för mig att du bett mig komma hit eftersom du ville sälja något?

– *Vilka satt du med?*

– Skåne. Mio. Josef Libanon. Virtanen. Greven. Hur många vill du ha?

– Vilka mer?

Han stod fortfarande upp, tog ett första steg mot Hoffmann.

– Jag avbryter det här.

Han ställde sig nära, silvret kring handled och fingrar blänkte när han höll handen framför Piet Hoffmanns ansikte.

– Du får inte fler. Det räcker nu. Du avgör om vi ska fortsätta.

– Josef Libanon är utvisad på livstid och försvann när han landade i Beirut för tre och en halv månad sedan. Virtanen har det senaste året suttit på Säters fasta och dreglat helt okontaktbar i en kronisk psykos. Mio är nedgrävd ...

De två i dyra kostymer och med rakade huvuden hade uppfattat höga röster och öppnat köksdörren.

Hoffmann vinkade åt dem att inte komma närmare.

– Mio är nedgrävd i sandtaget vid Ålstäket på Värmdö med två skott genom bakhuvudets vänstersida.

Det var nu tre stycken som talade ett främmande språk i rummet.

Piet Hoffmann noterade hur köparen såg sig omkring, hur han sökte en väg ut.

– Josef Libanon, Virtanen, Mio. Jag fortsätter med Skåne, söndersupen, han kommer inte längre ihåg om han satt på Tidaholm eller om det var på Kumla eller varför inte Hall. Och Greven ... honom skar personalen ner när han hängde i ett av

Härnösandshäktets lakan. Det var dina fem namn. Du valde dom väl. Eftersom ingen kan styrka att du också satt.

En av dem som bar mörk kostym, han som hette Mariusz, tog ett steg fram, en pistol i ena handen, den var svart, polsktillverkad Radom, och den såg ny ut när han höll den mot köparens huvud. Piet Hoffmann *uspokój się do diabła* skrek åt Mariusz, han skrek flera *uspokój się do diabła* gånger, Mariusz skulle för fan *uspokój się do diabła* ta det lugnt, inga jävla pistolmynningar mot någons tinning.

En tumme mot säkringen, Mariusz förde den långsamt bakåt, skrattade och sänkte pistolen och Hoffmann fortsatte, svenska igen.

– Vet du vem Frank Stein är?

Hoffmann såg på köparen. Ögonen som skulle se irriterade, kränkta, nu till och med rasande ut.

De var pressade och rädda och armen med silvret försökte dölja det.

– Det vet du att jag gör.

– Bra. Vem är han?

– C-huset. Tidaholm. Ett sjätte namn. Nöjd?

Piet Hoffmann lyfte upp sin mobiltelefon från bordet.

– Då kanske du vill snacka med honom lite? Eftersom ni satt ihop?

Han höll telefonen framför ansiktet, fotograferade ögon som bevakade och slog ett nummer han lärt sig utantill. De iakttog tysta varandra medan han skickade bilden och slog numret igen.

De två i kostym, Mariusz och Jerzy, talade hetsigt med varandra. *Z drugiej strony*. Mariusz skulle flytta på sig, han skulle stå på andra sidan, till höger om köparen. *Blizej głowy*. Han skulle gå ännu närmare, han skulle höja vapnet, hålla det mot höger tinning.

– Du får ursäkta, mina vänner från Warszawa, dom är lite nervösa.

Någon svarade.

Piet Hoffmann talade kort och höll sedan upp telefonens display.

En bild av en man som bar sitt långa mörka hår i hästsvans och hade ett ansikte som inte längre såg lika ungt ut som det var.

– Här. Frank Stein.

Hoffmann mötte oroliga ögon tills de vek undan.

– Och du ... du påstår fortfarande att ni känner varandra?

Han stängde av telefonen och la den på bordet.

– Mina två vänner talar inte svenska. Det här säger jag bara till dig.

En kort blick mot de två som nyss kommit närmare och diskuterat vilken sida de skulle stå på när de riktade pistolens mynning mot köparens huvud.

– Du och jag har ett problem. Eftersom du inte är den du påstår dig vara. Jag ger dig två minuter att förklara för mig vem du är.

– Jag förstår inte vad du menar.

– Inte så. Inget skitsnack. Det är för sent för det. Tala bara om vem fan du är. Och gör det nu. För till skillnad från mina vänner anser jag att lik ställer till problem och att dom är jävligt dåliga på att betala.

De väntade. På varandra. På att någon skulle tala högre än det monotona, smackande ljud som kom från munnen på den man som tryckte sin Radom hårdare mot ansiktets tunna hud.

– Du hade arbetat rätt bra med att få ihop en trovärdig bakgrund och du vet att den nyss sprack när du underskattade vem du har att göra med. Den här organisationen är byggd kring officerare i den polska underrättelsetjänsten och jag tar reda på vafan jag vill om dig. Jag kan fråga var du gick i skolan och du kan svara enligt din intränade mall men ett enda samtal och jag vet om det stämmer. Jag kan fråga vad din mamma heter, om din hund är vaccinerad, vilken färg du har på din nya kaffebryggare. Ett enda samtal och jag vet om det stämmer. Nu gjorde jag just det, ringde ett enda samtal. Och Frank Stein kände inte igen dig. Ni satt inte ihop på Tidaholm eftersom du aldrig suttit där. Din dom var en lögn för att du skulle kunna sitta här hos oss och låtsas köpa fabriksnytt amfetamin. *Så vi tar det en gång till.* Förklara vem du är. Och kanske, men bara kanske, kan jag få dom här två att inte trycka av.

Mariusz höll hårt i pistolens kolv, det smackande ljudet kom tätare, högre, han hade inte förstått vad Hoffmann och köparen talat om men uppfattade hur något var nära att brista. Han skrek på polska, *vafan snackar ni om, vem fan är han,* och osäkrade sitt vapen.

– OK.

Köparen kände väggen av omedelbar aggressivitet, den som var rastlös, oberäknelig.

– Jag är polis.

Mariusz och Jerzy talade inte svenska.

Men ett ord som *polis* behövde ingen översättning.

De skrek åt varandra igen, mest Jerzy, han skrek att Mariusz för helvete skulle trycka av medan Piet Hoffmann höll upp båda sina armar och tog ett steg närmare.

– Ni backar!

– Han är polis!

– Jag sköter det här!

– Inte nu!

Piet Hoffmann sprang mot dem men skulle inte hinna och han som hade metall tryckt mot huvudet kände det, han skakade, ansiktet förvridet.

– Jag är polis, för fan, få bort honom!

Jerzy hade nog sänkt rösten en aning och var *bliżej* nästan lugn när han instruerade Mariusz att stå nära och att *z drugiej strony* byta sida igen, det var nog bättre trots allt att skjuta genom den andra tinningen.

HAN LÅG KVAR i sängen, det var en sådan morgon när kroppen vägrade vakna och världen var för långt bort.

Erik Wilson andades in den fuktiga luften.

Det var fortfarande kallt när det öppna fönstret släppte in tidig morgon i södra Georgia men skulle snart bli varmt, ännu varmare än igår. Han försökte följa den stora takfläktens vingar som lekte ovanför huvudet men gav upp när ögonen tårades. Han hade sovit en timme i taget. De hade under natten talat fyra gånger med varandra och Paula hade låtit allt mer jagad för varje samtal, en röst som haft en främmande klang, stressad och vilsen på ett sätt som gränsade till flykt.

Han hade hört de bekanta ljuden från FLETC stora övningsgård en bra stund nu, klockan måste alltså ha passerat sju, tidig eftermiddag i Sverige, de skulle snart vara klara.

Han reste sig halvvägs upp, en kudde bakom ryggen. Han kunde från sängen se ut genom fönstret på dagen som sedan länge varit på plats. Den hårda ytan asfalt där Secret Service igår hade skyddat och räddat en president var visserligen tom, bara tystnaden efter en skottlossning på låtsas ekade fortfarande, men ett par hundra meter bort och på nästa övningsplats fanns ett antal morgonpigga från Border Patrol, militärliknande uniformer som sprang mot en vit och grön helikopter som landade nära dem, Erik Wilson räknade till åtta män som klev ombord och försvann mot himlen.

Han lämnade sängen och duschade kallt och det hjälpte nästan, natten blev tydligare, samtalen med rädslan.

Jag vill att du kliver av.

Du vet att det inte går.

Du riskerar tio till fjorton år.

Om jag inte genomför det här, Erik, om jag backar ur nu, om jag gör det utan vettig förklaring ... jag riskerar ännu mer. Livet.

Erik Wilson hade i varje samtal och på olika sätt försökt förklara att en leverans och en försäljning varken kunde eller fick genomföras utan hans uppbackning. Han hade inte kommit någonstans, inte med köparen och säljaren och mulorna redan på plats i Stockholm.

Det hade varit för sent att avbryta.

Han skulle hinna med en hastig frukost, blåbärspannkakor, bacon, det där ljusa luftiga brödet. En kopp svart kaffe och *New York Times*. Han satt alltid vid samma bord, ett tyst hörn i den stora matsalen, han föredrog att behålla morgonen för sig själv.

Han hade aldrig haft någon som Paula förut, någon som trängt så djupt in i en organisation, någon som varit lika skärpt, alert, kall, han arbetade just nu med fem stycken och Paula var bättre än alla de andra tillsammans, för bra för att vara kriminell.

En kopp svart kaffe till, han skyndade till rummet, han var sen.

Utanför det öppna fönstret surrade den grönvita helikoptern högt över marken och tre uniformer från Border Patrol hängde i den vajer som stack ut under den, kanske någon meter mellan var och en när de klättrade ner i farliga låtsasgränstrakter nära gränsen mot Mexiko, ännu en övning, alltid en övning här. Erik Wilson hade bott på militärbasen i östra USA i en knapp vecka, två veckor kvar av den här omgången med utbildning för europeiska polismän kring information, infiltration, vittnesskydd.

Han stängde fönstret, städerskorna tyckte inte om att det stod öppet, det var någonting med officershotellets nya system för luftkonditionering och hur det slutade fungera om alla vädrade på egen hand. Han bytte skjorta, såg en lång och ganska ljus medelålders man i spegeln som redan borde ha varit på väg mot en dag inomhus på skolbänken med poliser från fyra amerikanska delstater som kurskamrater.

Han stod kvar. Tre minuter över åtta. De borde vara klara nu.

Paulas mobiltelefon låg längst till höger av de fem på skrivbordet och precis som de andra med ett enda förprogrammerat nummer.

Erik Wilson hann inte ens fråga.

– *Det gick åt helvete.*

SVEN SUNDKVIST HADE nog aldrig lärt sig att tycka om utredningsrotelns långa och mörka och ibland ganska dammiga korridor. Han hade arbetat vid Citypolisen i hela sitt vuxna liv och från ett rum i dess ena ände, inte särskilt långt vare sig från postfacken eller varuautomaten, utrett varje rubricering formulerad i brottsbalken. Han var den här förmiddagen på väg i det mörka och dammiga när han passerade den öppna dörren till sin chefs rum och plötsligt stannade.

– Ewert?

Den stora och ganska klumpiga mannen kröp omkring längs rummets ena vägg.

Sven knackade försiktigt på dörrkarmen.

– Ewert?

Ewert Grens hörde honom inte. Han fortsatte att krypa framför ett par stora och bruna pappkartonger och Sven stötte bort känslan av olust. Han hade en gång tidigare sett den bullrige kriminalkommissarien på ett annat av polishusets golv, arton månader sedan, Grens hade suttit i källarvåningen med en pappershög från en gammal utredning i famnen och långsamt upprepat två meningar. *Hon är död. Jag dödade henne.* En tjugosju år gammal förundersökning om våld mot tjänsteman, en ung kvinnlig polis som skadats allvarligt och aldrig mer skulle leva utanför ett vårdhem. Sven Sundkvist hade när han senare läst rapporten på flera ställen fastnat på hennes namn. Anni Grens. Han hade inte haft en aning om att de hade varit gifta.

– Ewert, vad håller du på med?

Han packade ner något i de stora och bruna pappkartongerna. Så mycket var möjligt att se. Men inte vad. Sven Sundkvist knackade igen. Det var helt tyst inne i rummet, likväl, Ewert Grens hörde honom inte.

Det hade varit en märklig tid.

Ewert hade som alla andra sörjande först reagerat med förnekelse – *det har inte hänt* – sedan med ilska – *varför gör dom så här mot mig* – och sedan inte orkat ta sig vidare till nästa fas, han hade stannat där i ilskan, hans sätt att hantera det mesta. Ewerts sorgeprocess hade förmodligen inte börjat förrän alldeles nyss, några veckor sedan, han var inte längre lika ilsken, mer inbunden, mer fundersam, han talade mindre och tänkte förmodligen mer.

Sven gick in i rummet. Ewert hörde honom, vände sig inte om men suckade högt som han gjorde när han var irriterad. Något störde honom. Det var inte Sven, något hade stört honom sedan besöket på vårdhemmet som annars brukade ge ro. Susann, läkarstudenten som varit där så länge och skött Anni så bra och som nu blivit underläkare, hennes kommentarer, hennes avoghet, *du kan inte schemalägga din sorg*, det var ju jävligt lätt för en liten flicka på Lidingö att springa omkring och sprida sin tjugofemåriga livsvisdom, *det du är rädd för har redan hänt*, vafan visste hon om ensamhet?

Han hade kört fortare än han tänkt från vårdhemmet, gått raka vägen till polishusets förråd och hämtat fyra flyttkartonger och utan att veta varför fortsatt till tjänsterummet han haft lika länge som han hade minnen. Han hade sedan stått en stund framför hyllan bakom skrivbordet och det enda som betydde något, kassettbanden med Siw Malmkvists musik som han spelat in och sedan blandat själv, de tidiga skivkonvoluten från sextiotalet fortfarande i starka färger, fotografierna på Siwan som han tagit en kväll i Kristianstads Folkets Park, allt det som hörde ihop med då när det var bra.

Han hade börjat packa ner, slagit in i tidningspapper och staplat kartong för kartong.

– Hon finns inte mer.

Ewert Grens satt på golvet och stirrade på den bruna pappen.

– Hör du det, Sven? Hon kommer aldrig mer att sjunga i det här rummet.

Förnekelse, ilska, sorg.

Sven Sundkvist stod strax bakom sin chef och såg en kal hjässa och sedan bilder av alla de gånger han väntat medan Ewert långsamt vaggat fram och tillbaka ensam i rummet under den ganska trista lampan, tidiga morgnar och sena kvällar och Siw Malmkvists röst, han hade stått där och dansat med någon som inte fanns, han hade hållit henne hårt i famnen. Sven anade att han skulle sakna den irriterande musiken, texterna som tvingat sig på honom tills han nynnat dem utantill, en egen del av alla år av samarbete med Ewert Grens.

Han skulle sakna de bilderna.

Han skulle skratta för att de äntligen var borta.

Ewert hade gått genom ett vuxenliv med en krycka under varje arm. Anni. Siw Malmkvist. Nu skulle han gå själv. Det var väl därför han kröp omkring på golvet.

Sven satte sig ner i den trötta besökssoffan och såg på när han lyfte upp den sista lådan och ställde den ovanpå de två andra i ett av rummets hörn, när han mödosamt och omständligt tejpade ihop den. Ewert Grens var svettig och målmedveten, han knuffade på kartongerna tills de stod exakt där han ville ha dem och Sven ville fråga hur han egentligen mådde men gjorde inte det, det skulle vara fel, omtanke mest för sin egen skull och det Ewert nu höll på med var svar nog, han var på väg men ännu inte medveten om det själv.

– Vad har du gjort?

Hon hade inte knackat.

Hon hade gått rakt in i rummet och stannat tvärt när musiken varit frånvarande och hyllan vid skrivbordet ett tomt hål.

– Ewert? Vad har du gjort?

Mariana Hermansson tittade på Sven som nickade först mot hålet och sedan mot tre staplade papplådor. Hon hade aldrig tidigare besökt hans rum utan att höra musiken, det förflutna, Siw Malmkvist, hon kände inte igen det, inte utan det där ljudet.

– Ewert ...

– Ville du något?

– Jag ville veta vad du har gjort.

– Hon finns inte mer.

Hermansson gick fram till den tomma hyllan, kände med ett finger längs raka dammkanter efter kassettbanden, musikmaskinen, högtalarna, till och med det svartvita fotot på sångerskan som stått på samma plats i alla år.

Hon drog fram en dammtuss, gömde den i handen.

– *Hon* finns inte?

– Nej.

– Vem?

– Hon.

– Vem? Anni? Eller Siw Malmkvist?

Ewert vände sig för första gången om och såg på henne.

– Ville du något, Hermansson?

Han satt fortfarande på golvet, lutade sig mot kartongerna och mot väggen. Han hade sörjt i snart ett och ett halvt år och vandrat mellan sammanbrott och galenskap. Det hade varit en jävla tid och hon hade flera gånger bett honom fara åt helvete och lika många gånger bett om ursäkt efteråt. Hon hade vid ett par tillfällen varit nära att ge upp, säga upp sig och slippa den trasiga människans bitterhet som inte verkade ta slut. Hon hade långsamt börjat tro att han en dag skulle kapitulera och gå sönder helt, lägga sig ner för att aldrig mer resa sig upp. Men det här ansiktet, det bar mitt i det plågade något målmedvetet, en beslutsamhet som så länge varit någon annanstans.

Några pappkartonger, ett stort hål i en bokhylla, det var sådant som kunde vara oväntad lättnad.

– Ja. Jag ville något. Vi fick just ett larm. Västmannagatan 79.

Han lyssnade, hon kände det, han lyssnade på henne på det där intensiva sättet hon nästan glömt bort.

– En avrättning.

PIET HOFFMANN SÅG ut genom ett av den vackra våningens stora fönster. Det var en annan lägenhet i en annan del av Stockholms innerstad men de liknade nog varandra, båda med tre varsamt renoverade rum och båda med högt i tak och ljusa väggar. Men i den här låg ingen tänkt köpare på det slipade trägolvet med ett stort hål i ena tinningen och två i den andra.

Det stod grupper av människor därnere på den breda trottoaren, uppklädda och förväntansfulla på väg in till en eftermiddagsföreställning på den stora teatern och något lite fläshurtigt och buskisaktigt, folk som gick in och ut genom dörrar på en scen och skrek ut sina repliker.

Han längtade ibland till ett sådant liv, bara vardag, bara vanliga människor som gjorde vanliga saker tillsammans.

Han lämnade de uppklädda och förväntansfulla och fönstret med utsikt över både Vasagatan och Kungsbron, gick genom lägenhetens stora rum, hans rum, kontoret med det antika skrivbordet och två låsta vapenskåp och en öppen spis som numera fungerade riktigt bra. Han hörde den sista mulan kräkas i köket, hon hade hållit på länge nu, hon var inte van, det tog några resor att bli det. Han gick dit, Jerzy och Mariusz stod vid diskbänken med gula plasthandskar på händerna och plockade upp bit efter bit av den bruna gummimassan som den unga kvinnan kastade upp tillsammans med mjölk och något annat i de båda hinkarna på golvet framför sig. Hon var den femtonde och sista mulan. Den första hade de tömt på Västmannagatan, resten hade de tvingats tömma här. Piet Hoffmann tyckte inte om det. Den här lägenheten var hans skydd, fasad, han ville inte ha någon koppling hit vare sig med narkotika eller polacker. Men det hade varit bråttom. Det hade gått åt helvete. En människa hade fått tinningen genomskjuten. Han studerade Mariusz, mannen med det rakade huvudet och den dyra kostymen hade dödat för bara ett par timmar sedan men visade ingenting, om han inte kunde, om han bara var professionell. Hoffmann var inte rädd för honom och han var inte rädd för Jerzy men han hade respekt för deras gränslöshet, om han hade gjort dem oroliga, misstänksamma kring hans lojalitet, skottet som avlossats hade då lika gärna kunnat träffa hans eget huvud.

Ilska jagade frustration som jagade olust och han hade svårt att stå stilla eftersom det pågick inom honom.

Han hade varit där och han hade inte kunnat förhindra det.

Att förhindra det hade varit hans egen död.

Så en annan människa hade dött istället.

Den unga kvinnan framför honom var klar. Han kände henne inte, de hade aldrig träffats. Det räckte att han visste att hon hette Irina och att hon kom ifrån Gdańsk, att hon var tjugotvå år och student och tog risker så stora att hon inte begrep det. Hon var en perfekt mula. Det var just sådana de letade efter, den sorten. Det fanns förstås de andra, pundarna som kom i tusental från storstädernas förorter, villiga att använda sina kroppar som containrar för ännu mindre summor än vad en som hon fick men de hade lärt sig att inte använda drogmissbrukare, de var opålitliga och såg ofta till att kasta upp på egen hand långt före slutdestination.

Inom honom, ilskan och frustrationen och olusten, egentligen flera känslor, flera tankar.

Det hade inte blivit någon operation. Däremot en leverans han inte hade haft kontroll över.

Det hade inte blivit något resultat. De båda polackerna skulle så här dags ha varit tillbaka i Warszawa, hans redskap för att kartlägga och identifiera ännu en samarbetspartner.

Det hade inte blivit någon affär. De hade tagit in femton mulor i onödan, tio erfarna som de använt förut med tvåhundra kapslar vardera och fem nya med etthundrafemtio kapslar vardera, sammanlagt mer än tjugosju kilo fabriksnytt amfetamin som utblandat för försäljning på gatan var åttioett kilo säljbart för etthundrafemtio kronor grammet.

Men utan uppbackning blev det ingen operation, inget resultat, inte ens någon affär.

Det blev en okontrollerad leverans som slutade med mord.

Piet Hoffmann nickade kort mot den unga, bleka kvinnan som hette Irina. Pengarna hade sedan morgonen legat i färdiga och hoprullade buntar i hans byxfickor, han tog upp den sista, bläddrade bland sedlarna, hon skulle se att det stämde. Hon var en av de nya och saknade ännu den kapacitet som organisationen förväntade sig, hon hade på den första resan bara levererat femtonhundra gram, i utblandad och säljbar form tre gånger så mycket och värt sammanlagt sexhundrasjuttiofemtusen kronor.

– Dina fyra procent. Tjugosjutusen kronor. Men jag avrundar uppåt. Tretusen euro. Om du vågar svälja mer nästa gång tjänar du mer. Varje leverans tänjer ut din magsäck lite till.

Hon var vacker. Också när hennes ansikte var blekt och hårfästet svettigt. Också när hon legat på knä i en svensk trerumslägenhet och spytt i ett par timmar.

– Och mina biljetter.

Piet Hoffmann nickade mot Jerzy som tog fram två biljetter ur den mörka kavajens innerficka. En för tåg mellan Stockholm och Ystad och en för färja mellan Ystad och Świnoujście. Han räckte dem mot henne och hon skulle just ta dem när han drog undan sin hand och log. Han väntade och räckte sedan fram dem en gång till, hon sträckte sig en gång till efter dem och han drog en gång till undan dem.

– För fan, hon har förtjänat dom!

Hoffmann ryckte biljetterna ur hans hand och gav dem till henne.

– Vi hör av oss. När vi behöver din hjälp igen.

Ilskan, frustrationen, olusten.

De var ensamma igen i lägenheten som föreställde kontor för ett av Stockholms säkerhetsbolag.

– Det här var min operation.

Piet Hoffmann tog ett steg närmare den man som under förmiddagen skjutit ihjäl en människa.

– I det här landet är det *jag* som talar språket och det är *jag* som ger order.

Det var mer än ilska. Det var vrede. Han har hållit den inom sig sedan skottet. De skulle först ta hand om mulorna, tömma dem, säkra leveransen. Han kunde släppa ut den nu.

– Om någon ska skjuta så är det på min, *och bara min*, order.

Han var inte säker på varifrån den kom, varför den var så stark. Om det var besvikelsen över att en samarbetspartner inte hade identifierats. Om det var frustration över att en människa som sannolikt hade haft samma uppdrag som han själv avrättats i onödan.

– Och pistolen, var fan har du den?

Mariusz pekade mot bröstet, mot kavajens innerficka.

– Du har mördat. Det är livstids fängelse på det. Och du är så jävla dum att du fortfarande förvarar vapnet i din innerficka?

Vreden och något annat drog i honom. *Ni skulle ha varit tillbaka i Polen för att rapportera.* Han motade bort känslan som lika mycket var rädsla, gick mot mannen som log och pekade på sin innerficka, stannade med ansiktet nära. *Spela din roll.* Det handlade egentligen bara om det, om makt och respekt, om att ta och sedan inte släppa. *Spela din roll eller dö.*

– Det var en polis.

– Och hur fan vet du det?

– Han sa det.

– Och sedan när talar du svenska?

Piet Hoffmann andades långsamt, markerade att han var irriterad och trött när han gick fram till det runda köksbordet och metallkärlen som innehöll tvåtusensjuhundrafemtio uppspydda och rentvättade kapslar, drygt tjugosju kilo outblandat amfetamin.

– Han sa polis. Jag hörde det. Du hörde det.

Hoffmann vände sig inte om när han svarade.

– Du var med på samma möte som jag i Warszawa. Du visste vad som gällde. Tills vi är klara här är det *jag*, och *bara jag*, som bestämmer.

HAN HADE SUTTIT obekvämt under den korta resan mellan Kronoberg och Vasastan. Snarare, han hade suttit *på* något. När Hermansson svängde in på Västmannagatan och bilen närmade sig nummer 79 lyfte han den tunga kroppen en aning medan han kände med handen på sätet. Två kassettband. Blandade Siwan. Han höll de hårda plastaskarna i handen och såg på musik han borde ha packat ner, sedan mot framsätet och handskfacket, i det låg ytterligare två kassetter. Han böjde sig ner och förde dem så långt in under passagerarsätet det var möjligt, han var lika rädd för att vara nära dem som för att glömma att ta dem med sig, de sista fyra bitarna från ett annat liv som skulle ligga i en papplåda försluten med tejp.

Ewert Grens föredrog att sitta just där, i baksätet.

Han hade inte längre någon musik att spela och heller ingen lust att vare sig lyssna på eller besvara kommunikationsradions regelbundna anrop. Dessutom körde Hermansson betydligt bättre i den täta huvudstadstrafiken än vad både Sven och han själv gjorde.

Det var trångt, tre polisbilar och kriminalteknikernas mörkblå Volkswagenbuss dubbelparkerade utanför den täta raden med hyresgästernas bilar. Mariana Hermansson saktade in, körde upp på trottoaren och stannade framför porten nära de två uniformerade polismän som bevakade den. De var båda unga och bleka och den som stod närmast skyndade fram mot två män och en ung kvinna i en röd bil. Hermansson visste vad han ville och i samma ögonblick som han skulle knacka på rutan vevade hon ner den och höll upp sin polislegitimation.

– Vi är utredare. Alla tre.

Hon log mot honom, han inte bara såg ung ut, han var sannolikt till och med betydligt yngre än vad hon själv var. Hon gissade att han gjorde sina första veckor, det var inte särskilt många som inte kände igen Ewert Grens.

– Det var ni som tog larmet?

– Ja.

– Vem larmade?

– Anonymt enligt LKC.

– Ni beskrev en avrättning?

– Vi sa att det *såg ut* som en avrättning. Ni kommer att förstå när ni är däruppe.

Dörren på femte våningen och längst bort från hissen stod öppen. Ännu en uniformerad kollega vaktade. Den här var äldre, hade tjänstgjort längre, han kände igen och nickade mot Sundkvist. Hermansson hade två steg senare sin egen legitimation beredd och hon skulle strax visa den, hon undrade om hon någonsin skulle stanna tillräckligt länge någonstans för att bli igenkänd av fler än den närmaste kretsen, hon trodde inte det, hon var nog inte en sådan som stannade kvar.

De klädde på sig vita rockar och genomskinliga skoskydd och gick in, Ewert hade envisats med att vänta på en hiss som var långsam ner och långsam upp, han skulle komma snart.

En ganska trång hall, ett sovrum med en enkel och smal säng som enda möbel, ett kök med vackra skåp målade i någon grön färg och ett arbetsrum med ett övergivet skrivbord och tomma bokhyllor.

Ett rum kvar.

De såg på varandra, fortsatte in.

Vardagsrummet hade egentligen en enda möbel. Ett stort och rektangulärt matbord i ek med sex tillhörande stolar. Fyra av dem stod nära, den femte en bit ifrån och ganska snett som om någon hade suttit ner och plötsligt rest sig upp. Den sjätte låg ner på golvet, den tunga stolen hade av någon anledning fallit omkull och de gick närmare för att förstå varför.

Det var nog den mörka fläcken på mattan de såg först.

En ganska stor fläck, nästan brunaktig och med ojämna kanter. De gissade på fyrtio, kanske femtio centimeter i diameter.

Strax såg de också huvudet.

Det låg mitt i fläcken, ovanpå den, som om det flöt. En man som tycktes ganska ung, det var svårt att säkert avgöra eftersom ansiktet var söndertrasat men kroppen var stark och kläderna av en sort äldre män sällan bar, svarta boots, svarta jeans, en vit t-shirt, mycket silver kring hals, handleder, fingrar.

Sven Sundkvist försökte koncentrera sig på pistolen i höger hand.

Om han bara såg tillräckligt länge på den, om han skar bort allt annat, slapp han kanske den fula döden han aldrig skulle förstå.

Den lyste glänsande svart, en kaliber som var nio millimeter och ett fabrikat han inte mött särskilt ofta på brottsplatser, Radom, ett polsktillverkat vapen. Han lutade sig närmare teknik och därmed längre från ett liv som runnit ut och format en mörk fläck på en dyr matta. Det verkade som om slutstycket hade fastnat i utkastsläget, han kunde tydligt se kulan som hunnit halvvägs in i loppet, han granskade sedan pipan, kolven, säkringssprinten, han letade efter något att fästa blicken på, vad som helst men inte död.

Nils Krantz stod därborta. Bredvid honom två yngre kollegor. Tre tekniker som tillsammans sökte av varje vrå i rummet. En av dem höll en videokamera i handen, filmade något på väggen, på den vita tapeten. Sven tog ett kliv långt från huvudet och såg på det kameran såg, en liten missfärgning av något slag, något som var ofarligt och tillräckligt långt från ögon som saknade liv.

– Den döde har *ett* ingångshål från *ett* skott i skallen.

Nils Krantz hade smugit upp bakom sin filmande kollega och nära Sven Sundkvists öra.

– Men *två* utgångshål.

Sven vände sig bort från tapeten och missfärgningen och såg frågande på den äldre kriminalteknikern.

– Och ingångshålet är större än de båda utgångshålen eftersom gastrycket var påsittande.

Sven hörde vad Krantz sa. Men han förstod det inte och valde att låta bli att fråga för att slippa veta, följde istället hans finger när det pekade på tapetens missfärgning.

– Förresten, det där som vi nyss filmade och som du nu tittar på, det kommer från den döde, hans hjärnsubstans.

Sven Sundkvist andades långsamt. Han hade velat undvika död och därför valt att fokusera på en missfärgning av tapeten och sedan fått ännu mer död, så konkret den överhuvudtaget kunde bli. Han sänkte blicken och uppfattade hur Ewert kom in i rummet.

– Sven?

– Ja?

– Borde du inte gå ner och förhöra kollegorna som tog larmet? Kanske grannarna? Dom som inte finns *här*.

Sven såg tacksamt på sin chef, skyndade ut från mörka fläckar på mattor och missfärgningar av tapeter medan Ewert Grens satte sig på huk för att komma nära den livlösa kroppen.

DE HADE FÖRDELAT makt igen. De skulle göra det igen. Och han måste vinna varje gång.

Fortsätt spela. Eller dö.

Han stod mellan Mariusz och Jerzy kring Hoffmann Securitys runda köksbord och tömde tvåtusensjuhundrafemtio kapslar med amfetamin. Den sista sändningen från fabriken i Siedlce. Vita läkarhandskar i plast hade först petat bort den bruna gummimassan som skulle skydda mulans magsäck vid läckage och sedan med en kniv i kapselns mitt släppt ner pulvret i stora glasskålar för att blanda ut det med druvsocker. En del amfetamin från östra Polen på två delar druvsocker från Konsum vid Odengatan. Tjugosju kilo ren narkotika blev åttioett kilo säljbar på gatan.

Piet Hoffmann placerade en metallfärgad burk på en hushållsvåg och fyllde den med exakt ett tusen gram utblandat amfetamin. En remsa aluminiumfolie försiktigt över pulvret och sedan något som liknade en sockerbit ovanpå folien. Han förde en tändsticka mot metatabletten och när den vita fyrkanten började brinna tryckte han fast burkens lock, lågan skulle strax dö när syret tog slut och ett kilo amfetamin vakuumförpackats.

Han upprepade det sedan, en burk i taget, åttioen gånger.

– Bensinen?

Jerzy öppnade flaskan med kemiskt ren bensin, skvätte den färglösa vätskan på burkarnas lock och sidor och gned med bomullstussar ut den över metallytorna. En tändsticka igen, den flammade till, en blåaktig låga som han tio sekunder senare kvävde med en tygtrasa.

Nu var alla fingeravtryck borta.

BLODFLÄCKARNA VAR NOG minst på hallens tapet, aningen större på väggen i andra änden av det stora vardagsrummet, växte lite till på matbordet och var som störst på golvet kring den omkullvälta stolen. De blev också mörkare och mer kompakta ju närmare liket de kom, tydligast var den stora fläcken på mattan som det livlösa huvudet vilade på.

Ewert Grens satt tillräckligt nära för att höra om han som låg ner plötsligt skulle viska. Den kändes ingenting, den här döden, den hade inte ens något namn.

– Ingångshålet, Ewert. Här.

Nils Krantz hade filmat och fotograferat och krupit omkring på alla fyra, en av de få yrkesmän Grens litade på och som tillräckligt många gånger visat att han var en av dem som inte föredrog ett enkelt svar för att kunna komma hem och titta på tv en timme tidigare.

– Någon har hållit pistolen hårt mot huvudet. Gastrycket mellan vapnets mynning och tinningen var därför enormt. Du ser själv. Halva sidan sönderssprängd.

Ansiktets hud var redan gråaktig, ögonen tomma, munnen ett rakt streck som aldrig mer skulle tala.

– Jag förstår inte. Ett ingångshål. Men två utgångshål?

Krantz höll handen nära hålet som var stort som en tennisboll mitt på huvudets högra sida.

– Jag har under trettio år bara sett det ett par gånger. Men det händer. Och obduktionen kommer att bekräfta det. Att det handlar om ett enda skott. Jag är säker på det.

Han drog i ärmen på Grens vita skyddsrock, hans röst nästan ivrig.

– Ett enda skott mot tinningen. Kulan som är halvmantlad, hälften bly och hälften titan, delade på sig när den slog mot ett av skallens ben.

Krantz reste sig och sträckte upp en arm i luften. Det var en äldre våning och taket tre meter och tjugo centimeter upp. Ett par magra sprickor, annars i gott skick, bortsett från det kriminalteknikern pekade på, ett djupt sår i det vitmålade.

– Där plockade vi ut ena hälften av kulan.

Små bitar betong hade fallit bort när försiktiga fingrar grävt fram hård metall.

En bit bort ett betydligt större sår i mjukt trä.

– Och här satt den andra halvan. Dörren till köket var alltså stängd.

– Jag vet inte, Nils.

Ewert Grens satt fortfarande nära huvudet som hade för många hål.

– Larmet beskrev en avrättning. Men när jag tittar ... det skulle lika gärna kunna handla om ett självmord.

– Någon har försökt få det att se ut så.

– Vad menar du?

Krantz placerade sin fot nära handen som höll i en pistol.

– Det ser arrangerat ut. Jag tror att någon skjutit honom och *efteråt* placerat vapnet i hans hand.

Han försvann ut i hallen, återvände genast, en svart väska i handen.

– Men jag ska kontrollera det. Ett skjuthandsprov. Sedan vet vi.

Ewert räknade, en blick mot Hermansson, hon gjorde detsamma.

En timme och fyrtiofem minuter sedan larmet, det var fortfarande gott om tid kvar, liket hade ännu inte hunnit attrahera tillräckligt med främmande partiklar för att göra ett skjuthandsprov värdelöst.

Krantz öppnade väskan och letade fram en rund tub med fingeravtryckstejp i ena ändan, tryckte tejpen flera gånger mot den dödes hand, särskilt i området mellan pekfingret och tummen. Han flyttade sig sedan till köket och det mikroskop som stod färdigt på diskbänken, la fingeravtryckstejpen på en glasskiva och studerade den genom ett okular.

Det räckte med några sekunder.

– Inga krutrester.

– Som du trodde.

– Handen som håller i pistolen har alltså inte skjutit.

Han vände sig om.

– Det här är mord, Ewert.

HAN FÖRDE VÄNSTER arm mot höger axel och drog i läderremmen tills trycket över skuldrorna släppte och han kunde hålla vapenhölstret med en hand. Han öppnade det och drog ut en pistol av fabrikatet Radom och med en kaliber av nio millimeter. Han gjorde mantelrörelse, placerade också den sista kulan i magasinet, samtliga fjorton var nu på plats.

Piet Hoffmann stod stilla en kort stund och andades tillräckligt högt för att höra det själv.

Han var ensam i rummet och lägenheten som hade utsikt över Vasagatan och Kungsbron. Den sista mulan satt sedan ett par timmar på ett tåg söderut och Mariusz och Jerzy hade nyss startat en bil på väg åt samma håll.

En lång dag men ännu bara eftermiddag och han skulle vara vaken många timmar till.

Vapenskåpen stod på golvet bakom skrivbordet. Två identiska skåp, någon meter höga, någon meter breda, ett tomt mindre fack upptill och två stycken gevär i ett betydligt större fack nertill. Han placerade pistolen högt upp i det första skåpet och det fulla magasinet lika högt upp i det andra.

Han gick genom de rum som sedan två år tillbaka var kontor för Hoffmann Security AB. En av moderbolaget Wojtek Security Internationals många filialer. Han hade vid det här laget besökt de flesta någon gång och de som låg längst norrut vid flera tillfällen, den i Helsingfors, den i Köpenhamn, den i Oslo.

Den öppna spisen var vacker med det mörka teglet och den vita strukturen, den sorten han visste att Zofia länge hade önskat sig hemma. Han fiskade upp en hand små och torra bitar från vedkorgens botten, tände eld på dem och väntade tills också de lite större och tjockare han lagt ovanpå brann av egen kraft innan han klädde av sig. Kavajen, byxorna, skjortan, kalsongerna, strumporna försvann i nästan gula lågor. Sedan högen med Jerzys och Mariusz kläder, lågorna var nu röda och kraftfulla och han stod naken framför dem och njöt av behaglig värme medan de sjönk ihop tillräckligt för att han skulle kunna stänga badrumsdörren och duscha av sig ett jävligt dygn.

En människa hade fått tinningen bortskjuten.

En människa som sannolikt hade haft samma uppdrag som han själv men med en sämre byggd bakgrund.

Han vred på reglaget och vattnet slog hett mot hans hud, den där gränsen mot smärta som var skör men om han stod ut domnade kroppen sakta bort och fylldes av märkligt lugn.

Han hade hållit på med det här för länge, det hände att han glömde bort vem han var och det skrämde honom när livet som någon annan växte ihop med livet som make och pappa och dagar i en villa i ett område där grannar klippte gräset och rensade i rabatter.

Hugo och Rasmus.

Han hade lovat att hämta dem strax efter fyra. Han stängde av vattnet och tog ett nytt badlakan från hyllan bredvid spegeln. Klockan närmade sig halv fem. Han skyndade till kontorsrummet, kontrollerade att elden långsamt dog, öppnade garderoben och valde en vit skjorta, en grå kavaj, slitna jeans.

– *Du har nu sextio sekunder på dig att lämna och låsa din lägenhet.*

Han ryckte till och insåg att han aldrig skulle vänja sig vid den elektroniska rösten som talade från kodlåset vid ytterdörren i det ögonblick han slagit in sex korrekta siffror.

– *Om femtio sekunder aktiveras ditt larm.*

Han skulle strax ta kontakt med Warszawa, han borde redan

ha gjort det men hade medvetet väntat, ville först veta att leveransen var säkrad.

– *Om fyrtio sekunder aktiveras ditt larm.*

Han låste gallergrinden och den tjocka ytterdörren till Hoffmann Security AB. Ett säkerhetsbolag. Det var så organisationen arbetade. Det var så alla grenar av öststatsmaffian arbetade. Piet Hoffmann mindes besöket ett år tidigare i Sankt Petersburg, en stad med åttahundra säkerhetsbolag grundade av före detta KGB-poliser och underrättelseofficerare, andra fasader men med samma verksamhet.

Han hade hunnit halvvägs nerför trapporna när en av hans två telefoner ringde.

Den mobiltelefon en enda person hade numret till.

– Vänta lite.

Han hade parkerat en bit bort på Vasagatan. Han öppnade och klev in, fortsatte samtalet utan eventuella åhörare.

– Ja?

– Du behöver min hjälp.

– Den behövde jag igår.

– Jag har bokat om min hemresa och kommer till Stockholm redan imorgon. Vi ses på femman klockan elva. Och jag tror att du också borde göra en resa innan dess. För din trovärdighet.

DE STORA HÅLEN i den dödes huvud verkade ännu större när han stod en bit bort.

Ewert Grens hade följt Nils Krantz in i köket men efter ett tag vänt sig om och betraktat mannen som låg nära en omkullvält stol och hade *ett* ingångshål genom höger tinning men *två* utgångshål genom vänster. Han hade utrett mord lika länge som han där på golvet hade andats och lärt sig en enda sanning – varje död var unik, hade sin egen historia, sitt eget förlopp, sin egen fortsättning. Han mötte varje gång något han aldrig sett förut och visste redan när han närmade sig tomma ögon att de såg åt det håll han inte borde gå.

Han undrade var just den här döden slutade, vad just de här ögonen hade sett och skulle fortsätta mot.

– Ville du veta eller inte?

Krantz hade suttit på huk på köksgolvet och väntat lite för länge.

– Annars har jag annat att göra.

Han höll handen nära en springa i marmorgolvet. Ewert Grens nickade, jag lyssnar.

– Fläcken där. Ser du?

Grens såg på något som verkade vitt och hade ojämna kanter.

– Rester från en magsäck. Och med säkerhet mindre än tolv timmar gamla. Det finns flera likadana fläckar i det här området.

Kriminalteknikern ritade en mindre cirkel med handen i luften.

– Alla med samma innehåll. Matrester och galla. Men också något som är betydligt mer intressant. Fragment av gummimassa.

Det vita med de ojämna kanterna gick att se på minst tre ställen när Grens kommit närmare med ansiktet.

– Gummimassan är delvis sönderfrätt, förmodligen av magsyra.

Krantz tittade upp.

– Och spår av gummimassa i spyor, det vet vi ju vad det betyder.

Ewert Grens suckade högt.

Gummimassa betydde mänsklig container. Mänsklig container betydde narkotikaleverans. En död man i samband med narkotikaleverans betydde knarkmord. Och knarkmord betydde nästan alltid spaningsmord och massor av timmar, massor av resurser.

– En mula, en sväljare som levererat, precis här, i köket.

Han vände sig mot vardagsrummet.

– Och han? Vad vet vi om honom?

– Ingenting.

– Ingenting?

– Inte än. Något ska väl du göra, Grens.

Ewert Grens gick in i vardagsrummet och fram till mannen som inte längre fanns, såg på honom medan två män tog tag i hans armar och ben, medan de lyfte honom och la honom i en svart gummisäck, medan de drog upp det tröga blixtlåset och placerade säcken på en rullbår i metall som precis fick plats när de knuffade den genom en trång hall.

HAN HADE LÄMNAT Vasagatan och fastnat i kön på Söderleden i höjd med Slussen. Klockan närmade sig fem, han borde ha hämtat på förskolan för nästan en timme sedan.

Piet Hoffmann satt i bilen och försökte mota bort stress och värme och irritation över en eftermiddagstrafik han inte kunde påverka. Tre filer stod stilla och gjorde det så långt fram i tunneln det var möjligt att se. Han brukade för att slippa slåss med storstaden tänka på Zofias ansikte som var så mjukt när hans fingrar sökte det eller Hugos ögon när han cyklade alldeles själv eller Rasmus hår som spretade åt alla håll av nyponsoppa och utspädd apelsinjuice. Det fungerade inte. *Vilka satt du med?* Bilder av dem han tyckte om gled varje gång över i bilder av en leverans som i en lägenhet på Västmannagatan blev en annan människas död. *Skåne. Mio. Josef Libanon. Virtanen. Greven. Hur många vill du ha?* En annan infiltratör med samma uppdrag som han själv. *Vilka mer?* En annan infiltratör som suttit mittemot honom men spelat sämre. *Vilka mer!* Han om någon visste hur en fejkad bakgrund såg ut, hur den var uppbyggd, vilka frågor som skulle ställas för att spräcka den. De hade arbetat för polisen från var sitt håll och hamnat på samma plats och han hade inte haft något jävla val, de skulle båda ha dött annars, nu hade det räckt med en och en som inte var han själv.

Han hade sett människor dö förut. Det var inte det. Hans vardag krävde det och hans trovärdighet krävde det och han hade lärt sig att skaka av sig döda människor som inte var nära. Men operationen hade varit hans ansvar, ett mord, han riskerade livstids fängelse.

Erik hade ringt från en flygplats utanför Jacksonville. Nio år på den svenska Polismyndighetens inofficiella lönelista som hemligt statsanställd hade lärt Piet Hoffmann att han var värdefull och myndigheten hade tidigare trollat bort förseelser såväl i tjänsten som privat. Erik Wilson skulle trolla bort den här också, poliser var bra på sådant, några hemliga underrättelserapporter på rätt chefsbord brukade räcka.

Hettan hade tilltagit i den stillastående bilen och Piet Hoffmann torkade bort svetten som rann längs skjortans krage samtidigt som de förbannade köerna började släppa. Han fixerade en registreringsskylt som rörde sig långsamt ett par meter framför och tvingade tillbaka bilderna av Hugo och Rasmus och det riktiga livet och kunde tjugo minuter senare kliva ut på Hagtornsgårdens gästparkering mitt i Enskededalens stora område med hyreshus.

Han närmade sig ytterdörren och stannade plötsligt med handen stilla i luften någon centimeter från handtaget. Han lyssnade på röster hos lekande, stojande, högljudda barn och han log, fastnade några sekunder i dagens bästa stund. Han öppnade dörren men avbröt igen, det var som om det stramade över axlarna och han förde hastigt en hand under kavajen, en lång utandning av lättnad, han *hade* tagit av sig vapenhölstret.

Han öppnade dörren. Det luktade nybakat, ett sent mellanmål för ett par av barnen som satt tillsammans vid ett bord i matrummet. Det högljudda kom från salen längre in, det stora lekrummet. Han satte sig ner på en låg stol i farstun nära små skor och färgglada jackor på hängare som var märkta med barnens namn och egenhändigt tecknade elefanter.

Han nickade åt en ung kvinna, någon ny i personalen.

– Hej.

– Hugos och Rasmus pappa?

– Hur kunde du gissa det? Jag har inte ...

– Inte särskilt många kvar.

Hon försvann bakom en hylla med väl använda pussel och fyrkantiga byggklossar i trä och kom strax tillbaka med två barn som var tre och fem år gamla och som fick hans hjärta att skratta.

– Hej pappa.

– Hej hej pappa.

– Hej hej hej pappa.

– Hej hej hej ...

– Hej mina två pojkar. Båda vann. Vi hinner inte med fler *flest hej* idag. Imorgon. Då hinner vi igen. OK?

Han sträckte sig mot en röd jacka och trädde den på Rasmus raka armar, drog honom sedan till famnen för att byta inneskor mot uteskor på ett par fötter som inte stod särskilt stilla. Han lutade sig framåt och en kort blick på sina egna skor. Helvete. Han hade glömt att lägga dem i den öppna spisen. Det svarta som blänkte kunde vara en yta av död, fragment av hud och blod och hjärnsubstans, han skulle bränna dem genast de kom hem.

Han kände på bilbarnstolen som stod bakåtvänd i passagerarsätet. Den satt lika spänd som den skulle och Rasmus petade som han brukade redan loss små bitar mönster från sätets tygöverdrag. Hugos var mer en hård fyrkant att sitta på för att komma lite högre upp och han kontrollerade säkerhetsbältet samtidigt som han pussade den mjuka kinden.

– Pappa ska bara ringa. Är ni tysta en liten liten stund? Jag lovar att vara klar innan vi kör under Nynäsvägen.

Amfetamin i kapslar, bilbarnstolar som skulle spännas säkert, skor som blänkte fragment av död.

Han orkade just nu inte riktigt förstå att det var olika delar av en vardag.

Han stängde av telefonen precis i det ögonblick bilen korsade den trafikerade infartsleden. Han hade hunnit med två korta samtal, det första till resebyrån för att boka det sista SAS-flyget klockan 18.55 till Warszawa och det andra till Henryk, kontaktmannen på huvudkontoret, för att boka ett möte på plats tre timmar senare.

– Jag hann. Jag blev klar precis på den här sidan av vägen. Nu ska jag bara prata med er.

– Pratade med jobbet?

– Ja. Med jobbet.

Tre år gammal. Och han separerade redan språken och vad pappa använde dem till. Han strök en hand över Rasmus hår och kände hur Hugo lutade sig fram bakom honom för att säga någonting.

– Jag kan också polska. *Jeden, dwa, trzy, cztery, pięć, sześć, siedem ...*

Han tystnade, fortsatte med rösten aningen mörkare.

– ... åtta, nio, tio.

– Bra. Du kan ju jättelångt.

– Jag vill kunna längre.

– *Osiem, dziewięć, dziesięć.*

– *Osiem, dziewięć ... dziesięć?*

– Nu kan du.

– Nu kan jag.

Bilen passerade Enskede blomsteraffär och Piet Hoffmann stannade, backade tillbaka och gick ut.

– Vänta här en liten stund. Jag kommer strax.

En röd brandbil i plast stod ett par hundra meter senare mitt på en trång garageinfart och han lyckades undvika den till priset av att skrapa bilens högersida lätt mot staketet. Han knäppte upp säkerhetsbälten och bilbarnstolar och stod kvar och följde deras springande fötter över en mossgrön gräsmatta. De kastade sig båda ner på marken och kröp genom den låga häcken in till grannhuset med tre barn och två hundar. Piet Hoffmann skrattade till och blev varm i magen och längs halsen, deras energi och glädje, ibland var allt bara enkelt.

Han höll buketten i handen och låste upp dörren till det mörka huset de lämnat i hast, det hade varit en sådan morgon, när allt tog lite längre tid. Han skulle strax diska upp frukostens tallrikar som fortfarande stod på bordet och plocka upp kläderna som låg utspridda i varje rum på hela nedervåningen men gick först trappan ner mot källaren och pannrummet.

Det var maj månad och timern till oljepannan skulle vara avstängd länge till, han startade den manuellt, tryckte på den röda knappen och öppnade luckan och lyssnade på hur den skakade igång och började brinna. Han böjde sig ner, knöt upp skorna och släppte dem över elden.

De tre röda rosorna skulle stå mitt på köksbordet i vasen som var så fin och som de köpt en sommar på Kosta glasbruk, Zofias och Hugos och Rasmus tallrikar på de platser de suttit vid sedan de samma sommar lämnat lägenheten. Ett halvt kilo tinad köttfärs från hyllan högst upp i kylskåpet, han fräste den i en stekpanna, salt och peppar, matlagningsgrädde och två burkar krossade tomater. Det började lukta gott, ett finger ner i pannan, det smakade också gott. En kastrull till hälften fylld med vatten och en skvätt olivolja för att undvika att pastan kokade över.

Han gick till husets andra våning och in i sovrummet. Sängen var obäddad och han sjönk med ansiktet in i kudden som luktade hon. Den ständigt packade resväskan väntade i garderoben, två pass, plånboken med euro, złoty och amerikanska dollar, en skjorta, strumpor, underkläder och en necessär. Han tog den i handen men ställde den i hallen, vattnet hade börjat koka, en halv påse spröda spagettipinnar genom fuktig ånga. Han såg på klockan. Halv sex. Han hade bråttom men skulle hinna.

Det var fortfarande varmt ute, den sista strimman sol skulle snart försvinna bakom grannhusets tak. Piet Hoffmann gick fram till häcken som den här sommaren borde klippas ner ordentligt, han såg två barn han kände igen på andra sidan och ropade åt dem att det var mat. En bit ner på den smala gatan hörde han taxin närma sig, den svängde in och parkerade på garageuppfarten, den röda plastbrandbilen klarade sig igen.

– Hej.

– Hej.

De höll om varandra, som de brukade göra, han tänkte varje gång att han aldrig mer skulle släppa.

– Jag hinner inte äta med er. Jag måste till Warszawa ikväll. Ett akut möte. Men kommer hem till imorgon kväll. OK?

Hon ryckte på axlarna.

– Egentligen inte. Jag hade sett fram emot en kväll tillsammans. Men OK.

– Jag lagade mat. Den står på bordet. Jag har sagt till ungarna, dom är på väg. Eller borde åtminstone vara det.

En kort puss på hennes mun.

– En till. Du vet det.

En till. Alltid jämnt antal. Hans hand mot hennes kind, två pussar till.

– Nu blev det tre. En till.

Han pussade igen. De log mot varandra. Han tog väskan och började gå, såg mot häcken och hålet längst ner i mitten där ungarna borde komma ut.

De syntes inte till. Han var inte förvånad.

Han log igen och startade bilen.

EWERT GRENS LETADE på golvmattan som försvann in under passagerarsätet och Sven Sundkvist. Han hade petat in två kassettband där. I handskfacket väntade ytterligare två. Han skulle ta dem med sig om en stund, packa ner dem, glömma dem.

De två unga och uniformerade poliserna stod kanske något mindre bleka kvar på trottoaren mellan bilens framdäck och porten till Västmannagatan 79. Hermansson startade och hade börjat backa när en av dem knackade på sidorutan och Sven vevade ner.

– Vad tror ni?

Ewert Grens lutade sig fram från baksätet.

– Du hade rätt. Det är en avrättning.

Det var sen eftermiddag utanför kvarteret Kronoberg och svårt att hitta en ledig plats på Bergsgatan. Hermansson körde runt de trötta polishusen och parkerade efter tre varv trots Ewerts protester på Kungsholmsgatan vid ingången för Norrmalmspolisen och Länskriminalen. Grens nickade svagt mot vakten och gick in genom dörren han inte passerat på många år, han hade för länge sedan lärt sig att tycka om rutiner och att hålla sig hårt i dem för att inte falla. En korridor och en smal trappa och de klev in i Länskommunikationscentralen, hjärtat i det stora huset med en sal stor som en mindre fotbollsplan och vid varannan dator en polis eller civilanställd som följde de tre små skärmarna framför sig och de betydligt större som klädde väggarna från golv till tak, beredda att värdera den här dagens fyrahundra larmsamtal till 112.

Var sin kopp kaffe och var sin stol när de satte sig ner bredvid en kvinna i femtioårsåldern, en av de civilanställda och en av dem som la sin arm på den hon talade med.

– Hur dags?

– Tolv och trettiosju. Och någon minut tidigare.

Kvinnan som fortfarande höll en hand på Ewerts axel skrev med den andra in 12.36.00, sedan tystnaden som kändes lång, så som det ofta blir när många står och lyssnar tillsammans på ingenting.

Twelve thirty-six twenty.

En elektronisk röst, på engelska precis som i övriga polisvärlden, följd av en verklig, en ung kvinna som grät när hon larmade om ett lägenhetsbråk i en port med adress Mariatorget.

Twelve thirty-seven ten.

Ett barn som skrek om en pappa som hade ramlat i en trappa och som blödde jättejättejättemycket från kinden och håret.

Twelve thirty-seven fifty.

Något som skrapade till.

En tydlig inomhusmiljö. Sannolikt en mobiltelefon.

Ett okänt nummer på skärmen.

– Ett oregistrerat kontantkort.

Den kvinnliga operatören hade flyttat handen från Ewert Grens och han lät bli att svara för att undvika ny kroppskontakt. Det var många år sedan någon hade tagit på honom och han visste inte längre hur han skulle göra för att slappna av.

Larmcentralen.

Skrapljudet igen. Sedan en surrande, störande ton. Och en mansröst som var spänd, stressad, men försökte låta lugn när den nästan viskade.

En död man. Västmannagatan 79.

Svenska. Utan brytning. Men han hade sagt något mer. Den surrande tonen hade gjort det svårt att uppfatta den sista meningen.

– Jag vill höra det en gång till.

Operatören flyttade markören en bit bakåt på tidkoden som löpte som en svart mask över datorns ena skärm.

En död man. Västmannagatan 79. Femte våningen.

Det var allt. Den surrande tonen ebbade ut och samtalet var slut. Den elektroniska rösten läste monotont *twelve thirty-eight thirty* och en upprörd äldre man anmälde ett pågående rån mot en tobaksaffär på Karlavägen när Ewert reste sig upp och tackade för hjälpen.

De gick tillsammans genom polishusets långa korridorer och mot utredningsroteln. Sven Sundkvist saktade in för att kunna tala med en chef som haltade allt kraftigare för varje år men vägrade använda käpp.

– Lägenheten, Ewert. Den hyrs enligt värden sedan ett par år tillbaka av en polsk medborgare. Jag har bett Jens Klövje på Interpol att leta reda på honom.

– En mula. Ett lik. En polack.

Ewert Grens stannade framför den långa trappa de skulle följa två våningar upp, han såg på sina kollegor.

– Alltså narkotika, alltså våld, alltså öststat.

De såg på honom men han sa inte mer och de frågade inte och skildes åt vid kaffeautomaten, en kopp i varje hand, han öppnade dörren och gick av vana till bokhyllan bakom skrivbordet och lyfte armen mot den tills han avbröt tvärt. Den var tom. Damm i raka linjer, fula fyrkanter av varierande storlek, där hade musikmaskinen stått, där hade kassetthyllan stått, och där, två lika stora fyrkanter en bit bort, högtalarna.

Ewert Grens drog handen genom spår efter ett helt liv.

Musiken han hade packat ner och som aldrig mer skulle spelas i det här rummet hörde ihop med en annan tid. Han kände sig lurad, försökte förhålla sig till tystnaden, den som aldrig funnits här.

Han tyckte inte om den. Den röt så förbannat åt honom.

Han satte sig ner i skrivbordsstolen. *En mula, ett lik, en polack.* Han hade just sett en man med tre stora hål i huvudet. *Alltså narkotika, alltså våld, alltså öststat.* Trettiofem år som polis i den här staden och det blev hela tiden lite mer, lite grövre. *Alltså organiserad brottslighet.* Inte konstigt att han ibland valt att leva i det förflutna. *Alltså maffia.* När han börjat, en mycket ung polis som trodde han kunde göra skillnad, hade maffia varit något som härskat långt bort, i södra Italien, i amerikanska städer. Idag, avrättningar som den här, hårdheten, det var så förorenat, kollegor i varje större distrikt stod och såg på medan den organiserade brottslighetens alla grenar fördelade pengar som föddes ur narkotikahandel, vapenhandel, människohandel. Varje år trängde nya aktörer in med våld på Citypolisens bevakningsområde och han hade de senaste månaderna utrett såväl mexikansk som egyptisk maffia. Den här, den polska, ännu en han aldrig tidigare mött men med samma ingredienser, drogerna, pengarna, döden. De utredde lite här och utredde lite där men skulle aldrig hinna ikapp, varje dag riskerade poliser hälsan och förståndet och varje dag kom de ännu en liten bit längre bort ifrån kontroll.

Ewert Grens satt länge kvar vid skrivbordet och såg bort mot kartongerna i brun papp.

Han saknade ljudet.

Av Siwan. Av Anni.

Av en tid när allt var mycket enklare.

DET VAR ALLTID trångt i ankomsthallen på *Frédéric Chopin* i Warszawa. Antalet starter och landningar ökade i samma takt som den stora flygplatsen byggdes om och han hade två gånger det senaste året förlorat bagaget i ett kaos av vilsna resenärer och de stora truckar som körde fort och nära.

Piet Hoffmann passerade bagagebanden med den lätta resväskan redan i handen och klev ut i en stad något större än det Stockholm han lämnat två timmar tidigare. Taxins mörka skinnklädsel luktade rök och han var för ett ögonblick liten igen och på väg till mormor med mamma och pappa på var sin sida i det trånga baksätet medan han betraktade en stad som var så oerhört förändrad. Han ringde till Henryk på Wojtek och bekräftade att planet landat i tid och att mötet kunde genomföras klockan tjugotvå på tidigare angiven plats. Han skulle just lägga på när Henryk meddelade att ytterligare två personer skulle medverka. Zbigniew Boruc och Grzegorz Krzynówek. Vice VD och Taket. Piet Hoffmann hade besökt Wojtek Internationals huvudkontor varje månad de tre senaste åren för möten med Henryk, det var hans förtroende Hoffmann sakta vunnit och det var hans hjälpande hand som funnits bakom honom när han hierarkiskt arbetat sig uppåt inom organisationen. Henryk var ännu en av de många människor som litade på honom och som utan att förstå det mötte en lögn. Vice VD däremot, Hoffmann hade bara träffat honom en gång förut, en av de före detta militärer och säkerhetspoliser som grundat och fortfarande styrde moderbolaget från det svarta huset i centrala Warszawa, en armémajor som var rak i ryggen och rörde sig med en underrättelseofficers manér trots ett konstruerat skal av affärsmässighet, de var ju noga med att kalla sig så, affärsmän. Ett möte med Vice VD och Taket, han förstod det inte, han lutade sig tillbaka mot det rökluktande skinnsätet och kände det där i bröstet som sannolikt var rädsla.

Taxin flöt fram i gles kvällstrafik och de stora parkerna och de vackra ambassaderna skymtade redan utanför ett skitigt fönster när den närmade sig stadsdelsgränsen för *Mokotów*. Han knackade chauffören på axeln och bad honom stanna, det var två samtal han måste hinna ringa.

– Det kostar mer.

– Stanna bara är du snäll.

– Jag vill ha tjugo złoty till. Det priset du fick var utan stopp.

– Stanna bilen för helvete!

Han hade lutat sig fram och viskat nära chaufförens öra, den orakade kinden glänste blöt när bilen lämnade *Jana Sobieskiego* och parkerade mellan en tidningskiosk och ett övergångsställe på *al. Wincentego Witosa*. Piet Hoffmann stod mitt i den ganska kalla kvällen och lyssnade till Zofias trötta röst när den förklarade att Hugo och Rasmus sov på var sin kudde i soffan bredvid henne och att de skulle gå upp tidigt nästa morgon, en av förskolans många utflykter till Nackareservatet, någonting med ett tema om skogen och våren.

– Du?

– Ja?

– Tack för blommorna.

– Jag älskar dig.

Han tyckte så mycket om henne. En natt borta, det var vad han numera orkade med. Det hade inte varit så, inte före Zofia, han hade inte känt hur ensamheten tog struptag på honom på fula hotellrum, att det var meningslöst att andas utan någon att älska.

Han ville inte lägga på, stod länge med telefonen i handen och betraktade ett av Mokotóws ganska dyra hus och hoppades att hennes röst skulle stanna kvar. Den gjorde inte det. Han bytte mobiltelefon och ringde igen. Klockan borde vara snart sjutton i östra USA.

– Paula träffar dom om trettio minuter.

– Bra. Men det *känns* inte bra.

– Jag har kontroll.

– Det finns risk att någon kräver en ansvarig för misslyckandet på Västmannagatan.

– Det var inget misslyckande.

– En människa dog!

– Det är inte särskilt intressant här. Däremot att leveransen är säkrad. Det är den som betyder något. Konsekvenserna av en skjutning klarar vi av med några minuters mätning.

– Du säger det.

– Du får full rapport när vi ses.

– Elva noll noll på femman.

Han viftade irriterat åt taxichaufförens tutande. Ett par minuter till ensam i mörkret och den kalla luften. Han satt mellan mamma och pappa igen och de reste från Stockholm och Sverige för att hälsa på i Bartoszyce, staden några mil från Sovjetunionens gräns och området som numera hette Kaliningrad. De hade aldrig sagt det. De hade vägrat. För mamma och pappa hade det bara funnits Königsberg, Kaliningrad hade ju varit dårarnas påhitt, han hade uppfattat föraktet i deras röster men som barn aldrig begripit varför hans föräldrar lämnat en plats de alltid längtade tillbaka till.

Den tutande chauffören svor högt när de lämnade al. Wincentego Witosa och körde fort förbi smyckade grönområden och fastigheter med stora företag, inte särskilt mycket människor i den här stadsdelen, det blir sällan det när kvadratmeterpriset anpassats till tillgång och efterfrågan.

De hade flytt i slutet av sextiotalet, han hade ofta frågat pappa om varför men aldrig fått något svar så han hade tjatat på mamma och fått små bilder ibland, om en båt och om hur hon var gravid och om några nätter i mörkret på ett rasande hav när hon var övertygad om att de båda skulle dö och om hur de klev i land nära en stad som hette Simrishamn och låg i Sverige.

Till höger in på *ul. Ludwika Idzikowskiego*, ett kvarter kvar.

Han hade de senaste åren så många gånger besökt landet som tillhörde honom, han kunde ha fötts här, växt upp här och han skulle ha varit någon annan då, någon som de i Bortoszyce som efter mammas och pappas död länge försökte hålla kontakt och slutade när han aldrig gav någonting tillbaka. Varför gjorde han inte det? Han visste inte. Han visste inte heller varför han aldrig hade hört av sig när han var nära, varför han aldrig hade hälsat på.

– Sextio złoty. Fyrtio för resan och tjugo för det jävla stoppet vi inte hade kommit överens om.

Hoffmann la en hundralapp på passagerarsätet och lämnade bilen.

Ett svart, stort och åldrat hus mitt i Mokotów, så åldrat ett hus nu kunde bli i det Warszawa som utplånats sjuttio år tidigare. Henryk väntade på trappan utanför, de hälsade men sa inte särskilt mycket, ingen av dem hade en aning om hur man gör när man kallpratar.

Sammanträdesrummet låg i slutet av korridoren på elfte våningen. Alldeles för ljust och alldeles för varmt. Vice VD och den man i sextioårsåldern han antog var Taket väntade vid det avlånga bordets bortre del. Piet Hoffmann mötte deras omotiverat fasta handslag och gick mot stolen som redan var utdragen och hade en flaska mineralvatten nära bordskanten.

Han vek inte undan för granskande ögon. Om han gjorde det, valde att fly, det hade redan varit över.

Zbigniew Boruc och Grzegorz Krzynówek.

Han förstod det fortfarande inte. Om de satt där för att han skulle dö. Eller för att han just nu steg ännu längre in.

– Herr Krzynówek ska sitta med och lyssna lite. Jag förutsätter att ni inte har träffats?

Hoffmann nickade mot den eleganta kostymen.

– Jag har inte träffat er. Men jag känner igen er.

Han log mot en man han under många år sett i polska tidningar och polsk television, en företagare vars namn han ibland också hört viskas i de långa korridorer på Wojtek som byggts ur precis samma kaos som varje ny organisation i varje öststat, en mur hade plötsligt rasat och ekonomiska och kriminella intressen smält samman i huggsexan om kapitalet. Organisationer som alla grundats av militär och polis och hade samma hierarkiska struktur och allra längst upp Taket. Grzegorz Krzynówek var Wojteks Tak och han var perfekt. En centralt placerad beskyddare, ekonomiskt urstark och oantastlig i ett samhälle som krävde lagar, en garant som kopplade ihop ekonomi och kriminalitet, en fasad för kapital och våld.

– Leveransen?

Vice VD hade granskat honom tillräckligt länge.

– Ja?

– Jag förutsätter att den är säkerställd.

– Den är säkerställd.

– Vi kommer att kontrollera det.

– Den kommer fortfarande att vara säkerställd.

– Då fortsätter vi.

Det var allt. Det var gårdagen.

Piet Hoffmann skulle inte dö den här kvällen.

Han ville skratta, när oron släppte var det något som bubblade inom honom och ville ut, men det skulle komma mer, inte hot, inte fara, men ritual som krävde fortsatt värdighet.

– Ni lämnade vår lägenhet i ett skick jag inte tycker om.

Först försäkran om att leveransen var säkerställd. Sedan frågan om en avrättad man. Vice VD:s röst var lugnare, vänligare, han talade ju nu om något som inte var lika viktigt.

– Jag vill inte att mina medarbetare här ska behöva förklara för polsk polis på uppdrag av svensk polis varför och hur de hyr lägenheter i centrala Stockholm.

Piet Hoffmann visste att han kunde hantera också den här frågan. Men dröjde med svaret, sneglade kort på Krzynówek. *Leverans. Lämnade lägenheten i ett skick jag inte tycker om.* Den respekterade affärsmannen visste precis vad de talade om. Men ord är märkliga. Om ingen officiellt använder dem finns de heller inte. Ingen skulle i det här rummet tala om tjugosju kilo amfetamin och en avrättning. Inte så länge den som officiellt inte visste satt mitt i det.

– Om överenskommelsen om att det är jag, och bara *jag*, som har mandat att leda en operation i Sverige hade respekterats skulle det inte ha hänt.

– Det vill jag nog att du förklarar.

– Om dom medarbetare ni utsett följt era instruktioner utan egna initiativ skulle situationen aldrig ha uppstått.

Operation. Egna initiativ. Situationen.

Hoffmann såg på Taket igen.

De där orden. Vi använder dem för din skull.

Men varför är du här? Varför sitter du bredvid mig och lyssnar på det som betyder allt eller ingenting?

Jag är inte längre rädd.

Men jag förstår det inte.

– Jag förutsätter att det aldrig upprepas.

Han svarade inte. Vice VD skulle få sista ordet. Det var så det fungerade och Piet Hoffmann var bra på det, att delta i ett spel, annars, han visste ju det, återstod bara död. I det ögonblick han var Paula, han fanns inte längre då, han skulle sluta som köparen tio timmar tidigare i en bil på väg ut till Warszawas förorter med två polacker och osäkrade vapen mot sin tinning.

Han kunde sin roll, sina svar, sin repeterade historia bättre och han skulle inte dö, dö fick de andra göra.

Taket rörde sig något, inte mycket, men det var en tydlig nick mot Vice VD.

Han såg nöjd ut. Hoffmann var godkänd.

Vice VD hade hoppats på och planerat för det. Han reste sig upp, log nästan.

– Vi kommer att expandera något på den slutna marknaden. Vi har redan investerat och tagit varje marknadsandel i dom nordiska grannländerna. Nu ska vi ta dom också i ditt område. I Sverige.

Piet Hoffmann såg tyst på Taket, sedan på Vice VD.

Den slutna marknaden.

Fängelserna.

DET HÅRDA LJUSET från riktade lampor blänkte i de båda metallskenorna. Nils Krantz lyfte upp den första och fyllde den med ett ljusblått pulver och vatten och bad sedan Ewert Grens att dra bort det gröna lakan som täckte en människa på en bår mitt i rummet.

En naken manskropp.

Blek hy, välbyggd, inte särskilt gammal.

Med ett ansikte som saknade hud, en dödskalle på en i övrigt hel kropp.

En märklig syn, ben som tvättats rena för att betraktaren skulle komma så nära som möjligt, hud som varit i vägen för ett korrekt svar och därför skurits bort.

– Alginat. Vi använder det. Det duger. Det finns dyrare sorter men dom slösar vi inte på en obduktion.

Kriminalteknikern drog isär underkäken från överkäken och tryckte metallskenan med ljusblå vätska mot överkäkens tänder, höll den stilla i ett par minuter tills den stelnat.

– Fotografier, fingeravtryck, DNA, tandavtryck. Jag är nöjd.

Han tog ett par steg bakåt i det sterila rummet och nickade mot Ludvig Errfors, rättsläkaren.

– Ingångshålet.

Errfors pekade mot det blottade skallbenet och tinningen på höger sida.

– Kulan har gått in genom *os temporale* och sedan tappat fart precis här.

Han drog ett streck med fingret i luften från tinningens stora hål till skallens mitt.

– *Mandibeln*. Käkbenet. Spåren visar tydligt hur kulans mantel slagit mot det hårda benet och delat på sig, blivit två mindre kulor med två utgångshål på vänster sida. Ett genom *mandibeln*. Ett genom *os frontale*.

Grens såg på Krantz. Kriminalteknikern hade haft rätt redan från början, där på lägenhetsgolvet.

– Och det här, Ewert, jag vill att du tittar särskilt på det.

Ludvig Errfors höll i den dödes högra arm, en märklig känsla när muskler inte reagerade och något som nyss var så levande blivit så gummiartat.

– Du ser här? Tydliga märken kring handleden. Någon har hållit i hans hand *post mortem*.

Grens såg igen på Nils Krantz som nickade nöjd. Han hade haft rätt också där. Någon hade flyttat armen efter döden. Någon hade försökt få det att *se ut* som ett självmord.

Ewert Grens lämnade den upplysta båren i rummets mitt och öppnade fönstret som fanns i korridoren, det var mörkt därute, också den sena kvällen höll på att ta slut.

– Inget namn. Ingen historia. Jag vill ha mer. Jag vill komma närmare honom.

Han betraktade Krantz, sedan Errfors. Han väntade. Tills rättsläkaren harklade sig.

Det fanns alltid mer.

– Jag har tittat på ett par av tändernas fyllningar. Du har den här, nästan mitt i underkäken, en lagning som är åtta, kanske tio år gammal. Med all sannolikhet svensk. Jag kan se det på arbetssättet, på kvalitén, ett plastmaterial som skiljer sig kraftigt från dom sorter som i stora delar av Europa importeras från Taiwan. Jag hade en liggande här i förra veckan, en tjeck med en rotfyllning i underkäken med cement i kanalerna som var … rätt långt ifrån det vi anser är godkänt.

Rättsläkaren flyttade sina händer från ansiktet utan hud till området kring bålen.

– Han har opererats för blindtarmsinflammation. Du ser ärret. Kosmetiskt ett riktigt bra jobb. Det – och tekniken när tjocktarmen har sytts ihop – tyder sammantaget på att ingreppet gjorts på ett svenskt sjukhus.

Ett dovt ljud och känslan av att marken skakade till. En lastbil hade strax före midnatt kört genom det inhägnade området och nära fönstret till Solna rättsläkarstation.

Ludvig Errfors uppfattade Grens frågande ögon.

– Det där är inget att bry sig om. Dom lastar av en bit bort. Jag har ingen aning om vad men det är likadant varje kväll.

Rättsläkaren flyttade sig en bit från båren, det var viktigt att Ewert Grens kunde komma närmare.

– Tändernas fyllningar, ingreppet vid blindtarmsinflammationen och det jag skulle definiera som ett nordeuropeiskt utseende. Ewert, han är svensk.

Grens studerade ansiktet som var en dödskalle av vita och tvättade ben.

Vi hittade spår av galla, amfetamin och gummimassa.

Men det kom inte från dig.

Vi konstaterade en narkotikauppgörelse med polsk maffia.

Men du är svensk.

Du var inte mula. Du var inte säljare.

Du var köpare.

– Några spår av droger?

– Nej.

– Säker?

– Inga injektionsmärken, ingenting i blod, ingenting i urin.

Du var köpare men nyttjade inte själv.

Han vände sig mot Krantz.

– Larmet?

– Ja?

– Har du hunnit analysera det?

Nils Krantz nickade.

– Jag kommer just från Västmannagatan. Jag hade en teori. Jag åkte tillbaka för att bli säker. Tonen som stör strax innan den som larmar ska avsluta med *femte våningen*? Sist i det korta samtalet?

En blick på Grens, han mindes.

– Det var som jag misstänkte. Den kommer från kompressorn i det kylskåp som finns i lägenhetens kök. Samma frekvens. Samma intervall.

Ewert Grens slog lätt med handen mot den dödes ben.

– Samtalet ringdes in från köket?

– Ja.

– Och rösten? Uppfattar du den som svensk?

– Helt fri från brytning. Mälardalsdialekt.

– Då har vi två svenskar. Samtidigt i en lägenhet där polsk maffia genomför en narkotikauppgörelse som slutar med avrättning. En som ligger här. Och en som larmar.

Handen lätt mot den dödes ben igen, det var som om han hoppades att det skulle röra på sig.

– Vad gjorde du där? Vad gjorde *ni* där?

HAN HADE VARIT så rädd. Men han skulle inte dö. Han hade för första gången mött Taket och eftersom det inte hade betytt död betydde det längre in. Han visste inte vart och inte hur men att Paula närmade sig det genombrott han riskerat sitt liv för varje dag, varje minut under de tre senaste åren.

Piet Hoffmann satt bredvid den tomma stolen i det alldeles för ljusa sammanträdesrummet. Grzegorz Krzynówek hade lämnat det med sin eleganta kostym och goda anseende och alla ord som låtsades vara något annat än organiserad brottslighet och pengar och våld för att få ännu mer pengar.

Vice VD spände inte längre läpparna när han talade och sträckte inte heller ansträngt på ryggen. Han öppnade en flaska *Żubrówka* och blandade den med äppeljuice, det var intimitet och förtroende att dricka vodka med chefen och Hoffmann log åt grässtrået i flaskan som inte var särskilt gott men artighet och sed, och åt den före detta underrättelseofficeren framför sig som omsorgsfullt hade gjort sin klassresa och till och med bytt ut de fula dricksglasen från köksbordet mot två dyrt blåsta grogglas som de stora händerna inte visste hur de skulle hålla.

– *Na zdrowie.*

De såg på varandra och tömde och Vice VD hällde upp igen.

– Den slutna marknaden.

Han drack upp och fyllde en tredje gång.

– Vi talar klarspråk nu.

– Jag föredrar det.

Det tredje glaset var tomt.

– Den svenska marknaden. Det är dags för den. Nu.

Hoffmann hade svårt att sitta stilla. Wojtek kontrollerade redan den norska marknaden. Den danska. Den finska. Han började förstå vad det här handlade om. Varför Taket hade suttit där nyss. Varför han själv höll i ett glas som smakade bisongräs och äppeljuice.

Han hade varit på väg hit så länge.

– I Sverige sitter drygt femtusen människor i fängelse. Nästan åttio procent av dom är missbrukare och storkonsumenter av amfetamin, heroin, alkohol. Eller hur?

– Ja.

– Också för tio år sedan?

– Också då.

Tolv jävliga månader på Österåker kriminalvårdsanstalt.

– Ett gram amfetamin kostar etthundrafemtio kronor på gatan. Inne på anstalterna tre gånger så mycket. Ett gram heroin kostar tusenlappen på gatan. Inne på anstalterna tre gånger så mycket.

Zbigniew Boruc hade genomfört det här samtalet tidigare. Med andra medarbetare inför andra operationer i andra länder. De handlade ju alla egentligen om samma sak. Att kunna räkna.

– Fyratusen inlåsta narkomaner – amfetaminister som tar två gram om dagen och heroinister som tar ett gram om dagen. En enda dags handel, Hoffmann ... mellan åtta och nio miljoner kronor.

Paula föddes för nio år sedan. Han hade levt med döden varje dag. Men den här stunden, det här ögonblicket, det var värt det. Alla jävla lögner. All jävla manipulation. Det var hit han hade varit på väg. Han var framme nu.

– En oerhörd operation. Men initialt ... stora pengar måste investeras innan vi ens kommit igång, innan vi får något tillbaka.

Vice VD såg på den tomma stolen mellan dem.

Wojtek hade kraften att investera, att vänta så länge det behövdes för att den slutna marknaden skulle bli deras. Wojtek hade en ekonomisk garant, en öststatsmaffians variant av consigliere men med mer kapital och mer makt.

– Ja. Det är en oerhörd operation. Men en möjlig operation. Och du ska leda den.

EWERT GRENS ÖPPNADE fönstret. Han brukade göra det vid midnatt, lyssna på klockan i Kungsholms kyrka och sedan ytterligare en han aldrig hade lyckats lokalisera, bara att den låg längre bort och inte nådde fram de kvällar vinden slukade skört ljud. Han hade gått omkring i sitt kontorsrum med en märklig känsla i kroppen, första kvällen och natten i polishuset utan Siwans röst någonstans i mörkret, han hade ju vant sig vid att somna till en annan tid och så här dags alltid lyssna på ett av kassettbanden han spelat in och blandat själv.

Det fanns ingenting här nu som ens liknade ro.

Han hade aldrig förut tänkt på nattens alla ljud som lekte utanför fönstret och han avskydde redan bilarna på Bergsgatan och till och med dem på Hantverkargatan som ökade farten när de närmade sig den branta backen. Han stängde och satte sig ner med den plötsliga tystnaden och det fax han nyss tagit emot av Klövje på svenska Interpol. Han läste det förhör som hållits upplysningsvis på begäran av svensk polis med den polske medborgare som sedan ett par år var registrerad hyresgäst i lägenheten på Västmannagatan 79. En man med ett namn Ewert Grens inte kände igen och inte kunde uttala, fyrtiofem år, född i Gdańsk, mantalsskriven i Warszawa. En man som aldrig tidigare varit straffad eller ens misstänkt för brott och som enligt den polske polisman som förhört utom allt rimligt tvivel befunnit sig i Warszawa vid tidpunkten för händelsen i Stockholm.

Du är inblandad, på något sätt.

Ewert Grens höll det tätt skrivna papperet i handen.

Dörren var låst när vi kom dit.

Han reste sig upp och gick ut i den mörka korridoren.

Det fanns inga brytmärken och inga andra tecken på våld. Två koppar från kaffeautomaten. *Någon hade alltså tagit sig in och ut med nyckel.* En ostfralla i plast och en yoghurt med banansmak från varuautomaten. *Någon som hör ihop med dig.*

Han stod i det tysta och mörka, tömde ena koppen kaffe och hälften av yoghurten men la frallan i papperskorgen, för torr till och med för honom.

Han var trygg här.

Det stora fula polishuset en del kollegor drunknade i eller till och med gömde sig för, den enda plats han egentligen stod ut på, han visste alltid vad han skulle göra här, han hörde till, han kunde till och med sova i besökssoffan och slippa de långa nätterna på balkongen med utsikt över Sveavägen och en huvudstad som aldrig vilade.

Ewert Grens gick tillbaka in i utredningsrotelns enda rum med lamporna fortfarande tända, till den nerpackade musiken, sparkade lätt på kartongerna. Han hade inte ens varit på begravningen. Han hade betalat för den men inte deltagit och han sparkade igen, hårdare nu, han önskade att han hade varit där, hon hade kanske varit borta då, på riktigt.

Klövjes fax låg kvar på skrivbordet. En polsk medborgare som inte på något sätt kunde kopplas till en död kropp. Grens svor och gick tvärs över rummet och sparkade på en av kartongerna en tredje gång, ett litet hål efter skon i dess sida. Han hade inte kommit någonstans. Han visste inte ett skit mer än att två svenskar befunnit sig samtidigt i en lägenhet vid en narkotikauppgörelse med polsk maffia, att en av dem var död och att den andre viskande hade larmat när han stod i köket nära kylskåpet, en svensk röst utan brytning, det hade Krantz varit säker på.

Du var där och du larmade när mordet begicks.

Ewert Grens stod kvar vid papplådorna men sparkade inte mer.

Du är antingen mördare eller vittne.

Han satte sig ner, lutade sig mot kartongen och täckte det som nyss blivit ett hål.

En mördare skjuter inte ihjäl någon, arrangerar det som självmord och ringer efteråt och larmar.

Det var ganska skönt att sitta med ryggen mot förbjuden musik, han skulle nog stanna kvar där på det hårda golvet, genom mörkret och till morgonen.

Du är vittne.

HAN HADE SUTTIT i fönstret i två timmar och följt prickarna av ljus som var så små när de var långt borta och långsamt växte när de sjönk ner genom mörkret och närmade sig landningsbanan på Frédéric Chopin. Piet Hoffmann hade strax före midnatt och fortfarande med kläderna på lagt sig ner i den hårda hotellsängen och försökt sova men snart gett upp, dagen som börjat med människan som dog medan han såg på och slutat med uppdraget att ta över narkotikahandeln på svenska fängelser bara fortsatte inom honom, den viskade och skrek och han hade inte orkat hålla för öronen och vänta på sömnen.

Det blåste hårt utanför fönstret. Hotel Okęcie låg bara åttahundra meter från flygplatsen och vinden lekte ofta över de öppna ytorna, prickar av ljus var som vackrast när trädens grenar vägrade vara stilla. Han tyckte om att sitta så här och en natt i taget se ut över den sista biten Polen, han betraktade alltid men deltog aldrig trots att han borde känna sig hemma, han hade kusiner och mostrar och en farbror här, han såg ut som de och talade som de men var någon som inte hörde till.

Han var nog ingen alls.

Han ljög för Zofia och hon höll om honom hårt. Han ljög för Hugo och Rasmus och de kramade sin pappa. Han ljög för Erik. Han ljög för Henryk. Han ljög nyss för Zbigniew Boruc och drack en Żubrówka till.

Han hade ljugit så länge, glömt bort hur sanningen såg ut och kändes, vem han var.

Prickarna av ljus hade blivit ett stort plan som landade, det krängde i den kraftiga sidovinden och de små hjulen studsade några gånger okontrollerat mot asfalten innan det sjönk ner och rullade mot en trappa vid ankomsthallens nya del.

Han lutade sig mot fönstret och tryckte pannan lätt mot det kalla glaset.

Dagen som viskade och skrek och fortsatte.

En människa hade slutat andas framför honom. Han hade insett det för sent. De hade haft samma uppdrag, deltagit i samma spel men på var sin sida. En människa som kanske hade barn, en kvinna, som kanske också funnits i en lögn så länge att han inte visste vem han var.

Jag heter Paula. Vad hette du?

Han satt kvar i fönsterkarmen och såg ut i mörkret också när han grät.

Det var mitt i natten i ett hotellrum några kilometer från centrala Warszawa med en riktig människas död i famnen och han grät tills han inte orkade längre och sömnen tog tag i honom och han föll handlöst mot något som var svart och inte gick att ljuga för.

tisdag

EWERT GRENS HADE vaknat när det första ljuset trängt in genom de tunna gardinerna och irriterat ögonen. Han hade suttit på golvet lutad mot tre staplade papplådor men för att slippa gryningen lagt sig ner på den hårda linoleummattan och slumrat ett par timmar till. Det hade varit ett bra ställe att sova på, ryggen värkte knappt och det styva benet som annars inte fick plats i den mjuka manchestersoffan hade kunnat ligga utsträckt nästan hela tiden.

Det skulle inte bli några fler nätter där.

Han var plötsligt klarvaken, rullade över på mage och tryckte med armarna mödosamt upp den tunga kroppen. En blå tuschpenna ur burken på skrivbordet, den luktade starkt när han skrev på varje sida av tre lådor i brun papp.

FU Malmkvist.

Ewert Grens såg på de hoptejpade kartongerna och han skrattade högt. Han hade kunnat sova hos den nerpackade musiken och han var mer utvilad än på länge.

Ett par danssteg, ingen som sjöng, ingen som spelade, likväl steg med ingen alls.

Han lyfte den översta som var för tung och han knuffade den ut ur rummet och genom hela korridoren bort till hissarna. Tre våningar ner, till källaren, till godsroteln. Han skrev igen med tuschpennan på lådans översida, *19361231*, ett ärendenummer. En ny korridor, ännu mörkare än den förra, han knuffade och svettades till dörren som stod öppen för beslagtaget gods.

– Einarsson.

En ung civilanställd bakom den låga trädisken som kändes

så gammal, Grens tänkte varje gång han var här på en livsmedelsaffär han ofta handlat i på väg hem från skolan som barn, en butik nära Odenplan som för länge sedan slagits sönder och numera var ännu ett café för tonåringar som drack mjölkkaffe och jämförde mobiltelefoner.

– Jaha?

– Jag vill att Einarsson tar hand om det här ärendet.

– Men jag …

– Einarsson.

Den unge fnös högt men sa ingenting, han lämnade disken och hämtade en man i Ewerts ålder, ett svart förkläde kring en rund kropp.

– Ewert.

– Tor.

En av de polismän som hade varit bra och plötsligt efter decennier av arbete en morgon satt sig ner och stilla förklarat att han inte orkade se skiten längre, ännu mindre utreda den. De hade talat mycket om det då och Ewert hade förstått att det kunde vara så när det fanns något att leva för, en längtan efter dagar utan meningslös död. Einarsson hade suttit där och inte rest sig upp förrän ledningen öppnat dörren till bottenvåningen och lådorna med beslagtaget gods som visserligen var del av pågående brottsutredningar men sällan dröjde sig kvar på kvällarna.

– Jag har några kartonger. Jag vill att du förvarar dom.

Den äldre mannen bakom trädisken tog emot papplådan och granskade kantig text från blå tuschpenna.

– FU Malmkvist. Vafan är det?

– Förundersökning Malmkvist.

– Det begriper jag. Men jag har aldrig hört talas om fallet.

– En avslutad utredning.

– Men då ska den inte …

– Jag vill att du förvarar den här. På ett säkert ställe.

– Ewert, jag ...

Einarsson tystnade, såg länge på Grens och sedan på lådan. Han log. Förundersökning Malmkvist. Ärendenummer 19361231. Han log igen, bredare nu.

– Det var som fan. Hennes födelsedag, va?

Grens nickade.

– En avslutad utredning.

– Det är du helt säker på?

– Jag kommer ner med två lådor till.

– I så fall ... sådana här utredningar står förstås bättre här. Om godset är unikt, menar jag. Än på en obevakad vind eller i ett fuktigt källarförråd.

Ewert Grens hade inte förstått hur spänd han varit och kände nu förvånat axlar, armar, ben som långsamt slappnade av. Han hade inte varit säker på att Einarsson skulle förstå.

– Jag behöver ett beslagsprotokoll. Jag vill att du skriver ett nu. Så ska jag nog hitta en bra plats.

Einarsson räckte fram två blanketter och en penna.

– Under tiden markerar jag tydligt att utredningen är sekretesskyddad. För det är den väl?

Grens nickade igen.

– Bra. Då kan den bara öppnas av behörig utredare.

Polismannen som en gång varit en skicklig utredare och nu bar ett svart förkläde bakom en disk i en källare klistrade en röd lapp tvärs över kartongens flikar, ett sigill som inte skulle brytas av någon annan än den som kunde legitimera sig som kriminalkommissarie Ewert Grens.

Ewert såg tacksamt på kollegan som gick mot hyllorna med papplådan i famnen.

Någon som inte hade behövt en förklaring.

Han lämnade blanketten på trädisken och började gå när han

hörde hur Einarsson sjöng någonstans bland raderna av beslagtaget gods.

du sände mig de vackraste tulpaner, och bad mig glömma allt ifrån igår

Tunna skivor. Siw Malmkvist. Ewert Grens stannade och ropade i riktning mot det trånga förvaringsutrymmet.

– Inte nu.

men jag har gråtit flera oceaner, och därför blir det svar som du nu får

– Einarsson!

Ewert hade skrikit högt och Einarsson tittade förvånat fram bakom ett hyllplan.

– Inte nu, Einarsson. Du stör mig i min sorg.

Han kände sig lätt när han gick därifrån, källarvåningen var nästan vacker och han skakade på huvudet åt hissen och började gå tre våningar upp. Han hade kommit halvvägs när telefonen ringde i kavajens innerficka.

– Ja?

– Är det du som leder utredningen av mordet på Västmannagatan 79?

Ewert Grens flåsade, han gick inte särskilt ofta i trappor.

– Frågar vem?

– Säger vem?

Rösten var dansk men lätt att förstå, sannolikt från Köpenhamnstrakten, den delen av Danmark Grens hade arbetat mest i genom åren.

– Var det du eller jag som ringde?

– Ursäkta mig. Jacob Andersen, sektionen för personfarlig kriminalitet i Köpenhamn. Det ni kallar våldsroteln.

– Och du vill?

– Är det du som leder utredningen av mordet på Västmannagatan 79?

– Vem påstår att det är ett mord?

– Jag. Och det är möjligt att jag vet vem den mördade är.

Han stannade på det sista trappsteget, försökte dämpa andningen medan han väntade på att rösten som presenterat sig som dansk polis skulle fortsätta.

– Vill du motringa?

– Lägg på.

Grens skyndade mot rummet och hittade pärmen han sökte i den tredje skrivbordslådan. Han bläddrade en stund och ringde med den liggande framför sig till Köpenhamnspolisens växel och bad om att få bli kopplad till en Jacob Andersen på sektionen för personfarlig kriminalitet.

– Andersen.

Det var samma röst.

– Lägg på.

Han ringde till växeln igen, bad nu om att få bli kopplad till Jacob Andersens mobiltelefon.

– Andersen.

Samma röst.

– Öppna fönstret.

– Va?

– Om du vill ha svar på din fråga så öppnar du fönstret.

Han hörde hur rösten la telefonen på ett bord och slogs en stund med en gnisslande fönsterhasp.

– Ja?

– Vad ser du?

– Hambrogade.

– Mer?

– Vatten om jag lutar mig tillräckligt långt ut.

– Halva Köpenhamn ser vatten.

– Langebro.

Grens hade flera gånger sett ut genom fönstren på sektionen för personfarlig kriminalitet. Han visste att det var vattnet kring Langebro som blänkte när solen sken.

– Var sitter Moelby?
– Min chef?
– Ja.
– I rummet mittemot. Han är inte här just nu. Annars ...
– Och Christensen?
– Här finns ingen jävla Christensen.
– Bra. Bra Andersen. Nu kan vi fortsätta.

Grens väntade, det var den danska rösten som hade ringt upp och det var den som fick fortsätta. Han gick fram till sitt eget fönster, inte mycket till vatten på Kronobergs ganska fula innergård.

– Jag har anledning att misstänka att den döde är en person vi samarbetar med. Jag skulle vilja ha en bild på honom. Kan du faxa en till mig?

Ewert Grens sträckte sig efter en mapp på skrivbordet, kontrollerade att Krantz bilder låg kvar, de som hade tagits i lägenheten när ansiktet fortfarande hade hud.

– Du har ett foto om fem minuter. Jag förväntar mig ett samtal när du granskat det.

Erik Wilson tyckte om att promenera i Stockholms innerstad.

Dårar, kostymer, vackra kvinnor, langare, barnvagnar, träningsoveraller, hundar, cyklar och en och annan som inte var på väg någonstans. Halv elva, förmiddag i huvudstaden, han hade på den korta sträckan mellan polishuset och Sankt Eriksplan mött dem alla på trottoaren som hade fått nya fyrkantiga stenplattor. Det var svalare här, lättare att andas, södra Georgia hade redan varit för varmt och skulle om några veckor närma sig outhärdligt. Han hade lämnat *Newark International* på eftermiddagen strax efter fem lokal tid och landat åtta flygtimmar senare i en tidig morgon på Arlanda. Han hade nog sovit en del på planet, slumrat trots två oavbrutet pratande äldre damer i sätet framför och mannen som harklat sig högt var femte minut i sätet intill. Han hade när bilen närmat sig city och Kronoberg bett taxichauffören att köra en omväg, den skulle först stanna till på Västmannagatan 79, adressen han fått av Paula. Wilson hade legitimerat sig för den ABAB-vakt som bevakade lägenheten på trapphusets femte våning, blåvit tejp från karm till karm och en skylt som förklarade att det här var en avspärrad brottsplats, och sedan ensam promenerat omkring i de övergivna rummen som mindre än ett dygn tidigare hade sett en människas avrättning. Han hade börjat vid en stor och mörk fläck på mattan under bordet i vardagsrummet. Livet hade runnit ut precis där. En stol hade legat omkullvält i fläckens kant, den dödes plats. Han hade undersökt ett hål i taket och ytterligare ett på den stängda köksdörren, tydliga gropar efter kulor. Han hade sedan stått nära vardagsrummets vägg och de nålar och vimplar vid missfärgningar som varit intressanta för bedömning av skottvinkel och kraft. Det var den han hade kommit för. Blodstänksanalysen. Det var den han behövde till nästa möte och Paulas version. Erik Wilson hade koncentrerat sig på en konformad yta som teknikerna märkt ut med två snören, den enda vinkel som saknat vimplar och därmed blodstänk och hjärnsubstans. Han hade granskat den och memorerat den tills han varit säker på var någonstans de två personer som var viktiga för honom skulle ha kunnat befinna sig i det ögonblick skottet avlossades, var skytten hade stått och var den som *inte* skjutit måste ha stått.

Det blåste behagligt på Sankt Eriksbron, han såg ut över båtar, tåg, bilar, det var nog det han tyckte så mycket om med att promenera, att kunna stanna till och betrakta en stund.

Han hade under natten lyssnat på Paulas version av hets och oro via mobiltelefon och när han lugn och ostörd hade besökt lägenheten kändes det som om den kunde stämma. Han visste att Paula var kapabel och om valet stått mellan att dö eller dödas hade Paula både kraft och kunnande att döda själv. Det kunde alltså mycket väl ha varit han som hade skjutit men Wilson var säker på att det inte var fallet. Paula hade för varje samtal låtit mer jagad och blottat mer rädsla och efter nio år som hanterare och infiltratör, med tät kontakt som hade blivit tillit, Erik Wilson hade lärt sig när han talade sanning.

Han stannade framför porten till Sankt Eriksplan 17, spröda fönsterglas i gammalt trä nära den hårt trafikerade genomfartsleden. Han såg sig omkring, ansikten som passerade men inte iakttog, han kontrollerade igen, gick sedan in.

Han hade lämnat fläckarna och blodstänksanalysen på Västmannagatan och fortsatt med den väntande taxin till Kronoberg och rummet i utredningsrotelns korridor. Enligt tjänstgöringslistan fanns det redan en tillsatt utredare. Ewert Grens, assisterad av Sven Sundkvist och Mariana Hermansson. Grens och Wilson hade arbetat på samma rotel i flera år men han kände inte den märklige kriminalkommissarien, han hade länge försökt nå fram utan gensvar överhuvudtaget och sedan bara gett upp, bestämt sig för att han inte behövde en gammal man som en gång varit bäst men numera mest var förbannad och spelade Siw Malmkvist. Erik Wilson hade fortsatt framför datorn, bytt filen med tjänstgöringslistorna mot systemet som hette *rationell anmälningsrutin* och sökt på Västmannagatan 79 och fått tre träffar för de tio senaste åren. Han hade valt ut den senaste, grovt häleri, ett drygt ton förädlad koppar som sålts av en man med ett finskt namn i en av lägenheterna på första våningen.

Erik Wilson stängde porten till Sankt Eriksplan 17 och vilade i tystnaden från bilar som hade bråttom. Trappuppgången var mörk och när hans försök att tända belysningen misslyckades också för tredje gången valde han den trånga hissen till sjätte våningen och klev av på en byggarbetsplats i en fastighet som stamrenoverades med hyresgästerna tillfälligt evakuerade. Han stod stilla på brunt täckpapper och lyssnade på ingenting tills han var säker på att han var ensam, öppnade den låsta dörren med STENBERG på brevlådan och gick genom två rum och kök för att kontrollera varje möbel som förvarades gömd bakom genomskinlig skyddsplast. Det var så han arbetade. Ett par av stadens stora hyresvärdar lånade ut nycklar och hantverkarnas arbetsscheman till en tillfälligt utflyttad lägenhet. Den här var femman. Wilson hade disponerat den i en knapp månad, flera möten med olika infiltratörer, han skulle behålla den i ännu en tills renoveringen var klar och hyresgästen återinflyttad.

Han petade bort plasten vid köksfönstret, öppnade det och såg ut över en innergård med väl krattade grusgångar och nya utemöbler i en fyrkant kring två gungor och en kort rutschkana. Paula skulle anlända inom en minut. Från bakdörren som hörde till huset mittemot med huvudentré mot Vulcanusgatan 15. Alltid i en evakueringslägenhet i samarbete med någon av Stockholms privata hyresvärdar, alltid i ett hus som delade innergård med en fastighet med huvudingång från en annan adress.

Erik Wilson stängde fönstret och tejpade åter skyddsplasten mot de båda glasrutorna ungefär samtidigt som dörren öppnades därnere och Paula skyndade längs grusgångarna.

Ewert Grens höll otåligt i mappen med Nils Krantz bilder av en död man. Han hade tio minuter tidigare sänt en av dem till en fax på sektionen för personfarlig kriminalitet i Köpenhamn, ett fotografi av ett huvud, tvättat och med huden ännu kvar inför obduktion. Det fanns ytterligare tre bilder i mappen och han studerade dem medan han väntade. En framifrån, en från vänster sida, en från höger sida. En avsevärd del av hans arbetstid gick åt till att betrakta den avbildade döden och han hade lärt sig att den ofta var svår att känna igen, om någon sov eller verkligen var död. Den här gången var den tydlig och hade tre stora hål i huvudet. Om han inte hade mött den på plats och fått den i handen av en kriminaltekniker eller via faxen av en kollega på annan ort brukade han börja med att söka efter den blanka stålställningen som huvudet alltid vilade på, hittade han den var det detsamma som en bild från en obduktion. Han tittade på dem igen och undrade hur han själv skulle se ut, vad den som granskade fotot av hans huvud på en ställning av stål skulle tänka.

– Grens.

Telefonen hade ringt och han la mappen på skrivbordet.

– Jacob Andersen, Köpenhamn.

– Ja?

– Bilden du skickade.

– Ja?

– Det är förmodligen han.

– Vem?

– En av mina informatörer.

– *Vem?*

– Jag kan inte säga det. Inte än. Inte förrän jag är helt säker. Jag vill inte röja en informatör i onödan. Du vet hur det fungerar.

Ewert Grens visste hur det fungerade och han tyckte inte om det. Kraven på hänsyn till informatörers och infiltratörers identitet växte i takt med att de blev fler och var emellanåt viktigare än hänsyn till korrekt information poliser emellan. I en tid när varje enskild polisman plötsligt kunde kalla sig hanterare med rätt att knyta upp egna informatörer rev hemlighetsmakeriet ofta ner mer än det byggde upp.

– Vad behöver du?

– Det ni har.

– Tandavtryck. Fingeravtryck. Vi väntar på DNA.

– Skicka det.

– Jag gör det strax. Och förutsätter att du ringer igen om några minuter.

Huvudet på stålställningen.

Grens drog med en hand över det glatta fotopapperet.

En infiltratör. Från Köpenhamn. En av två som talade svenska i en lägenhet vid en polsk maffiaavrättning.

Vem var den andre?

Piet Hoffmann gick längs den trista innergårdens grusgång, en hastig blick mot huset på andra sidan och den sjätte våningen, han skymtade Wilsons huvud i fönstret tillfälligt utan skyddande plast. Han hade lämnat Frédéric Chopin med polska LOT och det första morgonplanet strax efter åtta. En natt med pannan mot en kall glasruta men han var inte särskilt trött, bröstet växlade mellan adrenalin och oro från ett dygn med en människas död och ett avgörande möte i Warszawa, han var på väg någonstans och hade ingen aning om hur han skulle göra för att stanna. Han hade ringt hem och Rasmus hade svarat och inte velat släppa luren ifrån sig, han hade haft så mycket att berätta, det hade varit svårt att riktig hänga med men det hade nog handlat om en tecknad film och ett monster som varit grönt och elakt. Piet Hoffmann svalde och skakade lite som man gör när man saknar någon mer än kroppen är beredd på, de skulle ses ikväll och han skulle hålla i dem alla tre tills de bad honom att släppa. Han öppnade en grind i staketet och sedan ännu en, bytte innergården på Vulcanusgatan 15 mot den på Sankt Eriksplan 17 och gick genom den bakre dörren in i trapphuset som var mörkt trots att han tryckte på knappen för belysning flera gånger. Sex ganska branta trappor, aldrig en hiss och risken att fastna, varje steg täckt av brunt papper som gjorde det svårt att förflytta sig ljudlöst. Han kontrollerade klockan och brevlådornas namnskyltar, dörren med STENBERG öppnades inifrån exakt elva noll noll.

Erik Wilson hade skalat bort plasten från två stolar och ett bord i köket och petade nu bort den framför gasspisen och ett av skåpen under diskbänken, letade tills han hittat en kastrull och en glasburk med något som såg ut som pulverkaffe.

– Stenberg bjuder. Vem det nu är.

De satte sig ner.

– Hur mår Zofia?

– Jag vet inte.

– Du vet inte?

– Vi har inte setts särskilt mycket dom senaste dagarna. Men hennes röst, vi talade med varandra en del i natt och nu igen på morgonen, jag kan höra det, hon känner att jag ljuger, att jag ljuger mer än vanligt.

– Var rädd om henne. Du förstår vad jag talar om?

– Du vet jävligt väl att jag är rädd om henne.

– Bra. Det är bra, Piet. Inget du gör är värt mer än hon, än barnen. Jag vill bara att du fortsätter att komma ihåg det.

Han tyckte inte särskilt mycket om pulverkaffe, det var något med en fadd eftersmak, den påminde om kaffet på dyra restauranger i Warszawa.

– Han skulle aldrig ha påstått att han var polis.

– Var han det?

– Jag vet inte. Jag tror inte det. Jag tror att han var en sådan som jag. Och att han blev jävligt rädd.

Wilson nickade. Han hade förmodligen varit rädd. Och i panik slängt ur sig ett ord som borde ha inneburit skydd. Men som just där, just då, hade varit dess absoluta motsats.

– Jag hörde hur hans skrik, *jag är polis*, blev en osäkrad pistol och sedan ett skott.

Hoffmann satte ner koppen, kaffepulvret gick inte att dricka, hur mycket han än försökte.

– Det var ett tag sedan jag såg på när någon dog. Den där tystnaden när någon slutar att andas och man följer det sista andetaget tills det ebbar ut.

Erik Wilson iakttog en människa som var berörd och levde med ansvaret för död, den ganska senige mannen framför honom som kunde vara så hård när det behövdes var någon annan just nu. Det hade gått drygt tre år sedan de första stegen för infiltration av Wojtek Security International, Rikskriminalpolisens underrättelseavdelning hade i en rapport definierat företaget som en starkt växande gren av öststatsmaffian och redan med fäste i Norge och Danmark. Myndighetskontrollanten vid Citypolisen hade vidarebefordrat underrättelserapporten till Wilson och påmint honom om Paulas bakgrund med polska som ett av två modersmål och att han hade ett underlag i ASPEN och brottsregistret som var kraftfullt nog när det skulle kontrolleras och bedömas.

De var framme nu.

Paula hade med mod, pondus och kriminell trovärdighet nått toppen av organisationen, han kommunicerade i Warszawa direkt med Vice VD och Taket bakom den fasad som skulle se ut som ett polskt säkerhetsbolag.

– Jag hörde hur han osäkrade men hann inte.

Erik Wilson såg på sin infiltratör och vän, på ett ansikte som växlade mellan Piet och Paula.

– Jag försökte lugna ner dom, men bara till en gräns, sedan ... Erik, jag hade inget val, fattar du, jag har en roll att spela och jag måste göra det jävligt bra, annars ... jag är död annars.

Det var alltid lika oväntat, ansiktet hade helt övergått i Paula nu.

– Det var han som spelade sin roll för dåligt. Han stämde inte. Du måste vara kriminell för att kunna spela kriminell.

Erik Wilson behövde inte övertygas, han kände till villkoren, hur Paula varje dag levde med sin egen död som risk och konsekvens, hur en som han, en tjallare, var hatad bland sina egna. Men ville trots det, och utan att egentligen vara säker på varför, pröva Piets oskuld innan han fullt ut skulle arbeta för att ge honom kriminell immunitet.

– Skytten.

– Ja?

– Vilken vinkel?

– Jag vet vad du är ute efter, Erik. Jag har täckning.

– Vilken vinkel?

Piet Hoffmann visste att Wilson måste ställa sina frågor, att det bara var så.

– Vänster tinning. Rak vinkel. Direkt mot huvudet.

– Var stod du?

– Mittemot den döde.

Erik Wilson återvände till lägenheten han nyss besökt, till fläcken på golvet och vimplarna på väggen, till en konformad korridor som saknat blodstänk och hjärnsubstans.

– Dina kläder?

– Ingenting.

Så långt, korrekta svar.

Vinkeln mittemot den döde saknade blod.

Den som skjutit hade däremot träffats med kraftiga stänk.

– Har du dom kvar? Kläderna?

– Nej. Dom har brunnit. För säkerhets skull.

Hoffmann visste vad Erik sökte. Bevis.

– Men jag tog skyttens kläder. Jag erbjöd mig att bränna dom och sparade skjortan. Om den skulle behövas.

Alltid ensam. Lita bara på dig själv.

Det var så Piet Hoffmann levde, det var så han överlevde.

– Trodde väl det.

– Och vapnet. Jag har det också.

Wilson log.

– Och larmet?

– Det var jag.

Korrekt svar igen.

Wilson hade när *twelve* han lämnade Kronoberg passerat *thirty-seven* genom Länskommunikationscentralen och kontrollerat *fifty* inspelningen.

– Jag lyssnade. Du lät skärrad. Du hade anledning att vara det. Men vi ska lösa det här. Jag börjar redan när vi skiljs åt om en stund.

Ewert Grens hade tröttnat på att vänta. Tjugotvå minuter sedan förra samtalet. Hur lång tid kunde det egentligen ta att granska en död människas tandavtryck och fingeravtryck? Jacob Andersen från Köpenhamn hade talat om en informatör. Grens suckade. Polisledningens framtidsvision, privatpersoner som informatörer och infiltratörer var fan så mycket billigare än spanande polismän och en informatör kunde polisen göra sig av med om det blev nödvändigt, bränna utan ansvar och utan krånglande fackföreningar. En framtid som inte var hans. Han skulle vara pensionerad då, när enskilda polisers arbete var utbytbart mot kriminella som tjallade på sina egna.

Tjugofyra minuter. Han ringde själv upp.

– Andersen.

– Det var en jävla tid du tar på dig.

– Ewert Grens, hör jag.

– Nå?

– Det är han.

– Säker?

– Det räckte med fingeravtrycken.

– Vem?

– Vi kallade honom Carsten. En av mina bästa infiltratörer.

– Inga jävla kodnamn.

– Du vet hur det fungerar, jag som hanterare kan inte ...

– Jag leder en mordutredning. Jag är inte intresserad av din låtsassekretess. Jag vill ha ett namn, ett personnummer, en bostadsadress.

– Det får du inte.

– Civilstånd. Skonummer. Sexuell läggning. Kalsongstorlek. Jag vill veta vad han gjorde på mordplatsen. På vems uppdrag han var där. Allt.

– Det får du inte. Han var bara en av flera infiltratörer i den här operationen. Du kan därför inte få någon information överhuvudtaget.

Ewert Grens slog telefonluren mot skrivbordet innan han skrek in i den.

– Så ... nu ska vi se här ... först opererar dansk polis på svensk mark utan att informera svensk polis! Och när operationen sedan går åt helvete och slutar med ett mord ska dansk polis fortsätta låta bli att informera svensk polis när den försöker lösa det? Andersen, du hör väl hur det låter!

Telefonluren en gång till mot bordsytan, hårdare nu. Han skrek inte längre, det var mer som ett väsande.

– Jag vet att du har ett uppdrag, Andersen, och att du agerar utifrån det. Men det har jag också. Och om jag inte har löst det här inom ... vi säger tjugofyra timmar, då ses vi oavsett vad du tycker, och då informerar du och jag varandra tills det inte finns mer att säga.

Piet Hoffmann kände sig lättare.

Han hade igår kväll svarat rätt på Vice VD:s frågor om misslyckandet på Västmannagatan och sluppit en bilresa till förorten och två kulor i huvudet. Och han hade nyss svarat rätt på Eriks frågor, den enda människa som kunde bekräfta hans egentliga syfte och som nu skulle styra undan rättegång och straff.

Mötet i Warszawa med Taket, den ekonomiska garanten för arbetet med att ta över den slutna marknaden i Sverige, det var det här de hade väntat på.

– Fyratusen inlåsta storkonsumenter. Tre gånger högre pris än utanför murarna. Åtta, kanske nio miljoner kronor per dag. Om alla betalar, alltså.

Hoffmann rev bort ytterligare en bit plast från köksbordet.

– Men det är inte tanken.

Erik Wilson lyssnade och lutade sig tillbaka. Ögonblicket som var värt allt. Tre helvetesår med att bygga en personakt farlig nog att tränga in i en organisation de annars inte kom nära. Paulas information var värd fyrtio spanares arbete, han visste mer om denna maffiagren än någon svensk polis.

– Tanken är att ta kontroll också på utsidan.

Ögonblicket som motiverade utsattheten, de ständiga hoten.

– Det finns dom som från sin cell kan betala sitt knark, som har gott om pengar.

Ögonblicket när en organisation skulle växa, ta makt, bli något annat.

– Och så finns dom andra, som inte kan betala och som vi trots det ska fortsätta sälja till, som knaprar och när straffet är slut muckar med ett par t-shirts, trehundra spänn och en biljett hem. Wojteks drängar. Det är så vi ska rekrytera nya kriminella på utsidan. Dom som när voltan är klar får välja mellan att arbeta av skulden eller ta sina två skott.

Ögonblicket när svensk polis kunde kliva in, strypa kriminell expansion, ögonblicket som aldrig kom tillbaka.

– Förstår du, Erik? Det här landet har femtiosex fängelser. Och fler håller på att byggas. Wojtek kommer att kontrollera vartenda ett. Men också en armé skuldsatta och gravt kriminella utanför murarna.

Öststatsmaffians tre affärsområden.

Vapenhandel. Prostitution. Narkotika.

Wilson satt kvar vid det snart inplastade köksbordet med utsikt över en delad innergård. Organisationerna kontrollerade och Polismyndigheten stod och såg på. Nu skulle Wojtek ta sina sista steg. Först på anstalterna, sedan på gatan. Men det fanns en väsentlig skillnad den här gången. Polisen hade en egen man i toppen. Polisen hade insyn i var, hur och exakt när det var möjligt att gå in och slå tillbaka.

Erik Wilson såg hur Paula öppnade en grind, stängde den och försvann in i huset på andra sidan.

Det var dags att kräva ett annat möte.

På Regeringskansliet.

De måste ha garantier för att slippa ansvar för mordet på Västmannagatan 79, för att kunna fortsätta infiltrera också inifrån fängelset.

DET FANNS TVÅ papplådor kvar i rummets ena hörn. Han skulle snart knuffa dem framför sig på korridorens golv, till Einarsson och sekretesskydd och en säker förvaringsplats på godsroteln.

Hon hade varit helt ensam.

Han hade inte riktigt förstått det då, det hade ju handlat om honom, om hans egen rädsla och om hur ensam *han* hade varit.

Han hade inte ens gått dit. Hon hade begravts och han hade legat nyrakad i svart kostym i en manchestersoffa på sitt kontor och stirrat i taket.

Ewert Grens vände sig om, han orkade inte se på kartonger som hörde ihop med henne, han skämdes.

Han hade försökt lämna Västmannagatan 79 en stund, han kom ingenstans och skrivbordet var fullt av pågående utredningar som blev äldre och mer svårlösta för varje timme. Han hade bläddrat i mappar med förundersökningar och sedan lagt dem en efter en åt sidan. *Försök till utpressning* och finniga tonåringar från Södra Stationsområdet som hotat affärsinnehavare i Ringens Centrum. *Tillgrepp av fortskaffningsmedel* och en civil polisbil som hittats utan bildator och kommunikationsutrustning i en tunnel under Sankt Eriksbron. *Kvinnofridskränkning* och en före detta äkta man som upprepade gånger brutit mot det ålagda besöksförbudet och uppsökt före detta hustruns bostad på Sibyllegatan. Ointressanta och själlösa men utredningar som var hans vardag och han skulle senare ta hand om dem, han var ju bra på det, på vardag. Men inte nu. En död man låg i vägen.

– Kom in.

Det hade knackat på dörren. Till och med en knackning ekade i ett rum som saknade musik.

– Har du tid?

Grens såg mot dörröppningen och någon han inte tyckte särskilt mycket om. Han visste inte varför, det fanns egentligen ingen anledning men ibland var det bara så, det som inte gick att ta på men likväl störde.

– Nej. Jag har inte tid.

Ljust tjockt hår, smärt, pigga ögon, verbal, intellektuell, sannolikt snygg, fortfarande ganska ung.

Erik Wilson var allt Ewert Grens inte var.

– Inte ens en enkel fråga?

Grens suckade.

– Det finns inga enkla frågor.

Erik Wilson log och klev in. Grens skulle börja protestera men ångrade sig, Wilson hade varit en av få som aldrig haft invändningar mot för hög musik i en gemensam korridor, han hade kanske rätt till ett besök i tystnaden.

– Västmannagatan 79. Avrättningen. Om jag förstått rätt ... det är du som utreder den?

– Du säger det.

Erik Wilson mötte den svårpratade kriminalkommissariens blick. Han hade dagen innan letat i datorn och registret som hette rationell anmälningsrutin och var övertygad om att han hade hittat en ursäkt tillräcklig för att skymma hans egentliga syfte.

– En tanke bara. Handlade det om första våningen?

Ett finskt namn, grovt häleri, ett ton förädlad koppar.

– Nej.

Enligt registerutdraget ett fall som inte längre var öppet och med en dom som redan vunnit laga kraft.

– Ett år sedan. Samma adress. Jag utredde en finsk medborgare som köpte och sålde en jävla massa stulen och förädlad koppar.

Ett skitbrott som Grens inte hade utrett, han saknade därför sannolikt kunskap om att Wilson inte heller hade det.

– Jaha?

– Samma adress. Blev bara nyfiken. Om det fanns något samband.

– Nej.

– Det är du säker på?

– Det är jag säker på. Det här handlar om polacker. Och en död dansk infiltratör.

Erik Wilson hade fått den information han sökte.

Grens utredde.

Grens hade redan farlig kunskap.

Och Grens skulle fortsätta leta, den äldre mannen brann på det där sättet han gjorde ibland när han fortfarande var bäst.

– Infiltratör?

– Du ... jag tror inte du har med det att göra.

– Men du fick mig just nyfiken.

– Stäng dörren efter dig när du går.

Wilson protesterade inte, han behövde inte mer. Ett par steg ut i korridoren och Grens röst skar genom dammet.

– Dörren!

Två steg tillbaka, Wilson stängde och fortsatte till nästa dörr.

Intendent Göranssons.

– Erik?

– Har du tid?

– Sätt dig ner.

Erik Wilson satte sig framför den man som var hans chef och som var Grens chef och dessutom myndighetskontrollant för informatörsverksamheten vid City polismästardistrikt.

– Du har ett problem.

Wilson såg på Göransson. Rummet var större, skrivbordet var större. Det kanske var därför han alltid såg liten ut.

– Jaha?

– Jag var precis hos Ewert Grens. Han är utredare för avrättningen på Västmannagatan. Men problemet är att jag, som inte utreder, vet betydligt mer om vad som hände än vad den ansvarige utredaren just nu gör.

– Jag förstår inte varför det skulle vara ett problem.

– Paula.

– Ja?

– Minns du honom?

– Jag minns honom.

Wilson visste att han inte skulle behöva förklara så mycket mer.

– Han var där.

En elektronisk röst.

Twelve thirty-seven fifty.

Det skrapar till. Tydlig inomhusmiljö. Rösten är spänd, viskande, utan brytning.

En död man. Västmannagatan 79. Femte våningen.

– En gång till.

Nils Krantz tryckte på cd-spelaren och rättade försiktigt till högtalarna. De kände vid det här laget båda väl igen den surrande tonen från ett kylskåp som gjorde det svårt att höra de två sista orden.

– En gång till.

Ewert Grens lyssnade på den enda länk de hade till en man som bevittnat ett mord och sedan valt att försvinna.

– En gång till.

Kriminalteknikern skakade på huvudet.

– Jag har rätt mycket att göra, Ewert. Men jag kan bränna ner det här så kan du lyssna när och hur mycket du vill.

Krantz la över ljudfilen på en ny skiva och brände ner samtalet som tagits emot av Länskommunikationscentralen bara ett par minuter efter det dödande skottet.

– Vad gör jag med den?

– Du har ingen cd-spelare?

– Jag tror jag fick en apparat av Ågestam efter en liten konflikt vi hade om pappan som sköt ihjäl sin dotters mördare. Men jag har aldrig använt den. Varför skulle jag göra det?

– Låna den här. Och lämna tillbaka den när du är klar.

– En gång till?

Krantz skakade på huvudet igen.

– Ewert?

– Ja?

– Du har inte en aning om hur man gör?

– Nej.

– Sätt på dig hörlurarna. Och spela upp det själv. Du klarar det.

Grens satte sig ner på stolen längst in på tekniska roteln. Han tryckte på måfå på ett par knappar och drog tveksamt i en ganska lång sladd och ryckte efter ett tag till när larmrösten plötsligt fanns där igen, i hans hörlurar.

Det enda han visste om människan han letade efter.

– Jag hade en sak till.

Nils Krantz gestikulerade med händerna kring sina öron, Ewert skulle ta av sig hörlurarna.

– Vi har avsökt hela Västmannagatan 79. Samtliga utrymmen. Vi har inte hittat någonting som kan kopplas till den här utredningen.

– Sök av igen.

– Du, vi slarvar inte. Om vi inte har hittat något första gången gör vi det inte den andra. Du vet det, Ewert.

Ewert Grens visste det. Men också att det inte fanns något annat, att han just nu inte kom någonstans överhuvudtaget i utredningen. Han skyndade med cd-spelaren i handen genom det stora huset och utgången mot Kungsholmsgatan. Någon minut senare vinkade han från trottoaren in en passerande patrullbil, öppnade dörren till baksätet och bad den förvånade polisassistenten att köra honom till Västmannagatan 79 och sedan stanna kvar och vänta.

Han gick de fem våningarna upp, stannade kort framför dörren med ett finskt namn som Wilson under förmiddagen något ansträngt hade försökt att tala om, fortsatte sedan till lägenheten som ännu bevakades av inhyrda väktare i gröna uniformer. Han såg den stora blodfläcken och vimplarna på väggen men var den här gången intresserad av köket och en plats nära kylskåpet där Krantz med hundraprocentig säkerhet slagit fast att den man som ringt larmsamtalet hade stått. *Du låter lugn trots att du är skärrad.* Han satte på sig hörlurarna och tryckte på de två knappar som hade fungerat förra gången. *Du är exakt, systematisk, målinriktad.* Rösten igen. *Du kan skärma av och fungera trots att du står i kaos.* Grens gick mellan diskbänken och arbetsbänken och lyssnade på någon som hade befunnit sig just här, som hade viskat om en död man medan människor rört sig på andra sidan dörren nära en kropp som fortfarande blött kraftigt. *Du medverkade vid ett mord men valde att larma och sedan försvinna.*

– Den är ju förbannat bra den här.

Han hade medan han gick nerför trapporna ringt till Nils Krantz.

– Vad pratar du om?

– Apparaten jag fick låna av dig. Förhelvete, jag kan lyssna när jag vill, hur många gånger jag vill.

– Det är bra, Ewert. Det är jättebra. Vi hörs snart.

Bilen väntade dubbelparkerad utanför porten, polisassistenten beredd bakom ratten, fortfarande med bältet på.

Grens klev in i baksätet.

– Arlanda.

– Förlåt?

– Jag ska till Arlanda.

– Det här är ingen taxi. Jag går av mitt skift om femton minuter.

– Då tycker jag att du ska sätta på blåljuset. Så går det fortare.

Ewert Grens lutade sig tillbaka mot sätet medan bilen närmade sig Norrtull och E4:an norrut. *Vem är du?* Hörlurarna över öronen, han skulle hinna lyssna många gånger innan de stannat vid Terminal 5. *Vad gjorde du där?* Han var på väg till någon som visste mer om åtminstone en av de människor som befunnit sig i lägenheten när en kula av bly och titan trängt in i ett huvud och han skulle inte återvända hem förrän han fått ta del av det. *Var finns du nu?*

Han höll plastpåsen i handen, gungade den långsamt fram och tillbaka mellan ratten och sidorutan.

Piet Hoffmann hade lämnat femman klockan halv tolv på förmiddagen, en evakueringslägenhet med ingång från två gatuadresser. Han hade känt sig jagad, skottet på Västmannagatan och genombrottet på Wojtek, förtroende eller potentiell dödsdom, stanna kvar eller fly. När han stängt innergårdens sista grind hade telefonen ringt. Personalen på förskolan, de hade talat om feber och två barn som halvlåg rödrosiga på en soffa och väntade på att få komma hem. Han hade åkt direkt till

Enskededalen och Hagtornsgården, hämtat två varma och trötta barn och fortsatt mot huset i Enskede.

Han såg på plastpåsen, på skjortan som låg i den, grå och vita tygrutor som nu mest var blodstänk och fragment från en människa.

Han hade lagt dem i sina sängar och de hade somnat med var sin oläst Bamsetidning i famnen. Han hade ringt till Zofia, lovat att stanna kvar hemma och hon hade kysst luren, två gånger, alltid jämnt antal.

Han såg ut genom bilens vindruta och på klockan som fanns över en butiksentré. Sex minuter kvar. Han vände sig om, de satt så tysta, deras ögon var blanka och kropparna utan stadga, Rasmus låg nästan ner i baksätet.

Han hade gått omkring i det vakande huset, då och då oroligt smekt febersovande kinder och insett att han inte haft något val, flaskan med flytande Alvedon hade legat i ett av kylskåpets sidofack och de hade båda under protester om att det smakade äckligt och att de hellre var sjuka till slut svalt matskedar med dubbel dos. Han hade burit dem till bilen och kört den korta sträckan till Slussen och Södermalm och parkerat ett par hundra meter från porten på Hökens gata.

Rasmus låg nu helt ner i baksätet, Hugo delvis ovanpå honom. Deras rödflammiga kinder var lite mindre rödflammiga för en stund när alvedonvätskan verkade som mest.

Piet Hoffmann kände det där i bröstet som förmodligen var skam.

Förlåt. Ni ska inte vara här.

Han hade redan när han rekryterades lovat sig själv att aldrig utsätta någon han älskade för fara. Det här var enda gången. Det skulle aldrig hända igen. Det hade varit nära en gång förut, några år sedan, det hade plötsligt knackat på dörren och Zofia hade bjudit två besökare på kaffe, hon hade varit trevlig och glad utan att ha en aning om vem hon serverade, Vice VD och fjärdemannen, de hade undersökt någon på väg upp lite närmare och Hoffmann hade efteråt förklarat att de var två av hans kunder och hon hade trott honom som hon alltid gjorde.

Två minuter kvar.

Han lutade sig bakåt och kysste deras tillfälligt svala pannor, förklarade att de skulle vara ensamma en liten liten stund bara, de måste lova att sitta sådär stilla som bara riktigt stora pojkar gjorde.

Han låste bildörren och gick in genom porten som hette Hökens gata 1.

Erik hade tjugo minuter tidigare tagit sig in via porten Götgatan 15 och betraktade honom nu från fönstret på tredje våningen, han gjorde ju alltid det när Paula gick över innergården.

Mötesplats fyran klockan fjorton noll noll.

En evakueringslägenhet, en vacker innerstadsvåning och under några månaders renovering en av sex mötesplatser. Tre trappor upp, dörren med LINDSTRÖM på brevlådan, han nickade mot Erik och räckte fram plastpåsen som hade legat i ett av de låsta vapenskåpen och innehöll en skjorta med blodfläckar och krutrester, den Mariusz hade burit tjugofyra timmar tidigare, han hade sedan bråttom ner igen, till barnen.

Trappan mellan SAS-planet och Kastrups landningsbana hade aluminiumsteg som var för låga om han tog ett i taget och för höga om han försökte ta två. Ewert Grens såg på sina medpassagerare, de hade samma problem, ben som rörde sig orytmiskt på väg ner till en mindre buss som skulle köra dem till terminalbyggnaden. Grens väntade vid trappans sista steg på en vit bil med blå ränder och texten POLITI, en ung uniformsklädd man i förarsätet, han påminde om den svenske polisassistenten som en dryg timme tidigare stannat nära incheckningen på Arlanda. Den unge mannen skyndade ut, öppnade dörren till baksätet och gjorde honnör för den svenske kriminalkommissarien. Honnör. Det var länge sedan. Sådant han själv gjorde för sina befäl på sjuttiotalet. Sådant som ingen längre gjorde när han själv blev befäl. Han var glad för det, hade svårt för undergivet viftande.

Det satt redan någon i baksätet.

En civilklädd man i fyrtioårsåldern, ganska lik Sven, den sortens polis som såg trevlig ut.

– Jacob Andersen.

Grens log.

– Du sa att ditt kontorsrum hade utsikt över Langebro?

– Välkommen.

Fyrahundra meter senare parkerade bilen nära en dörr ungefär mitt i terminalbyggnaden och de gick in på flygplatsens polisstation. Ewert Grens hade varit här flera gånger förut, han hittade till mötesrummet längst in med kaffe och flottiga wienerbröd på bordet.

De hämtar med bil. De bokar mötesrum på lokala stationen. De serverar kaffe och kakor.

Grens iakttog sina danska kollegor som letade plastmuggar och sockerbitar.

Det kändes bra, som om den märkliga avogheten, det tysta motståndet mot att samarbeta var borta.

Jacob Andersen drog fingrarna mot sina byxor efter klistrigt bullpapper och la sedan ett fotografi i A4-format mitt på bordet. En färgkopia, kraftigt förstorad. Grens studerade bilden. En man mellan trettio och fyrtio, snaggad, ljus, grova ansiktsdrag.

– Carsten.

Ludvig Errfors hade i obduktionssalen beskrivit en man med nordeuropeiskt utseende och med inre och dentala ingrepp som indikerade att han sannolikt var uppvuxen i Sverige.

– Vi har ett annat system här. Manliga kodnamn för manliga informatörer, kvinnliga kodnamn för kvinnliga informatörer. Varför ska man krångla till det så förbannat?

Jag såg dig på ett golv, du hade tre stora hål i huvudet.

– Carsten. Eller Jens Christian Toft.

Jag såg dig senare på Errfors obduktionsbår, ansiktets hud helt avskalad.

– Dansk medborgare men född och uppvuxen i Sverige. Dömd för grov misshandel, mened, utpressning och hade suttit i D-huset på Vestre Fængsel i Köpenhamn i två år när han rekryterades av oss. Så som ni gör. Ibland till och med redan i häktet. Eller hur?

Jag känner igen dig, det är du, till och med den där bilden från obduktionen när du tvättats, den liknar den här.

– Vi utbildade honom, vi gav honom en bakgrund. Han har som infiltratör fått lön av Köpenhamnspolisen för att provocera fram köp av i stort sett hela den organiserade brottslighetens medlemmar. Hells Angels, Bandidos, den ryska, den jugoslaviska, den mexikanska ... välj vilken maffiagren du vill. Det här var tredje gången han provocerade fram ett köp av polska Wojtek.

– Wojtek?

– Wojtek Security International. Väktare, personskydd, värdetransporter. Officiellt. Precis som i alla andra öststater. Organiserad brottslighet bakom en fasad av säkerhetsbolag.

– Polsk maffia. Nu har den fått ett namn. Wojtek.

– Men det var första gången han gjorde det i Sverige. Och utan uppbackning, vi ville undvika en operation på svensk mark. Det blev därför vad vi kallar ett okontrollerat köp.

Ewert Grens bad om ursäkt och reste sig upp. Fotot av en död man i den ena handen och mobiltelefonen i den andra när han lämnade rummet för den stora avgångshallen och försökte undvika att krocka med stora väskor som hade bråttom till en ny kö.

– Sven?

– Ja?

– Var är du?

– På mitt rum.

– Sätt dig framför datorn. Slå multifråga på en Jens Christian Toft. Född nittonhundrasextiofem.

Han böjde sig ner och plockade upp en resväska som fallit från en solbränd och leende äldre dams vagn, hon tackade och han log tillbaka medan han hörde hur Sven Sundkvist drog ut skrivbordsstolen och sedan det där irriterande ljudet som liknade en ton och som trängde sig på när datorn drog igång.

– Klar?

– Nej.

– Jag har bråttom.

– Ewert, jag öppnar systemet. Det tar den tid det tar. Det är inget jag kan påverka.

– Du kan öppna fortare.

Någon minut av knapptryckande, Grens gick oroligt mellan resenärer och incheckningsdiskar, sedan Svens röst.

– Ingen träff.

– Inte någonstans?

– Inte i brottsregistret, inte i körkortsregistret, han har inget svenskt medborgarskap, han är inte daktad, han finns inte i ASPEN.

Ewert Grens gick två långsamma varv i en orolig avgångshall.

Han hade fått ett namn. Han visste nu vem som legat på en

mörk fläck på ett vardagsrumsgolv.

Det betydde ingenting.

Han var inte intresserad av den döde. En livlös identitet var bara meningsfull om den också förde honom närmare en gärningsman. Det var det namnet han hade betalt för att ta reda på. Det här, som inte träffade svenska register överhuvudtaget, det förändrade just nu inte ett dugg.

– Jag vill att du lyssnar på det här.

Ewert Grens hade satt sig ner igen i rummet med för stora wienerbröd och för små kaffekoppar på Kastrups lokala polisstation.

– Inte än.

– Det är inte mycket. Men det är det enda jag har.

En röst som viskade sju ord i ett larmsamtal var fortfarande hans tydligaste länk till en mördare.

– Inte än, Grens. Innan vi fortsätter vill jag försäkra mig om att du har mötets förutsättning helt klar för dig.

Jacob Andersen tog emot cd-spelaren och hörlurarna men la dem på bordet.

– Du fick ingen information tidigare i telefon eftersom jag ville veta vem det var jag egentligen talade med. Om jag kunde lita på dig. För om det skulle bli känt att Carsten arbetade på vårt uppdrag riskerar också andra infiltratörer – som han rekommenderat och backat inför Wojtek – att dö. Det vi talar om här stannar alltså här. OK?

– Jag tycker inte om det satans hemlighetsmakeriet kring allt som har med informatörsverksamheten att göra. Det förstör andra utredningar.

– OK?

– OK.

Andersen satte nu på sig hörlurarna och lyssnade.

– Larmet från lägenheten.

– Jag förstår det.

– Hans röst?

Ewert Grens pekade på bilden som låg på bordet.

– Nej.

– Har du hört den förr?

– Jag skulle behöva mer för att kunna ge dig ett säkert svar på det.

– Det är allt vi har.

Jacob Andersen lyssnade igen.

– Nej. Jag känner inte igen den rösten.

Carsten som hette Jens Christian Toft var död på bilden men det kändes nästan som om han såg på honom och Grens tyckte inte om det. Han drog den till sig, vände på den.

– Jag är inte intresserad av honom. Jag är intresserad av vem som sköt honom. Jag vill veta vilka som mer fanns i lägenheten.

– Jag har ingen aning.

– Du måste väl förhelvete ha känt till vilka han skulle träffa på *ditt* uppdrag!

Jacob Andersen ogillade människor som var högljudda när det inte var nödvändigt.

– Nästa gång du talar så till mig är det här mötet slut.

– Men om det var du som ...

– Är det uppfattat?

– Ja.

Den danske kommissarien fortsatte.

– Det enda jag vet är att Carsten skulle möta Wojteks representanter och svenske kontaktman. Men jag har inga namn.

– Svenske kontaktman?

– Ja.

– Är du säker på det?

– Det är den information jag har.

Två svenska röster i en lägenhet vid en polsk maffiauppgörelse.

En var död. En larmade.

– Det var du.

Andersen såg förvånat på Grens.

– Förlåt?

– Den svenske kontaktmannen.

– Vad talar du om?

– Jag talar om att jag ska hitta fanskapet.

Huset låg bara ett par hundra meter från Nynäsvägens tunga trafik som malde sönder varje tanke. Men efter en kort resa genom ett par smågator förbi en skola och en liten park väntade en annan värld. Han öppnade bildörren och lyssnade, det gick inte ens att höra bruset från lastbilar som körde om varandra.

Hon stod på garageuppfarten och väntade redan när han svängde in.

Så vacker, för tunt klädd, innetofflorna fortfarande på.

– Var har du varit? Var har *ni* varit?

Zofia öppnade bakdörren och smekte Rasmus kind, lyfte upp honom i famnen.

– Två kunder. Jag hade glömt det.

– Kunder?

– En väktare som behövde en skyddsväst. Och en butik som behövde justera sina larmsystem. Jag hade inget val. Och dom satt där bara en liten stund, stilla i baksätet.

Hon kände på två pannor.

– Dom är inte så varma.

– Bra.

– Dom håller kanske på att bli lite bättre.

– Hoppas det.

Jag kysser henne på kinden och hon luktar Zofia medan jag formulerar en lögn.

Det är så enkelt. Och jag är bra på det.

Men jag orkar inte med en enda till, inte för henne, inte för barnen, inte längre.

Trätrappan gnällde när två föräldrar bar febervarma barn till sina sängar på husets andra våning, små kroppar under vita lakan. Han stannade en stund och såg på dem, de sov redan, snarkade lite som människor gör när de slåss mot sluga bakterier. Han försökte minnas hur det hade varit före två pojkar som han älskade mer än något annat, dagar av tomhet utan någon som betydde mer än han själv. Han mindes men kände ingenting, han hade ju aldrig hunnit förstå då att det där som verkat så mycket och så starkt och så viktigt var betydelselöst eftersom det skulle komma tid med någon som tittade på honom och kallade honom pappa.

Han gick mellan deras rum och kysste deras pannor, de började bli varmare, det febriga mot hans läppar. Han fortsatte ner till köket och satte sig på stolen bakom Zofia och såg på hennes rygg medan hon diskade tallrikar som sedan skulle stå i ett skåp i hans hem, hennes hem, *deras* hem. Han litade på henne. Det var det han gjorde, kände tillit på ett sätt han aldrig tidigare vågat. Han litade på henne och hon litade på honom.

Och hon litade på honom.

Han hade ljugit nyss. Han reflekterade sällan över det, det var vana, han övervägde alltid hållbarheten i en lögn innan han ens var medveten om att han skulle ljuga. Den här gången hade lögnen varit olust. Han satt bakom henne och den var fortfarande oresonlig och krävande och svår att stå ut med.

Hon vände sig om, log, smekte hans kind med en diskblöt hand.

Det han brukade längta så efter.

Nu var det bara obehagligt.

Två kunder. Jag hade glömt det. Och dom satt där bara en liten stund, stilla i baksätet.

Om hon inte hade litat på honom. *Jag tror inte på dig.* Om hon inte hade godtagit hans lögn. *Jag vill veta vad du egentligen har gjort.*

Han hade fallit. Han hade upphört då. Hans styrka, hans liv, hans drivkraft, han hade ju byggt allt kring hennes tillit.

Tio år tidigare.

Han sitter inlåst på Österåkeranstalten, ett fängelse norr om Stockholm.

Hans cellgrannar, hans vänner i tolv månader, de har alla sitt eget sätt att överleva skammen, de har noga byggt sina försvarsmekanismer, sina lögner.

Han som sitter mittemot, cell 4, som pundar och stjäl för att kunna fortsätta punda, som gör femton villor i förorten på en natt, hans jävla tjat, *jag skadar aldrig barnen, jag stänger alltid dörren till deras rum, jag tar åtminstone aldrig någonting där,* hans mantra och försvar för att stå ut, en hemmagjord moral som ska få honom att verka lite bättre åtminstone inför sig själv och slippa självföraktet.

Piet visste, som alla visste, han i cell 4 hade för länge sedan pissat på den där egna moralen, han stal numera det som gick att sälja också i villornas barnrum när längtan efter mer narkotika var starkare än respekt.

Och han en bit bort, cell 8, som dömts för grov misshandel igen och igen, som byggt en annan låtsasmoral med ett annat mantra för att stå ut med självförakt, *jag slår aldrig kvinnor, bara män, jag skulle åtminstone aldrig slå en kvinna.*

Piet visste, som alla visste, han i cell 8 hade också för länge sedan separerat ord och handling, han slog numera kvinnor, han slog numera alla som korsade hans väg.

Låtsasmoralen.

Piet hade föraktat den, precis som han alltid hade föraktat dem som ljög till och med för sig själva.

Han såg på henne. Den blöta handen hade varit obehag.

Han hade gjort det själv. Han hade trasat sönder sin egen moral, sitt eget resonemang om att fortfarande vara någon han själv kunde tycka om, *familjen, jag kommer aldrig att använda familjen för mina lögner, jag kommer åtminstone aldrig tvinga in Zofia och barnen i mina lögner.*

Han hade gjort det nu, som han i cell 4 och han i cell 8 och alla de andra, det han hade föraktat.

Han hade ljugit för sig själv.

Det fanns inte längre något kvar, som var han, som han kunde tycka om.

Zofia stängde av det rinnande vattnet, hon var klar, torkade av diskbänken och satte sig sedan i hans knä. Han höll om henne, kysste hennes kind, två gånger som hon ville att han skulle göra, han borrade in näsan i utrymmet mellan hennes hals och hennes skuldra, stannade just där hennes hud var så mjuk.

Erik Wilson öppnade ett tomt dokument i den särskilda dator han bara använde efter ett möte med en infiltratör.

```
M drar en pistol
(polsktillverkad 9 mm Radom)
ur axelhölstret.
M osäkrar och håller den mot
köparens huvud.
```

Han försökte minnas och skriva ner Paulas redogörelse från mötet på femman.

För att skydda honom. För att skydda sig själv.

Men framför allt för att ha ett underlag om någon skulle ifrågasätta vart och varför polisens tipspengar betalats ut. Utan underrättelserapporten och utan myndighetens kassa för allmänhetens tips skulle varken Paula eller någon av hans kollegor kunna få betalt för sitt jobb och samtidigt förbli anonym bortom lönekontorets officiella bokföring.

> P beordrar M att lugna ner
> sig.
> M sänker vapnet, tar ett steg
> bakåt, säkrar.

När den hemliga underrättelserapporten lämnat skrivbordet och via intendent Göransson fortsatt till chefen för Länskrim raderade Wilson den från datorns hårddisk, aktiverade kodlåset och stängde av elektronik som av säkerhetsskäl aldrig kopplades upp mot internet.

> Plötsligt skriker köparen
> 'jag är polis'.

Erik Wilson skrev den, Göransson kontrollerade den och chefen för Länskrim förvarade den.

Om någon annan läste, om någon annan visste ... de riskerade infiltratörens liv, kunskap hos fel personer om identitet och uppdrag skulle vara detsamma som Paulas dödsdom.

> M riktar på nytt sitt vapen
> mot köparens tinning.

Svensk polis skulle inte slå till den här gången, inte gripa någon, inte göra något beslag. Västmannagatan 79 hade varit en operation med ett enda syfte, att stärka Paulas ställning i Wojtek, en narkotikaaffär som del av Wojteks vardag.

P försöker avbryta och
köparen skriker åter 'polis'.
M håller pistolen hårdare mot
tinningen och trycker av.

Varje infiltratör levde med en ännu inte avslöjad dödsdom som enda sällskap.

Erik Wilson läste den hemliga underrättelserapportens sista rader flera gånger.

Det kunde ha varit Paula.

Köparen faller åt sidan,
snett höger, ur stolen, mot
golvet.

Det kunde *inte* ha varit Paula.

Den eller de som hade arbetat fram den danska informatörens bakgrund hade gjort ett uselt jobb. Erik Wilson hade själv byggt Paula. Steg för steg i register efter register.

Han visste att han var bra på det.

Och han visste att Piet Hoffmann var bra på att överleva.

Ewert Grens satt i en av Kastrups pilsnerluktande barer och drack danskt mineralvatten i brun pappmugg.

Alla dessa människor som skulle någonstans med Toblerone och kakaolikör i förseglade plastkassar. Han hade aldrig förstått varför människor arbetade i elva månader för att kunna spara tillräckligt med pengar och åka iväg den tolfte.

Han suckade.

Utredningen hade inte kommit mycket längre, han visste inte särskilt mycket mer nu än när han några timmar tidigare hade lämnat Stockholm.

Att den döde var dansk informatör. Att han hette Jens Christian Toft. Att han arbetade för dansk polis och provocerade fram köp hos organiserad brottslighet.

Ingenting om mördaren.

Ingenting om vem som larmat.

Han visste också att det i lägenheten sannolikt hade funnits en svensk kontaktman och polska representanter för en gren av östmaffian som kallades Wojtek.

Det var allt.

Inga ansikten, inga namn.

– Nils?

Grens hade nått Nils Krantz i ett av tekniska rotelns kontorsrum.

– Ja?

– Jag vill att du utvidgar sökområdet.

– Nu?

– Nu.

– Hur mycket?

– Så mycket du behöver. Omgivande kvarter. Varje bakgård, varje trapphus, varje soprum.

– Var är du någonstans? Det är ett jävla liv i bakgrunden.

– På en bar. Danskar som försöker dricka bort flygrädsla.

– Och vad gör du på en ...

– Nils?

– Ja?

– Om det finns något där som för oss vidare ... hitta det.

Han drack det sista av det ljumma mineralvattnet, tog några jordnötter ur en skål på bardisken och gick mot gaten och kön av passagerare till det väntande planet.

Den hemliga underrättelserapporten från Västmannagatan 79 var fem tätt skrivna papper i A4-format inklämda i en för trång plastficka. Intendent Göransson hade läst den fyra gånger under en dryg timme när han tog av sig glasögonen och såg upp på Erik Wilson.

– Vem?

Wilson hade betraktat ansiktet som annars ofta var vilset, nästan blygt trots chefsställning.

Det hade för varje genomläsning blivit svagt rödare, mer spänt.

Nu var det nära att brista.

– Vem är den döde?

– Sannolikt en infiltratör.

– Infiltratör?

– En *annan* infiltratör. Vi tror att han arbetade för kollegorna på den danska sidan. Han kände inte till Paula. Och Paula kände inte till honom.

Utredningsrotelns chef höll i fem tunna A4-papper som var tyngre än avdelningens samtliga förundersökningar. Han la dem på skrivbordet bredvid en annan version av samma mord vid samma tidpunkt på samma adress. En rapport han fått av Ågestam, åklagaren, om hur långt Grens, Sundkvists och Hermanssons officiella utredning hade kommit.

– Jag vill ha en garanti för att Paulas eventuella delaktighet i mordet på Västmannagatan stannar där. I underrättelserapporten.

Göransson såg på de två pappershögarna framför sig. Wilsons hemliga underrättelserapport om vad som *verkligen* hade hänt. Och Grens pågående utredning som innehöll och skulle fortsätta att innehålla just så mycket som två poliser i det här rummet skulle tillåta den att göra.

– Erik, det fungerar inte så.

– Om Grens får veta ... det går inte. Paula är nära ett genombrott. Vi kan för första gången bryta av en maffiagren redan i uppbyggnadsfasen. Vi har aldrig lyckats med det. Göransson, du vet det lika bra som jag, den här stan, den styrs inte av oss, den styrs av dom.

– Jag ger inga garantier till en högriskkälla.

Erik Wilson slog handen i skrivbordet. Han hade aldrig gjort det hos sin chef förut.

– Du vet att det inte är så. Du har fått underrättelserapporter om hans arbete i nio år. Du vet att han *aldrig* har misslyckats.

– Han är och förblir kriminell.

– Det är en förutsättning för att en infiltratör ska kunna fungera!

– Delaktighet i ett mord. Om han inte är en högriskkälla ... vad är han då?

Wilson slog inte en gång till.

Han sträckte sig efter plastfickan, petade in fem papper i den, höll sedan i den, hårt.

– Fredrik, lyssna på mig. Utan Paula försvinner det här tillfället. Och det kommer inte tillbaka. Det vi förlorar nu förlorar vi för alltid, vi får det vi ser på fängelserna i Finland, i Norge, i Danmark. Hur länge ska vi stå bredvid och titta på?

Göransson höll upp en hand framför sig. Han behövde tänka. Han hade hört vad Wilson sa och han ville förstå vad det egentligen betydde.

– Du vill ha samma lösning som för Maria?

– Jag vill att Paula fortsätter. I minst två månader till. Det är så länge vi behöver honom.

Utredningsrotelns chef hade bestämt sig.

– Jag förvarnar om ett möte. På Rosenbad.

Erik Wilson gick långsamt genom korridoren när han lämnade intendent Göranssons rum, stannade kort framför Ewert Grens öppna dörr, det var tomt därinne, kriminalkommissarien som aldrig skulle bli klar med sin utredning var inte där.

onsdag

VÄGGEN AV MÄNNISKOR.

Han hade glömt hur den klockan åtta en morgon flyttade sig mellan tunnelbanans perrong och uppgångarna mot Vasagatan.

Bilen stod kvar på garageuppfarten bredvid en röd brandbil i hårdplast, om barnens feber blev värre, om Zofia skulle behöva köra till vårdcentralen eller apoteket. Piet Hoffmann gäspade och sicksackade mellan pendlare som rörde sig för långsamt, fortfarande trött, han hade under natten lämnat sängen varje timme medan febern successivt tilltagit. Första gången strax efter midnatt när han öppnat samtliga fönster i båda pojkarnas rum, lyft bort täcken från heta kroppar och suttit växelvis på två sängkanter tills de somnat om igen. Sista gången någonstans vid fem när han tvingat i dem ännu en dos Alvedon, de behövde vilan, sömnen, för att bli friska. Två viskande föräldrar i morgonrock hade sedan i gryningen enats om att fördela dagen som de alltid gjorde när någon var sjuk eller förskolan hade planeringsdag, han skulle arbeta förmiddagen, komma hem och efter en gemensam lunch lösa av Zofia som skulle arbeta eftermiddagen.

Vasagatan var inte särskilt vacker, en trist och själlös sträcka asfalt, likväl de första stegen för många besökare som just klivit av ett tåg, en flygbuss eller en taxi på väg till det Stockholm av öar och vatten de uppmanats att längta till i turistbroschyrer med blanka sidor. Piet Hoffmann var sen och såg varken det fula eller det vackra när han närmade sig hotellet som hette Sheraton och bordet nära bardisken längst in i den eleganta lobbyn.

De hade träffats trettiosex timmar tidigare i en stor och svart fastighet längs ul. Ludwika Idzikowskiego i Mokotów i centrala Warszawa. Henryk Bak och Zbigniew Boruc. Hans kontaktman och Vice VD.

Han hälsade på dem, fasta handslag av män som var noga med att visa att de tryckte hårt.

Ett besök som var huvudkontorets sätt att markera allvar.

Det började nu. Det här var en prioriterad operation. Leveranser och tidpunkter utanför fängelset leddes direkt från Warszawa.

De släppte varandras händer och Vice VD satte sig ner igen vid bordet med ett halvt glas apelsinjuice. Henryk började gå bredvid Hoffmann mot hotellets utgång men saktade snart in och fortsatte ett halvt steg bakom, om han var osäker på vägen eller om han bara ville ha kontroll. Vasagatan var lika själlös från det här hållet, de passerade tunnelbanans uppgång och sneddade mellan jagande bilar över till andra sidan och följde trottoaren till porten med ett säkerhetsbolag på andra våningen.

De talade inte med varandra, precis som de inte hade talat med varandra ett och ett halvt dygn tidigare i Warszawa på väg till Taket, de teg och fortsatte uppför trapporna och förbi dörren till Hoffmann Security AB och vidare mot tredje, fjärde, femte, sjätte våningen och sedan högst upp till den ensamma plåtdörren som vette mot vinden.

Piet Hoffmann öppnade och de gick in i mörkret. En svart knapp fanns där någonstans på väggen, han letade och hittade den efter en stunds famlande betydligt längre ner än han mindes, låste dörren från insidan och var noga med att låta nyckeln sitta kvar för att förhindra att någon tog sig in. Förrådet med nummer tjugosex var tomt bortsett från fyra sommardäck staplade ovanpå varandra längst in i ena hörnet, han lyfte upp det översta och grävde fram en hammare och en mejsel som tejpats fast i fälgens hålrum, återvände till den trånga gången med det svaga ljuset och följde därifrån det kraftiga och blanka aluminiumröret som hängde någon meter ovanför deras huvuden tills det mötte väggen och försvann in i en värmefläkt. Han placerade mejselns spets mot kanten av stålskenan som fogade samman röret med fläkten och slog hårt med hammaren tills skenan lossnade och han ur den tillfälliga öppningen kunde plocka ut åttioen vitaktiga metallburkar.

Henryk väntade tills de stod uppradade på vindsgolvet och valde sedan ut tre stycken, burken längst till vänster, en av dem någonstans i mitten och den näst längst till höger.

– Du kan ta dom andra.

Hoffmann lyfte sjuttioåtta burkar tillbaka till gömstället i värmefläkten medan Henryk petade bort skyddande folie på de tre som var kvar och de kände båda hur delar av vinden fylldes av en doft av tulpaner som var så stark att den nästan var obehaglig.

En gul sammanhängande klump mitt i varje burk.

Fabrikstillverkat amfetamin utspätt med två delar druvsocker.

Piet Hoffmann hade haft fragment av blod och hjärnsubstans på sina kläder när han med Jerzy och Mariusz på var sin sida i köket på Hoffmann Security blandat ut och vakuumförpackat.

Henryk öppnade sin svarta portfölj och fällde upp en enkel våg bredvid en ställning med provrör, skalpell och pipett. Ett tusen och åttiosju gram. Ett kilo amfetamin och burkens vikt. Han nickade mot Hoffmann, det var exakt.

Skalpellen mot en av de tre gula amfetaminklumparna, Henryk skrapade försiktigt tills en bit lossnade, inte större än att den fick plats i det första provröret. Pipetten ner i nästa provrör som innehöll fenylaceton och fotogen, han sög upp vätskan och släppte den över den lösa amfetaminklumpen, skakade några gånger. Han väntade någon minut, kanske två, höll sedan upp provröret mot fönstret, en blåaktig och genomskinlig vätska var detsamma som starkt amfetamin, en mörk och grumlig var motsatsen.

– Tre eller fyra gånger?

– Tre.

– Det ser bra ut.

Henryk förslöt burken med folie och lock och upprepade proceduren med de två andra, möttes igen av blåaktig och genomskinlig vätska och bad nöjd sin svenske kollega att ställa tillbaka dem i värmefläkten och att sedan slå in stålskenorna tills det där klickande ljudet försäkrat att ventilationsröret åter var helt.

Vindsdörren ordentligt låst från yttersidan. Sex trappor ner till Vasagatans asfalt. En promenad under tystnad.

Vice VD satt kvar vid samma bord.

Ytterligare ett halvt glas apelsinjuice framför sig.

Hoffmann väntade vid receptionens långa disk medan Henryk satte sig ner bredvid Wojteks näst högste man.

Blåaktig genomskinlig vätska.

Åttioett kilo utblandat amfetamin.

Vice VD vände sig om, han nickade, Piet Hoffmann kände hur det släppte i magen när han gick genom det dyra hotellets lobby.

– Det är det där jävla fruktköttet. Det fastnar i tänderna.

Vice VD pekade på sina halvtomma juiceglas och beställde in två till, servitrisen var ung och log mot dem som hon log mot alla gäster som gav en hundralapp i dricks och kanske skulle beställa ännu en gång.

– Jag leder operationen utanför murarna. Du leder den innanför, från Kumla, Hall eller Aspsås. Svenska fängelser med säkerhetsklass A.

– Jag skulle behöva en kaffe.

En dubbel espresso. Den unga servitrisen log igen.

– Det var en lång natt.

Han såg på Vice VD som väntade.

Det kunde ha varit en maktdemonstration. Det kanske till och med var det.

Två glas till hälften fyllda med apelsinjuice var mer än gul vätska när resten av bordet var tomt.

– Nätter är det ibland. Långa.

Vice VD log. Han sökte inte respekt. Han sökte kraft han kunde lita på.

– Vi har just nu fyra inlåsta på Aspsås, tre vardera på Hall och Kumla. På olika avdelningar men med kommunikation. Jag vill att du grips inom en vecka för ett brott så grovt att det garanterat ger straff på något av dom.

– Två månader. Sedan är jag klar.

– Du får den tid du behöver.

– Jag vill inte ha mer. Däremot en garanti. Att ni plockar ut mig precis då.

– Oroa dig inte.

– En garanti.

– Vi plockar ut dig.

– Hur?

– Vi tar hand om din familj när du sitter. Och när du är klar tar vi hand om dig. Nytt liv, ny identitet, pengar för att börja om.

Sheratons lobby var fortfarande tom.

De som kommit till huvudstaden för affärer skulle inte checka in förrän till kvällen. De som skulle upptäcka museer och statyer var redan ute på stan med en snabbpratande guide och nya Nikeskor.

Han hade druckit upp, vinkade mot receptionen, en dubbel espresso till, och en sådan där liten mintkaka.

– Tre kilo.

Vice VD ställde ner sitt juiceglas bredvid de andra.

Han lyssnade.

– Jag grips med tre kilo. Jag förhörs och erkänner. Jag förklarar att jag är ensam ansvarig. Jag får kort häktningstid eftersom åtal kan väckas omgående. Jag döms i tingsrätten till långt straff, tre kilo amfetamin är ett prioriterat brott i svenska domstolar, och förklarar mig nöjd med domen och slipper därför vänta på att den ska vinna laga kraft. Om allt fungerar borde jag kunna sitta bakom en låst dörr innanför rätt murar om två veckor.

Piet Hoffmann satt i en hotellobby mitt i Stockholm men såg sig omkring i en trång cell på Österåkeranstalten tio år tidigare.

Han hade lärt sig hur några månader i ett fängelse kunde bryta ner det som var människa.

Jävliga dagar när röster skrek *urinprov* och vuxna män gick nakna på led för att ställa sig i spegelrummet medan ögon granskade penis och urin. Jävliga nätter med oannonserade visitationer, nyväckt i kalsonger utanför celldörren medan ett gäng vakter rev upp, välte ut, slog sönder och när de var klara lämnade över kaos.

Han skulle stå ut den här gången. Han var där av skäl som var större än förnedring.

– På plats opererar du i två steg. Precis som när vi från Oslo fengsel tog anstalt för anstalt i Norge eller Riihimäki som var den första i Finland.

Vice VD lutade sig fram.

– Du slår ut dom aktörer som redan är på plats. Sedan levererar vi våra produkter genom våra kanaler. Initialt sjuttioåtta kilo som återstår och som Henryk nyss godkände. Med dom dumpar du priset. Alla som sitter ska lära sig att det är vi som tillhandahåller. Amfetamin för femtio kronor grammet istället för trehundra. Tills vi tagit allt. Då höjer vi. Fan, kanske gör vi mer än så. *Fortsätt köp*. Vi chockhöjer, till femhundra, varför inte sexhundra kronor grammet. *Eller sluta injicera*.

Piet Hoffmann var tillbaka i den trånga cellen på Österåker. När drogen styrde. När den som *ägde* drogen styrde. Amfetamin. Heroin. Till och med Skogaholmslimpa och ruttna äpplen i en hink med vatten under tre veckor i en städskrubb – i det ögonblick det förvandlats till tolvprocentig mäsk var det ägaren till skurhinken som styrde.

– Jag behöver tre dagar för att slå ut nuvarande aktörer. Under den tiden vill jag inte ha någon kontakt och det är mitt ansvar att ta in tillräcklig mängd.

– Tre dagar.

– Från och med fjärde dagen vill jag ha ett kilo amfetamin levererat en gång i veckan via Wojteks kanaler. Det är min uppgift att se till att det konsumeras. Jag vill inte ha någon som gömmer och lagrar, ingenting som påminner om konkurrens.

En hotellobby var en märklig plats.

Ingen som hörde till. Ingen som hade för avsikt att stanna kvar.

De två bord som stod närmast och hittills varit tomma blev plötsligt två grupper japanska turister som satt sig ner för att tålmodigt vänta på bokade rum som ännu inte var klara.

Vice VD sänkte rösten.

– Hur tar du in det?

– Det är mitt ansvar.

– Jag vill veta hur du ska genomföra det.

– Som jag gjorde på Österåker för tio år sedan. Som jag har gjort flera gånger till andra anstalter sedan dess.

– Hur?

– Med all respekt, ni vet att jag är kapabel till det, att jag tar ansvar för det, det får räcka som svar.

– Hoffmann, *hur*?

Piet Hoffmann log, det kändes onaturligt, det var första gången sedan igår kväll.

– Med tulpaner och poesi.

DÖRREN VAR INTE riktigt stängd.

Han hörde tydliga steg i korridoren och de kom hastigt närmare.

Han ville inte ha något besök just nu. Det här delade han inte med någon.

Erik Wilson lämnade skrivbordsstolen och drog i dörrhandtaget som satt fast. Den *var* redan stängd. Han hade inbillat sig, stegen som skrapade mot golvet och blev allt tydligare fanns inte, han var mer orolig, mer jagad än han hade insett.

Två möten under några timmar.

Det längre på femman med Paulas version av mordet på Västmannagatan och redogörelsen från mötet i Warszawa och det betydligt kortare på fyran när en blodig skjorta i en plastpåse bytte händer.

Wilson såg mot det låsta skåpet vid väggen på andra sidan rummet.

Den låg där. En mördares rustning.

Den skulle inte ligga där länge till.

Han satte sig ner vid skrivbordet igen. Stegen i utredningsrotelns korridor var borta, också de i hans huvud. Han såg på datorns skärm.

Namn *Piet Hoffmann* Personnummer *721018-0010* Antal träffar *75*

Det viktigaste redskapet när han under nio år byggt den skickligaste infiltratör han hört talas om.

ASPEN, allmänna spaningsregistret.

Han hade börjat redan när Piet muckat från Österåker, första dagen i frihet och första dagen som rekryterad infiltratör. Erik Wilson hade själv mött honom vid grinden, kört honom de fem milen till Stockholm i sin privata bil och när han sedan släppt av honom åkt direkt till polishuset och i ASPEN skrivit in den första iakttagelsen av 721018-0010, den spaningsinformation som från och med det ögonblicket skulle nå varje enskild polisman som loggade in för att få veta mer om en Piet Hoffmann. En kortfattad men tydlig beskrivning av hur den misstänkte direkt efter avtjänat straff mötts med bil vid Österåkers grind av två tidigare dömda och kända kriminella med bekräftade kopplingar till jugoslavisk maffia.

Han hade under åren successivt byggt honom allt farligare *iakttogs nära fastighet vid husrannsakan avseende misstänkt vapenhandel* allt mer våldsam *iakttogs femton minuter före mordet på Östling i sällskap med misstänkte Marković* och allt mer hänsynslös. Wilson hade varierat formuleringar och graden av desinformation och för varje ny iakttagelse spätt på myten om Piet Hoffmanns potens tills han via ett register i en dator blivit en av Sveriges farligaste personer.

Han lyssnade igen. Fler steg i korridoren. Ljudet blev tydligare, högre tills det passerade och sakta ebbade ut.

Han vinklade upp skärmen.

KÄND.

Piet skulle om två veckor dömas till långt fängelsestraff och sedan ta makt tillräcklig för att kontrollera drogen, sådan makt som innanför murarna togs med respekt.

FARLIG.

Erik Wilson skrev därför den här gången med stora bokstäver.

VAPEN.

När nästa kollega kontrollerade Piet Hoffmann i spaningsregistret skulle han eller hon mötas av den särskilda sida och den särskilda kod som bara användes för några få kriminella.

KÄND FARLIG VAPEN

Patrull efter patrull med tillgång till den sanning som var polisens eget register skulle tala om honom och bemöta honom som livsfarlig och det ryktet skulle sedan sitta bredvid honom i den buss som transporterade dömda mellan häktet och fängelset.

HAN HÖLL MOBILTELEFONEN mot örat. Klockan var enligt den elektroniska röst som återkom var tionde sekund exakt halv ett när den mörka dörren med HOLM på brevlådan öppnades inifrån och Piet Hoffmann gick in i en lägenhet på tredje våningen inklädd i plast, parkettgolvet gungade märkligt, förmodligen en vattenskada.

Tvåan.

Högalidsgatan 38 och Heleneborgsgatan 9.

Erik Wilson hade kokat pulverkaffe som han brukade göra och Hoffmann drack som han brukade inte upp. En mjuk soffa i något som sannolikt var ett tv-rum, den genomskinliga plasten som skulle skydda tyget under ett par månaders renovering prasslade när de rörde sig och dröjde efter ett tag kvar mot ryggen i en hinna av svett.

– Vi ska använda det här.

Piet Hoffmann visste att de hade bråttom.

Han såg det nu också för första gången i Eriks ögon, de sökte oroligt av rummet, vilsna och utan fokus, människan som hade varit hans arbetsledare under nio år och som aldrig skrattade och aldrig grät var stressad och gjorde därför som stressade människor ofta gör, försökte dölja det och blev ännu tydligare.

– Blomster.

Hoffmann hade öppnat en liten metallburk som en gång tillverkats och sålts för förvaring av te i lösvikt men nu fyllts med en gul och sammanhängande smet som luktade kraftigt av tulpan. Erik Wilson skrapade försiktigt bort en bit med den plastkniv som Hoffmann räckte fram, förde den mot tungan och kände hur det sved, han skulle strax få en blåsa där.

– Jävligt starkt. Två delar druvsocker?

– Ja.

– Hur mycket?

– Tre kilo.

– Tillräckligt för en snabb dom och lång tid på tung anstalt.

Piet Hoffmann tryckte fast locket på metallburken och la den i jackans innerficka. Det fanns ytterligare åttioett kilo i en värmefläkt på en vind i ett sekelskifteshus på Vasagatan. Han skulle senare beskriva var och hur för Wilson. Men inte ännu. Det skulle först blandas ut en gång till, hans egen del, han gjorde ju det ibland, sålde vidare.

– Jag kommer att använda tre dagar för att slå ut all annan handel. Wojtek får dom rapporter dom måste få för att kunna fortsätta. *Sedan* gör vi det vi ska. Eliminerar.

Erik Wilson borde känna sig lugn, glad, nyfiken. Hans främste infiltratör var på väg till en fängelsecell, en plats såväl svensk polis som Wojtek planerade för och som skulle påbörja och avsluta en maffiagrens expansion. Men oron, han var inte van vid den och han såg hur Piet märkte den.

– Jag försöker lösa Västmannagatan som vanligt. En underrättelserapport till chefen för Länskriminalen och det hemliga skåpet. Men ... det kommer inte att räcka den här gången. *Piet, mord!* Vi måste lyfta det utanför polishuset. Vi måste till Rosenbad. Och du ska vara där.

– Du vet att det inte går.

– Du har inget val.

– Erik, för fan, jag kan inte promenera in genom huvudingången till Regeringskansliet tillsammans med poliser och politiker!

– Jag hämtar dig på 2B.

Piet Hoffmann satt i en soffa med skyddande plast som klistrade mot ryggen och skakade långsamt på huvudet.

– Om någon ser mig ... en dödsdom.

– Du bär den dödsdomen i det ögonblick någon på fängelset förstår vem du är. Och du kommer att vara inlåst med den. Du behöver myndigheten. För att komma ut. För att överleva.

Han hade lämnat pulverkaffet och lägenheten på tredje våningen och druckit det mörkrostade med varm mjölk på caféet i hörnet mot Pålsundsgatan och försökt tänka till ljudet av italienska schlagers och ett bord fnittrande småflickor som bytt skollunch mot ett fat kanelbullar och de två längst bort som försökte se ut som poeter och pratade för högt om skrivandet men bara blev imitationer av de andra som pratade för högt.

Erik hade haft rätt. *Alltid ensam.* Han hade inte något val. *Lita bara på dig själv.*

Han hade ställt ner en tom kaffekopp och promenerat tillsammans med en försiktig sol över Västerbron, stått stilla en stund vid räcket fyrtio meter över vattnet och undrat hur det skulle kännas att hoppa, sekunderna som var allt och ingenting innan kroppen slog hårt mot den genomskinliga ytan. Han hade ringt hem till Zofia mitt på Norr Mälarstrand och med ännu en lögn förklarat att hennes arbete var lika viktigt som hans men att han inte kunde komma hem och lösa av förrän sent ikväll, han hade hört hur hon höjt rösten och sedan lagt på när han inte orkat ljuga en gång till.

Asfalten blev hårdare ju närmare huvudstadens mitt han kom.

Trottoaren längs Regeringsgatan var öde trots tidig eftermiddag när han gick in i ett parkeringsgarage mittemot det dyra varuhuset. En smal trappa till andra våningen, han förflyttade sig mellan parkerade bilar i sektionen som hette B och hittade den svarta minibussen med mörka vindrutor längst in i ett av betonghörnen. Han gick nära och kände på handtaget till en av bakdörrarna. Den var olåst. Han öppnade och satte sig i den övergivna bilens baksäte, såg på klockan, han skulle vänta i tio minuter till.

Zofia hade inte slutat prata när han lagt på. Hon hade fortsatt inom honom längs Norr Mälarstrands vatten och Tegelbackens fula fastigheter och fanns där nu på sätet i den tomma bilen, hennes frustration, hon kunde ju inte veta att han var en av dem som ljög.

Han frös.

Det var alltid kallt i sterila parkeringsgarage men det här var frusenhet som kom inifrån, den som inte kläder eller värmande rörelser förändrade, det finns ingen kyla som liknar självföraktets.

Dörren till förarsätet öppnades.

Han kontrollerade klockan. Exakt tio minuter.

Erik brukade vänta på en plats på våningen ovanför där man, om man böjde sig ner, hade överblick över varje bil i parkeringssektion B och de människor som rörde sig för nära. Han vände sig inte om när han steg in, sa ingenting, startade bilen och körde den korta sträckan mellan Hamngatan och Mynttorget och in genom grinden till den lilla stengården och husen där riksdagsmännen hade sina arbetsrum. De klev ur och hade inte hunnit till entrédörren när en väktare mötte och bad dem följa hans rygg nerför två trappor och genom en kulvert under riksdagshuset som mynnade i Rosenbad, några minuters promenad mellan Sveriges två politiska maktcentra och den enda vägen till Regeringskansliet utan risk att bli sedd.

Han kände på dörren, några få meter från vaktkuren i Rosenbads officiella entré, han drog i handtaget tills han var helt säker på att den var låst.

Det var svårt att röra sig.

Handfatet växte ihop med toalettstolen och de vitkaklade väggarna tryckte sig mot honom.

Den tunna, avlånga bandspelaren låg bredvid cigarrfodralet och plasttuben från apoteket i hans ena byxficka. Han tryckte in en knapp på framsidan, den blinkade grönt, batteriet var fulladdat. Han höll den framför munnen och viskade *Regeringskansliet onsdagen den tionde maj* och var noga med att inte stänga av när han varsamt lirkade in den i cigarrfodralet som strax skulle smörjas med glidmedel tills det glänste.

Pappershanddukarna i toalettstolens botten. Mikrofonsladden genom det lilla hålet i cigarrfodralets topp.

Han hade gjort det många gånger förut, femtio gram amfetamin eller en digital bandspelare, ett fängelse eller Regeringskansliet, det enda sättet att säkert transportera det som inte fick finnas.

Han knäppte upp byxorna och satte sig ner, cigarrfodralet mellan tummen och långfingret, han böjde sig fram och förde det långsamt mot anus, korta stötar tills han kände hur det gled in någon centimeter för att sedan glida ut och landa på pappershanddukarna.

Ett nytt försök.

Han tryckte igen, korta stötar, bit för bit tills det försvann.

Mikrofonsladden räckte om han drog den från anus via skrevet och till nedre bålen och där fixerade den mot huden med en liten bit tejp.

Vakten bakom glasfönstret hade grå och röd uniform, en äldre man med nästan vitt hår och blygt leende. Piet Hoffmann stirrade lite för länge på honom och vände när han insåg det bort blicken.

Han liknade hans pappa. Han skulle ha sett ut just sådär.

– Din kollega har redan gått in.

– Toaletten. Jag var tvungen.

– Ibland är man det. Statssekreteraren på justitiedepartementet, eller hur?

Piet Hoffmann nickade och skrev sitt namn i besöksliggaren på raden efter Erik Wilsons medan den vithårige granskade hans legitimation.

– Hoffmann. Är det tyskt?

– Från Königsberg. Kaliningrad. Men det var länge sedan. Mina föräldrar.

– Vad talar man då? Ryska?

– När man är född i Sverige talar man svenska.

Han log mot mannen som för ett ögonblick varit hans far.

– Och en hel del polska.

Han hade lokaliserat kameran redan när de anlänt, högt upp i glasburens överkant, han såg in i den när han gick förbi, stannade i objektivet någon sekund, hans besök registrerades ännu en gång.

Det tog sju minuter att gå bakom en tredje väktare mellan entrén och korridoren på tredje våningen. Den kom så plötsligt. Han hade inte varit beredd. Rädslan. Han stod i hissen när det starka fyllde honom, slog omkull honom, tvingade honom att skaka. Han hade aldrig känt sådan rädsla förut, den som först övergick i panik, sedan ångest, och när han fortfarande inte kunde andas blev död.

Han var rädd för en man som låg på ett golv med tre stora hål i huvudet och genombrottet i ett konferensrum i Warszawa och nätterna i en trång cell och en dödsdom som innanför murarna skulle bli ännu tydligare och Zofias kalla röst och barnens febriga kroppar och för att inte längre ha en aning om skillnaden mellan sanning och lögn.

Han satte sig ner på hissgolvets matta och undvek väktarens ögon tills benen skakade lite mindre och han vågade gå sakta mot dörren som var halvöppen längst bort i en ganska vacker korridor.

En gång till.

Piet Hoffmann stod stilla med ett par meter kvar till dörren och tömde sig som han alltid hade tömt sig, alla tankar, alla känslor, han tryckte bort det och han sparkade på det och klädde sedan på sig rustningen, det tjocka fula lagret, det förbannade skyddet, han var ju bra på det, att inte tillåta sig att känna, en gång till, en enda jävla gång till.

Han knackade på dörrkarmen och väntade tills fötterna som skrapat mot golvet stod framför honom. En polis i civila kläder. Han kände igen honom, de hade mötts vid två tillfällen, Eriks chef, han som hette Göransson.

– Har du något som borde stanna här utanför?

Piet Hoffmann tog ur innerfickor och byxfickor fram två mobiltelefoner, en stilett och en hopfällbar sax och la det tillsammans i en tom fruktskål av glas på bordet mittemot dörren.

– Sträcker du ut armarna och står lite bredare med benen?

Hoffmann nickade och placerade sig med ryggen mot mannen som var lång och mager och log inställsamt.

– Jag beklagar. Men du vet att vi måste göra så här.

De långa och magra fingrarna utanpå hans kläder och mot hans hals, rygg, bröst. När de tryckte mot stjärten och bålen stötte de två gånger till den tunna mikrofonsladden utan att uppfatta den. Den gled ett par decimeter ner och Piet Hoffmann höll andan tills den stannade igen, ungefär mitt på låret, det kändes som om den skulle sitta kvar.

Stora fönster med breda vitmålade karmar och utsikt över spegelblankt vatten i såväl Norrström som Riddarfjärden. Det luktade kaffe och något rengöringsmedel och sammanträdesbordet hade sex stolar. Han var sist, två platser kvar, han gick mot en av dem. De granskade honom, fortfarande tysta. Han passerade deras ryggar och passade på att känna med en hand mot byxornas tyg, mikrofonen satt kvar men riktad åt fel håll, han justerade den samtidigt som han drog ut stolen och satte sig ner.

Han kände igen alla fyra men hade tidigare bara mött två, Göransson och Erik.

Statssekreteraren satt närmast, hon pekade på ett dokument framför sig och reste sig sedan upp, sträckte fram handen.

– Ärendet ... jag har läst det. Jag antog ... jag antog att det rörde sig om en ... kvinna?

Hon hade ett fast grepp, hon var som de andra, de som tryckte hårt och förutsatte att det var detsamma som makt.

– Paula.

Piet Hoffmann höll kvar hennes hand.

– Jag heter det. Härinne.

Den märkliga tystnaden dröjde sig kvar och medan han väntade på att någon skulle börja tala kikade han ner på papperet statssekreteraren hänvisat till.

Han kände igen Eriks sätt att formulera sig.

Västmannagatan 79. Den hemliga underrättelserapporten.

En kopia av samma dokument låg framför var och en. De var redan en del av händelseförloppet.

– Det här är första gången jag och Paula träffas så här.

Erik Wilson var noga med att möta varje ansikte när han talade.

– Bland andra människor. I ett rum vi inte har säkrat. På en plats där vi saknar kontroll.

Han höll upp underrättelserapporten, den detaljerade beskrivningen av ett mord en av deltagarna kring Regeringskansliets sammanträdesbord medverkat vid.

– Ett unikt möte. Och jag hoppas att vi går härifrån med ett unikt beslut.

Ewert Grens hade legat ner på kontorsgolvet när Sven Sundkvist ett par minuter tidigare knackat på dörren och klivit in. Sven hade inte sagt något, inte frågat något, bara satt sig ner i manchestersoffan och väntat som han brukade vänta.

– Det är nog bättre här.

– Här?

– På golvet. Soffan, den börjar bli för mjuk.

Han hade sovit där en andra natt. Det styva benet smärtade inte alls och han hade nästan vant sig vid bilarna som gasade hela vägen uppför den branta backen på Hantverkargatan.

– Jag vill rapportera av Västmannagatan.

– Något nytt?

– Inte mycket.

Ewert Grens låg på golvet och granskade taket. Det fanns stora sprickor nära lampan, han hade aldrig tänkt på det förut. Om de var nya. Om musiken hela tiden varit i vägen.

Han suckade.

Han hade utrett mord i hela sitt vuxna liv. Västmannagatan 79, en känsla långt inne i bröstet, det var någonting som inte stämde. De hade identifierat liket, lägenhetsinnehavaren, till och med rester av amfetamin och galla från en sväljare. De hade blodstänk och skottvinkel. De hade ett vittne som med sin svenska röst valt att larma och ett polskt säkerhetsbolag som var detsamma som öststatsmaffia.

De hade lik förbannat ingenting.

De hade sedan Kastrups flygplats under gårdagskvällen inte tagit ett enda steg närmare en lösning.

– Det finns femton lägenheter i trappuppgången. Jag har förhört samtliga som var där vid tidpunkten för mordet. Tre av dom har iakttagelser som skulle kunna vara intressanta. På första våningen ... lyssnar du, Ewert?

– Fortsätt.

– På första våningen, och från den absolut bästa observationsplatsen eftersom alla som tar sig in eller ut passerar just den dörren, har vi en finsk medborgare som ganska bra kan beskriva två män han aldrig tidigare hade sett. Bleka, rakade huvuden, mörka kläder, yngre medelåldern. Bara genom dörrens titthål och bara under ett par sekunder men det går att se och höra betydligt mer än jag trodde därifrån och när han talar om ett slaviskt språk kan det mycket väl vara så.

– Polska.

– Med tanke på lägenhetsinnehavaren, det ligger nära till hands.

– Mula, lik, polack. Narkotika, våld, öststat.

Sven Sundkvist såg på den äldre mannen på golvet. Han låg där och han brydde sig inte om vad någon annan tyckte om det, med en självklarhet som Sven aldrig hade varit i närheten av, själv var han hur mycket han än genom åren hade försökt att ändra på det en av dem som helst var till lags, beroende av att vara omtyckt och att därför inte märkas.

– På femte våningen och två dörrar bort från brottsplatsen bor en ung kvinna och på våningsplanet ovanför, det sjätte, bor en äldre man. Båda var hemma vid den fastställda tidpunkten för mordet och beskriver hur dom uppfattade en tydlig knall.

– En knall?

– Ingen av dom går längre än så. Dom saknar helt kunskap om vapen och kan inte avgöra om det var ett pistolskott. Men säkra på att det dom kallar för *knall* var ett ljud som var högt och inte ett av dom som annars tillhör huset.

– Det är allt?

– Det är allt.

Signalen från telefonen på skrivbordet var gäll och irriterande och försvann inte trots att Sven satt kvar i soffan och Ewert låg kvar på golvet.

– Ska jag svara?

– Jag begriper inte varför den inte slutar.

– Ska jag svara, Ewert?

– Den står på mitt skrivbord.

Han reste sig mödosamt upp mot det högljudda.

– Ja?

– Du låter andfådd.

– Jag låg på golvet.

– Jag vill att du kommer ner hit.

Grens och Sundkvist hade inte sagt något till varandra, bara lämnat rummet och korridoren och otåligt stått stilla i en hiss som gått för sakta. Nils Krantz väntade vid ingången till tekniska roteln och visade dem in i ett trångt rum.

– Du bad mig utvidga sökområdet. Jag gjorde det. Samtliga trappuppgångar mellan nummer 70 och 90. Och i soprummet på Västmannagatan 73 – i en container för återvinning av tidningar – hittade vi den här.

Krantz höll i en plastpåse. Ewert Grens lutade sig närmare och satte efter en stund på sig läsglasögonen. Något i tyg, grå och vita rutor delvis täckta av blodstänk, kanske en skjorta, möjligen en jacka.

– Den är intressant. Den skulle kunna vara vårt genombrott.

Kriminalteknikern öppnade plastpåsen och la tyget på något

som såg ut som en serveringsbricka, ett krokigt finger pekade på öar av tydliga fläckar.

– Rester av blod och krut som flyttar oss tillbaka till en lägenhet på Västmannagatan 79. Eftersom det är den dödes blod och eftersom det är krut från den laddsats vi tidigare säkrat på den dödes hand.

– Det för oss inte någonstans. Det är inte ett skit mer än det vi redan visste.

Krantz pekade igen på det grå och vita tyget.

– Det här är en skjorta. Den har blodfläckar från den döde. Men det finns fler. Vi har identifierat ytterligare en blodgrupp. Och jag är säker på att den tillhör den som sköt. Den här skjortan, Ewert, den bars av mördaren.

En rättegångssal. Det var så det kändes. Ett rum som luktade makt, dokument som beskrev våldsamma förlopp och låg på viktiga bord. Göransson som åklagaren som kontrollerar och ifrågasätter, statssekreteraren som domaren som lyssnar och beslutar, Wilson på hans högra sida som försvarsadvokaten som talar om nödvärn och söker lindrig påföljd. Piet Hoffmann ville resa sig upp och gå därifrån men var tvungen att hålla sig lugn. Det var ju han som var den anklagade.

– Jag hade inte något val. Det handlade om mitt liv.

– Du har alltid ett val.

– Jag försökte lugna ner dom. Men kunde bara göra det så långt. Jag ska vara kriminell, hela vägen. Annars är jag död.

– Jag förstår inte.

Det var en bisarr känsla. Han satt en enda våning från den svenske statsministern i det hus som styrde Sverige. Där utanför, en bit ner på trottoaren i den riktiga världen, gick människor från dagens lunch med varm lättöl och en kopp kaffe efteråt om de valde att betala fem kronor extra medan han var här, hos makten, och försökte förklara varför samhället skulle avstå från att utreda ett mord.

– Jag är försteman i Sverige. Dom som fanns i lägenheten har utbildats i den polska underrättelsetjänsten och vet hur man undersöker någon som inte luktar äkta.

– Vi talar om mord. Och du Hoffmann, eller om det nu var Paula jag skulle kalla dig, kunde ha förhindrat det.

– Första gången när pistolen riktades mot köparens huvud ... den gången avstyrde jag skott. Men nästa gång, han hade ju avslöjat sig själv, han var fiende, tjallare, död ... *jag hade inget jävla val.*

– Och eftersom du inte hade något val så har vi inte heller det och ska agera som om det inte har hänt?

De var fyra stycken som såg på honom med var sin underrättelserapport framför sig på bordet. Wilson, Göransson och statssekreteraren. Den fjärde satt fortfarande tyst. Hoffmann förstod inte varför.

– Ja. Om du vill att vi ska bryta av en ny maffiagren innan den fått fäste. Om du vill det, då är det du som inte har något val.

Den här rättegångssalen, den liknade de andra, lika kall, utan riktiga människor. Han hade fem gånger tidigare suttit just så, anklagad, framför dem han inte respekterade men som skulle avgöra om han skulle leva bland andra eller på några kvadratmeter bakom en plåtdörr. Ett par villkorliga domar och ett par frikännanden i brist på bevis men bara en gång i fängelse, helvetesåret på Österåker.

Den gången, han hade misslyckats med att föra sin talan, han skulle inte göra det igen.

Nils Krantz lutade sig nära datorns skärm när han pekade på bilden av röda små spetsar som alla var riktade uppåt och stod på olika siffror.

– Den översta raden, om ni tittar här, kommer från Köpenhamnspolisen. En DNA-profil för en dansk medborgare som heter Jens Christian Toft. Den avlidne på Västmannagatan 79. Den undre raden kommer från SKL:s analys av samtliga blodfläckar som är minst två gånger två millimeter på den skjorta som ligger där och som vi plockade upp från soprummet på Västmannagatan 73. Ni ser? Identiska rader. Varje enskild STR-markör – det är dom här röda spetsarna – har precis samma längd.

Ewert Grens lyssnade men såg fortfarande bara ett ganska enformigt mönster.

– Jag är inte intresserad av honom, Nils. Däremot är jag intresserad av mördaren.

Krantz övervägde att vara sarkastisk eller åtminstone irriterad. Han var ingetdera, valde att ignorera, det brukade kännas mer.

– Men jag bad också särskilt om att på samma förtur få dom ännu mindre blodfläckarna analyserade. En för liten mängd för ett juridiskt hållbart utpekande. Men tillräcklig för att se avgörande skillnader.

Han visade nästa bild.

Mönstret igen, de röda spetsarna, men med större avstånd och med andra siffror.

– Dom kommer från en annan individ.

– Vem?

– Jag vet inte.

– Du har ju profilen.

– Men ingen träff.

– Krångla inte så förbannat, Nils.

– Jag har slagit och jämfört med allt jag har tillgång till. Jag är helt säker på att det är skyttens blod. Men också på att det har ett DNA som inte finns i något svenskt register.

Han såg på kriminalkommissarien.

– Ewert, mördaren är sannolikt inte svensk. Tillvägagångssättet, Radompistolen, ingen DNA-träff. Du måste börja söka längre bort, på andra platser.

Det skulle bli en vacker kväll. Solen låg redan som en mogen apelsin just där himlen smälte samman med Riddarfjärden, det enda som egentligen gick att se från statssekreterarens stora fönster. Piet Hoffmann följde ljuset som fick det trista sammanträdesbordet i dyr björk att bli ännu tristare, han längtade ut, till Zofias mjuka kropp, till Hugos skratt, till Rasmus ögon när han sa pappa.

– Innan vi fortsätter det här mötet.

Han var inte där. Han var så långt från allt som var på riktigt han kunde komma, i ett rum med makt och bland människor som kunde avgöra om han skulle ännu längre bort.

Erik Wilson harklade sig, den här rättegångens försvarsadvokat.

– Innan vi fortsätter det här mötet vill jag ha en garanti för att Paula inte åtalas för något som kan ha hänt på Västmannagatan 79.

Statssekreterarens ansikte var ett av dem som inte visade någonting.

– Jag har förstått att det är det du vill.

– Du har hanterat liknande ärenden förut.

– Men om jag ska garantera kriminell immunitet måste jag också förstå varför.

Mikrofonen satt fortfarande kvar mitt på låret.

Men var nära att släppa igen, han kände tejpen som sakta lossnade, nästa gång han reste sig upp, han var säker, den skulle inte sitta kvar.

– Jag förklarar gärna varför.

Wilson höll underrättelserapporten hårt i handen.

– Vi kunde för nio månader sedan ha eliminerat den mexikanska maffian i ett uppbyggnadsskede. Vi kunde för fem månader sedan ha eliminerat den egyptiska maffian i ett uppbyggnadsskede. Om vi hade haft mandat att agera fullt ut med våra infiltratörer. Det blev inte så. Vi stod och tittade på medan ytterligare två aktörer började äta av oss. *Nu* har vi ett nytt tillfälle. Med den polska.

Piet Hoffmann försökte sitta stilla och med ena handen långsamt under bordet få tag i mikrofonens sladd och tejpbitarna som fastnade i varandra.

Små rörelser med sökande fingrar.

– Paula ska fortsätta infiltrera. Han ska vara på plats i det ögonblick Wojtek tar över all handel med narkotika på svenska fängelser. Det är han som ska förse Warszawa med rapporter om leveranser och försäljning och samtidigt förse oss med information om hur och när vi ska slå till och slå sönder.

Han hade hittat den. En knappnålsstor mikrofon under byxornas tyg. Han fixerade den, försökte dra den uppåt, tillbaka mot skrevet, den satt bättre där och var lättare att rikta mot den som talade.

Han avbröt sig tvärt.

Göransson mittemot, stirrade plötsligt, ögon som inte släppte.

– Sveriges tyngsta fängelser. Och Wojtek kommer att koncentrera sig på två kategorier fångar. Först *miljonärerna*, dom som tjänat sina pengar på grova brott och sitter på långa straff och som gram för gram och dag för dag ska föra över det kriminella kapitalet till en fastighet längs ul. Ludwika Idzikowskiego. Sedan *drängarna*, dom som helt saknar pengar och muckar med stora skulder och för att överleva betalar av i frihet med att sälja stora partier narkotika eller begå våldsbrott, skulder som Wojtek knyter till livsfarliga nät av kriminella.

Han släppte mikrofonen och placerade båda händerna synliga på bordet.

Göransson såg fortfarande på honom och det var lika svårt att andas som att svälja, sekunder som var timmar tills stirrande ögon vändes bort.

– Jag kan inte beskriva det tydligare. Det är du som avgör. *Ni* som avgör. Låt Paula fortsätta. Eller stå och titta på en gång till.

Statssekreteraren betraktade var och en, sedan genom fönstret och solen som var så vacker, hon längtade kanske också ut.

– Får jag be dig att lämna rummet?

Piet Hoffmann ryckte på axlarna och började gå mot dörren men stannade tvärt. Mikrofonen. Den hade släppt, den kasade sakta mellan högerbenet och byxornas tyg.

– Det tar bara någon minut. Sedan kan du komma tillbaka.

Han sa ingenting. Men höjde ett långfinger i luften medan han fortsatte att gå. Han hörde en trött suck bakom sig. De hade sett det, blivit irriterade, hållit sina blickar högt. Det var det han hade avsett, han hade velat undvika frågor kring något som släpade efter foten när han stängde dörren.

Statssekreterarens ansikte visade fortfarande ingenting.

– Du talade om nio månader. Om fem månader. Om mexikansk och egyptisk maffia. Jag sa nej då eftersom dom kriminellt belastade infiltratörer ni använde var att betrakta som högriskkällor.

– Paula är ingen *högriskkälla*. Han är Wojteks förutsättning för expansion. Det är kring honom hela operationen är byggd.

– Jag kommer aldrig att ge kriminell immunitet till medarbetare varken ni eller jag litar på.

– *Jag* litar på honom.

– Då kan väl du förklara för mig varför intendent Göransson för en stund sedan genomförde en visitation därute.

Erik Wilson såg på sin chef och sedan på kvinnan utan ansiktsuttryck.

– Det är *jag* som är Paulas hanterare, det är *jag* som arbetar med honom varje dag. Jag litar på honom och Wojtek är redan här! Aldrig tidigare har vi lyckats placera en infiltratör så centralt i expanderande maffia. Med Paula ... vi kan döda med ett enda hugg. Om han står fri från Västmannagatan 79. Om han kan verka fullt ut inifrån fängelset.

Statssekreteraren gick mot fönstret med den gula solen och utsikten över en huvudstad som levde sin eftermiddag utan att ha en aning om de beslut som styrde den. Hon såg sedan på den mötesdeltagare som hittills suttit helt tyst.

– Vad tycker du?

Hon hade öppnat sin dörr för kriminalkommissarie Wilson och intendent Göransson. Men det var för sådana här beslut hon hade vänt sig till Polismyndighetens makthavare och bett honom att sitta ner bredvid henne vid bordet och lyssna.

– Den kriminella eliten, mångmiljonärerna, dom tyngsta brottslingarna – som Wojteks finansiärer. Den kriminella bredden, dom skuldsatta, småtjuvarna – som Wojteks slavar.

Rikspolischefen hade en nasal, vass röst.

– Jag vill inte se det hända. Du vill inte se det hända. Paula har inte tid med Västmannagatan.

Piet Hoffmann hade haft ett par minuter på sig.

Han hade kontrollerat övervakningskamerans position ganska nära de båda hissarna och ställt sig rakt under den för att vara säker på att befinna sig i en död vinkel. Han hade förvissat sig om att han var ensam och sedan knäppt upp livremmen och gylfen och snart fått tag i en tunn mikrofonsladd och dragit den i läge via skrevet till platsen på nedre bålen.

Fästtejpen hade varit helt förstörd.

Göranssons händer hade klämt sönder den när de letat över hans kropp.

Någon minut kvar.

Han petade loss en bit av innersömmen, knöt med klumpiga fingrar fast sladden i byxornas tyg och riktade mikrofonen mot gylfen och drog ner tröjan så långt det var möjligt över byxornas linning.

Det var inte någon bra lösning. Men det enda han skulle hinna med.

– Det vore bra om du kunde komma in igen.

Dörren längst bort i korridoren var öppen. Statssekreteraren vinkade åt honom och han försökte trots korta steg röra sig så naturligt som möjligt.

De hade bestämt sig. Det kändes åtminstone så.

– En fråga till.

Statssekreteraren såg först på Göransson, sedan på Wilson.

– Det pågår sedan minst ett dygn en förundersökning. Jag gissar att den leds från City polismästardistrikt. Jag vill veta hur ni ... hanterar den.

Erik Wilson hade väntat på hennes fråga.

– Du har läst min underrättelserapport ställd till chefen för Länskrim.

Han pekade på dokumentet som fortfarande låg som en kopia framför var och en på sammanträdesbordet.

– Och det här är rapporten som utredarna, Grens, Sundkvist, Hermansson och Krantz, författat den. Om vad dom vet, om vad dom har sett. Jämför den med innehållet i min rapport, med det verkliga händelseförloppet och bakgrunden till Paulas närvaro i lägenheten på vårt uppdrag.

Hon bläddrade flyktigt i kopierade papper.

– En verklig rapport. Och en som innehåller så mycket våra kollegor vet.

Hon tyckte inte om det. När hon läste, det döda ansiktet levde för första gången, munnen, ögonen, som om det motade bort förakt och ett beslut hon trott att hon aldrig ens skulle överväga.

– Och just nu? Vad har hänt sedan det här skrevs?

Wilson log, det första leendet på länge i ett rum som höll på att kvävas av sitt allvar.

– Just nu? Just nu har utredarna om jag förstått det rätt hittat en skjorta i en plastpåse i ett soprum nära mordplatsen.

Han såg på Hoffmann, leendet fortfarande kvar.

– En skjorta med blodfläckar och krutrester. Men ... dom blodfläckar som är intressanta finns tydligen inte alls i svenska register. En gissning är att det kan röra sig om ett utplacerat villospår, ett sådant som inte leder någonstans men tar tid och kraft att utreda.

Skjortan var grå och vit och hade fläckar som efter ett dygn var mer bruna än röda. Ewert Grens petade irriterat till den med en lös handske.

– Mördarens skjorta. Mördarens blod. Och vi kommer ingenstans.

Nils Krantz satt kvar framför datorns bild av röda spetsar placerade ovanpå olika siffror.

– Ingen identitet. Men kanske en plats.

– Jag förstår inte.

Det trånga rummet var lika dammigt och mörkt som alla andra rum på tekniska roteln. Sven såg på de båda männen bredvid honom. Jämnåriga, inte särskilt mycket hår, inte särskilt trevliga, slitna men skickliga, och kanske tydligast av allt, de hade levt för sitt arbete tills de blivit sitt arbete.

De unga på väg in skulle knappast bli likadana. Grens och Krantz var en sort som inte längre hade någon självklar plats.

– Dom mindre blodfläckarna, dom som tillhör skytten, saknar namn i våra register. Men den som inte heter någonting bor alltid någonstans och har alltid lämnat något för att kunna fortsätta. Jag brukar söka spåren av persistenta och organiska miljögifter som lagras i kroppen, svåra att bryta ner, långlivade och lågvattenlösliga, dom leder ibland en utredning mot en geografisk plats.

Krantz rörde sig till och med som Ewert Grens. Sven hade aldrig tänkt på det, såg sig omkring, letade efter en besökssoffa, plötsligt övertygad om att kriminalteknikern också stannade kvar emellanåt när ljuset var borta och lägenheten ensamhet.

– Inte den här gången. Ingenting i blodet som kan knyta din mördare till en ort, ett land eller ens en kontinent.

– Satan, Nils, du sa ju nyss ...

– Men det finns mer. På tyget.

Han vecklade försiktigt ut skjortan på arbetsbänken.

– På flera ställen. Framför allt här, längst ner på höger ärm. Fragment av blomster.

Grens lutade sig fram för att se något som inte gick att se.

– Blomster. Polskt gultjack.

De noterade den allt oftare vid tillslag. Lukten av tulpan. Kemiskt amfetamin från de fabriker som använde blomstergödningsmedel istället för aceton.

– Är du säker?

– Ja. Ingredienserna, lukten, till och med den gula färgen, som saffran, sulfat som färgar av sig från reningskärlen.

– Polen. Igen.

– Jag vet dessutom exakt varifrån det kommer.

Krantz vek med små rörelser ihop skjortan, lika försiktigt som han nyss lagt ut den.

– Amfetamin med precis den här sammansättningen har jag analyserat i två andra brottsutredningar på mindre än en månad. Vi vet nu att det är tillverkat i en amfetaminfabrik strax utanför Siedlce. En stad tio mil öster om Warszawa.

Det starka solljuset hade blivit obehaglig värme som fick kavajer att klia i nacken och skor att sitta för trångt.

Det hade gått femton minuter sedan statssekreteraren lämnat rummet för ett kort möte i ett ännu större rum och ett beslut som var allt eller ingenting. Piet Hoffmann var torr i munnen och svalde ner det som borde ha varit saliv men var oro och rädsla.

Så märkligt.

En småhandlare som tio år tidigare suttit av ett fängelsestraff i en låst cell på kriminalvårdsanstalten Österåker. En småbarnspappa med en fru och två pojkar han lärt sig älska mer än något annat.

Han var någon annan nu.

En man i trettiofemårsåldern som satt på en skrivbordskant i ett hus som var symbolen för makt, en statssekreterares telefon oroligt i handen.

– Hej.

– När kommer du?

– Sent ikväll. Ett möte som inte tar slut. Och som jag inte kan lämna. Hur mår dom?

– Bryr du dig?

Han tyckte inte om hennes röst. Den var kall, ihålig.

– Hugo och Rasmus. Hur mår dom?

Hon svarade inte. Hon stod där framför honom, han kände varje min, varje gest, den magra handen som nu gned pannan och fötterna som rörde sig i för stora tofflor, hon skulle bestämma sig strax, om hon orkade och ville fortsätta vara förbannad.

– Den har lättat lite. Trettioåtta och fem för en timme sedan.

– Jag älskar dig.

Han la på, såg mot människorna kring sammanträdesbordet och sedan på klockan. Det hade gått nitton minuter. Den jävla saliven, den fanns inte, hur mycket han än svalde. Han sträckte på sig och hade börjat gå mot sin tomma stol längst bort vid bordets ena ände när dörren öppnades.

Hon var tillbaka. En lång, kraftig man ett halvt steg bakom henne.

– Det här är generaldirektör Pål Larsen.

Hon hade bestämt sig.

– Han ska bistå oss. Med fortsättningen.

Piet Hoffmann hörde vad hon sa och borde kanske ha skrattat eller klappat i händerna. *Han ska bistå oss. Med fortsättningen.* Hon hade tagit beslut om att bortse från närvaro som juridiskt sett skulle ha kunnat vara medhjälp till mord. Hon tog en risk. Och bedömde att den var värd det. Han kände till att hon vid minst två tillfällen hade medverkat till hemliga benådningar av infiltratörer som dömts till fängelsestraff. Men var ganska säker på att hon aldrig tidigare med kännedom om ett olöst brott hade valt att titta bort, lösningar som brukade stanna på polisnivå.

– Jag vill veta vad det här handlar om.

Kriminalvårdens generaldirektör markerade tydligt att han inte hade tänkt sätta sig ner.

– Du ska ... hur var det nu ... *bistå* oss med en placering.

– Och vem är du?

– Erik Wilson, City polismästardistrikt.

– Och du tycker att jag ska hjälpa dig med en placering?

– Pål?

Statssekreteraren log mot generaldirektören.

– Mig. Du ska hjälpa mig.

Den kraftige mannen med åtsittande kostymbyxor sa ingenting men hans kroppsspråk talade om frustration.

– Din uppgift är att placera Paula – det är han som sitter bredvid mig här – på Aspsås fängelse för det straff han ska avtjäna efter att ha gripits med tre kilo amfetamin.

– Tre kilo? Det ger ett långt straff. Då måste han först till Kumla och mottagningsenheten.

– Inte den här gången.

– Jo, han …

– Pål?

Statssekreteraren hade en röst som var mjuk men oväntat enkelt bar hårda formuleringar.

– Lös det.

Wilson väntade ut den pinsamma tystnaden.

– När Paula anländer till Aspsås ska det finnas en förberedd arbetsplacering. Redan under den första eftermiddagen ska han introduceras som städare i administrationsbyggnaden och verkstaden.

– Städarbetet är ur fängelseledningens perspektiv en belöning.

– Så belöna honom.

– Och vem fan är Paula? Han har väl ett namn? Har du det? För du kan väl prata själv?

Kriminalvårdens generaldirektör var van vid att ge order och att bli åtlydd, inte att ta emot dem och att sedan lyda.

– Du ska få mitt namn och mina personuppgifter. För att

placera mig på rätt anstalt, ge mig rätt arbete *och* se till att det efter inlåsning på kvällen exakt två dagar efter min ankomst genomförs en omfattande och oannonserad visitation av varje cell på hela fängelset.

– Vad i helvete ...

– Med hund. Det är viktigt.

– Med hund? Och när vi sedan hittar det du har placerat ut? Den medfånge du slösat ditt knark på? Inte en chans. Jag köper inte det. Det innebär fara för min personal och i förlängningen att en människa åtalas för ett brott han inte begått. Jag köper ingenting av det.

Statssekreteraren tog ett steg närmare Larsen, sträckte ut en hand och la den på hans kavajärm medan hon såg på honom och talade med den mjuka rösten.

– Pål, du löser det. Jag har tillsatt dig. Det betyder att du bestämmer inom Kriminalvården. Du bestämmer det du och jag kommer överens om att du ska bestämma. Och när du går, var snäll och stäng dörren efter dig.

Det drog från det öppna fönstret en bit bort i korridoren.

Det kanske var därför smällen blev så oväntat hög.

– Paula ska infiltrera innanför murarna. Vi måste bygga honom farligare.

Erik Wilson väntade tills ljudet från en dörr ebbat ut.

– Han kommer att ha begått grövre brott. Han kommer att ha dömts till längre straff. Bara med respekt får han handlingsfrihet från cellen. Och när hans bakgrund kontrolleras av andra fångar mot brottsregistret, och det kan ni vara säkra på sker redan första dagen, ger den det svar vi vill att den ska ge.

– Hur?

Statssekreteraren rynkade nästan pannan i sitt uttryckslösa ansikte.

– Hur får han den bakgrunden?

– Jag brukar använda en av mina civila informatörer. Den här arbetar på Domstolsverket, en av dom handläggare som registrerar uppgifter direkt i brottsregistret. Ett originaldokument därifrån ... det har än så länge aldrig ifrågasatts av någon i en cellkorridor.

Han hade väntat sig fler frågor. Om hur ofta han ändrade i Domstolsverkets register. Om hur många som gick omkring med påhittade domar.

Han fick inte fler.

De satt vid ett sammanträdesbord med vana av smidiga lösningar och som inte krävde namn och titel på nyckelpersoner som förändrade det förflutna eller prioriterade ner väntetiden för en rättsprocess.

– Om trettioåtta timmar kommer en efterlyst person att gripas och höras.

Han såg på Hoffmann.

– Han kommer att erkänna brottet, förklara sig ensam skyldig och ett par veckor senare nöjd med tingsrättens dom och ett långt straff som ska avtjänas på Aspsås fängelse, en av landets tre anstalter med säkerhetsklass A.

Rummet var lika irriterande ljust, lika krypande varmt.

De reste sig alla upp. De var klara.

Piet Hoffmann ville slå sönder dörren och springa genom huset och inte stanna förrän han höll i Zofias kropp och fastnade i hennes famn. Men inte riktigt ännu. Han ville ha det så tydligt formulerat att det efteråt bara fanns en enda tolkning.

Alltid ensam.

– Innan jag går härifrån vill jag att du sammanfattar exakt vad det är du garanterar mig.

Han hade varit förberedd på att avfärdas. Men hon förstod vad han ville höra.

– Jag tar hand om det.

Piet Hoffmann gick ett steg närmare och kände hur den lösa sladden slog mot byxans tyg. Han lutade sig lätt mot högerbenet, det skulle vara placerat precis framför henne, det var viktigt att han fick med allt.

– Hur?

– Jag garanterar att du inte åtalas för något som hänt på Västmannagatan 79. Jag garanterar att vi på bästa sätt ska bistå dig att slutföra ditt uppdrag inifrån fängelset. Och ... att vi efter avslutat arbete tar hand om dig. Jag vet att du då är dödsdömd, bränd i hela den kriminella världen. Vi ger dig ett nytt liv, ny identitet, pengar att börja om med utomlands.

Hon log svagt mot honom. Åtminstone såg det ut så när det starka ljuset föll i hennes ansikte.

– Det garanterar jag i egenskap av statssekreterare på justitiedepartementet.

Wojtek eller Regeringskansliet. Det spelade ingen roll. Samma ordval och samma löfte. Två sidor om lagen men likadana vägar bort.

Det var bra. Det var inte tillräckligt bra.

Lita bara på dig själv.

– Jag vill fortfarande veta hur.

– Vi har gjort det här tre gånger förut.

En kort blick mot rikspolischefen, han nickade mot henne.

– Du kommer officiellt att få nåd. Vi kommer att välja humanitära skäl. Det behöver inte förtydligas mer än så. Medicinska eller humanitära skäl är fullt tillräckligt för ett beslut som justitiedepartementet sedan hemligstämplar.

Piet Hoffmann väntade någon sekund tyst framför henne.

Han var nöjd. Han hade stått tillräckligt nära.

Hon hade formulerat det han ville höra och tillräckligt tydligt för att kunna höras igen.

De gick bredvid varandra i den kulvert som under jord förenade Regeringskansliet med riksdagen och slutade vid en hiss med ingång till Gamla Stan och Mynttorget 2. De borde ha haft bråttom, så lite tid som återstod, men det var som om de båda försökte förstå vart de egentligen var på väg.

– Du blev just fredlös.

Erik Wilson stannade.

– Du är från och med nu farlig för två sidor. Wojtek som dödar i det andetag du avslöjas som infiltratör. Men också för dom kring bordet vi nyss lämnade. Du har nu kunskap som ingen i det rummet kommer att erkänna. Dom offrar också i det ögonblick du är ett hot, dom bränner dig som myndigheten tidigare bränt sina informatörer när det handlat om att skydda makt. Du är Wojteks huvudman. Du är vår huvudman. Men om något händer, Piet, då är du jävligt ensam.

Piet Hoffmann visste hur rädsla kändes och han skulle jaga bort den som han alltid gjorde men sökte bara en liten stund till, han ville stå kvar där i mörkret under Stockholms gator, om han gjorde det skulle de inte strax kliva in i hissen och i den parkerade bilen som väntade på en innergård och han skulle inte behöva slåss mer.

– Piet?

– Ja?

– Du måste alltid ha kontroll. Om det går åt helvete ... samhället tar inte hand om dig, det bränner dig.

Han började gå.

Det var exakt trettioåtta timmar kvar.

andra delen

DEN SVARTA MINIBUSSEN stannade i ett av parkeringsgaragets mörka betonghörn.

Tredje våningsplanet, sektion A.

– Trettioåtta timmar.

– Vi ses.

– Fredlös. Glöm aldrig det.

Piet Hoffmann la en hand på Erik Wilsons axel och klev ut ur baksätet och andades in luft som smakade koldioxid. Den smala trappan ner till Regeringsgatan och huvudstaden som skyndade.

Tulpaner. Kyrka. SwissMiniGun. Tio kilo. Bibliotek. Sekundmeter. Brev. Sändare. Nitroglycerin. Bankfack. Cd. Poesi. Grav.

Trettiosju timmar och femtiofem minuter kvar.

Han började gå längs asfalten nära människorna som såg på honom utan att se honom, främlingar som saknade leenden. Han längtade till ett hus på en tyst gata några kilometer söder om stan, den enda plats som inte jagade och inte krävde att han skulle överleva. Han borde ringa henne igen. Tulpaner och nitroglycerin och sekundmeter, han visste att han var kapabel och att han skulle hinna, men Zofia, han hade fortfarande inte en aning om hur man gjorde. När det handlade om fara och risk räckte det med kontroll, om han hade det kunde han också styra resultatet, med Zofia hade han aldrig haft kontroll överhuvudtaget, han saknade förmåga att styra hennes reaktioner och känslor och hur han än försökte hade han inget sätt att närma sig henne på sina egna villkor.

Han älskade henne så.

Han gjorde sedan som de andra, promenerade med snabba steg genom innerstaden utan att le, Mäster Samuelsgatan, Klara Norra Kyrkogata, Olof Palmes gata till hörnet mot Vasagatan och in i blomsteraffären som hette Rose Garden och butiksfönstret med utsikt mot Norra Bantorget. Två kunder före, han slappnade av, försvann i röda och gula och blå blommor som alla hade ett namn på små och fyrkantiga skyltar som han läste och glömde.

– Tulpaner?

Den unga kvinnan hade också ett namn på en fyrkantig skylt som han läst flera gånger tidigare och glömt.

– Jag borde kanske variera mig.

– Tulpaner fungerar alltid. Med knoppar? Från kylskåpet?

– Som vanligt.

En av de få blomsteraffärer i Stockholm som förde tulpaner i maj månad, kanske för att det fanns en kund i trettiofemårsåldern som regelbundet kom in och köpte stora buketter om de förvarades i högst fem grader och ännu inte hade slagit ut.

– Tre buketter? En med röda och två med gula?

– Ja.

– Tjugofem stycken i varje? Och dom vita, enkla korrespondenskorten?

– Tack.

Prasslande och tunt papper kring varje bukett. Tack för gott samarbete, Aspsås Företagarförening på korten till de två med gula och jag älskar dig på det som skulle sitta i den med röda.

Han betalade och gick ett par hundra meter längs Vasagatan, till porten med Hoffmann Security AB på en dörr på andra våningen. Han låste upp, larmade av och fortsatte direkt in i köket till diskbänken där han under gårdagen tömt fjorton mulor på mellan femtonhundra och tvåtusen gram amfetamin vardera.

Det skulle finnas en vas i ett av köksskåpen, han hittade den högst upp ovanför spisfläkten, fyllde den tunga kristallen med vatten och buketten med tjugofem röda tulpaner. Två buketter kvar, femtio ljust gröna stjälkar med gula och ännu sovande knoppar i en lång rad på diskbänken.

Ugnen upp till femtio grader, åtminstone gissade han det, det var svårt att avgöra exakt var någonstans ett streck på det ålderstigna reglaget övergick i två streck.

Kylskåpet ner från sex till två grader, han placerade för säkerhets skull en termometer på översta hyllan, den skala som fanns inbyggd i plastdörrens insida var för grov och svår att läsa av.

Piet Hoffmann lämnade köket och lägenheten med en IKEA-kasse i handen och gick med två trappsteg i taget till vinden och det blanka aluminiumröret och slog bort stålskenan på samma sätt som vid Henryks besök på morgonen. Elva burkar, en i taget ur värmefläkten och ner i kassen, han stängde sedan igen, fyra våningar ner med elva kilo utblandat amfetamin i famnen.

– Jag behöver tre dagar för att slå ut nuvarande aktörer.

Han kontrollerade ugnen. Den var varm, femtio grader. Han öppnade kylskåpet, termometern på den översta hyllan, fyra grader som hos blomstergrossisten, den måste ner ytterligare två.

– Jag vill veta hur du ska genomföra det.

Första burken ur IKEA-kassen. Ett tusen gram amfetamin. Mer än tillräckligt för femtio tulpaner.

– Med tulpaner och poesi.

Han hade tvättat ur diskhon så noga, likväl, han hittade rester från gårdagen, de hade fastnat på kanten till avloppets hål av metall. Den oplanerade skjutningen och mulorna som panik-

tömts på den enda plats de inte skulle kopplas till. Han vred på kranen och lät det varma vattnet rinna medan han petade bort det sista av spyor med mjölk och brunaktig gummimassa.

Brandskyddshandskarna låg i en av lådorna med bestick, han placerade en tulpan på var och en och förde in dem i den varma ugnen, de runda knopparna nära ugnsfönstret. Han tyckte så mycket om det där ögonblicket när det hände. Våren och livet förpackat längst ut på en grön stjälk. Knopparna vaknade i plötslig värme för att en första gång släppa sina färger.

Han lyfte ut dem när knopparnas öppning var någon centimeter, han fick inte vänta för länge, inte förlora sig i det vackra, färg och liv.

Han la ner dem på diskbänken och tog fram paketen med kondomer, utan räfflor och utan glidmedel och definitivt utan dofter, petade varsamt ner en halv kondom i varje knopp och fyllde med en knivsudd amfetamin i taget, tre gram i de små knopparna och fyra i de lite större, packade hårt för att få plats med så mycket som möjligt och la sedan två amfetaminfyllda tulpaner på ett uppläggningsfat i den brummande frysboxen mellan diskbänken och spisen.

De skulle ligga där i arton minusgrader i tio minuter. Tills knopparna dragit ihop sig och somnat om med gömda kronblad. Då skulle han flytta dem igen, från frysens minusgrader till kylskåpets två plusgrader och en lång vila med fördröjd blomning.

Nästa gång skulle de öppna sig i rumstemperatur och på ett chefsskrivbord.

När han ville det.

Piet Hoffmann stod som han brukade i det stora kontorsrummet och såg ut genom fönstret mot människorna och bilarna på

Kungsbron och Vasagatan. Han hade preparerat femtio tulpaner med sammanlagt etthundraåttiofem gram trettioprocentigt amfetamin utan att ens fundera över att det gulvita pulvret tog flera år av hans liv och att det funnits en tid när varje vaken timme handlat om att stjäla ihop tillräckligt för att kunna skaffa mer till nästa dag. Behandlingshemmen och ångesten och fängelsestraffet, drogen hade varit så mycket större och allt annat så meningslöst tills hon en morgon hade stått framför honom, han hade inte injicerat sedan dess, hon hade ju tvingat honom att hålla hårt i hennes hand som bara människor som litade på varandra gjorde.

Cigarrfodralet låg på skrivbordet. Den digitala bandspelaren bredvid.

– Ärendet ... jag har läst det. Jag antog ... jag antog att det rörde sig om en ... kvinna?

En bandspelare tillräckligt liten för att transporteras i anus. Nu var den röster i en dator.

– Jag heter det. Härinne.

Han kopierade hela inspelningen till två separata cd-skivor och stoppade dem i ett brunt och ett vitt kuvert i A4-storlek. Han tog fyra pass från den övre hyllan i vapenskåpet, tre av dem i det bruna kuvertet, det fjärde i det vita. Sist, och längst in i skrivbordslådan, två små mottagare, två öronsnäckor, en i varje kuvert.

– Det är jag.

Han hade slagit mobilens enda förprogrammerade nummer.

– Ja?

– Västmannagatan. Namnet, jag har glömt det, din kollega. Han som utreder?

– Varför?

– Erik, jag har trettiofem timmar kvar.

– Grens.

– Hela namnet.

– Ewert Grens.

– Vem är han?

– Jag tycker inte om det här. Vad är det du håller på med?

– *För helvete, Erik. Vem?*

– En av dom äldre.

– Bra?

– Ja. Han är bra. Och det oroar mig.

– Hur menar du?

– Han är en sådan som ... inte ger sig.

Piet Hoffmann skrev namnet på det bruna kuvertets framsida med stora och tydliga bokstäver, adressen en bit ner med lite mindre. Han kontrollerade innehållet. En cd-kopia, tre pass, en öronsnäcka.

En sådan som inte ger sig.

Erik Wilson njöt av solen som långsamt sjönk närmare Vätterns vatten. En stund av ro efter Piets märkliga samtal nyss om Ewert Grens och inför mötet som strax skulle bygga en infiltratör ännu farligare. Han hade under de senaste dygnen känt förändringen varje timme, hur Piet försvann allt mer, det här sista samtalet hade han haft med någon som enbart hette Paula. Han visste att det var nödvändigt och till och med vad han ofta predikat men det var varje gång lika omskakande när en människa han tyckte om helt gick över i en annan.

Han hade promenerat den korta sträckan mellan Jönköpings tågstation och Domstolsverket vid flera tillfällen de senaste åren och om han sneddade över Järnvägsgatan och Västra Storgatan kunde han öppna den tunga porten bara fem minuter efter ankomst.

Han var där för att manipulera systemet.

Han var ju bra på det, att rekrytera en människa oavsett om det var någon som avtjänade ett fängelsestraff och kunde användas för att infiltrera andra kriminella eller om det var en myndighetsanställd som kunde användas för att lägga till eller ta bort rader i ett register, bra på att få dem att känna sig viktiga och få dem att tro på att de hjälpte såväl samhället som sig själva, bra på att le när det behövdes och på att skratta när det behövdes och bli mer omtyckt av infiltratören och informatören än vad han någonsin skulle tycka om honom eller henne.

– Hej.

– Tack för att du kunde stanna kvar.

Hon log, en kvinna i femtioårsåldern, han hade rekryterat henne under en rättegång i Göta hovrätt flera år tidigare, de hade mötts i förhandlingssalen varje dag i en dryg vecka och över en middag enats om att hon i sitt dagliga arbete hade behörighet att ändra i register som var värdefulla för svensk polis i den pågående kartläggningen av organiserad brottslighet.

De gick uppför trappan i den stora domstolsbyggnaden och hon vinkade åt vakten *jag har en besökare* och fortsatte till den administrativa enheten på andra våningen. Hon satte sig ner vid sin dator och han hämtade en stol från det tomma skrivbordet intill och väntade medan hon skrev in användarnamn och lösenord och drog ett litet plastkort genom den smala skåran längst upp på tangentbordet.

– Vem?

Behörighetskortet i ett snöre kring hennes hals, hon fingrade nervöst på det.

– 721018-0010.

Han la armen på hennes stolskant, han visste att hon tyckte

om det.

– Piet Hoffmann?

– Ja.

– Stockrosvägen 21. 122 32 Enskede.

Han såg på datorns skärm och första sidan i Rikspolisstyrelsens belastningsregister.

1. GROVT VAPENBROTT 1998-06-08
9 KAP 1 § ST 2 VAPENLAGEN
2. OLOVLIGT FÖRFOGANDE 1998-05-04
10 KAP 4 § BRB
3. OLOVLIG KÖRNING 1998-05-02
3 § 1 ST 2 P TBL (1951:649)

FÄNGELSE ETT (1) ÅR SEX (6) MÅNADER

1998-07-04 VERKSTÄLLIGHETEN PÅBÖRJAD
1999-07-01 VILLKORLIGT FRIGIVEN
Återstående strafftid 6 månader

– Jag vill göra ett par justeringar.

Han råkade röra hennes rygg när han lutade sig en aning närmare skärmen. Aldrig mer än så, samhörighet som illusion, det visste båda vad det handlade om men hon låtsades eftersom hon behövde något som liknade mänsklig kontakt och han låtsades eftersom han behövde någon som arbetade för honom. De utnyttjade varandra på samma sätt som varje hanterare och varje informatör inom Polismyndigheten, en överenskommelse som aldrig formulerats men var förutsättningen för att överhuvudtaget vilja mötas.

– Justeringar?

– Jag vill ... att du lägger till lite.

Han bytte ställning, lutade sig tillbaka, handen mot hennes rygg igen.

– Var?

– Första sidan. Österåkervoltan.

– Dömd till ett år och sex månader.

– Ändra till fem år.

Hon frågade inte varför. Hon gjorde aldrig det. Hon litade på honom, på att kriminalkommissarien från utredningsroteln i Stockholm satt nära henne för brottsförebyggandets och samhällets bästa. Lätta fingrar över tangentbordet när raden med ETT (1) ÅR SEX (6) MÅNADER blev FEM (5) ÅR.

– Tack.

– Var det allt?

– Nästa rad. Dömd för grovt vapenbrott. Det räcker inte. Jag vill att du lägger till ett par förseelser. Försök till mord. Grovt våld mot tjänsteman.

En enda dator påslagen, en enda skrivbordslampa tänd i det stora rummet på Domstolsverkets andra våning. Wilson var medveten om den fara kvinnan som dröjt sig kvar utsatte sig för, medan hennes arbetskamrater slutat för dagen och låg i vardagsrummets skinnsoffa framför en tv-apparat bytte hon känslan av att betyda något mot risken för åtal och grov urkundsförfalskning.

– Han har fått ett längre fängelsestraff och fler domskäl. Något mer?

Hon skrev ut ett registerutdrag för 721018-0010 och gav det till mannen som satt så nära henne och fick henne att känna sig så levande. Hon väntade medan han läste och lutade sig efter en stund kanske ännu lite närmare.

– Det räcker. För idag.

Erik Wilson höll i två papper som var skillnaden mellan respekt och misstro. Redan den första timmen innanför Aspsåsfängelsets murar skulle Piet Hoffmann uppmanas att visa upp sina domar för påstridiga medfångar och fem avtjänade år för

FÖRSÖK TILL MORD och GROVT VÅLD MOT TJÄNSTEMAN var detsamma som säkerhetsklassad, potent och kapabel att döda om så krävdes.

Paula skulle redan när han första gången gick in i sin cell betraktas som just den han utgav sig för att vara.

Någon som på bara tre dagar kunde slå ut och ta över all narkotikahandel.

Erik Wilson smekte den leende kvinnan lätt på armen, en hastig kyss på hennes kind, hon log fortfarande när han skyndade tillbaka mot det sena tåget till Stockholm.

Huset såg mindre ut när mörkret började äta av det.

Fasaden var färglös, skorstenen och det nya tegeltaket sjönk ner i den översta våningen.

Piet Hoffmann stod mellan trädgårdens båda äppelträd och försökte se in i köket och vardagsrummet. Klockan var halv elva, det var sent men hon brukade vara uppe så här dags, synas där någonstans innanför vita eller blå gardiner.

Han borde ha ringt.

Mötet på Rosenbad hade slutat strax efter fem och sedan hade det fortsatt med blomsteraffärens tre buketter och cd-kopiorna från en inspelning i ett av Regeringskansliets tjänsterum och två brev adresserade till två människor som aldrig skulle ta emot dem och upp på den mörka vinden igen och elva burkar med elva kilo amfetamin i en kasse och knopparna som två och två skulle passera såväl ugnen som frysen på väg till kylskåpet och kvällen som plötsligt hade försvunnit utan att han hade hört av sig.

Trettiotre timmar kvar.

Han öppnade den låsta ytterdörren. Ingen tv som sjöng i vardagsrummet, ingen belysning över det runda bordet i köket, ingen radio från arbetsrummet och långsamma P1-samtal som hon tyckte så mycket om. Han hade gått in i ett fientligt hus, till reaktionerna han inte kunde kontrollera och var så rädd för.

Piet Hoffmann svalde ner känslan av att vara så inihelvete ensam.

Han hade väl egentligen alltid varit det, ensam, inte många vänner eftersom han hade valt bort dem en efter en när han inte förstått vad man skulle ha dem till, inte mycket till släkt eftersom han valt bort dem som inte först valt bort honom, men det här var en annan ensamhet, en sådan han inte valt själv.

Han tände lampan i köket. Bordet var tomt, inga fläckar av lingonsylt och smulor av *bara ett kex till*, det var avtorkat varv för varv tills allt som var gemenskap skalats av, om han böjde sig fram kunde han till och med se hur ränderna från en wettexduk glänste på den blanka furuytan. De hade suttit där och ätit för några timmar sedan. Och hon hade sett till att måltiden skulle vara avslutad, han hade inte varit delaktig och skulle därför inte heller ingå i den efteråt.

Vasen stod i skåpet över diskbänken.

Tjugofem röda tulpaner, han rättade till kortet, jag älskar dig, de skulle stå mitt på bordet och kortet skulle synas tydligt.

Han försökte sätta ner fötterna tyst i trappan till övervåningen men varje steg knarrade och förvarnade och öron som lyssnade visste att han var nära. Han var rädd, men inte för ilskan han strax skulle möta, för konsekvenserna av den.

Hon var inte där.

Han stod i dörröppningen och såg in i ett tomt rum, sängen orörd med överkastet fortfarande på. Han fortsatte till Hugos rum och harklingar från en hals som var fem år och svullen. Hon var fortfarande inte där.

Ett rum kvar, han sprang.

Hon låg i den korta och smala sängen tätt intill deras yngsta son. Under täcket och något hopkrupen. Men hon sov inte, hon andades inte så.

– Hur mår dom?

Hon såg inte på honom.

– Febern?

Hon svarade inte.

– Jag är ledsen, det gick inte att komma ifrån. Men jag borde ha ringt, jag vet det, jag vet att jag borde ha gjort det.

Hennes tystnad. Den var värre än allt annat. Han föredrog öppen konflikt.

– Jag tar dom imorgon. Hela dagen. Du vet det.

Det förbannade tigandet.

– Jag älskar dig.

Trappan knarrade inte lika mycket när han gick nerför, kavajen hängde på hatthyllan i hallen, han låste dörren efter sig.

Trettiotvå och en halv timme kvar. Han skulle inte sova. Inte den här natten. Inte nästa. Han skulle göra det sedan, instängd på fem kvadratmeter under två veckor i en häktescell, på en brits utan tv och utan tidningar och utan besök, han skulle ligga ner då och blunda bort skiten.

Piet Hoffmann satt i bilen medan den mörka villagatan somnade. Han brukade göra det, räkna långsamt till sextio och känna hur del för del av kroppen slappnade av.

Imorgon.

Han skulle berätta allt för henne imorgon.

Fönster efter fönster blev svart i de grannhus som delade hans förortsliv, en tv:s ljusblå sken från övervåningarna hos Samuelssons och Sundells, en lampa som växlade mellan rött och gult i källarfönstret hos Nymans där han visste att en av tonårssönerna bodde, annars begynnande natt. En sista blick mot huset och trädgården han kunde röra vid om han vevade ner sidorutan och sträckte ut handen, det han var så trygg i men som nu gömdes i tigande och mörker, inte ens prydnadslamporna i vardagsrummet fick vara tända.

Han skulle berätta allt, imorgon.

Bilen rullade längs små gator medan han ringde två samtal, det första om ett möte vid midnatt på tvåan, nästa om ett helt annat möte något senare högst upp på Danviksberget.

Han hade inte bråttom längre. En timme att slå ihjäl. Han körde mot stan, till Södermalm och området kring Hornstull som han bodde i under så många år när det ännu var en skitig stadsdel kostymer spottade på när de råkade gå vilse. Han parkerade på Bergsunds Strand med fronten mot vattnet, det vackra gamla badhuset i trä som dårarna kämpat så hårt för att riva ner bara ett par år tidigare, nu stod det där och lyste som en klenod i det hippa området och erbjöd bad för kvinnor på måndagarna och män på fredagarna. Det var varmt trots natten som var nära, han tog av sig kavajen och gick längs asfalten med ögonen i det blanka vattnet som reflekterade starka strålkastare från enstaka bilar som smög mellan hyreshusen och letade parkeringsplats.

En ganska hård parkbänk i tio minuter, en långsam öl på Gamla Uret hos bartendern som skrattade så högt och som Hoffmann kände från sena kvällar i ett annat liv, ett par artiklar i en kvarglömd kvällstidning, smetiga fingrar efter feta jordnötter ur skålen längst bort på bardisken.

Han hade slagit ihjäl den där timmen.

Han började gå mot Högalidsgatan 38 och Heleneborgsgatan 9 och en lägenhet på tredje våningen med ett gungande parkettgolv.

Erik Wilson satt i den inplastade soffan när mannen som nu enbart var Paula öppnade ytterdörren och korsade ett vattenskadat hallgolv.

– Det är inte för sent. Att dra sig ur. Du vet det.

Han såg på honom med något slags värme, han borde inte göra det men det var så det hade blivit. En infiltratör skulle vara ett instrument, något som han och Polismyndigheten skulle använda så länge det var värdefullt och överge om det blev farligt.

– Du kommer aldrig att få särskilt mycket betalt. Du kommer inte ens att få något officiellt tack.

Med Piet, Paula, var det inte längre så. Han hade blivit något mer. En vän.

– Du har Zofia. Du har pojkarna. Jag har inte en aning om hur det känns men ... tänker på det ibland, längtar efter det. Och när jag har det ... inte fan kommer jag att riskera det för någon som inte säger tack.

Wilson var medveten om att han just nu, just där gjorde det enda han inte skulle. Han gav en unik infiltratör argument att backa ur när myndigheten behövde honom som mest.

– Den här gången tar du en risk som är så mycket större än tidigare. Jag sa det i eftermiddags i kulverten på väg från Rosenbad. *Piet, se på mig när jag talar.* Jag säger det igen. *Se på mig!* I det ögonblick du slutför vårt uppdrag får du Wojteks dödsdom. Är du helt säker på att du har förstått vad det innebär, på riktigt?

Nio år som infiltratör. Piet Hoffmann letade bland möbler i skyddande plast och valde en fåtölj som var grön eller möjligen brun. Nej. Han var inte längre säker på om han hade förstått vad det innebar eller varför de egentligen satt här mittemot varandra på en hemlig mötesplats medan hans fru och barn sov i ett hus som teg. Ibland är det så. Ibland börjar bara någonting som sedan fortsätter och så går det dagar som blir till månader och år utan att man hinner reflektera särskilt mycket. Men han mindes tydligt varför han hade sagt ja, hur Erik en dag suttit i ett besöksrum på Österåkeranstalten och talat om ett straff som istället skulle kunna avtjänas med regelbundna permissioner och om ett liv efter muck där kriminell aktivitet skulle kunna förenklas, så länge han arbetade för polisen skulle det vid behov kunna blundas för egen kriminalitet, gömmas undan och styras bort från utredningsrotel och åklagarmyndighet. Det hade verkat så förbannat enkelt. Han hade inte ens funderat över lögnerna, inte över faran att avslöjas som tjallare, inte över bristen på uppskattning och skydd. Han hade inte haft någon familj. Han hade funnits bara för sin egen skull och knappt det.

– Jag kommer att avsluta det här.

– Ingen klandrar dig om du kliver av.

Han hade börjat och sedan fortsatt. Han hade lärt sig att leva för kickarna, för adrenalinet som tvingade hjärtat att slå sönder bröstet, för stoltheten att veta att han var bättre på det här än någon annan, han som aldrig hade varit bäst på någonting.

– Jag kliver inte av.

Han hade blivit beroende. Adrenalinet, stoltheten, han förstod inte hur ett liv såg ut utan det.

– Vi har alltså pratat klart om det där.

Han var en av dem som aldrig någonsin hade lyckats avsluta någonting.

Han skulle göra det nu.

– Jag uppskattar att du ställde frågan, Erik. Jag inser att det inte riktigt är din uppgift. *Men vi har pratat klart om det här.*

Erik Wilson hade ställt frågan. Och fått det svar han velat ha.

– Om något händer.

Han ändrade sittställning i den obekväma plastsoffan.

– Om du är på väg att avslöjas. Du kan inte fly särskilt länge inne på ett fängelse. Men du kan begära dig ner till isoleringen.

Wilson såg på Paula, Piet.

– Du kan få en dödsdom. Men du ska inte dö. När du har begärt dig ner, när du är i skydd på isoleringen, kontaktar du oss och väntar i en vecka. Den tid vi behöver för att administrera en hämtning och plocka ut dig.

Han öppnade den svarta portföljen som stod vid hans fötter och la två mappar på soffbordet mellan dem. Ett färskt utdrag ur Rikspolisstyrelsens belastningsregister och ett lika färskt förhör som från och med nu låg bland övrig dokumentation i en tio år gammal förundersökning.

FÖRHÖRSLEDARE JAN ZANDER (FL): En nio millimeter Radom.

PIET HOFFMANN (PH): Jaså.

FL: När du greps. Nyligen avfyrad. Två skott saknades i magasinet.

PH: Du säger det.

Piet Hoffmann läste tyst igenom ett ändrat förflutet.

– Fem år?

– Ja.

– Försök till mord? Grovt våld mot tjänsteman?

– Ja.

FL: Två skott. Flera vittnen bekräftar det.

PH: (tystnad)

FL: Flera vittnen i det hyreshus på Kaptensgatan i Söderhamn vars fönster vetter mot den gräsmatta där

du avlossade två skott mot polisassistent Dahl.
PH: Söderhamn? Där har jag aldrig varit.

Erik Wilson hade arbetat omsorgsfullt med varje liten del som gemensamt måste utgöra en trovärdig och hållbar bakgrund.

– Känns det … kan det fungera?

En ändrad dom i ett belastningsregister krävde alltid ett nytt förhör i den utredning som en gång genomförts och nya anteckningar i Kriminalvårdens särskilda akt från det fängelse där straffet enligt ändringarna skulle ha avtjänats.

– Det fungerar.

– Du har enligt domen och förundersökningsprotokollet vid gripandet slagit en laddad Radom tre gånger i ansiktet på en polisassistent och du slutade inte förrän han föll medvetslös till marken.

FL: Du försökte döda en polisman i tjänst. En av mina kollegor. Och jag vill veta varför i helvete du gjorde det?
PH: Är det en fråga?
FL: Jag vill veta varför!
PH: Jag har aldrig skjutit mot en polis i Söderhamn. Eftersom jag aldrig har varit i Söderhamn. Men *om* jag hade varit där och *om* jag hade skjutit mot din kollega hade det berott på att jag inte tycker särskilt mycket om poliser.

– Du vände sedan på pistolen, gjorde en mantelrörelse och avlossade två skott. Ett träffade hans lår. Ett träffade vänster överarm.

Wilson lutade sig tillbaka mot soffans plast.

– Inte någon som värderar din bakgrund och har tillgång

till ett utdrag ur belastningsregistret eller delar av förundersökningen kommer att tvivla. Jag la till en notering lite längre ner också, om handfängsel. Du genomförde alltså hela förhöret med handfängsel. Av säkerhetsskäl.

– Det håller.

Piet Hoffmann vek ihop två högar med papperskopior.

– Ge mig ett par minuter. Jag ska gå igenom det en gång till. Sedan kan jag det.

Han höll i den tingsrättsdom som aldrig avkunnats och det förhör som aldrig genomförts men trots det var hans viktigaste redskap för fortsatt infiltration i en fängelsekorridor.

Trettioen timmar kvar.

torsdag

KLOCKORNA PÅ HÖGALIDSKYRKANS båda torn slog en timme efter midnatt när han lämnade Erik Wilson och tvåan via en innergård och en port mot Heleneborgsgatan. Fortfarande märkligt varmt ute, om det var tidig vår på väg mot tidig sommar eller sådan värme som kom inifrån när kroppen jagade. Piet Hoffmann tog av sig kavajen och gick mot Bergsunds Strand och bilen som stod kvar tillräckligt nära kajkanten för att strålkastarna skulle lysa upp mörkt vatten när han startade den. Han körde från västra till östra Södermalm och natten, som borde ha omringats av människor som längtat hela vintern efter värme och nu inte ville gå hem, den var bara tom, en bullrig stad hade redan somnat. Han ökade farten efter Slussen och längs Stadsgårdskajen men bromsade in och svängde av strax före Danvikstullsbron och gränsen mot Nacka. Tegelviksgatan ner och vänster in på Alsnögatan och fram till bommen som låste in den enda bilvägen till Danviksberget.

Han klev ur i mörkret och skakade nyckelknippan tills han hittade metallbiten som var hälften så stor som en vanlig nyckel, han hade burit den länge, de hade mötts ofta de senaste åren. Han öppnade och stängde bommen och körde sakta den slingriga vägen uppför berget till utomhuscaféet som sedan decennier väntade högst upp med kanelbullar och utsikt över en huvudstad.

Han stannade bilen på en övergiven parkeringsplats och lyssnade på bruset från Saltsjöns inlopp vid klippans slut. Några timmar tidigare hade besökare suttit här, hållit varandra i händerna medan de talat eller längtat eller bara druckit sina cafe latte under den sortens tystnad som är gemenskap. En kvarglömd kaffekopp på en bänk, ett par plastbrickor med skrynkliga servetter på en annan. Han satte sig ner vid cafébyggnaden med de nerdragna träluckorna och ett bord fastkedjat i en grå betongklump. Piet Hoffmann såg ut över staden han bott i större delen av sitt liv men fortfarande kände sig som en främling i, någon som bara gästade en stund och sedan skulle fortsätta igen, dit han egentligen var på väg.

Han hörde stegen.

Någonstans bakom honom, inne i det svarta.

Först svagt och ganska långt bort, fötter mot fast och hårt underlag, sedan närmare och tydligare, grus som lät högt hur mycket den som gick på det än försökte få det att inte låta.

– Piet.

– Lorentz.

En mörk, kraftig man i hans egen ålder.

De kramade om varandra som de brukade göra.

– Hur mycket?

Den mörke och kraftige satte sig ner framför honom, armbågarna tungt mot bordet som bågnade en aning. De hade känt varandra i ganska exakt tio år. En av de få han någonsin litat på.

– Tio kilo.

De hade suttit ihop på Österåker. På samma avdelning och cellerna intill varandra. Två män som kommit nära på ett sätt de aldrig skulle gjort om de mötts någon annanstans, men där, instängda och utan särskilt mycket val, de hade blivit bästa vänner utan att just då förstå det.

– Styrka?

– Trettio.

– Fabrik?

– Siedlce.

– Blomster. Det är bra. Dom vill ha det. Och jag slipper skitsnacket om kvalité. Men själv ... jag står inte ut med lukten.

Lorentz var det enda namn han aldrig skulle ge till Erik. Han tyckte om honom. Han behövde honom. Lorentz sålde vidare det Piet spädde ut för att tjäna pengar på för egen del.

– Men trettio procent ... för mycket för Plattan och Centralen. Ingen där ska ha starkare än femton, då går det åt helvete. Det här ... jag får sälja det på klubbarna, kidsen vill ha starkt och har råd att betala.

Erik hade förstått att det fanns någon han inte fick namnet på. Men också varför. Piet kunde därför fortsätta tjäna pengar på egen verksamhet och Erik och hans kollegor tittade bort och till och med underlättade emellanåt i utbyte mot fortsatt infiltration.

– Tio kilo trettioprocentigt är jävligt mycket. Och jag tar det förstås. Som jag alltid tar det du ber mig att ta. Men ... och jag talar nu bara som din vän, Piet ... är du säker på att du har full kontroll om någon får för sig att ställa frågor?

De såg på varandra. Det kunde ha varit något som föreställde en fråga och var något helt annat. Misstroende. Provokation. Det var inte det. Lorentz menade precis det han sa och Piet visste att hans fråga var omtanke. Tidigare hade det alltid stannat vid att spä ut lite extra för egen del från de leveranser som kom någonstans ifrån och sedan skulle säljas vidare, den här gången behövde han större pengar och av andra skäl, vakuumförpackade burkar hade därför outspädda bytt värmefläkten på vinden mot en IKEA-kasse bara några timmar efter Henryks besök.

– Jag har kontroll. Om jag en dag måste använda just dom här pengarna gör jag det för att det är för sent att svara på frågor överhuvudtaget.

Lorentz frågade inte mer.

Han hade lärt sig att var och en hade sina egna skäl och gjorde sina egna val och om någon inte ville prata om varför var det meningslöst att ens försöka.

– Jag drar av femtiotusen för sprängämnen. Du gav mig jävligt kort varsel, Piet, det kostade mig mer än vanligt.

Etthundra kronor grammet. En miljon kronor för tio kilo. Niohundrafemtiotusen i kontanter och resten i sprängämnen.

– Du har allt?

– Pentyl.

– Det räcker inte.

– Och nitroglycerin. Hög detonationshastighet. Förpackat i plastfickor.

– Jag vill ha det så.

– Sprängkapseln och krutstubinen, du får dom, på köpet.

– Om du säger det.

– Det kommer att smälla så inihelvete.

– Det är bra.

– Du gör som du vill, Piet.

De båda bilarna stod med öppna bagageluckor i skyddande mörker medan en blå IKEA-kasse med tio enkilosburkar trettioprocentigt amfetamin och en brun portfölj med niohundrafemtiotusen kronor i sedlar och två högexplosiva paket bytte plats. Han hade bråttom sedan, körde med släckta strålkastare nerför Danviksbergets slingriga och ganska smala väg, öppnade med bomnyckeln och fortsatte mot Enskede och huset han alltid längtade till.

Det var för sent när han insåg att han hade kört över den. Det var så mörkt just vid garageuppfarten och den röda plasten på brandbilen svår att se. Piet Hoffmann rullade ytterligare någon halvmeter fram och låg sedan på knä och letade kring höger framdäck tills han hittade Rasmus favoritbil. Den var inte i bästa skick men om han använde en röd penna och fyllde i något som skulle föreställa lack på ena dörren och sedan böjde till den fina vita stegen som skulle ligga mitt på taket kunde den kanske om några dagar återinträda i tjänst i sandlådan eller på något av golven på övervåningen.

De låg därinne och sov. De andra brandbilarna i plast. Under sängarna, ibland till och med i sängarna hos två pojkar han om några timmar skulle krama hårt.

Han öppnade bagageluckan och den bruna väskan som låg längst in bakom reservdäcket, tvekade, tog sedan två mindre paket och lät niohundrafemtiotusen kronor i sedlar ligga kvar.

Sakta genom trädgårdens skuggor.

Han väntade med att tända tills han kommit in i köket och stängt dörren, han ville inte väcka Zofia med irriterande ljus och inte heller bli överraskad av nakna fötter på väg till toaletten eller kylskåpet. Han satte sig ner vid det avtorkade bordet, wettexdukens ränder glänste fortfarande. De skulle äta frukost här om några timmar, tillsammans och kladdigt, stökigt, högljutt.

De två paketen låg mitt på bordet. Han hade inte kontrollerat dem, han gjorde aldrig det, det var Lorentz som levererat och det räckte. Det första påminde om ett smalt pennetui, han öppnade det och tog fram ett långt snöre. Det såg åtminstone ut så, som en arton meter ringlande och tunn tråd. Men för någon med kunskap om sprängteknik var det något helt annat. Pentylstubin och skillnaden mellan liv och död. Han vecklade ut den, kände på den, klippte sedan av den på mitten och la tillbaka två stycken nio meter långa bitar. Det andra paketet var mer kvadratformat, en plastficka med tjugofyra små fack, ungefär som de plastfickor hans pappa haft i gröna album för att förvara gamla mynt från en tid när hans hem fortfarande hade kallats Königsberg, förbrukade mynt som inte hade varit särskilt värdefulla, Piet hade en gång då när kroppen skrek efter drog och flykt försökt sälja av dem och insett att de bruna metallbitarna han aldrig intresserat sig för var kraftigt slitna och saknade samlarvärde annat än det hans pappa hade sett, sådant värde som hörde ihop med minnen från en annan tid. Han kände försiktigt på varje litet fack, på den genomskinliga vätskan inuti, sammanlagt fyra centiliter nitroglycerin fördelat i tjugofyra platta rum av plast.

Någon som skrek till.

Piet Hoffmann öppnade dörren.

Samma skrik igen, sedan tystnade det.

Han hade varit på väg upp, Rasmus som hade mardrömmar, den här gången hade de försvunnit utan tröst.

Han gick istället ner, till källaren och det privata vapenskåpet som stod i ett av förråden. Han öppnade och de låg där, flera stycken på en av hyllorna, han tog en av dem med sig och gick upp igen.

Världens minsta revolver, *SwissMiniGun*, inte större än en bilnyckel.

Han hade köpt dem direkt från fabriken i La Chaux-de-Fonds förra våren, sex millimeterstora kulor i miniatyrrevolverns trumma, var och en tillräcklig för att döda. Han vilade vapnet i handflatan och vägde det genom att föra armen fram och tillbaka över bordet, några gram som om det behövdes skulle avsluta liv.

Han stängde köksdörren en andra gång och började med ett bågfilsblad fila sönder varbygelns båda ändar, metallskenan som ringade in och skyddade avtryckaren var för liten, han fick inte in sitt pekfinger och för att kunna trycka av och skjuta tog han bort den, ett par minuter räckte för att den skulle falla till golvet.

Han höll sedan i den lilla revolvern med bara två fingrar, höjde och siktade mot diskmaskinen, tryckte av på låtsas.

Ett dödande vapen inte längre än en tändsticka men likväl för långt.

Han skulle därför dela det i ännu mindre bitar med skruvmejseln som var så spröd, mindes mormor i Kaliningrad och hur hon hade förvarat den i lådan under symaskinen som stått i hennes sovrum och som för en sjuåring varit stor som en möbel. Han skruvade försiktigt upp den första skruven på träkolvens ena sida och placerade den sedan på arbetsbänkens vita duk för att kunna se den, den fick inte försvinna. Nästa skruv satt på kolvens andra sida och ännu en nära hanen. Sedan skruvmejselns spets mot sprinten i revolverns mitt, han slog lätt på den ett par gånger tills den föll ut och det tändstickslånga vapnet bröts i sex lösa delar; två kolvsidor, revolverstommen med pipan och trumaxeln och avtryckaren, trumman med sex patroner, pipskyddet och ännu en del av stommen som saknade namn. Han stoppade varje bit i en plastpåse och bar ut dem tillsammans med arton meter pentylstubin och fyra centiliter tunt förpackat nitroglycerin och la sedan alltihop över niohundrafemtiotusen kronor i en brun väska längst in bakom reservhjulet i bilens bagageutrymme.

Piet Hoffmann hade suttit på en av stolarna vid köksbordet och sett ljuset tränga bort natten. Han hade väntat på henne i flera timmar, nu hörde han hennes tunga steg i trätrappan, så som hon alltid gick när hon inte var utsövd, hela foten platt ner mot ytan. Han lyssnade ofta på just människors steg, de hörde tydligt ihop med ett inre och det var alltid lättare att avgöra hur någon mådde genom att blunda medan han eller hon närmade sig.

– Hej.

Hon hade inte sett honom och ryckte därför till när han talade.

– Hej.

Han hade redan satt på kaffe, hällde upp med någon centimeter mjölk som hon ville ha det på morgonen. Han bar koppen till den vackra och rufsiga och sömniga kvinnan i morgonrock och hon tog emot den, ögonen så trötta, hon hade varit förbannad ena halvan av natten och slumrat i ett febrigt barns säng den andra.

– Du har inte sovit alls.

Hon var inte irriterad, hon hade inte en sådan röst, hon var bara trött.

– Det blev inte så.

Han dukade fram bröd, smör, ost.

– Febern?

– Ganska svala. Än så länge. Någon dag till hemma, kanske två.

Fler steg, betydligt lättare, fötter som var pigga så fort de lämnade sängen och mötte golvet. Hugo var äldst men vaknade fortfarande först. Piet gick fram till honom, lyfte upp honom, pussade och kramade mjuka kinder.

– Du sticks.

– Jag har inte rakat mig.

– Du sticks mer än vanligt.

Djupa tallrikar, skedar, glas. De satt alla ner, Rasmus plats fortfarande tom, de skulle låta honom sova så länge det gick.

– Jag tar dom idag.

Hon hade förväntat sig att han skulle säga det. Men det hade varit svårt. Det var ju inte sant.

– Hela dagen.

Det färdigdukade bordet. Här hade nyss nitroglycerin legat bredvid pentylstubin och en laddad revolver. Nu trängdes havregrynsgröt med yoghurt och knäckebröd. Flingorna knastrade högt och ett glas apelsinjuice blötte ner golvet, de åt sin frukost som de brukade göra tills Hugo la skeden på bordet med en hård smäll.

– Varför är ni arga på varandra?

Piet växlade en kort blick med Zofia.

– Vi är inte arga.

Han hade talat vänd mot sin äldste son och samtidigt insett att någon som var fem år inte tänkte nöja sig med så enkla svar och därför valde att möta med krävande ögon.

– Varför ljuger du? Jag ser ju. Ni *är* arga.

Piet och Zofia såg på varandra igen tills hon bestämde sig för att svara.

– Vi *var* arga. Men vi är inte det längre.

Piet Hoffmann såg tacksamt på sin son och kände hur han släppte ner axlarna, han hade varit så spänd och längtat efter att få höra det men inte vågat fråga själv.

– Bra. Ingen är arg. Då vill jag ha mer macka och mer flingor.

Hans femårshänder hällde mer flingor över dem som redan låg i tallriken och bredde en ostmacka och la den bredvid den andra som inte ens påbörjats. Hans föräldrar valde att inte säga någonting, han skulle den här morgonen få fortsätta göra det, han var just nu klokare än någon av dem.

Han satt på trätrappan vid ytterdörren. Hon gick nyss. Och han som fortfarande inte hade sagt det han måste säga, det hade ju bara blivit så. Ikväll. Ikväll skulle han tala med henne. Om allt.

Han hade gett Hugo och Rasmus en dos flytande Alvedon genast hennes rygg försvunnit in på den smala gångstigen mellan Samuelssons och Sundells hus. Sedan en halv dos till. Trettio minuter senare var febern helt borta och de hade klätt på sig för att åka till förskolan.

Han hade tjugoen och en halv timme kvar.

Piet Hoffmann hade beställt Sveriges vanligaste bil, en silvergrå Volvo. Den var inte klar, varken städad eller kontrollerad. Han hade bråttom, valde därför en Volkswagen Golf med röd lack, Sveriges näst vanligaste bil.

Den som inte vill synas och inte bli ihågkommen ska avvika så lite som möjligt.

Han parkerade nära kyrkogården och med femtonhundra meter kvar till den väldiga betongmuren. En lång och öppen sluttning hela vägen ner, ängar med gräs som var grönt men ännu inte särskilt högt. Det var dit han var på väg. Aspsås kriminalvårdsanstalt, ett av landets tre högst säkerhetsklassade fängelser. Han skulle gripas, häktas, åtalas, dömas och sitta därinne i en låst cell om tio, kanske tolv eller högst fjorton dagar.

Han klev ur bilen och kisade mot solen och vinden.

Det skulle bli en vacker dag men vänd mot en fängelsemur kunde han bara tänka på hatet.

Tolv jävliga månader innanför en annan ringlande betongmur och den enda känsla som fanns kvar.

Han hade länge trott att det var den unga människans självklara kamp mot allt som begränsade och låste in. Det var inte det. Han var inte längre särskilt ung men känslan lika stark när han såg den här muren. Hatet mot rutinerna, förtrycket, utanförskapet, de stängda dörrarna, attityderna, arbetet med fyrkantiga träklossar i verkstaden, misstänksamheten, knalltransporterna, pissproven, visitationerna. Hatet mot plitar, snutar, uniformer, regler, vad som helst om det representerade samhället, det satans hatet som han delat med de andra, det enda de hade haft gemensamt, det och knarket och ensamheten, hatet hade fått dem att tala med varandra, till och med sträva någonstans och hellre sträva mot något som var hat än inget alls.

Den här gången skulle han bli inlåst för att han ville det, ingen tid att känna något överhuvudtaget, han var där för att avsluta och sedan för alltid lämna.

Han stod bredvid hyrbilen i förmiddagssolen och den lätta vinden. Långt därborta, vid den höga murens ena kant, skymtade identiska enplanshus i rött tegel och ett samhälle uppbyggt kring det stora fängelset. Han och hon som inte arbetade som kriminalvårdare i en cellkorridor arbetade i byggföretaget som reparerade golvet i C-huset eller på restaurangen som levererade färdiga portioner till lunchmatsalen eller hos elektrikern som justerade belysningen på rastgården. Människorna som levde i frihet på ena sidan muren i Aspsås var helt beroende av dem som levde inlåsta på den andra.

– Jag garanterar att du inte åtalas för något som hänt på Västmannagatan 79.

Den digitala bandspelaren låg kvar i hans ena byxficka. Han hade lyssnat på hennes röst flera gånger de senaste timmarna, hans högerben och mikrofonen hade varit nära och hennes ord lätta att uppfatta.

– Jag garanterar att vi på bästa sätt ska bistå dig att slutföra ditt uppdrag inifrån fängelset.

Han öppnade grinden, grusgången var nyligen krattad, varje steg suddade ut spåren efter en omsorgsfull kyrkovaktmästare. Han såg på gravarna som var välskötta och fyrkantiga, enkla stenar på små bitar gräsmatta, som om människorna i enplanshusen fortsatt att leva på samma sätt också i döden, en aning ifrån varandra för att inte störa men tillräckligt nära för att aldrig vara ensamma, inte för mycket och inte för stort men en egen plats som var tydlig.

Kyrkogården ramades in av en stenmur och av träd som planterats för länge sedan och fortfarande stod på regelbundet avstånd från varandra, tillräckligt utrymme att såväl växa som att ge intryck av skyddande vägg. Hoffmann gick närmare, tysklönnar med löv som just spruckit och som rörde sig något, det som betydde mellan två och fem meter per sekund i vindstyrka. Han iakttog sedan de mindre grenarna, de rörde sig också, mellan sju och tio meter per sekund. Han lutade sig bakåt, sökte efter de större grenarna som ännu var stilla, det var en bit kvar till femton meter per sekund.

Den kraftiga trädörren var öppen och han gick in i en kyrka som var för stor, det vita innertaket högt däruppe, altaret långt därinne, det var som om hela Aspsås samhälle skulle kunna sitta på de hårda bänkarna och det skulle bli plats över, en av alla dessa byggnader från en tid när bilden av makt målades med storlek.

Den stora salen, tom bortsett från en kyrkovaktmästare som flyttade enkla trästolar från platsen bredvid dopfunten, tyst bortsett från ett skrapljud från läktaren nära orgeln.

Han gick in och la en tjugolapp i en av bössorna på bordet strax efter entrén och nickade sedan mot kyrkovaktmästaren som hört någon röra sig och vänt sig om. Han gick ut igen i gången mellan kyrksal och kyrkport, väntade tills han var helt säker på att han inte längre var iakttagen och öppnade den grå dörren på höger sida.

Han tog sig nu hastigt uppåt.

Den branta trappan med steg från en tid när människor var kortare. Dörren gled upp efter ett lätt tryck med en kofot i springan mot karmen. Den enkla aluminiumstegen lutad mot en trång lucka i taket, ingången till kyrkans torn.

Han stannade.

En ton som trängde sig på. Den dova klangen från en orgel. Han log, skrapljudet han hört tidigare från läktaren i kyrkans sal, en kantor som hade förberett dagens psalmer.

Aluminiumstegen gungade ostadigt när han tog upp en rörtång ur axelremsväskan och greppade bygeln till luckans hänglås. Ett kraftigt ryck och den lossnade. Han tryckte upp takluckan, klättrade upp i tornet och hukade för den kraftiga klockan i gjutjärn.

En dörr kvar.

Han öppnade den och gick ut på balkongen och till en utsikt som var så vacker att han var tvungen att stå stilla och följa himlen till skogen och de båda sjöarna och det som såg ut som ett kantigt berg långt därborta. Han höll i räcket och granskade utrymmet som inte var särskilt stort men tillräckligt för att få plats att ligga ner. Det blåste mer, vinden som nöjt sig med löv och mindre grenar i markhöjd rörde sig fritt här, balkongen skakade lätt när den högg tag och försökte dra med. Han såg på muren och taggtråden och husen med galler för sina fönster. Aspsås fängelse var lika stort och lika fult härifrån och sikten helt fri, ingenting i vägen, varje intern på den bevakade rastgården var möjlig att se, varje meningslös rad av stängsel, varje låst dörr i betong.

– Och ... att vi efter avslutat arbete tar hand om dig. Jag vet att du då är dödsdömd, bränd i hela den kriminella världen. Vi ger dig ett nytt liv, ny identitet, pengar att börja om med utomlands.

Bandspelaren i hans hand och hennes röst var lika tydlig trots monoton blåst.

– Det garanterar jag i egenskap av statssekreterare på justitiedepartementet.

Om han lyckades.

Om hans arbete innanför muren därnere blev precis det som de hade planerat, han var dödsdömd då, han måste ut, bort.

Han ställde ner axelremsväskan och valde ur ytterfacket en tunn, svart kabel och två sändare, båda silverblanka och av en femtioörings storlek, kopplade en sändare till varje ände av kabeln och tryckte fast den halvmeterlånga biten med häftmassa på räckets utsida, vänd mot fängelset och utan att vara synlig för den som stod på kyrktornets balkong.

Han satte sig på huk och skalade med en kniv bort ett par centimeter av kabelns svarta plasthölje tills metalltråden låg oskyddad och han kunde vira fast nästa kabel och dra också den på räckets utsida. Han la sig ner, kröp nära räcket och fäste den tillsammans med något som såg ut som en liten räfflad glasbit.

Alltid ensam.

Han kontrollerade med huvudet utanför kanten att två kablar, två sändare och en solcell satt ordentligt fast på räckets utsida.

Lita bara på dig själv.

Nästa gång någon stod precis här och talade skulle han eller hon göra det utan att ha en aning om att varje ord, varje mening skulle kunna uppfattas av någon annan som dömts att avtjäna sitt straff långt därnere, innanför muren till Aspsås fängelse.

Han hade dröjt kvar i utsikten igen.

Två ytterligheter, så nära, så långt bort.

Om han stod kvar på kyrktornets blåsiga balkong med huvudet böjt aningen nedåt såg han de glänsande sjöarna och skogstopparna och den ljust blå himlen som aldrig tog slut.

Om han böjde huvudet ännu något mer mötte en egen värld

med en egen verklighet, nio fyrkantiga betonghus som på avstånd blev en stad av likadana legobitar, landets farligaste individer hopsamlade och inlåsta med dagar som var väntan.

Piet Hoffmann visste att han skulle placeras som städare i B-huset, en av förutsättningarna vid mötet på Regeringskansliet och en av de uppgifter Kriminalvårdens generaldirektör beordrats att lösa. Han koncentrerade sig därför på legobiten som stod ungefär mitt i den verklighet som ramades in av en sju meter hög mur, sökte med en kikare av del för del i byggnaden han ännu inte kände men som om ett par veckor skulle bli hans vardag. Han valde ut ett fönster på tredje våningen i verkstadsdelen, Aspsåsanstaltens största arbetsplats för fångar som valt att inte studera. Ett fönster placerat nära taket med armerat glas och tätt sittande galler men han kunde trots det i kikaren se flera av dem som arbetade vid verkstadens maskiner, ansikten och ögon som ibland stannade upp och tittade ut en stund för att längta, det som var så farligt när allt handlade om att räkna dagar och låta tid gå.

Ett slutet system som saknade flyktvägar.

Om jag avslöjas. Om jag bränns. Om jag är ensam.

Han skulle inte längre ha något val.

Han skulle dö.

Han la sig ner på balkongens golv, kröp fram till räcket, höll ett inbillat gevär med båda händerna och siktade mot det fönster han nyss bestämt sig för på B-husets tredje våning. Han kontrollerade träden där längs kyrkogårdens stenmur, blåsten hade tilltagit, de större grenarna rörde sig nu.

Vindstyrka tolv sekundmeter. Korrigera åtta grader höger.

Han siktade med sitt inbillade gevär mot huvuden som gick omkring innanför verkstadsfönstret. Han öppnade väskan och tog fram avståndsmätaren, riktade den mot samma fönster.

Han hade tidigare uppskattat avståndet till femtonhundra meter.

Han kontrollerade displayen, log kanske en aning.

Det var exakt femtonhundratre meter mellan kyrktornets balkong och det armerade fönstret.

Avstånd femtonhundratre meter. Fri sikt. Tre sekunder mellan skott och träff.

Han kramade hårt med händerna kring geväret som inte fanns.

Klockan var fem minuter i tio när han passerade gravarna och de skyddande tysklönnarna och fortsatte längs en välkrattad grusgång till bilen som stod kvar utanför kyrkogårdens grind. Han var i tid, hade hunnit förbereda det han måste i kyrkan och skulle vara första besökare när biblioteket inne i Aspsås samhälle strax öppnade.

En egen fastighet vid det lilla torget, inklämd mellan banken och ICA-butiken, en bibliotekarie i femtioårsåldern lika vänlig som hon såg ut.

– Kan jag hjälpa dig?

– Strax. Jag ska kontrollera ett par titlar.

En liten barnhörna med kuddar och små stolar och Pippi Långstrump-böcker ordnade i lika stora högar, tre enkla bord för någon som ville studera eller bara läsa en stund i ro, en soffa med hörlurar för musik och datorer för internet. Det var ett fint litet bibliotek med stillhet och känsla av meningsfull tid i kontrast till fängelsets mur som dominerade utsikten genom varje fönster och signalerade oro och förvaring.

Han satte sig ner vid en av lånediskens skärmar och letade i bibliotekskatalogen. Han behövde sex titlar på sex böcker och sökte bara dem som förmodligen inte varit utlånade på mycket länge.

– Här.

Den vänliga kvinnan läste hans handskrivna lapp.

Byron *Don Juan* Homeros *Odysséen* Johansson *Ur svenska hjärtans djup* Bergman *Marionetterna* Bellman *Min lefwernes beskrifning* Atlantis väljer ur världslitteraturen *Franska landskap*

– Poesi ... och titlar som ... nej, jag tror inte vi har någon av dom häruppe.

– Jag såg det.

– Det tar en stund att få upp dom.

– Jag behöver dom nu.

– Jag är ensam här och ... dom ligger i magasinet. Vi kallar det så. Böcker som inte efterfrågas så mycket.

– Jag skulle verkligen uppskatta om det gick att få hit dom nu. Jag har lite bråttom.

Hon suckade, men bara lätt, som någon som fått ett problem som egentligen var glädje.

– Det är bara du här. Och det dröjer till strax före lunch innan det kommer särskilt många fler. Jag går ner till källarvåningen om du ser till det häruppe.

– Tack. Och bara i inbunden utgåva. Hårdpärm.

– Förlåt?

– Inte dom där sladdriga i pocket eller dom andra som är låtsasinbundna.

– Kartonnage. Billigare för oss att köpa in. Och det är samma innehåll.

– Hårdpärm. Det handlar om hur jag läser. Eller snarare var jag läser.

Piet Hoffmann satte sig på bibliotekariens plats i receptionen och väntade. Han hade varit här förut och lånat böcker som inte var efterfrågade och därför förvarades i källarvåningens magasin, precis som han hade varit på flera andra bibliotek i samhällen med landets tyngsta fängelser, han hade lånat böcker på Kumla stadsbibliotek som bland sina kunder hade fångarna på Kumla fängelse och på Södertälje stadsbibliotek länge med kunder från kriminalvårdsanstalten Hall. Och när fångarna innanför muren bara ett par hundra meter bort beställde sina böcker hämtades de alltid härifrån, Aspsås bibliotek, och om de dessutom förvarades i magasinet kunde låntagaren vara säker på att få just den bok han beställt.

Hon andades tungt när hon öppnade plåtdörren från källarvåningen.

– Branta trappor.

Hon log.

– Och så borde jag väl jogga mer.

Sex böcker på utlåningsdisken.

– Blir det bra?

Inbundna. Stora. Tunga.

– Tulpaner och poesi.

– Ursäkta?

– Precis så som jag vill ha dom.

Aspsås torg var blåsigt, ganska soligt, nästan tomt. En äldre dam med rollator flyttade sig mödosamt över kullerstenen, en man i ungefär samma ålder och med plastkassar på cykelstyret rotade med båda händerna i en papperskorg efter fler returflaskor. Piet Hoffmann körde sakta ut ur det lilla samhället som han om tio dagar skulle återvända till inlåst med handfängsel i en fångtransport.

– Jag vill fortfarande veta hur.

– Vi har gjort det här tre gånger förut.

Ett slutet system utan flyktvägar.

En avslöjad infiltratör, en tjallare, lika hatad i den stängda cellkorridoren som en snabbknullare, en pedofil eller våldtäktsman, alltid längst ner i den hierarki som härskade på europeiska fängelser och som gav mördaren och den grova narkotikabrottslingen sin status och makt.

– Du kommer officiellt att få nåd. Vi kommer att välja humanitära skäl. Det behöver inte förtydligas mer än så. Medicinska eller humanitära skäl är fullt tillräckligt för ett beslut som justitiedepartementet sedan hemligstämplar.

Om något hände. Hennes löfte var det enda han hade. Det och sina egna förberedelser.

Han såg på instrumentbrädans klocka. Arton timmar kvar.

Någon mil kvar till Stockholm, lite för fort genom trötta förorter, när en av hans två mobiltelefoner ringde. En irriterad kvinnas röst, en av förskollärarna på Hagtornsgården.

Båda pojkarna hade feber.

Han körde mot Enskededalen, det var hans dag och Alvedonet hade slutat verka.

En klok kvinna, ett par år yngre än han själv, Hugo och Rasmus hade alltid varit trygga hos henne.

– Jag förstår inte det här.

Samma kvinna som hade ringt om febriga pojkar bara två dagar tidigare. Nu satt hon framför honom på förskolans kontor, granskade honom medan två varma barn väntade på en bänk i lekhallen utanför.

– Att du ... att ni ... det stämmer inte, alla dessa år och ni, om några, kör inte med det här jävla alvedontricket, jag förstår det bara inte.

– Nu vet jag inte riktigt vad du ...

Han hade börjat försvara sig som han alltid gjort när någon anklagat honom för något. Men sedan tystnat. Det här var inte ett förhör, förskolläraren var ingen polis och han var inte misstänkt för något brott.

– Vi har våra regler här på förskolan. Du kan dom. Ni kan dom. Regler som talar om när ett barn är välkommet hit. Och när det inte är det. Det här är en arbetsplats, det är vuxna människors arbetsplats och det är era och andra barns arbetsplats.

Han skämdes och han svarade inte.

– Dessutom ... Piet, det här är inte bra för ett barn. Det är inte bra för Hugo, för Rasmus. Du ser väl hur dom ser ut? Att vara här när små kroppar kämpar med feber ... det kan få andra och betydligt värre konsekvenser. Förstår du det?

När en människa har passerat den gräns han lovade att aldrig passera.

Vem är han då?

– Jag förstår det. Det kommer aldrig att hända igen.

Han bar dem på sina axlar till bilens baksäte. De var varma och han kysste deras pannor.

En gång till. Bara en gång till.

Han förklarade att de måste. Om de ville bli friska. Han gav dem var sin dos flytande Alvedon.

– Jag vill inte.

– Bara en gång till.

– Det är äckligt.

– Jag vet det. Det är sista gången. Jag lovar.

Han kysste deras pannor igen och började köra åt ett håll Hugo genast insåg inte var hem.

– Vart ska vi?

– Till pappas jobb. Ni får följa med en liten stund. Sedan är det färdigt. Sedan ska vi åka hem.

Ett par minuters bilresa till infarten via Skanstull och Söderleden, han var på väg mot innerstan och Vasagatan när han bytte fil mitt i tunneln under Södermalm och körde mot Hornsgatan och vägen ner till Mariatorget. Han parkerade framför videobutiken som låg inklämd mellan Konsum och Bowlinghallen, skyndade in med blicken riktad genom fönstret mot bilens baksäte och valde tre filmer, Nalle Puh i sammanlagt tolv delar, barnen kunde sedan länge replikerna utantill och själv stod han åtminstone ut, ett ljud som inte var riktigt lika hysteriskt som hos flera av de andra där vuxna människor skrek i falsett till tecknade figurer i något slags försök att låtsas vara barn.

Han stannade nästa gång utanför porten på Vasagatan, Hugo och Rasmus lika varma och trötta, han ville att de skulle gå så lite som möjligt. De hade besökt honom där på kontoret till Hoffmann Security AB flera gånger förut, nyfikna på pappas eller mammas jobb som barn ofta är men aldrig någonsin medan han arbetat, för dem var det fortfarande bara en plats pappa brukade gå till medan han väntade på att hans barn skulle hinna leka klart på förskolan.

En halvliter vaniljglass, två stora glas Coca-Cola och tolv episoder vaggande Nalle Puh. Han placerade dem i det stora kontorsrummet framför tv:n och med ryggen mot skrivbordet och förklarade att han skulle gå upp till vinden ett par minuter men de hörde honom inte, det var någonting med Kanin och Ior och en träkärra som de ville att Nalle Puh skulle sitta i. Piet Hoffmann hämtade tre burkar ur värmefläkten, bar ner dem och ställde dem på golvet, rensade skrivbordet för att få plats med det han nu skulle arbeta med.

Sex böcker som tillhörde Aspsås bibliotek och sällan lånades ut och därför på sina framsidor hade en lapp fasttejpad, MAG, i blå maskinskriven text.

En plastpåse med en isärskruvad miniatyrrevolver.

Två bitar pentylstubin som klippts ner till vardera nio meter.

En plastficka med fyra centiliter nitroglycerin fördelat i tjugofyra fack.

En burk trettioprocentigt amfetamin.

Han tog ur skrivbordslådan fram ett limstift, ett paket rakblad och ett paket Rizlapapper, tunna och självhäftande och som annars användes av den som tyckte om att rulla egna cigaretter.

Tulpaner.

Och poesi.

Han öppnade den första boken. Lord Byrons *Don Juan*. Den var perfekt. Femhundrafyrtiosex sidor. Hård bibliotekspärm. Arton centimeter lång, tolv centimeter bred.

Han visste att det fungerade. Han hade de tio senaste åren preparerat ett par hundra romaner, diktsamlingar, essäer med mellan tio och femton gram amfetamin och lyckats varje gång. Nu skulle han för första gången låna de preparerade böckerna själv och tömma dem i en cell på Aspsåsanstalten.

– Jag behöver tre dagar för att slå ut nuvarande aktörer. Under den tiden vill jag inte ha någon kontakt och det är mitt ansvar att ta in tillräcklig mängd.

Han vek upp den första hårda sidan och skar med ett rakblad sönder fogen mot bokens rygg tills den lossnade, femhundrafyrtiosex sidor *Don Juan* satt nu fast bara i den bakre pärmen och med rakbladets spets snyggade han till de flikar som hängde löst. Han bläddrade till sidan 90, fattade hela högen med en hand, ryckte med kraft loss den och la den på skrivbordet, bläddrade till sidan 390 och ryckte loss också nästa tjocka och sammanhängande hög.

Det var de här sidorna, från 91 till 390, han skulle arbeta med.

I vänstermarginalen på sidan 91 ritade han med blyerts en rektangel som var femton centimeter lång och en centimeter bred. Han började sedan skära med rakbladet längs linjerna, allt djupare, millimeter för millimeter tills han skurit igenom hela högen, trehundra sidor. Handen arbetade skickligt med rakbladet och varje liten ojämnhet och varje löst hängande frans skars bort. Han lyfte tillbaka och limmade fast bokens mitt som nu i sin vänstermarginal hade ett färskt hål som var femton centimeter långt, en centimeter brett och tre centimeter djupt. Han kände på kanterna med fingertopparna, fortfarande ojämna, han tapetserade därför hålets väggar med Rizlapapper, det var ju viktigt att ha en jämn yta när han fyllde det med amfetamin, i den här boken som var särskilt tjock fick han plats med femton gram.

De första nittio sidorna var fortfarande intakta och han placerade dem där de skulle sitta, ovanpå hålet, limmade ihop dem med den lösa ryggen och den hårda pärmens framsida och pressade hela Lord Byrons klassiker mot bordsytan med båda händerna tills han var säker på att varje del satt fast.

– Vad gör du, pappa?

Hugos ansikte tittade fram vid hans ena armbåge och nära den nyss preparerade boken.

– Ingenting. Läser bara lite. Varför ser du inte på filmen?

– Den är slut.

Han smekte Hugos kind och reste sig upp, det fanns två hyrfilmer kvar, Nalle Puh skulle hinna äta mer honing och få mer skäll av Kanin innan alla förberedelser var klara.

Piet Hoffmann preparerade *Odysséen*, *Min lefwernes beskrifning* och *Franska landskap* på samma sätt. En litteraturintresserad intern som satt av sitt straff på Aspsås kriminalvårdsanstalt skulle om två veckor kunna låna fyra böcker med sammanlagt fyrtiotvå gram amfetamin.

Två böcker kvar.

Han snittade med ett nytt rakblad avlånga hål i vänstermarginalen på *Ur svenska hjärtans djup* och *Marionetterna*. I det första släppte han ner del för del av något som en vapenkunnig låntagare skulle kunna skruva ihop till en miniatyrrevolver, svårast var trumman laddad med de sex kulorna, den var bredare än han trott och han pressade försiktigt ner den genom att lossa något på det ena Rizlapapperet. Ett vapen med kraft att döda om kulan träffade rätt. Han hade sett det första gången ett halvår tidigare i Świnoujście, en påtänd mula hade försökt spy upp tvåtusenfemhundra gram heroin redan före avgång inne på färjeterminalens toalett, Mariusz hade öppnat dörren när mulan legat på golvet med en plastpåse framför sig och han hade inte sagt ett ord, bara gått tillräckligt nära och tryckt den korta pipan mot ena ögat och dödat med ett enda skott. I nästa utskurna hål, den sista boken, petade han ner en sprängkapsel stor som en grov spik och en mottagare stor som en femtioöring, en sådan som om den placerades inne i örat skulle uppfatta och ta emot ljud från två sändare som satt fast med häftmassa på räcket i ett kyrktorn.

Två niometersbitar tunn pentylstubin och en plastficka med sammanlagt fyra centiliter nitroglycerin låg kvar på skrivbordet. En hastig blick mot två små ryggar som tittade på en tjock tecknad björn, de skrattade plötsligt, en burk honung hade fastnat på Puhs huvud. Hoffmann gick ut i köket, öppnade ännu ett paket glass och ställde det på bordet mellan dem, smekte Rasmus kind.

Pentylstubinen och plastfickan med nitroglycerin var svårast att få på plats utan att lämna spår.

Han valde den största boken, *Ur svenska hjärtans djup*, tjugotvå centimeter lång och femton centimeter bred, sprättade upp bibliotekspärmens framsida och baksida, grävde ut det porösa, pappersliknande innehållet och ersatte det med sprängämnen, limmade ihop, snyggade till kanterna och bläddrade igenom samtliga sex böcker för att vara säker på att varje limfog höll och att inget av de avlånga hålrummen gick att se.

– Vad är det där?

Hugos ansikte vid skrivbordet igen, den andra filmen var slut.

– Ingenting.

– Vad *är* det där, pappa?

Han hade pekat på den blanka metallburken med trettioprocentigt amfetamin.

– Det? Mest ... mest druvsocker.

Hugo stod kvar, han hade ingen brådska.

– Vill du inte se klart? Det finns en film till.

– Jag vill det strax. Det ligger två brev där, pappa. Vem ska ha dom?

Nyfikna ögon hade upptäckt de två kuvert som låg överst i det öppna vapenskåpet.

– Jag ska nog inte skicka dom.

– Det står ju namn.

– Jag ska göra dom klara snart.

– Vad står det?

– Ska vi inte sätta på filmen nu?

– Det där är mammas namn. På det vita. Det ser ut så. Och på det bruna, det börjar med bokstaven E, jag kan se det också.

– Ewert. Han heter så. Han som nog inte ska få det.

Nionde delen av Nalle Puh handlade om Nasses födelsedagskalas och om en utflykt med Christopher Robin. Hugo satt bredvid Rasmus igen och Piet Hoffmann kontrollerade först innehållet i det bruna kuvertet – en cd-kopia av inspelningen, tre pass och en mottagare – han frankerade det och la det i den bruna skinnväskan tillsammans med sex preparerade böcker från Aspsås bibliotek. Sedan det vita kuvertet som Hugo identifierat Zofias namn på – en cd-kopia, det fjärde passet och ett instruktionsbrev – han kompletterade det nu med niohundrafemtiotusen kronor i sedlar och la ner också det i den bruna väskan.

Femton timmar kvar.

Han stängde av Nalle Puh och hjälpte två barn som började bli varma igen på med skorna, gick vägen via köket och kylskåpet och flyttade femtio tulpaner med gröna knoppar till en kylbox och bar den och skinnväskan och två pojkar nerför trapporna till bilen som stod kvar framför porten med en p-bot på vindrutan.

Han såg på röda ansikten i baksätet.

Två stopp kvar.

Sedan skulle han bädda ner dem med nya lakan i var sin säng och sitta där och bara titta på dem tills Zofia kom hem.

De låg kvar i bilen när han gick in på Handelsbankens kontor på Kungsträdgårdsgatan och ner en våning till källaren och kassavalvet med rader av bankfack. Han öppnade den tomma förvaringsboxen med en av sina två nycklar och la ner ett brunt och ett vitt kuvert, låste och klev någon minut senare in i bilen och körde mot Södermalm och Hökens gata.

Han såg på dem igen, han skämdes så.

Han hade passerat gränsen. Två pojkar han älskade mer än något annat i baksätet och amfetamin och nitroglycerin i bagageluckan.

Han svalde, de skulle inte se att han grät, han ville inte det.

Han stannade så nära porten till Hökens gata 1 han vågade. Fyran klockan femton noll noll. Erik hade redan gått in från andra hållet.

– Jag vill inte gå mer.

– Jag vet. Bara hit. Sedan ska vi hem. Jag lovar det.

– Jag har ont i benet. Pappa, jätteont i benet.

Rasmus hade satt sig ner på första trappsteget. Hans hand var varm när Piet tog den, han lyfte upp honom i famnen, kylboxen och skinnväskan i den andra, Hugo fick gå själv uppför hårda trappsteg, är man äldst får man göra det ibland.

Tre trappor upp, dörren med LINDSTRÖM på brevlådan öppnades inifrån exakt när armbandsklockans alarm började pipa.

– Hugo. Rasmus. Och det här, den här farbrorn heter Erik.

Små händer räcktes fram och hälsade, han kände Erik Wilsons ilskna blick, *vafan gör dom här?*

De fortsatte in i den inplastade renoveringslägenhetens vardagsrum, trots tröttheten, de betraktade nyfiket de konstiga möblerna.

– Varför är det plast?

– Dom ska laga här.

– Hur då laga?

– Laga lägenheten. Och då vill dom inte smutsa ner.

Han lämnade dem i den prasslande soffan och gick in i köket, den där ilskna blicken igen, han skakade på huvudet.

– Jag har inget val just nu.

Wilson satt tyst, det var som om han kommit av sig när han sett två riktiga barn i en verklighet som handlade om liv och död.

– Har du talat med Zofia?

– Nej.

– Du måste göra det.

Han svarade inte.

– Piet, du kan tiga bäst fan du vill. Du vet att du måste. Herregud, du måste för fan tala med henne!

Hennes reaktioner, de han inte kunde kontrollera.

– Ikväll. När barnen sover. Jag ska tala med henne då.

– Du kan fortfarande backa ur.

– Du vet att jag kommer att avsluta det här.

Erik Wilson nickade och såg på den blå kylboxen som Piet lyfte upp på bordet.

– Tulpaner. Femtio stycken. Dom kommer att bli gula.

Wilson granskade gröna stjälkar och gröna knoppar som låg bredvid vita och fyrkantiga kylklampar.

– Jag lägger in dom i kylen där. Det ska vara plus två grader. Jag vill att du tar hand om dom. Och att du samma dag som jag går in genom grinden till Aspsås fängelse skickar dom dit jag vill.

Wilson rotade i kylboxen och vände på en av buketternas vita kort.

– Tack för gott samarbete, Aspsås Företagarförening.

– Ja.

– Och vart ska dom skickas?

– Aspsåsfängelset. Anstaltschefen.

Erik Wilson frågade inte mer. Det var bättre att inte veta.

– Hur länge till måste vi vänta?

Hugo hade tröttnat på att dra fingrarna mot plasten och skapa ljud som gnisslade.

– Bara en liten stund till. Gå in till Rasmus. Jag kommer strax.

Wilson väntade tills de små fötterna försvunnit i hallmörkret.

– Du grips imorgon, Piet. Efter det har vi överhuvudtaget

ingen kontakt. Du kommunicerar inte med mig eller med någon annan vid Citypolisen. Förrän du är klar och du meddelar att du vill ut. Det är för farligt. Om någon misstänker att du arbetar för oss ... du är död.

Erik Wilson promenerade genom utredningsrotelns korridor. Han var orolig och saktade ner utanför Ewert Grens rum som han gjort varje gång de senaste dagarna, nyfikna ögon in i det tomma kontoret och till musiken som inte fanns där längre. Han undrade vad kriminalkommissarien som utredde ett mord på Västmannagatan gjorde, vad han visste, hur länge det skulle dröja innan han skulle ställa frågorna som inte hade några svar.

Wilson suckade, det kändes inte bra, de där barnen, de hade varit så små. Det var hans arbete att uppmuntra en infiltratör att ta stora risker för information polisen var beroende av men han var inte säker på att Piet helt förstått vad han kunde förlora. De hade kommit varandra för nära, han brydde sig om honom, på riktigt.

Om något händer avbryter du.

Om någon vet vem du är har du ett nytt uppdrag.

Att överleva.

Wilson stängde dörren till sitt rum och startade datorn som av säkerhetsskäl aldrig kopplades upp mot internet. Han hade medan de två pojkarna dragit i sin pappas armar förklarat för Piet att han under tiden utan kontakt skulle återvända till FLETC och södra Georgia för att avsluta det han tvingats avbryta ett par dagar tidigare. Han var inte övertygad om att mannen framför honom verkligen hade lyssnat, han hade sagt ja och han hade nickat men redan varit på väg hem och till den sista kvällen i frihet på mycket länge. Datorns skärm var ett tomt dokument och Erik Wilson började skriva den underrättelserapport som via intendent Göransson skulle till chefen för Länskrim och sedan raderas från hans egen hårddisk, en rapport om bakgrunden till ett gripande av en efterlyst och våldsam gärningsman med tre kilo polskt amfetamin i bagageluckan, en rapport som inte kunde lämnas förrän imorgon eftersom det ännu inte hade hänt.

Han hade väntat ensam vid köksbordet i två timmar.

En öl, en macka, ett korsord, men han hade varken druckit eller ätit eller skrivit.

Hugo och Rasmus sov på övervåningen sedan länge, de hade ätit pannkakor med söt jordgubbssylt och för mycket vispgrädde och han hade bäddat deras sängar och öppnat deras fönster och sett dem somna efter bara ett par minuter.

Han hörde dem nu, stegen han så väl kände igen.

Genom trädgården och uppför yttertrappan och sedan gnisslet när dörren öppnades och det högg nog till lite längst ner i magen.

– Hej.

Hon var så vacker.

– Hej.

– Sover dom?

– Sedan ett par timmar.

– Febern?

– Den är helt borta imorgon.

Hon kysste honom lätt på kinden och log, hon märkte det inte, hur världen höll på att gå sönder.

En kyss till, på andra sidan, två gånger som hon brukade.

Hon kände inte ens hur det jävla golvet rörde på sig.

– Vi måste prata.

– Nu?

– Nu.

Hon suckade en aning.

– Det kan inte vänta?

– Nej.

– Imorgon? Jag är så trött.

– Det är för sent då.

Hon hade gått upp till övervåningen för att byta kläder, mjuka byxor och den tjocka tröjan med för långa ärmar, hon var allt han hade önskat och hon såg tyst på honom när hon kröp ihop i soffans ena hörn och väntade på att han skulle börja tala. Han hade tänkt laga mat som luktade starkt av Indien eller Thailand, öppna en flaska dyrt rött vin och efter en stund försiktigt berätta. Men insett att det som var falskt och måste förklaras skulle bli ännu falskare om det gömdes i trevlighet och närhet. Han lutade sig fram, höll om henne, hon luktade gott, hon luktade Zofia.

– Jag älskar dig. Jag älskar Hugo. Jag älskar Rasmus. Jag älskar det här huset. Jag älskar att veta att någon kallar mig *min make* och någon annan kallar mig *min pappa*. Jag visste inte att sådant fanns. Jag har vant mig vid det, jag är helt beroende av det.

Hon kröp ihop ännu mer, ännu längre in i soffhörnet. Hon hörde hur han hade övat på vad han skulle säga.

– Jag vill att du lyssnar på mig nu, Zofia. Men mest av allt vill jag att du sitter kvar där och inte går härifrån förrän jag är helt klar.

Han visste alltid mer om varje situation än de han senare skulle dela den med. Om han var mer förberedd hade han kontroll och den som har kontroll är alltid den som bestämmer.

Inte nu.

Hennes känslor, hennes reaktioner, de skrämde honom.

– Sedan ... Zofia, du gör vad du vill. Lyssna på mig och gör sedan vad du vill med det.

Han satt mittemot henne och började med låg röst berätta en historia om ett fängelsestraff för tio år sedan, om en polis som värvade honom som infiltratör och fortsatt kriminalitet medan samma polis såg åt ett annat håll, om polsk maffia som kallade sig Wojtek, om hemliga möten i renoveringslägenheter, om hur hon i alla år släppt av och hämtat sin man vid ett företagsskal som han hade döpt till Hoffmann Security AB, om ett fabricerat brottsregister och misstankeregister och kriminalvårdsregister som förklarade honom våldsbenägen och psykopatklassad, om hur illusionen av en av Sveriges farligaste män skulle gripas imorgon klockan 06.30 på en biljardhall i centrala Stockholm, om en väntande rättegång och en dom med flera års fängelse, om ett liv bakom höga murar som skulle börja om tio dagar och fortsätta i två månader, om att varje dag se sin fru och sina barn i ögonen och veta att tillit och förtroende byggts kring en lögn.

fredag

DE HADE LEGAT bredvid varandra i sängen och varit noga med att undvika beröring.

Hon hade varit helt tyst.

Han hade ibland låtit bli att andas, rädd för att inte höra det hon inte sa.

Han satt på sängkanten, han visste att hon var vaken, att hon låg där och tittade på hans falska rygg. Han hade fortsatt berätta medan de delat på en flaska billigt vin och hon hade när han var klar bara rest sig upp, försvunnit mot sovrummet och släckt lamporna. Hon hade inte talat, inte skrikit, bara tystnaden.

Piet Hoffmann klädde på sig, fick plötsligt bråttom därifrån, det gick inte att vara kvar hos ingenting alls. Han vände sig om och de såg tigande på varandra tills han gav henne en nyckel till ett bankfack på Handelsbankens kontor på Kungsträdgårdsgatan, om hon fortfarande ville något gemensamt skulle hon använda den om han hörde av sig och meddelade att det gått åt helvete, hon skulle öppna förvaringsboxen och hitta ett brunt och ett vitt kuvert och hon skulle göra precis det som ett handskrivet brev instruerade henne att göra. Han var inte säker på om hon hade lyssnat, hennes ögon var frånvarande, och han flydde till två små huvuden som sov på två små kuddar och han luktade på dem och smekte deras kinder och lämnade sedan huset i villaområdet som sov.

Två och en halv timme kvar. Ansiktet i hyrbilens backspegel.

Den mörka hakan var fläckvis gråsprängd och det var ännu tydligare på kinderna, han hade varit en mycket ung man när han förra gången låtit bli att raka sig. Det kliade lite, det gjorde alltid det i början, och sedan det stripiga håret, han drog lite i det, inte mycket bättre det, egentligen för tunt för att låta det växa.

Han skulle gripas snart, transporteras i en polisbuss till Kronobergshäktet, kläs i Kriminalvårdens löst hängande tyg.

Han körde genom gryningen, en sista resa till samhället norr om Stockholm med en kyrka och ett bibliotek han besökt mindre än ett dygn tidigare. Det svaga ljuset och en vilsen vind var hans enda sällskap på Aspsås torg, inte ens skatorna och duvorna och han som brukade sova på en av bänkarna var där. Piet Hoffmann öppnade inkastet till höger om bibliotekets entré och släppte ner sex böcker som inte lånades ut tillräckligt ofta för att stå framme på de synliga hyllorna. Han fortsatte till kyrkan som tog så mycket plats med sin vitputsade fasad, in på en kyrkogård som bäddades in i mjuk dimma och såg på ett kyrktorn med utsikt över ett av landets tyngsta fängelser. Han dyrkade upp den kraftiga träporten och den betydligt mindre dörren strax innanför och tog sig via gungande trappor och en aluminiumstege till en stängd lucka strax under en flera hundra kilo tung gjutjärnsklocka.

Nio fyrkantiga betonghus innanför en väldig mur och de var mer legobitar i en egen värld än någonsin förut.

Han såg mot fönstret han valt ut och siktat på med ett inbillat vapen, plockade upp en silverfärgad mottagare ur fickan, en öronsnäcka identisk med den som nu låg i ett hål i vänstermarginalen på *Marionetterna* i inkastet för återlämnade böcker på Aspsås bibliotek. Han lutade sig över räcket, för ett ögonblick kändes det som om han föll mot marken och han höll i järnbalken med ena handen medan han med den andra kontrollerade att två sändare, en svart kabel och en solcell satt fast ordentligt. Han placerade mottagaren i örat och ett finger på en av sändarna, drog det lätt fram och tillbaka, det sprakade och knäppte i hans inneröra, den fungerade som den skulle.

Han gick ner igen, till gravarna som låg intill varandra utan att komma för nära, till dimman som suddade ut döden.

En köpman med maka. En mästerlots med maka. En murarmästare med maka. Män som dött som titlar och kvinnor som dött som makor till sina titelförsedda män.

Han stannade framför stenen som var grå och ganska liten och rest för en sjökapten. Piet Hoffmann såg sin pappa, åtminstone så som han hade tänkt sig honom, den enkla båten som gått från gränstrakterna mellan Kaliningrad och Polen och försvunnit med sina fisknät över Danzigbukten och Östersjön några veckor i taget, mamma som sedan stått där och väntat under den långsamma färden in och sprungit mot hamnen och pappas famn. Det var inte så det hade sett ut, mamma hade ofta talat om tomma nät och lång väntan och aldrig om springande fötter och öppna famnar, men det var så han hade målat sin bild när han som barn nyfiket frågat om deras liv i en annan tid och det var den han valt att ha kvar.

En grav som inte skötts på flera år. Mossa på stenens kanter och ogräs i en nästan igenväxt jordremsa. Det var den han skulle använda. Sjökapten Stein Vidar Olsson med maka. Född 1888 3 mars. Död 1958 18 maj. Han hade blivit sjuttio år. Han hade varit någon. Nu var han inte ens en gravsten som någon besökte. Piet Hoffmann höll i sin mobiltelefon, kontaktvägen till Erik som skulle stängas av om mindre än två timmar. Han stängde av den, lindade in den i en bit gladpack, stoppade den i en plastpåse och la sig ner på knä och började gräva med händerna vid stenens högerkant tills hålet var tillräckligt djupt. Han såg sig omkring, ingen annan besökte kyrkogården under gryningstimmarna, släppte ner telefonen och föste tillbaka jorden och skyndade bort till bilen.

Dimman låg kvar kring Aspsås kyrka, nästa gång skulle han se den från ett cellfönster i ett fyrkantigt betonghus.

Han hade hunnit. Han var klar med sina förberedelser. Han skulle strax vara helt ensam.

Lita bara på dig själv.

Han saknade henne redan, han hade berättat och hon hade inte sagt ett ord, som något slags otrohet, han skulle aldrig någonsin röra vid en annan kvinna men det var så det kändes.

En lögn tog aldrig slut. Han om någon visste det. Den ändrade bara form och innehåll, anpassades till nästa verklighet och krävde en ny lögn för att den förra skulle kunna dö. Han hade under tio år ljugit så mycket för Zofia och Hugo och Rasmus och alla andra omkring honom att när det här var över skulle han för alltid ha flyttat gränsen mellan lögn och sanning, det var så det var, han var aldrig säker på var lögnen slutade och sanningen tog vid, visste inte längre vem han var.

Han bestämde sig plötsligt. Han körde långsammare några kilometer och insåg att det här verkligen var den sista gången. En känsla han burit hela året och nu hade den kommit ifatt, nu kände han igen den och kunde tolka den. Det var så han alltid hade fungerat. Först det otydliga som drog någonstans i kroppen, sedan tiden av oro när han försökte förstå vad det betydde, sedan insikten, plötslig och med full kraft, den hade ju varit på väg så länge. Han skulle ta det här straffet innanför Aspsås murar och han skulle avsluta sitt arbete där och efter det aldrig mer. Han hade gjort sin tjänstgöring för svensk polis utan annat tack än Eriks vänskap och tiotusen kronor i månaden från en tipsfond för att inte finnas. Han skulle leva ett annat liv sedan, när han visste hur sådana, sanna liv, såg ut.

Halv sex. Stockholm vaknade fortfarande. Bilarna var få, människorna kom en och en och gick fort mot tunneltåg och bussar. Han parkerade på Norrtullsgatan mittemot Matteusskolan och öppnade dörren till det morgonöppna fiket som serverade gröt och äppelmos och ostfralla och ägg och svart kaffe på röda plastbrickor för trettionio kronor. Han såg Erik genast han kom in, ett ansikte nära tidningshyllan försvann i Dagens Nyheter för att undvika ögonkontakt. Piet Hoffmann beställde sin frukost och valde hörnan på andra sidan rummet så långt ifrån honom han kunde komma. Det fanns ytterligare sex gäster, två unga män i självlysande västar från en byggarbetsplats och fyra betydligt äldre män som alla bar kostym och var vattenkammade för dagens enda fasta punkt. Frukostöppna fik såg ofta ut så, män som inte hade någon och flydde ett ensamt matbord, kvinnor gjorde sällan det, om de stod ut med ensamheten bättre än män, om de skämdes för den och inte ville visa upp den offentligt.

Kaffet var starkt och gröten en aning tjock men den sista måltiden på ett tag som han åt när han ville och hur han ville och var han ville. Frukostarna på Österåker hade han undvikit, för tidigt på dagen för att äta med människor hopfösta på samma plats med längtan efter narkotika som enda gemensam referens, sådana han hade varit rädd för men för att överleva tvingats möta med aggressivitet, hån, distans, vad som helst som inte liknade svaghet.

Erik Wilson gick nära hans bord på väg ut, stötte nästan till det. Hoffmann väntade i exakt fem minuter och följde sedan efter, ett par minuters promenad till Vanadisvägen. Han öppnade dörren till en silvergrå Volvo och satte sig i passagerarsätet.

– Du kom i den röda Golfen, den utanför Matteusskolan?

– Ja.

– Från OK-macken vid Slussen som vanligt?

– Ja.

De lämnade Vanadisvägen, långsamt längs Sankt Eriksgatan, fortfarande tysta mellan de två första rödljusen på Drottningholmsvägen.

– Du har tagit hand om allt?

– Allt.

– Och Zofia?

Piet Hoffmann svarade inte. Wilson stannade bilen vid en busshållplats på Fridhemsplan, markerade att han inte tänkte fortsätta.

– Och Zofia?

– Hon vet.

De satt kvar, den första morgonrusningen hade börjat, människorna som förflyttat sig en och en kom nu i grupper eller i långa led.

– Jag gjorde dig igår ännu farligare i ASPEN. Patrullen som griper kommer att vara full av förutfattade meningar och adrenalin. Det kommer att bli våldsamt, Piet. Du kan inte vara beväpnad, då kan det gå riktigt åt helvete. Men ingen, ingen som ser på, ingen som hör eller läser om det, kommer att misstänka vem du egentligen arbetar för. Och förresten, du är efterlyst.

Piet Hoffmann ryckte till.

– Efterlyst?

– Sedan någon timme.

Det fanns fortfarande en svag doft kvar av cigarettrök. Eller om det bara var som han inbillade sig. Det hade alltid vilat en tung dimma över varje grön filt, Piet Hoffmann lutade sig fram mot den och luktade och den var där, röklukten som hörde ihop med den blå kritan som fastnade längst ut på fingrarna och askfaten på varje kant kring biljardbordet, han kunde till och med höra de hesa hånskratten när någon missade och en hård boll studsade fel. Han drack till hälften ur en pappmugg svart kaffe från 7-Elevenbutiken på Fleminggatan och såg på klockan. Det var dags. Han kontrollerade igen att kniven som brukade ligga i bakfickan verkligen var borta och gick sedan fram till fönstret mot Sankt Eriksgatan. Han stod stilla och låtsades tala i en mobiltelefon tills han var helt säker på att såväl mannen som kvinnan i polisbilens framsäte hade observerat honom.

Tipset om att en efterlyst och gravt kriminellt belastad person just den här morgonen uppehöll sig på Biljardpalatset hade ringts in anonymt och från ett nummer som inte lämnade spår.

Plötsligt stod han där i fönstret.

De hade hans namn, ett enda tryck på bildatorns tangentbord, de hade också hans liv.

KÄND FARLIG VAPEN

De var båda unga och nyanställda och hade aldrig tidigare på skärmen fått upp den särskilda kod som i allmänna spaningsregistret användes för några få kriminella.

Namn *Piet Hoffmann* Personnummer *721018-0010* Antal träffar *75*

De läste snabbt, fick en klar bild av en människa som var extremt farlig *iakttogs femton minuter före mordet på Östling i sällskap med misstänkte Marković* och mycket våldsbenägen *iakttogs nära fastighet vid husrannsakan avseende misstänkt vapenhandel* och som tidigare hotat och skjutit mot och skadat poliser och som sannolikt var beväpnad.

– Ledningscentralen från bil 9027. Kom.

– Ledningscentralen här. Kom.

– Begär assistans för omedelbart gripande.

Han hade hört sirenerna komma närmare mellan innerstadshusen och gissade att ljudet slagits av och blåljusen släckts ner någonstans på Fleminggatan.

Två svartblå polisbussar stannade femton sekunder senare utanför fönstret.

Han var beredd.

– Bil 9027 här. Kom.

– Beskriv den misstänkte.

– Piet Hoffmann. Mycket våldsbenägen vid tidigare gripanden.

– Senast iakttagen?

– Entrén till Biljardpalatset. Sankt Eriksgatan 52.

– Klädsel?

– Tröja med grå huva. Blåjeans. Ljust hår. Orakad. Omkring etthundraåttio centimeter lång.

– Något mer?

– Sannolikt beväpnad.

Han försökte inte fly.

När dörrarna *polis* slogs in från två håll till den ödsliga lokalen och flera uniformerade poliser sprang in med *ligg ner på golvet* dragna vapen vände sig Piet Hoffmann lugnt om från biljardbordet och var noga med att hela tiden hålla båda sina händer väl synliga. Han *för helvete ligg ner på golvet* la sig inte frivilligt ner men föll till marken av två kraftiga slag mot huvudet och ännu ett när han blödande *snutjävlar* höll ett långfinger i luften och mindes sedan inte mycket mer än ett handfängsel runt armarna och en spark mot revbenen och sedan hur det smärtade i nacken när allt upphörde.

ERIK WILSON HADE suttit i bilen utanför Kronobergsgaragets infart medan två svartblå polisbussar passerat i hög hastighet och fortsatt nerför Sankt Eriksgatan. Han hade avvaktat tills de slagit av sina sirener och sedan kört fram till bommen vid den enkla vaktkuren, legitimerat sig och rullat mot de automatiska dörrarna till Polismyndighetens garage under Kronobergsparken. Han hade parkerat i stålburen framför hissen till häktet och från förarsätet iakttagit ständig trafik av polisfordon på väg in eller ut.

Han hade väntat i en halvtimme när han vevade ner båda framrutorna för att höra bättre, hela kroppen var oro, han hade försökt skaka av sig obehag och olust men inte lyckats särskilt bra. Han tog emot fukten och bensinlukten och lyssnade på hur en bil långt borta på andra sidan garaget stannade och någon klev ur, sedan en till, morgontrötta steg åt ett annat håll.

Han såg den genast den stora vikdörren drogs åt sidan.

Det hade tagit trettiofem minuter för åtta specialutbildade polismän att lokalisera och gripa en av landets dokumenterat farligaste personer.

Den svartblå bussen närmade sig och han följde den under ett par hundra meter tills den körde in i stålburen och parkerade en knapp billängd bort.

Om det går åt helvete. Då avbryts ditt uppdrag och du söker dig frivilligt till isoleringen. För att överleva.

Två uniformerade kollegor gick ut först. Sedan en man med svullet ansikte, grå luvjacka, blåjeans och handfängsel.

De poliser som fått i uppdrag att gripa en efterlyst och sannolikt beväpnad våldsman hade mött honom på det enda sätt de visste fungerade.

Med eget våld.

– Du ... jag tycker inte om när bögsnutar tar i mig.

Erik Wilson såg hur Piet Hoffmann plötsligt vände sig mot den polis som stod närmast och spottade honom i ansiktet. Den uniformerade sa ingenting, visade ingenting och Piet spottade igen. En kort blick mot kollegorna som alla tillfälligt såg bort, polismannen tog sedan ett steg framåt och körde med kraft upp ett knä i Piet Hoffmanns skrev.

Bara en kriminell.

Han hade stönat av smärta, också efter sparken mot magen, sedan rest sig upp och med händerna låsta på ryggen gått mellan fyra uniformer mot hissen och häktet när Erik Wilson hört honom tala högt till ansiktet han nyss spottat på.

– Passa dig, snutjävel. Jag ska plocka dig. Förr eller senare möts vi igen. Förr eller senare sätter jag två kulor i dig precis som jag gjorde med snutjäveln i Söderhamn.

Bara en kriminell kan spela kriminell.

tredje delen

måndag

DE STOD NÄRA HONOM.

Två stycken som gnuggade sig mot hans rygg om han tog ett steg bakåt i det trånga utrymmet, två stycken som stod på andra sidan och stirrade in i hans ögon, öron, näsborrar, varje andetag blev till varm fukt mot ansiktets hud.

De var förvarnade.

Kriminalvårdens samtliga vakter på Kronobergshäktet i Stockholm hade läst akten om en av Sveriges farligaste fångar, de hade dessutom hört kollegor berätta om hur han tio dagar tidigare, efterlyst och nyss gripen på en biljardhall vid Sankt Eriksgatan, på väg från piketbussen till häkteshissen, hade spottat en av dem i ansiktet och sedan hotat med två kulor nästa gång de möttes.

Han skulle transporteras därifrån den här gången. Den trånga hissen ner till stålburen i garaget under Kronobergsparken och sedan transportbussen till Aspsås fängelse. De var fyra stycken, två fler än vanligt, och fången bar såväl handfängsel som fotfängsel, de hade övervägt midjefängsel men avstått.

Han var en av dem som hatade allt och använde det lilla han hade i sitt huvud till att jävlas, de hade ju sett några genom åren, gravt kriminella med en enda riktning, den mot en för tidig död. Vakterna hade hela tiden ögonkontakt med varandra och med fången, den korta sträckan mellan hissen och transportbussen var just den plats han hade spottat på förra gången och fått en rätt rejäl pungspark tillbaka när flera av dem samtidigt råkat titta bort.

De väntade, beredda, han skulle agera strax, de visste det.

Han var tyst fram till bussen. Han gick tyst in i bussen. Han satte sig tyst ner på ett av de bakre sätena. Fången som hatade allt och krävde särskild bevakning var tyst tills de började köra genom det underjordiska garaget mot utgången och vakten vid Drottningholmsvägen. Då kom det.

– Vart fan ska du?

Fången som hette Hoffmann hade när han knuffats in i transportbussen upptäckt ännu en fånge som redan satt där i likadana löst hängande kläder med Kriminalvårdens logo på bröstet. Han hade sökt hans blick, väntat tills han fått ögon tillbaka.

– Österåker.

En av de andra anstalterna några mil norr om Stockholm. Transporten från häktet levererade ofta flera fångar på väg till olika fängelser för att avtjäna sina straff.

– Och vafan är du dömd för?

Fången som hette Hoffmann fick inget svar.

– Jag tar det en gång till. Vad i helvete är du dömd för?

– Misshandel.

– Hur mycket fick du?

– Tio månader.

Vakterna såg på varandra. Det här var inte bra.

– Tio månader. Trodde väl det. Du ser ut som en av dom. Det blir inte mer för småskitar som piskar kärringen.

Hoffmann hade sänkt rösten och försökte flytta sig närmare medan transportbussen passerade vakten och bommen och körde norrut på Sankt Eriksgatan.

– Vad menar du?

Fången som skulle till Österåker hade uppfattat Hoffmanns förändrade tonläge och aggressivitet och flyttade sig omedvetet bakåt.

– Att du är en av dom som bara piskar kvinnor. En av dom

som vi andra har rätt svårt för.

– Hur fan ... hur fan kan du veta det?

Piet Hoffmann log svagt. Han hade gissat rätt. Och kände hur plitarna lyssnade, det var ju det han ville, de skulle lyssna och efteråt berätta om fången som hade hotat och som var farlig och som krävde särskild uppmärksamhet.

– Fega småskitar som borde dö känner man alltid igen.

De lyssnade och Piet Hoffmann var säker på att de redan förstått vad han var ute efter. De hade ju alla varit med om det förut. Det var alltid fara och risk att transportera sexualförbrytare eller kvinnomisshandlare tillsammans med andra fångar. Han såg mot det främre sätet, hans röst var lugn.

– Nu har ni fem minuter på er. Men bara fem minuter.

De vände sig båda om och pliten i passagerarsätet skulle just svara när Hoffmann bröt av.

– Fem minuter på er att slänga av den här jäveln. Annars ... det blir kanske lite stökigt härinne.

De skulle senare tala med andra plitar.

Det skulle spridas, också till folket innanför murarna.

Det där som bara handlade om att bygga respekt.

Pliten i passagerarsätet suckade högt strax innan han i ett anrop över radion förklarade att en polisbil omgående måste skickas till den av Kriminalvårdens transportbussar som väntade vid Norrtull, det fanns en fånge där som skulle lyftas ut och eskorteras i egen bil till Österåker.

Piet Hoffmann hade aldrig tidigare varit innanför Aspsåsfängelsets stora mur. Han hade från ett kyrktorn kartlagt varje betongbyggnad och studerat varje galler framför varje fönster, han hade med Eriks hjälp under häktestiden fått kunskap om medfångar och personal på samtliga våningar i G-huset, men när de båda järngrindarna öppnades och transportbussen närmade sig fastigheten med centralvakten var det första gången han verkligen befann sig inne på ett av landets högst säkerhetsklassade fängelser. Det var svårt att röra sig med det strama och klumpiga fotfängslet, varje steg blev för kort och vass metall skar in i huden, två plitar tätt bakom och två lika tätt framför när de pekade på dörren till vänster om den normala besöksdörren, den som ledde direkt in i mottagningsrummet med ytterligare plitar från säkerhetsstyrkan. De låste upp och han kunde fritt röra sina armar och ben medan han naken och framåtböjd kände hur en plasthandske kontrollerade i anus och en annan drog sina plastfingrar som en kam längs hans hårbotten och en tredje trevade i hans armhålor.

Han hade fått nya kläder som hängde lika löst och var lika fula som de andra och sedan förts till det sterila väntrummet där han satt på en trästol och såg på ingenting.

Det hade gått tio dagar.

Han hade tjugotre timmar om dygnet legat på en brits bakom en metalldörr med ett titthål in från korridoren. Fem kvadratmeter och utan besök, utan tidningar, utan tv, utan radio. Tid som skulle bryta ner och underlätta samarbetsvillighet.

Han hade ju vant sig vid att ha någon. Han hade ju glömt bort hur ensamhet tvingade människor att längta.

Han saknade henne så.

Han undrade vad hon gjorde just nu, vad hon hade på sig, hur hon luktade, om hennes steg var långa och lugna eller korta och irriterade.

Zofia som kanske inte fanns längre, för honom.

Han hade gett henne sanningen och hon gjorde vad hon ville med den och han var så rädd för att om ett par månader inte ha någon att sakna, utan det, han var nog ingenting.

Han hade stirrat på väntrummets vita vägg i fyra timmar när två plitar från dagpersonalen öppnade dörren och beskrev en cell som låg på *G2 vänster* och skulle bli hans hem den första tiden av ett flera år långt straff. Den ena före och den andra efter när de började gå genom en bred kulvert under fängelsegården, ett hundratal meter på ett betonggolv och mellan betongväggar, sedan en låst mellandörr bevakad med kamera och en ny kulvert och den branta trappan upp till G-huset.

Han hade lämnat instängda dagar på Kronobergshäktet och en forcerad rättegång som han genomfört på precis det sätt han beskrivit för Henryk och Vice VD att han hade för avsikt att göra.

Han hade erkänt tre kilo amfetamin i bagageluckan på en hyrbil.

Han hade låtit åklagaren konstatera att han varit ensam vid brottet.

Han hade förklarat sig nöjd med domen, gått direkt upp och skrivit på och sluppit vänta på att den skulle vinna laga kraft.

Dagen efter gick han här, i en av Aspsåsanstaltens kulvertar, på väg till sin cell.

– Jag skulle vilja ha hit sex böcker.

Vakten framför honom stannade.

– Förlåt?

– Jag skulle vilja låna ...

– Jag hörde vad du sa. Jag hoppades bara att jag hade hört fel. Du har varit här i ett par timmar, du har inte ens kommit fram till avdelningen, och du börjar prata om böcker.

– Du vet att det är min rättighet.

– Vi tar det sedan.

– Jag behöver dom. Det är viktigt för mig. Utan böcker överlever jag inte här.

– Senare.

Du förstår inte.

Jag är inte här för att sitta av ett sketet straff.

Jag är här för att om några dagar slå ut all narkotikahandel på era läckande avdelningar och själv ta över.

Jag ska sedan fortsätta arbeta, analysera, kartlägga tills jag vet precis allt det jag behöver veta och jag ska med den kunskapen slå sönder hela den polska organisationens verksamhet i den svenska polisens namn.

Jag tror inte att du har förstått det.

Avdelningen var helt tom när han anlände inklämd mellan två unga och ganska nervösa plitar.

Det hade gått tio år och det var ett helt annat fängelse, likväl, som om det var samma avdelning som då, han var tillbaka i korridoren med åtta celler på varje sida, i det väl utrustade köket, i tv-hörnan med kortlekarna och de sönderbläddrade dagstidningarna, vid bordtennisbordet längst bort i ett trångt förvaringsrum med ett sönderslaget racket mitt på det trasiga nätet och vid biljardbordet med skitig grön filt och varje boll väl inlåst, det luktade till och med likadant, svett och damm och ångest och adrenalin och kanske en svag känsla av mäsk.

– Namn?

– Hoffmann.

Kriminalvårdsinspektören var en lika kort som rund man och han nickade inifrån glasburen mot de båda plitarna och signalerade att han från och med nu tog över ansvaret.

– Vi har inte setts förut?

– Tror inte det.

Han hade små ögon som liksom sköt mot det de betraktade, det var svårt att föreställa sig att det bodde en människa därinne.

– Jag förstår av din akt att du ... Hoffmann var det, va ... är en av dom som känner till rätt väl hur det fungerar på en sådan här plats.

Piet Hoffmann nickade tigande mot kriminalvårdsinspektören. Han var inte där för att tala om för en dryg jävla kvinsp att han förtjänade en smäll.

– Ja. Jag känner rätt väl till hur det fungerar.

Det skulle vara tomt på avdelningen i ytterligare tre timmar, de kom tillbaka då, från arbetet i verkstaden eller böckerna i skolsalen. Han skulle hinna få den guidade turen med avdelningens kriminalvårdsinspektör och lära sig hur och var han skulle pissa och varför det var inlåsning halv åtta och inte fem minuter över halv åtta och likväl ha gott om tid att sitta ner i sin egen cell och förstå att den från och med nu var hans hem.

Piet Hoffmann placerade sig i tv-hörnan ett par minuter innan de andra skulle komma. Han hade sett bilder på och fått historik kring avdelningens samtliga femton medfångar och om han satt här skulle han kunna se var och en redan när de kom in men framför allt skulle han själv bli sedd, det skulle vara tydligt att det hade kommit en ny i cell 4, en som inte var rädd, en som inte gömde sig och väntade på tillstånd att få smyga ut och visa upp sina papper och bli godkänd, en som redan hade satt sig ner i någons favoritfåtölj och tagit någons märkta kortlek och börjat lägga patiens på någons bord utan att ens överväga att först fråga om lov.

Han letade särskilt efter två ansikten.

Ett kraftigt, nästan fyrkantigt, blekt och med små ögon som satt för tätt. Ett magrare, avlångt med en näsa som brutits sönder och läkt ihop fel och en haka och en kind som var sydd med stygn bortom en läkares händer.

Stefan Lygás och Karol Tomasz Penderecki.

Två av fyra medlemmar i Wojtek som satt av sina långa straff på Aspsås kriminalvårdsanstalt, hans redskap för att slå ut och ta över narkotikahandeln, hans dödsdom i det ögonblick han avslöjades som Paula.

De första frågorna kom redan vid kvällsmaten. Två av de äldre fångarna, glänsande guld kring kraftiga halsar, satte sig ner på var sin sida med varma tallrikar och vassa armbågar. Stefan och Karol Tomasz reste sig upp och han vinkade mot dem, de skulle avvakta, han skulle låta de två ställa samma frågor som han själv gjort i transportbussen några timmar tidigare, det handlade ju egentligen om samma sak, respekt byggd på det gemensamma hatet mot snabbknullarna.

– Vi vill se dina papper.

– Du säger det.

– Har du något problem med det?

Stefan och Karol Tomasz hade redan gjort det stora arbetet. De hade under de senaste dagarna informerat om att en Piet Hoffmann var på väg, vad han var dömd för, vem han samarbetade med, vilken status han hade inom en av östmaffians grenar. De hade via Stefans advokat tagit in kopior på 721018-0010 ur Rikspolisstyrelsens belastningsregister, ur spaningsregister, ur Kriminalvårdens akt och ur hans senaste dom.

– Jag har bara problem med dom som sitter för nära.

– Papperen, för helvete!

Han skulle bjuda in dem till cellen och han skulle visa dem sina papper och han skulle slippa svara på fler frågor, den nya fången i cell 4 var varken sexualförbrytare eller kvinnomisshandlare utan hade precis den bakgrund han påstod sig ha, han skulle förmodligen till och med få ett par leenden och en försiktig klapp på axeln, interner som hade skjutit mot poliser och dömts för försök till mord och grovt våld mot tjänsteman var sådana som aldrig mer behövde slåss för sin status.

– Ni ska få dom. Om ni håller käft. Och låter mig äta klart.

De spelade stötpoker sedan om tändstickor som kostade tusen kronor styck och han satt på den plats han tagit från någon som inte längre vågade ta den tillbaka och han skröt om snutjäveln i Söderhamn som hade bett för sitt liv när han hade siktat mot pannan och han rökte handrullade cigaretter för första gången på flera år och han talade om en kvinna han skulle knulla sönder på sin första bevakade permission och de skrattade högt och han lutade sig tillbaka och såg sig omkring i ett rum och en korridor full av människor som hade längtat bort så länge att de inte längre visste vart.

tisdag

HAN HADE KÖRT långsamt genom stockholmsmörker som blivit ljus, en sådan natt igen, långa timmar med oron och rastlösheten. Han hade undvikit den i mer än två veckor men vid halvfyratiden stått där mitt på Lidingöbron en gång till och sett på himlen och vattnet, *jag vill aldrig mer se dig här,* han hade varit på väg mot vårdhemmet han inte fick besöka och fönstret hon inte längre satt i, *det du är rädd för har redan hänt*, när han plötsligt vänt om, sökt sig tillbaka mot husen och människorna, huvudstaden som var så stor och så liten och som han hade levt och arbetat i under hela sitt liv.

Ewert Grens klev ur bilen.

Han hade aldrig varit här förut. Han hade inte ens vetat att det var hit han hade varit på väg.

Han hade så många gånger tänkt och planerat och börjat köra men aldrig kommit fram. Nu stod han vid infarten söderifrån som hette Grind 1 och kände två ben som var mjuka och bara ville vika sig och ett bröst som tog emot ett tryck någonstans från magen eller om det var hjärtat.

Han började gå men stannade efter bara ett par steg.

Det gick inte, benen saknade kraft och det som tryckte så hårt inifrån blev regelbundna stötar.

Det var behaglig gryning och solen låg så fint mot gravarna och gräset och träden men han skulle inte fortsätta. Inte den här morgonen. Han skulle vända tillbaka till bilen och köra mot city igen medan Norra begravningsplatsen försvann någonstans i backspegeln.

Kanske nästa gång.

Kanske skulle han då ta reda på var hennes sten fanns, och kanske skulle han då gå hela vägen dit.

Nästa gång.

Utredningsrotelns korridor var tom och mörk när han hämtade en överbliven och ganska torr skiva bröd i korgen på bordet i fikarummet och tryckte fram två koppar ur kaffeautomaten och fortsatte in i rummet som aldrig mer skulle sjunga. Han åt och drack sin enkla frukost och lyfte den tunna mappen med en pågående utredning som stod helt stilla. De hade redan under de första dygnen identifierat den döde som infiltratör för dansk polis och säkrat spår efter mulor och amfetamin och sedan konstaterat att det vid mordet funnits minst en svensktalande till i lägenheten, den röst som larmat och som han lyssnat på tills den hade blivit en del av honom själv.

De hade närmat sig en polsk maffiagren som kallades Wojtek med förmodat huvudkontor i Warszawa och sedan sprungit rakt in i en vägg.

Ewert Grens tuggade på den torra och hårda brödbiten och drack ur den sista plastmuggen kaffe. Det var inte särskilt ofta han gav upp. Han var inte den sorten som gjorde det. Men den här väggen hade varit bred och hög och hur han än knuffat på den och skrikit åt den under de senaste två veckorna hade han varken kommit runt eller vidare.

Han hade följt blodet på skjortan som legat i en sopcontainer men hamnat i register som saknat matchande träffar.

Han hade sedan i sällskap med Sven åkt till Polen för att följa de gula fläckar som Krantz säkrat på samma tyg och i en stad som hette Siedlce gått rakt in i resterna av en sprängd amfetaminfabrik. De hade under ett par dygn arbetat nära några av de tretusen polismän som samordnats i en särskild polisstyrka mot organiserad brottslighet och de hade mött uppgivenheten, en känsla av att jaga utan att någonsin komma ifatt, en nation med femhundra kriminella grupper som varje dag slogs om det inhemska polska kapitalet och åttiofem ännu större brottsorganisationer som opererade internationellt, poliser som regelbundet deltog i väpnade strider och ett folk som hukade inför tillverkningen av syntetiska droger värda mer än femhundra miljarder kronor varje år.

Ewert Grens mindes mest lukten av tulpaner.

Amfetaminfabriken som hörde ihop med fläckarna på mördarens skjorta hade legat i källarvåningen i en hyresfastighet mitt i en sliten och skitig förort ett par kilometer väster om stadskärnan, konforma byggnader som en gång byggts i tusental för att tillfälligt lindra akut bostadsbrist. Ewert Grens och Sven Sundkvist hade suttit i en bil och följt ett tillslag som slutat med skottlossning och en död ung polis. De sex personer som befunnit sig i något av källarvåningens rum hade sedan under förhören inte sagt ett ljud, vare sig till polska eller svenska förhörsledare, de hade tigit eller hånlett eller bara stirrat ner i golvet, de visste ju, den som talade levde aldrig särskilt länge.

Grens svor högt i det tomma rummet, öppnade fönstret och ropade något åt en civilklädd som gick längs asfaltgången på Kronobergs innergård, ryckte med kraft upp dörren och haltade fram och tillbaka i den långa korridoren tills han blöt av svett längs ryggen och i pannan satte sig ner på sin skrivbordsstol för att vänta in andetag som rusade.

Han hade aldrig känt så förut.

Han var van vid ilska, nästan beroende av den. Han sökte alltid konflikt, gömde sig i den.

Det var inte det.

Det här, det var som om den fanns där, sanningen, som om svaret såg på honom och skrattade åt honom, en märklig känsla av att vara alldeles nära utan att se.

Ewert Grens tog mappen i handen och la sig ner på golvet med utsträckta ben bakom manchestersoffan. Han började långsamt bläddra från en röst som larmat om en död man på Västmannagatan och genom två veckor med full bemanning, tillgång till tekniska resurser och utredningsresor till såväl Köpenhamn som Siedlce.

Han svor sedan igen, ropade kanske på någon igen.

De hade inte kommit någonstans.

Han skulle därför ligga kvar där på golvet tills han förstod vems röst han hade lyssnat på så många gånger, vad det var han inte begrep och inte fick tag på, varför känslan av en sanning som var nära och skrattade åt honom var så stark.

HAN HÖRDE NYCKELSKRAMLET.

Två plitar låste upp och öppnade de celler som låg längst bort med utsikt över den stora grusplanen, cell 8 och den mittemot, cell 16.

Han spände sig, förberedde sig för de tjugo minuter som varje dag skulle kunna bli hans död.

Det hade varit en jävla natt.

Trots vakna dygn i kroppen hade han legat och väntat på sömn som aldrig kom. De hade ju varit där, hos honom, Zofia och Hugo och Rasmus, de hade stått utanför fönstret och suttit på hans sängkant och legat alldeles intill och han hade varit tvungen att mota bort dem. De fanns inte längre, instängd måste han sluta känna, han hade ett uppdrag han valt att fullfölja och inte särskilt mycket kraft kvar till längtan, det handlade om att förtränga, glömma, den som längtade på ett fängelse gick snart under.

De kom närmare nu. Nycklarna skramlade igen, cell 7 och cell 15 öppnades och han hörde svagt hur någon sa *gomorron* och någon sa *far åt helvete*.

Han hade gått upp ur sängen sedan, när Zofia försvunnit och mörkret utanför varit som tyngst, han hade hållit oron på avstånd med armhävningar och situps och jämfotahopp upp och ner från sängen, det hade varit trångt och han hade slagit i väggen ett par gånger men skönt att svettas och känna hjärtat mot bröstkorgen.

Hans arbete hade redan börjat.

Han hade på bara några timmar under den första eftermiddagen tagit den respekt han behövde på avdelningen för att kunna fortsätta. Han visste nu vem som styrde leveranser och handel och på vilka avdelningar och i vilka celler de fanns. En av dem satt här, Greken i cell 2, de två andra på var sin våning i H-huset. Piet Hoffmann skulle om en stund ta in de första grammen, de han ansvarade för och skulle använda för att slå ut sina konkurrenter.

Plitarna närmade sig, öppnade cell 6 och cell 14, bara någon minut kvar.

Det var tiden efter upplåsning, tjugo minuter mellan 07.00 och 07.20, som allt handlade om. Överlevde han den överlevde han också resten av dagen.

Han hade förberett sig på det sätt han skulle fortsätta att förbereda sig inför varje morgon. För att överleva måste han förutsätta att någon under kvällen eller natten fått kunskap om att han också bar ett annat namn, att det fanns en Paula som arbetade för myndigheten, en tjallare som var där för att slå sönder. Han var trygg så länge cellen var låst, en stängd dörr anföll aldrig, men de första tjugo minuterna efter upplåsning och efter *gomorron* var skillnaden mellan liv och död, ett väl planerat överfall genomfördes alltid medan plitarna försvann in i vaktkuren för att koka kaffe och ta rast, tjugo minuter utan personal på avdelningen och tid för flera av de senaste årens många fängelsemord.

– Gomorron.

Pliten hade låst upp och tittat in. Piet Hoffmann satt på sängkanten och såg på honom men svarade inte, det var ju inget han menade, det var bara något han sa eftersom reglementet krävde det.

– Gomorron.

Plitjäveln gav sig inte, han skulle stå där och vänta tills han fick ett svar, sin bekräftelse på att fången levde och att allt var normalt.

– Gomorron. Och lämna mig sedan för helvete ifred.

Pliten nickade och gick vidare, ett par celler kvar. Det var nu Hoffmann måste agera. När den sista dörren var upplåst var det för sent.

En strumpa runt dörrhandtaget, han drog i den, dörren som annars inte gick att låsa och inte att dra igen helt från insidan fastnade i ett stängt läge när han petade in strumpans tyg mellan karm och dörr.

En sekund.

Den enkla trästolen stod i vanliga fall bredvid garderoben, han placerade den precis innanför tröskeln, noga med att den blockerade större delen av dörrhålet.

En sekund..

Kuddarna och filten och byxorna blev en kropp under täcket och en blå ärm från träningsoverallsjackan kroppens fortsättning. Den lurade ingen. Men var en illusion som blev en hastig blick.

En halv sekund.

De båda plitarna försvann bort i korridoren. Varje cell var upplåst och öppen och Piet Hoffmann ställde sig på vänster sida om dörren, ryggen tryckt mot väggen. De kunde komma när som helst. Om de hade fått veta, om han var avslöjad, döden skulle anfalla strax.

Han såg på strumpan runt handtaget, stolen i dörrhålet, kuddarna under täcket.

Två och en halv sekund.

Hans skydd, hans tid att hinna slå tillbaka.

Han andades häftigt.

Han skulle stå där och vänta i tjugo minuter.

Det var hans första morgon på Aspsås fängelse.

DET STOD NÅGON framför honom. Två magra kostymben som hade sagt något och nu väntade på att han skulle svara. Han gjorde inte det.

– Grens? Vad håller du på med?

Ewert Grens hade somnat på golvet bakom den bruna manchestersoffan med utredningen i en mapp på magen.

– Vi skulle träffas. Det var du som ville ha det tidigt. Jag antar att du legat här hela natten?

Ryggen värkte en aning. Golvet hade varit hårdare den här gången.

– Det har du inte med att göra.

Han rullade runt och hävde sig upp, sedan händerna mot soffans armstöd och världen snurrade en aning.

– Hur mår du?

– Det har du inte heller med att göra.

Lars Ågestam satte sig ner i soffan och väntade medan Ewert Grens gick till sitt skrivbord. De tyckte inte om varandra. Snarare, de avskydde varandra. Den unge åklagaren och den äldre kriminalkommissarien kom från var sin värld och ingen av dem hade längre lust att besöka den andra sidan. Ågestam hade försökt, åtminstone de första åren, han hade småpratat och lyssnat och iakttagit tills han insett att det var meningslöst, Grens hade bestämt sig för förakt och ingenting kunde ändra på det.

– Västmannagatan 79. Du ville ha en rapport.

Lars Ågestam nickade.

– Jag har en bestämd känsla av att ni inte kommer någonstans.

De kom ingenstans. Han skulle inte erkänna det. Inte ännu. Ewert Grens hade för avsikt att behålla sina resurser.

– Vi arbetar med flera spår.

– Vilka?

– Jag är inte beredd att tala om dom ännu.

– Jag vet inte vad du har. Hade du haft något skulle du ha gett mig det och sedan bett mig fara åt helvete. Jag tror inte att du har något alls. Jag tror att det är dags att prioritera ner.

– Prioritera ner!

Lars Ågestam svepte med en mager arm mot skrivbordet och högarna av pågående utredningar.

– Du kommer inte längre. Förundersökningen står stilla. Du vet, Grens, precis som jag vet, det är inte rimligt att använda så mycket resurser när utredaren håller på att misslyckas.

– Jag släpper aldrig ett mord.

De såg på varandra. De kom från var sin värld.

– Så ... vad har du då?

– Mordfall, Ågestam, prioriterar man inte ner. Mordfall löser man.

– Du vet ...

– Och det har jag gjort i trettiofem år. Sedan du sprang omkring och pinkade i blöjor.

Åklagaren hörde det inte längre. Om du bara bestämmer dig för att inte höra så hör du inte. Det var länge sedan Ewert Grens hade lyckats såra.

– Jag har läst igenom det du har kommit fram till i förundersökningen. Det gick ... rätt fort. Men det finns ett antal namn i utredningens utkanter som inte prövats hela vägen. Gör det. Gå igenom varje namn i periferin och avsluta det. Du får tre dagar. Sedan träffas vi igen. Har du inte mer då kan du gapa bäst du vill medan jag prioriterar ner.

Ewert Grens såg en bestämd kostymrygg lämna hans rum

och han skulle nog ha skrikit efter den om den andra rösten inte redan hade varit där, den som funnits i hans huvud varje timme under två veckor och nu trängde sig på och viskade igen, envist malde sina korta meningar till förbannelse.

– En död man. Västmannagatan 79. Femte våningen.

Han hade tre dagar på sig.

Vem är du?

Var finns du?

Han hade stått med ryggen hårt pressad mot cellväggen i tjugo minuter, varje muskel spänd, varje nytt ljud ett inbillat hot från en angripare.

Ingenting hade hänt.

Avdelningens femton medfångar hade gått mot toaletter och duschrum och sedan mot köket och en tidig frukost men ingen hade stannat utanför hans dörr, ingen hade försökt att öppna den. Han hette fortfarande bara Piet Hoffmann här, medlem i Wojtek, dömd för tre kilo polskt blomster i bagageluckan och med en tidigare volta för att ha siktat och skjutit två gånger mot ett snutsvin.

De hade sedan försvunnit en efter en, några till tvätten och verkstaden, de flesta till skolsalarna, ett par till sjukan. Ingen som strejkade och satt kvar i cellen, det var annars ofta det, någon som log åt hoten om backning på straffet och fortsatte arbetsvägra eftersom ett par extra månader på tolv år bara var tid som fanns på det etablerade samhällets papper.

– Hoffmann.

Kriminalvårdsinspektören som tagit emot honom dagen innan, de iskalla ögonen som sköt på den som stod framför.

– Ja?

– Dags att kliva ur cellen.

– Jaha?

– Dina arbetsuppgifter. Du kommer att städa. Administrationsbyggnaden och verkstadsbyggnaden. Men inte idag. Idag ska du gå med mig och du ska försöka begripa var och hur och när du ska använda dina borstar och ditt skurmedel.

De gick bredvid varandra genom avdelningens korridor och nerför trappan till kulverten.

– När Paula anländer till Aspsås ska det dessutom finnas en förberedd arbetsplacering. Redan under den första eftermiddagen ska han introduceras som städare i administrationsbyggnaden och verkstaden.

Det formlösa tyget i Kriminalvårdens enfärgade klädesplagg skavde mot lår och axlar när de närmade sig B-husets tredje våning.

– Städarbetet är ur fängelseledningens perspektiv en belöning.

De stannade först vid toaletten utanför verkstadens ingång.

– Så belöna honom.

Piet Hoffmann nickade, han skulle börja sin städrunda precis där, med ett sprucket handfat och en nerpissad toalettstol i en garderob som luktade mögel. De fortsatte in i den stora verkstadslokalen, till den svaga doften av diesel.

– Toaletten utanför, kontoret där bakom glasrutan, och sedan hela verkstaden. Har du fattat?

Han stod kvar i dörröppningen, sökte genom rummet. Arbetsbänkarna med något som såg ut som delar av blanka rör, hyllorna med högar av packband, pressmaskinerna, truckarna, de halvfulla lastpallarna och vid varje arbetsplats en intern som tjänade tio kronor i timmen. Fängelseverkstäderna producerade ofta det enkla som såldes vidare till kommersiella producenter, han hade sågat ut röda och fyrkantiga träklossar till en leksaksfabrikant på Österåker och det här var delar till lyktstolpar, avlånga och decimeterlånga luckor som skulle sitta nära marken och vara ingången för sladdar och kontakter, sådana som fanns varje meter längs varje väg och som ingen la märke till men som tillverkades någonstans. Kriminalvårdsinspektören gick in i verkstaden och pekade på damm och överfulla papperskorgar medan Hoffmann nickade mot fångarna han inte kände igen, han som var i tjugoårsåldern och stod vid pressmaskinen och böjde den avlånga luckans kanter och han som talade finska vid borrmaskinen och gjorde små hål för varje skruv och han längst bort vid fönstret som hade ett stort ärr från halsen till kinden och lutade sig över karet med diesel när han rengjorde sina verktyg.

– Du ser golvet, va? Det är jävligt viktigt att du är noga där, skura som fan där Hoffmann, det luktar annars.

Piet Hoffmann hörde inte vad den jävla kvinspen sa. Han hade stannat kvar nära dieselkaret och fönstret. Det var ju det han hade siktat på. Han hade legat på kyrktornets balkong och han hade hållit i sitt inbillade vapen och skjutit mot fönstret han valt ut exakt femtonhundratre meter bort. Det var en vacker kyrka och hela tornet gick att se fritt härifrån, lika fritt som fönstret gick att se därifrån.

Han vände sig om, ryggen mot fönstret, memorerade det rektangulära rummet som delades av med tre tjocka och vitkalkade betongpelare, tillräckligt stora för att en människa skulle få plats bakom var och en utan att synas. Han tog ett par steg fram till den pelare som stod närmast fönstret, ställde sig nära, den var lika stor som han hade trott, han kunde stå där helt dold. Han gick sakta tillbaka genom salen, kände liksom på den, vande sig vid den, stannade inte förrän han nått utrymmet bakom glasväggen som var ett kontor för bevakande kriminalvårdare.

– Det är bra, Hoffmann, det där rummet ... det ska blänka.

Ett litet skrivbord, några hyllor, en skitig matta. Det fanns en sax där i pennstället, en telefon på väggen, två lådor som var tomma men olåsta.

Det skulle handla om tid.

Om det gick åt helvete, om Paula var avslöjad, ju mer tid, desto större chans att överleva.

Kriminalvårdsinspektören gick framför honom ner i kulverten och under fängelsegården till administrationsbyggnaden, fyra låsta dörrar med fyra bevakande kameror, de såg upp i varje, nickade mot linsen och väntade på att centralvakten skulle trycka på en av sina knappar och sedan det där klickande ljudet när en dörr låstes upp, ett par hundra meter under jord som tog mer än tio minuter att tillryggalägga.

Administrationsbyggnadens andra våningsplan var en smal korridor med utsikt över fängelsets ankomsthall, varje fånge som fördes in ny från en transportbuss genom vakten och till mottagningsrummet kunde studeras från de sex kontorsrummen och det trånga sammanträdesrummet. Anstaltschefen och hans administrativa personal hade alltså sett honom ledsagas in igår, en prioriterad fånge med såväl handfängsel som fotfängsel i Kronobergshäktets kläder, med ljust stripigt hår och ett gråsprängt tvåveckorsskägg.

– Är du med, Hoffmann? Du ska hit varje dag. Och när du går härifrån finns ingen kvarglömd skit. Eller hur? En jävla massa golv som ska skuras, skrivbord som ska dammas och papperskorgar som ska tömmas och fönster som ska putsas. Har du något problem med det?

Rum med institutionsgrå väggar och golv och tak, som om det dystra och hopplösa från cellkorridorerna fortsatt hit, några få krukor med gröna växter och något slags cirkel med små bitar av keramik på ena väggen, allt annat var dött, möbler och färger som hörde ihop med att inte våga längta någonstans.

– Vi kanske ska hälsa. Sträck på dig.

Kriminalvårdsinspektören hade knackat på byggnadens enda stängda dörr.

– Ja?

Anstaltschefen var i femtioårsåldern, det stod Oscarsson på hans dörr, en man som var lika grå som hans väggar.

– Det här är Hoffmann. Han städar från och med imorgon i det här huset.

Anstaltschefen räckte fram en hand som var mjuk och höll hårt.

– Lennart Oscarsson. Jag vill ha båda papperskorgarna tömda varje dag. Den under skrivbordet och den därborta i besökshörnan. Och när det står odiskade glas kvar så tar du med dig dom.

Det var ett stort rum med fönster mot fängelsegrinden och rastgården. Men med samma känsla som de andra, institution utan glädje, det privata saknade plats här, inte ens foton på familjen i silverram eller kursdiplom på väggarna. Med ett undantag. Två buketter blommor i en kristallvas på skrivbordet.

– Tulpaner, va?

Kriminalvårdsinspektören gick fram till skrivbordet och långa gröna stjälkar med lika gröna knoppar. Han höll de vita korrespondenskorten i handen medan han läste högt, samma hälsning på båda två.

– Tack för gott samarbete, Aspsås Företagarförening.

Anstaltschefen rättade till en av buketterna på sitt skrivbord, tjugofem ännu inte utslagna gula tulpaner.

– Jag tror det, det liknar åtminstone det, tulpaner. Det blir en del blommor numera. Hela Aspsås arbetar ju här. Eller levererar något hit. Och dessa studiebesök. Det var inte särskilt många år sedan folk spottade på kriminalvården. Nu är det ett jävla springande och varje incident fyller deras nyhetssändningar och förstasidor.

Han såg stolt mot blommorna han nyss på något sätt beklagat sig över.

– Dom slår nog ut snart. Det brukar ta ett par dagar.

Piet Hoffmann nickade och gick sedan, kriminalvårdsinspektören någon meter före precis som tidigare.

Imorgon.

De slår ut imorgon.

Ewert Grens flyttade två tomma plastmuggar och en halv mazarin från det lilla träbordet vid manchestersoffan. Han placerade sig i mitten och sjönk ner i det mjuka medan han väntade på att Sven och Hermansson skulle sätta sig ner på var sin sida.

Det var ett handskrivet, enkelt papper ur ett kollegieblock och det blev brunt i det hörn som hamnade i en utspilld droppe kaffe och fick små fettfläckar i ett annat av mjuka mazarinsmulor.

En lista med sju namn.

De personer som förekommit i förundersökningens utkant och som skulle granskas under tre dagar och kanske var skillnaden mellan en utredning som fortfarande levde och en som skulle prioriteras ner, mellan ett löst och ett olöst mord.

Han fördelade dem under tre rubriker.

Narkotika, torpeder, Wojtek.

Sven skulle koncentrera sig på den första, de kända narkotikalangare som bodde eller rörde sig i närheten av Västmannagatan 79. En Jorge Hernandez på tredje våningen i samma port, en Jorma Rantala i trappuppgången där en blodig och plastförpackad skjorta hade legat i en sopcontainer.

Hermansson valde nästa rubrik, torpederna, en Jan du Tobit

och en Nicholas Barlow, de två internationella torpeder som enligt SÄPO befunnit sig i eller i trakten av Stockholm vid tidpunkten för mordet.

Ewert Grens skulle ägna sig åt de tre sista namnen, tre män som tidigare hade samarbetat med Wojtek International AB. En Maciej Bosacki, en Piet Hoffmann och en Karl Lager. Var och en ägare till svenska säkerhetsbolag som – helt legalt – anlitats av Wojteks huvudkontor för livvaktsuppdrag vid polska statsbesök, officiell verksamhet som en väl fungerande och oåtkomlig maffiaorganisation alltid måste bedriva, det synliga skalet som skulle dölja och samtidigt signalera affärsmässighet. Grens var en av de stockholmspoliser som visste mest om organiserad brottslighet från andra sidan Östersjön, det var bara han i det här rummet som hade kunskap nog att utreda om någon av de tre skulle kunna knytas också till det andra Wojtek, det inofficiella, det verkliga, den del som var kapabel att genomföra avrättningar i svenska lägenheter.

Han fick inga frågor längre.

Ingen jävel som skulle sitta för nära, inget stirrande medan han åt sin potatis och sitt kött. Han var någon redan andra dagen vid lunch och de hade ingen aning om att han också var den som skulle bestämma helt alldeles strax, makten fanns i drogen och om två dagar skulle han kontrollera leveranser och försäljning och passera mördarna i fängelsets egen hierarki. Den som hade tagit livet av någon var mest värd hos de inlåsta, mest respekterad, sedan de grova narkotikabrottslingarna och bankrånarna och längst ner barnknullarna och våldtäktsmännen. Men den som kontrollerade drogen och tillhandahöll sprutorna, honom bugade sig till och med mördaren för.

Piet Hoffmann hade gått strax bakom kriminalvårdsinspektören för att lära sig sin städrunda och sedan väntat på britsen i cellen tills avdelningens andra fångar kommit tillbaka från verkstaden och skolbänken till maten som inte smakade någonting. Han hade flera gånger ögonkontakt med både Stefan och Karol Tomasz, de var otåliga och väntade på instruktioner och han formade *wieczorem* med munnen tills de såg nöjda ut.

Ikväll.

Ikväll skulle de slå ut de tre huvudleverantörerna.

Han erbjöd sig att duka av och diska upp medan de andra rökte handrullade utan filter på rastgårdens grus eller spelade stötpoker om fler tusenkronorständstickor. Ensam i köket var det ingen som såg hur han torkade av diskbänken och arbetsbänken och samtidigt stoppade två matskedar och en besticks-kniv i byxornas framfickor.

Han fortsatte till akvariet, plitarnas glasbur, knackade på rutan och fick en irriterad arm tillbaka. Han knackade igen, lite hårdare och lite längre, markerade att han inte hade för avsikt att gå.

– Vafan vill du? Det är lunchpaus. Var det inte du som skulle ta hand om köket?

– Ser det ut som om det står något kvar därute?

– Det har inte med saken att göra.

Hoffmann ryckte på axlarna, han kom inte längre.

– Mina böcker.

– Jaha?

– Jag beställde dom igår. Sex stycken.

– Det vet jag ingenting om.

– Då verkar det väl rätt vettigt att se efter. Eller hur?

En äldre vakt, inte någon av dem som tagit emot honom igår, han svepte irriterat med armen någon gång till men gick efter en stund längre in i glasburen och letade på skrivbordet.

– Dom här?

Hårda biblioteksinbunda pärmar. På varje framsida en lapp fasttejpad, MAG, med blå maskinskriven text.

– Det är dom.

Den äldre pliten ögnade snabbt igenom baksidornas författarpresentationer, bläddrade okoncentrerat förbi några sidor här och där och lämnade sedan över dem.

– *Ur svenska hjärtans djup. Marionetterna.* Vafan är det här?

– Poesi.

– Rätt fjolligt, va?

– Då kanske du borde pröva det.

– Du, grabben, jag läser inga jävla bögböcker.

Piet Hoffmann drog igen sin celldörr tillräckligt för att ingen skulle kunna se in men inte så mycket att det väckte misstankar. Han placerade sex böcker på det smala sängbordet, titlar som sällan efterfrågades och därför den här morgonen vid dagens beställning från det stora fängelset hämtats upp från ett lagerrum i källaren under Aspsås bibliotek och sedan lämnats till bokbussens chaufför av en andfådd och ensam kvinnlig bibliotekarie i femtioårsåldern.

Besticksskniven han stulit från köket, fingertopparna mot dess spets, den var tillräckligt vass.

Han drog den hårt mot fogen mellan den främre hårda pärmen och den första sidan i Lord Byrons *Don Juan*. Den släppte, tråd för tråd, och snart hängde framsidan och ryggen lika lös som när han tretton dagar tidigare öppnat den på ett skrivbord på Vasagatan. Han bläddrade till sidan 90, fattade hela högen med en hand och ryckte loss den. I vänstermarginalen på sidan 91 fanns ett femton centimeter långt och en centimeter brett hål, tunna väggar av Rizlapapper, trehundra sidor djupt. Innehållet låg orört, precis som han hade lämnat det.

Gulvitt, lite kletigt, exakt femton gram.

Han hade tio år tidigare använt merparten av det han tog in för eget bruk, ibland om han hade haft för mycket kanske sålt en del vidare och vid ett par tillfällen när han varit pressad hade det fungerat som delbetalning av akuta skulder. Den här gången hade det ett helt annat syfte. Fyra böcker med sammanlagt fyrtiotvå gram trettioprocentigt och fabrikstillverkat amfetamin var hans redskap för att slå ut all handel och ta över den själv.

Böcker, blommor.

Små mängder, men han behövde inte mer just nu, vägar han under åren lärt sig var helt säkra och inte fastnade i fängelserutiner.

Då, på Österåker, hade han åkt dit redan när han kommit tillbaka från den första bevakade permissionen, någon hade tipsat om knark i buk eller arsle och han hade placerats i tulltoan, en cell med väggar av glas, en brits att ligga på och en toalettstol i ett slutet system, det var allt, han hade vistats där i en dryg vecka, naken tjugofyra timmar om dygnet, tre plitar som såg på när han sket och sedan kontrollerade hans avföring, ögon genom glasrutorna också medan han sov, alltid utan täcke, ett arsle fick aldrig skymmas.

Han hade inte haft något val då, med skulderna och hoten blev han ännu en containergubbe, nu hade han det, ett val.

All vaken tid, varje timme varje dag på varje fängelse kretsade kring drogen, att kunna ta in den och att kunna använda den trots regelbundna pissprov. En anhörig som hälsade på var också en anhörig som kunde tvingas att ta in urin, sitt eget, urin som var rent och negativt vid test. En gång, någon av de första veckorna på Österåker, en av de gapiga juggarnas flickvänner hade på order pinkat ett par muggar fulla, det hade sålts dyrt och ingen av dem hade testat positivt trots att mer än hälften gått omkring påverkade, däremot, provet hade visat något annat, hur varje fånge på avdelningen varit gravid.

Don Juan, Odysséen, Min lefwernes beskrifning, Franska landskap.

Han tömde dem en efter en, avbröt ibland när han hörde steg som passerade celldörren eller ljud som inte hörde till, fyrtiotvå gram amfetamin i fyra verk inte särskilt många längre valde att läsa.

Två böcker kvar. *Ur svenska hjärtans djup* och *Marionetterna.* Han lät dem ligga orörda på sängbordet, text han hoppades att aldrig behöva läsa.

Han såg på det gulvita som människor dödade för.

Varje gram kostade mer härinne.

Eftersom efterfrågan var större än tillgången. Eftersom risken för upptäckt var högre i en låst cell än i frihet. Eftersom domen blev hårdare innanför en mur än utanför, samma mängd här gav alltid ett längre straff.

Piet Hoffmann delade upp fyrtiotvå gram amfetamin i tre plastpåsar. Han skulle behålla en påse själv för Greken i cell 2 och placera ut två för hämtning till H-huset där de andra huvudleverantörerna fanns på undre och övre våningsplanet. Tre plastpåsar med fjorton gram som skulle slå ut alla konkurrenter samtidigt.

Matskedarna från köket låg kvar i byxornas ena framficka.

Han kände på dem, tryckte dem hårt mot britsens stålkant tills båda böjts nästan vinkelrätt, han kontrollerade dem, som två krokar, de skulle fungera. De blå joggingbyxorna med Kriminalvårdens emblem låg ovanpå sängen, han sprättade med bestickskniven upp resåren, drog ut det elastiska bandet och delade det i två lika långa bitar.

Celldörren en aning på glänt, han väntade, korridoren var tom.

Duschrummet låg femton snabba steg bort.

Han stängde dörren efter sig, gick in på toaletten längst till höger och såg till att haspen låg ordentligt på.

Ewert Grens hade hämtat en ny plastmugg svart kaffe och köpt ännu en smulig mazarin med kladdig söt smet i mitten. Den handskrivna lappen med sju namn hade fått fler bruna fläckar men gick fortfarande att läsa och den skulle ligga kvar där på bordet vid besökssoffan tills de granskat och avfört ett i taget.

De hade tre dagar på sig.

Utredningen av en avrättning genomförd på dagtid i en hyreslägenhet mitt i Stockholm skulle leva vidare i något av de handskrivna och fläckiga namnen. Eller om tre dagar prioriteras ner till en av trettiosju förundersökningar i tunna mappar på hans skrivbord och sannolikt aldrig bli särskilt mycket mer än så. Det fanns alltid ett nytt mord och en ny misshandel som i ett par veckor skulle äta resurser tills det var löst eller sakta kunde glömmas bort.

Han studerade sina namn. Maciej Bosacki, Piet Hoffmann, Karl Lager. Ägare till var sitt säkerhetsbolag som precis som andra säkerhetsbolag installerade larmsystem, sålde skyddsvästar, höll kurser i personskydd, hyrdes in för livvaktsuppdrag. Men de här tre hade dessutom var för sig anlitats av Wojtek Security International vid polska statsbesök. Officiella uppdrag med officiella fakturor. Inget märkligt, egentligen. Men det gjorde honom intresserad. Det officiella dolde emellanåt det inofficiella och han sökte det som om det fanns inte gick att se, kopplingar till ett annat Wojtek, den egentliga verksamheten, den som köpte och sålde narkotika, vapen, människor.

Ewert Grens reste sig upp och gick ut i korridoren.

Känslan av en sanning som skrattade åt honom, den fanns där igen, han famlade efter den och den gled mellan hans fingrar.

Han hade i två timmar granskat tre personnummer i Polismyndighetens databas, skärmsidor med sammanställningar av EFTERLYSNINGSUPPGIFTER, IDENTIFIERINGSUPPGIFTER, BELASTNINGSUPPGIFTER, SPANINGSUPPGIFTER, TILLSTÅNDSUPPGIFTER och han hade fått flera träffar. De var alla tidigare dömda, de hade alla registrerats i ASPEN och i Misstankeregistret, de var alla daktade, två av dem hade lämnat DNA och vid något tillfälle varit efterlysta och minst en av dem hade tidigare bekräftad grupptillhörighet. Grens hade inte blivit särskilt förvånad, allt fler vandrade fram och tillbaka i en kriminell gråzon där kunskap om kriminalitet var en förutsättning för kunskap om säkerhetsarbete.

Han fortsatte i korridoren ett par dörrar bort, han borde kanske ha knackat men gjorde sällan det.

– Jag behöver din hjälp.

Det var ett rum betydligt större än hans eget och han besökte det inte särskilt ofta.

– Jaha?

Det var inget de någonsin hade talat om. Men på något sätt hade det blivit en överenskommelse. För att stå ut med varandra såg de till att aldrig mötas.

– Västmannagatan.

Intendent Göransson har inga högar av papper på sitt skrivbord, inga tomma pappmuggar, inga smulor från varuautomatens plastkakor.

– Västmannagatan?

Så han förstår inte var den kommer ifrån.

Känslan som är obehag, som om det blir trångt.

– Det säger mig ingenting.

– Avrättningen. Jag utreder dom sista namnen och vill kontrollera dom mot vapenregistret.

Göransson nickade, vände sig mot datorn och loggade in i

registret som av säkerhetsskäl bara var tillgängligt för några få anställda.

– Du står för nära, Ewert.

Obehaget.

– Vad menar du?

Det som kommer inifrån.

– Kan du backa ett par steg?

Det som hela tiden tar mer plats.

Göransson såg på en människa han inte tyckte om och som inte tyckte om honom, de var därför sällan i vägen för varandra, det var inte mer med det.

– Personnummer?

– 721018-0010. 660531-2559. 580219-3672.

Tre personnummer. Tre namn på skärmen.

– Vad vill du veta?

– Allt.

Västmannagatan.

Han förstår plötsligt.

– Göransson? Lyssnade du? Jag vill ha allt.

Det där namnet.

– Det finns licenser på en av dom. Tjänstevapen och fyra jaktgevär.

– Tjänstevapen?

– Pistoler.

– Fabrikat?

– Radom.

– Kaliber?

– Nio millimeter.

Det där namnet som hänger kvar på skärmen.

– Det var som fan, Göransson. Det var som fan!

Kriminalkommissarien hade plötsligt rest sig upp och var redan på väg ut ur rummet.

– Men vi har redan tillgång till dom, Ewert.

Grens stannade mitt i steget.

– Vad menar du?

– Det finns en notering här. Samtliga vapen är beslagtagna. Dom står väl hos Krantz.

– Varför?

– Det framgår inte. Du får ta det med honom.

Det monotona ljudet från en tung kropp som haltade försvann allt längre bort i utredningsrotelns korridor. Intendent Göransson hade inte längre kraft att slå tillbaka känslan av något som tog plats, obehaget som krympte honom inifrån, han satt länge kvar framför namnet på skärmen.

Piet Hoffmann.

Ewert Grens skulle om några knapptryckningar och ett par telefonsamtal ha lokaliserat vapeninnehavarens nuvarande adress och han skulle åka de fyra milen norrut till det lilla samhället med det stora fängelset och han skulle förhöra honom tills han fått de svar han inte kunde få.

Det som inte fick hända hade just hänt.

Piet Hoffmann väntade bakom den låsta toalettdörren tills han var helt säker på att han var ensam.

Resårband, matsked, plastpåse.

Det var ju så han hade gömt narkotika och sprutor redan på Österåker. Lorentz hade bekräftat att det fortfarande fungerade. Trots att det var så förbannat enkelt. Eller kanske just därför. Ingen plit på något fängelse undersökte själva mugghålet.

Vattentanken, golvbrunnarna, rören under handfatet, gömställen som numera var meningslösa att ens försöka på. Men mugghålet, trots alla dessa år, de hade inte en jävla aning.

Han placerade det elastiska resårbandet, den böjda matskeden och den amfetaminfyllda plastpåsen på det skitiga toalettgolvet. Han höll bandet väl sträckt, knöt fast plastpåsen i dess ena ände och skeden i den andra, la sig sedan på knä vid toalettstolen, höll plastpåsen i handen och förde den så långt in i röret han kunde. Armen, till och med axeln var blöt när han spolade, plastpåsen försvann ännu längre in av vattnets tryck och den böjda skeden fastnade i rörets kant. Han väntade, spolade ännu en gång, resårbandet skulle sträckas ut och plastpåsen hänga någonstans i andra änden långt därinne.

Skeden som hakat fast i rörets kanter och nu höll plastpåsen kvar gick inte att se.

Men var lätt att få tag i nästa gång.

Ner på knä, en hand genom det blöta, försiktigt hala in.

Ewert Grens hade lämnat Göransson och utredningsrotelns korridor och sanningen han inte fick tag på skrattade inte längre lika högt. *Radom.* Han hade för första gången sedan förundersökningen inleddes ett namn. *Nio millimeter.* Någon som skulle kunna vara länken till en avrättning.

Piet Hoffmann.

Ett namn han aldrig hört förut.

Men som ägde ett säkerhetsbolag med officiella livvaktsuppdrag för Wojtek International vid polska statsbesök. Och som trots fem år i fängelse för grova våldsbrott hade licens för polsktillverkade tjänstevapen. Vapen som enligt registret redan fanns i polishuset. Beslagtagna sedan två veckor.

Ewert Grens klev ur hissen och gick in på tekniska roteln.

Han hade ett namn.

Han skulle strax ha ännu mer.

Piet Hoffmann var öm i knäna när han reste sig upp från toalettens golv och lyssnade på tystnaden. Han spolade två gånger till, lyssnade igen, inga andra ljud när han lyfte upp dörrens hasp och gick ut i korridoren, det skulle låta som om han suttit därinne ett tag, en krånglande mage som tagit sin tid. Han gick mot tv-hörnan, blandade förstrött en av kortlekarna, försökte få det att se ut som om han slog ihjäl minuter medan han sneglade mot vaktkuren och köket för att lokalisera de plitar som sprang omkring på avdelningen.

Ansikten vända bort, uniformsryggar som höll på med något. Han höjde ett långfinger i luften, det brukade få fart på dem.

Ingenting. Ingen som reagerade, ingen som såg.

De andra hade en eftermiddagstimme kvar i skolan och verkstaden, korridoren var tom, plitarna någon annanstans.

Nu.

Han började gå mot raden av celler. En hastig blick mot ingen alls. Han öppnade dörren till nummer 2.

Grekens cell.

Den såg likadan ut, samma jävla säng och samma jävla garderob och stol och sängbord. Den luktade annorlunda, instängt, eller om det kanske var surt, men var lika förbannat varm och andades samma dammiga luft. Ett foto av ett barn på väggen, en flicka med långt mörkt hår, ett annat foto av en kvinna, dotterns mamma, Hoffmann var övertygad om det.

Om någon öppnade dörren.

Om någon insåg vad det var han just nu höll i handen, vad han strax skulle göra.

Han skakade till, men bara kort, han fick inte känna.

Det var inte särskilt många injektioner eller sniffar, tretton, fjorton gram, men det räckte härinne, tillräcklig mängd för en ny dom och ett förlängt straff och omedelbar förflyttning till en annan anstalt.

Tretton, fjorton gram som måste sitta högt upp.

Han kände på gardinstången, lirkade försiktigt, den lossnade vid första försöket. En tejpbit runt plastpåsen och mot väggen, den satt fast, gardinstången var lätt att lyfta tillbaka igen.

Han öppnade dörren, en sista blick mot rummet, han fastnade på fotot där på väggen. Flickan var i femårsåldern, hon stod på en gräsmatta, i bakgrunden vinkade barn som såg glada ut, de var alla på väg någonstans, en utflykt med förskolan, ryggsäckar i händerna och gula och röda kepsar på varje huvud.

Hennes pappa skulle inte vara här när hon hälsade på nästa gång.

Ewert Grens lutade sig fram över den låga arbetsbänken och sju uppradade vapen.

Tre polsktillverkade Radompistoler och fyra jaktgevär.

– I ett vapenskåp?

– I två vapenskåp. Båda godkända.

– Dom han hade licenser för?

– Precis dom som Citypolisen utfärdat tillstånd för.

Grens stod bredvid Nils Krantz i ett av den tekniska rotelns många rum som såg ut som ett mindre laboratorium med sina dragskåp och mikroskop och burkar med kemiska preparat. Han lyfte upp en av pistolerna, höll det inplastade vapnet i sin hand, vägde det framför sig i luften. Han var helt säker, den döde som hade legat på ett vardagsrumsgolv, det var en sådan han hade hållit i sin hand.

– Två veckor sedan?

– Ja. Ett lägenhetskontor på Vasagatan. Grovt narkotikabrott.

– Och ingenting?

– Vi har provskjutit samtliga. Inget av dom förekommer i

någon annan brottsutredning.

– Och Västmannagatan 79?

– Jag vet att du hade hoppats på ett annat svar. Men det får du inte. Inget av dom här vapnen har någonting med skotten där att göra.

Ewert Grens slog sin hand hårt i möbeln som stod närmast. Ett metallskåp som skakade medan böcker och pärmar föll mot golvet.

– Jag begriper det inte.

Han var på väg att slå igen när Krantz ställde sig i vägen, rädd om sitt skåp.

Grens valde väggen, den skakade inte lika länge men lät nästan lika mycket.

– Nils, jag begriper det fan inte. Den här utredningen ... det är som om jag hela tiden står bredvid och tittar på. Du har alltså beslagtagit hans vapen? För tjugo dagar sedan? Förhelvete, Nils, det är något som inte stämmer. Förstår du inte, den här jäveln, han borde överhuvudtaget inte ha något vapen, ännu mindre en vapenlicens utfärdad av oss. Det är visserligen tio år sedan men ... med en sådan dom ... jag har aldrig hört talas om att så grova våldsbrottslingar har beviljats tillstånd.

Nils Krantz stod kvar framför metallskåpet. Det var alltid svårt att veta. Om hans kollega hade slagit färdigt på döda ting.

– Du får väl prata med honom.

– Jag ska det. När jag vet var han finns.

– På Aspsås.

Ewert Grens såg på kriminalteknikern som var en av de få som hade gått omkring i huset lika länge som han själv.

– Aspsås?

– Han sitter där. Ett ganska långt fängelsestraff, tror jag.

Han hade suttit på sin nya plats i tv-hörnan och väntat också den här eftermiddagen när hans cellgrannar en efter en kommit tillbaka från verkstaden och skolan. De hade spelat mer stötpoker och ett par parti mulle och pratat om plitjäveln som jobbade morgnar och en hel del om ett bankrån i Täby som gått åt helvete och sedan fastnat i en hetsig diskussion om hur många gånger det gick att runka på ett gram injicerat amfetamin. De hade skrattat rätt högt åt flera ganska bra beskrivningar av en tjackkuk och såväl Stefan som Karol Tomasz och ett par av finnarna hade skrutit om flera dygn med knulla och kuken stenhård lika länge som det funnits tillräckligt starkt blomster. Piet Hoffmann hade efter en stund också nickat svagt mot Greken och bjudit en stol men utan att få svar, han som sålde och kontrollerade drogen och hade högst status var ännu inte redo att prata med en som var ny.

Ett par timmar till.

Plastpåsen skulle sitta kvar där bakom gardinstången och den dryge fan skulle inte hinna förstå någonting förrän det var över.

Ewert Grens stod upp bakom sitt skrivbord och kramade telefonluren trots att samtalet sedan länge var avslutat. Han höll i en lapp som var fläckig av kaffe och mazarinsmulor.

Nils Krantz hade haft rätt.

Namnet näst längst ner på hans korta lista *satt* redan i fängelse.

Han hade gripits med tre kilo amfetamin i bagageluckan och sedan på rekordtid häktats, dömts och transporterats till kriminalvårdsanstalten Aspsås.

Amfetamin som hade luktat starkt av blommor.

En tydlig doft av tulpan.

Han låg på den hårda britsen och rökte en cigarett. Det var flera år sedan han hade rullat egna, inte sedan då när barnen inte fanns, både han och Zofia hade slutat den dagen de hade sett ett centimeterstort liv på en monitor, någon som knappt syntes men påverkades av varje andetag. Han var orolig, rökte fort och tände snart en till, det var ett helvete att bara ligga och vänta.

Han reste sig upp, lyssnade, örat mot den hårda celldörren.

Ingenting.

Han hade hört ljud som inte fanns. Kanske de svaga knackningar som kom regelbundet från rören i taket. Kanske någons tv, själv hade han ingen, han hade valt att inte ta den med sig för att slippa delta i världen utanför.

Om allt stämde, de skulle komma strax.

Han la sig ner igen, en tredje cigarett, det var skönt att hålla någonting i handen. Kvart i åtta. Det hade bara gått femton minuter sedan inlåsning, det brukade dröja någon halvtimme, de brukade avvakta tills alla hade kommit till ro.

Det var helt förberett, precis som han ville ha det, han hade fått ett sista klartecken inne i duschrummet under kvällen medan plitarna väntade på att alla skulle återvända till sina celler. Båda plastpåsarna som nyss hängt i ett resårband någon meter in i en av toalettstolarnas avloppsrör fanns nu i H-huset, gömda bakom två gardinstänger.

Nu.

Han var helt säker.

Hundar som gnällde av iver, svarta skor som slog mot korridorens golv.

– Du ska få mitt namn och mina personuppgifter. För att placera mig på rätt anstalt, ge mig rätt arbete och se till att det efter inlåsning på kvällen exakt två dagar efter min ankomst genomförs en omfattande och oannonserad visitation av varje cell på hela fängelset.

De första celldörrarna rycktes upp längst bort i korridoren. Höga röster slogs mot varandra när en av finnarna skrek och någon av plitarna skrek högre.

Det tog tjugofem minuter och åtta celler innan de var framme och en hand drog upp hans dörr.

– Visitation.

– Du kan suga min kuk, plitjävel.

– Ut ur cellen Hoffmann. Innan du får som du vill.

Piet Hoffmann spottade när de drog ut honom i korridoren. *Kriminell.* Han fortsatte spotta också när de kontrollerade hans håligheter. *Du måste vara kriminell för att kunna spela kriminell.* Han stod utanför dörren i vita och illasittande kalsonger medan två plitar gick in i hans cell och sökte av allt som kunde gömma det som inte fick finnas.

Två celler visiterades samtidigt, alltid de mittemot varandra, det var trångt när öppna dörrar möttes.

Två plitar inne i varje, två plitar kvar utanför för att bevaka svärande, hotande, gapande fångar.

Han såg hur sängkläderna revs upp och skakades om, hur garderoben vältes framåt och varje sko tömdes och varje strumpa vändes ut och in, hur högen med sex låneböcker på sängbordet bläddrades igenom och flera meter golvlist bröts upp, hur fickor och sömmar på byxor och jackor och tröjor dissekerades och hur den gnällande hunden släpptes in när allt var kaos på linoleumgolvet och lyftes upp mot taket och lampan och gardinstången.

– Vad i helvete ...

– Med hund. Det är viktigt.

– Med hund? Och när vi sedan hittar det du har placerat ut? Den medfånge du slösat ditt knark på?

En golvlist till, den under handfatet.

Och bakom sänglampan, det lilla hålet i väggen för betongskruven.

– Går det bra? Hittat någonting? Inte det? Jävligt tråkigt. Ni får runka av i någon annan cell. Eller ska jag hjälpa er?

Han mittemot skrattade högt. Han bredvid slog i dörren och väste *fortsätt knulla dom i arslet, Hoffmann.*

De hade hört.

Piet Hoffmann satt på britsens kant när de låste dörren igen och fortsatte till nästa cell. En halv cigarett låg under ett par kalsonger i röran under sängbordet, han tände den och la sig ner.

Tio minuter till.

Han rökte och letade i taket när hunden började krafsa.

– *Vafan, vafan, det där är för helvete inte mitt!*

Greken i cell 2 hade en gäll röst, en sådan som öppnade låsta celldörrar.

– *Vafan, vafan, det där ... det där har ni placerat ut era jävla satans plitar, jag ska ...*

En av säkerhetsstyrkans vakter hade lyft upp den svarta hunden som ivrigt markerat med tassen vid fönstret, bakom gardinstången. Plastpåsen hade tejpats fast mot väggen och innehöll fjorton gram amfetamin av hög kvalité. Greken fördes skakande och spottande genom korridoren och ut från avdelningen och skulle redan nästa dag transporteras till Kumla eller Hall för att avtjäna resten av ett långt straff som just blivit ännu längre. Ungefär samtidigt hittades ytterligare två plastpåsar med samma mängd amfetamin i två celler på undre och övre våningen i H-huset och sammanlagt skulle den här kvällen tre interner sova sin sista natt på Aspsås fängelse.

Piet Hoffmann låg kvar och orkade le för första gången sedan han klev in innanför de höga murarna.

Just nu.

Just nu tog vi över.

onsdag

HAN HADE SOVIT tungt i nästan fyra timmar när det varit som mörkast utanför gallerfönstret och finnen två celler bort äntligen hade lugnat ner sig, skramlande nycklar hade trängt in i huvudet och stannat kvar varje gång jävelskapet flaggat på och krävt uppmärksamhet, avdelningen hade inte kommit till ro förrän ett par av de andra fångarna hotat med stryk nästa gång ett finskt pekfinger petade på ringsignalen.

Piet Hoffmann tryckte ryggen mot väggen. Oroliga ögon mot kudden under täcket och stolen framför tröskeln och strumpan mellan dörren och karmen. Hans skydd, precis som igår och precis som imorgon, två och en halv sekund om någon visste och anföll den enda tid på dygnet plitarna varken hörde eller såg.

En minut över sju. Nitton minuter kvar. Sedan skulle han gå ut och duscha och äta frukost som de andra.

Han hade tagit det första steget. Han hade med sammanlagt fyrtiotvå gram trettioprocentigt och fabrikstillverkat amfetamin slagit ut Aspsåsanstaltens tre huvudleverantörer. Warszawa och Vice VD hade redan fått de rapporter de krävde och öppnat en flaska Żubrówka och skålat för nästa steg.

Åtta minuter kvar.

Han andades långsamt, spände varje muskel, döden knackade aldrig.

Den här dagen skulle han ta nästa steg. För Wojtek de första grammen till de första kunderna och ryktet om en ny leverantör på ett av Sveriges tyngsta fängelser. För svensk polis mer information om leverantörer, leveransdatum, distributionskanaler

tills handeln byggts upp tillräckligt för att kunna slås sönder, dagar eller veckor i väntan på ett enda ögonblick när organisationen hade full kontroll men ännu inte expanderat till nästa anstalt, när en infiltratörs kunskap var tillräcklig för att komma åt också organisationens kärna i ett svart hus på ul. Ludwika Idzikowskiego i Warszawa.

Hoffmann såg på väckarklockan som tickade för högt. Tjugo över sju. Han flyttade stolen och bäddade sängen och öppnade efter en stund dörren till en sömnig korridor. Stefan och Karol Tomasz log mot honom när han passerade köket och frukostbordet, Kriminalvårdens transportbuss brukade lämna anstalten ungefär vid den här tiden och det satt tydligen någon som kallades Greken där på ett av de illaluktande sätena, mittemot honom ett par stycken från H-huset, de talade förmodligen inte särskilt mycket med varandra medan de såg ut genom sidorutornas glas och försökte förstå vafan det var som egentligen hade hänt.

Han duschade varmt, sköljde bort anspänningen från tjugo minuter vid en celldörr beredd på strid och flykt. Han såg sedan på någon som var orakad och hade lite för långt hår i en del av spegeln som ännu inte immat igen, lät rakhyveln ligga i byxfickan, det gråsprängda skulle sitta kvar också den här morgonen.

Städvagnen stod i en skrubb utanför avdelningens ytterdörr. En metallställning med en svart sopsäck, hårda rullar med vita och betydligt mindre soppåsar, en smal borste med vinglig skyffel, en illaluktande plasthink, små tygremsor han antog användes till att putsa fönster och längst ner något oparfymerat rengöringsmedel han aldrig sett förut.

– Hoffmann.

Kriminalvårdsinspektören med ögon som sköt hade suttit bland de andra vakterna i akvariet när han passerat de stora glasrutorna.

– Första dagen?

– Första dagen.

– Du väntar vid varje låst dörr. Du tittar upp i varje kamera. Och när och om centralvakten sedan har lust att släppa igenom dig passerar du snabbt som fan under dom sekunder den är öppen.

– Var det något annat?

– Jag bläddrade lite i dina papper igår. Du har visst ... hur var det nu ... tio år på dig. Jag vet inte, Hoffmann, men med lite tur skulle det kunna vara tillräckligt lång tid för att lära sig göra riktigt rent.

Den första låsta dörren fanns redan i kulvertens början. Han stannade vagnen, såg upp mot kameran, väntade på det klickande ljudet och fortsatte in i nästa del. En känsla av fukt och han frös en aning när han gick under fängelsegården, han hade under året på Österåker ledsagats flera gånger i en likadan betongtunnel till någon av sjukavdelningarna eller gymmet eller kiosken där varje intjänad krona kunde bytas mot raklödder och tvål. Han stannade framför varje dörr, nickade mot granskande kameror och skyndade vidare medan det var öppet, han ville ha så lite uppmärksamhet som möjligt.

– Du?

Han hade hälsat på gruppen av fångar från andra sidan fängelset på väg mot sina arbetsplatser, en av dem hade sedan vänt sig om, såg nu på honom.

– Ja?

En pundare. Mager så inihelvete, flackande ögon, fötter som hade svårt att stå stilla.

– Jag hörde ... jag vill köpa. Åtta g.

Stefan och Karol Tomasz hade gjort ett bra jobb.

Ett stort fängelse var en liten plats när budskap skar genom väggar.

– Två.

– Två?

– Du kan få köpa två. I eftermiddag. Döda vinkeln.

– Två? Vafan, jag behöver minst …

– Det är så mycket du får. Den här gången.

Den magre viftade med sina långa armar när Hoffman vände honom ryggen och fortsatte att gå i den breda kulverten.

Han skulle stå där. Den skakande kroppen hade redan börjat räkna minuter till känslan som fick honom att stå ut. Han skulle köpa sina två g och han skulle skjuta i sig dem med ett skitigt verktyg på första bästa toalett.

Piet Hoffmann gick långsamt och försökte låta bli att skratta.

Bara några timmar kvar.

Sedan hade han tagit över narkotikahandeln på Aspsås fängelse.

Utredningsrotelns korridor hade starka lampor som blinkade oregelbundet. Ett irriterande sken som bländade och i kombination med ett genomträngande och knäppande ljud vid varje blinkning var de två lysrör som satt alldeles ovanför varuautomaten och kaffeautomaten allra värst. Fredrik Göransson bar ännu gårdagens obehag i kroppen, det hade tagit honom eftermiddagen och kvällen och en bit in på sömnen att förstå hur Grens besök blivit till en gnagande, tärande känsla som inte skulle gå att trycka bort hur mycket han än försökte. Det hade inte varit någon bra lösning att prioritera infiltration innanför fängelsemurarna på bekostnad av en utredning av ett mord. Men han hade suttit vid bordet på Rosenbad och vägt den mot kontroll av polsk maffia och valt det som var att begränsa kriminell expansion.

– Göransson.

Den jävla rösten.

– Jag vill prata med dig, Göransson.

Han hade aldrig tyckt om den.

– Gomorron, Ewert.

Ewert Grens haltade kraftigare än tidigare eller om det bara var korridorens väggar som förstärkte det hårda när ett friskt ben mötte betonggolvet.

– Vapenregistret.

Det där som tar plats.

Fredrik Göransson undvek klumpiga händer som sökte bredvid honom efter plastmuggar och kaffeautomatens knappar.

Det blir så trångt igen.

– Du står för nära.

– Jag flyttar mig inte en gång till.

– Om du vill ha några svar gör du det.

Ewert Grens stod kvar.

– 721018-0010. Tre Radompistoler och fyra jaktgevär.

Namnet som hänger kvar där på skärmen.

– Jaha?

– Jag vill veta hur det går till när någon med hans belastningsregister beviljas licens till tjänstevapen.

– Jag är inte säker på vad du talar om.

– Grovt våld mot tjänsteman. Försök till mord.

Plastmuggen var full, Grens smakade på det varma, nickade nöjd för sig själv och tryckte fram ännu en.

– Jag begriper det inte, Göransson.

Jag begriper det, Grens.

Det finns en vapenlicens eftersom han inte är våldsbenägen och inte är psykopatklassad och inte kräver en farlighetsbedömning och inte är straffad för mordförsök.

Eftersom dina registerutdrag är ett arbetsverktyg, en fejk.

– Men jag kan undersöka det. Om det är viktigt.

Grens provsmakade också den andra muggen, såg lika nöjd ut och började gå, långsammare nu.

– Det *är* viktigt. Jag vill veta vem som utfärdade licensen. Och varför.

Det var jag.

– Jag ska göra vad jag kan.

– Jag behöver det idag. Han ska sitta i förhör tidigt imorgon.

Intendent Göransson stod kvar under blinkande och knäppande lampor medan Grens fortsatte att gå.

Han ropade efter utredaren som krävde svar.

– Och dom andra?

Grens stannade utan att vända sig om.

– Vilka andra?

– Du hade tre namn när du kom in till mig igår.

– Dom två tar jag idag. Den här jäveln, han sitter inlåst, jag vet var jag har honom, han sitter där imorgon också.

För nära.

Den otympliga kroppen höll en plastmugg i varje hand när den haltade bort i korridoren och försvann in på sitt rum.

Grens hade stått för nära.

Toalettstolen var gul av piss och handfatet fullt av vått snus och fimpar utan filter. Rengöringsmedlet som saknade parfym rev inte ens bort det yttersta lagret skit, han gnuggade länge med en diskborste och sedan med en skurtrasa men halkade bara mot nedslitna porslinsytor. Toaletten utanför ingången till verkstadslokalen var trång och användes av dem som pinkade utanför på korta raster från ett arbete de hatade, ett par minuters flykt från ett straff som aldrig blev tydligare än när det avtjänades vid en maskin som borrade små hål för skruvar som skulle sitta längst ner på en lucka i en lyktstolpe.

Piet Hoffmann gick i det stora rummet och hälsade på ansikten han hade hälsat på dagen innan. Han torkade av arbetsbänkarna och hyllorna, skurade golvet runt dieselkaret, tömde papperskorgar, putsade det stora fönstret som vette mot kyrkan. Emellanåt en blick in i det lilla kontoret bakom glasväggen och de båda plitarna som satt där, han väntade på att de skulle resa sig upp för den runda genom salen de måste ta en gång varje halvtimme.

– Det är du, va?

Han var storvuxen, håret knutet i en lång svans och med ett skägg som fick honom att se betydlig äldre ut än de dryga tjugo Hoffmann gissade på.

– Ja.

Han arbetade vid pressmaskinen, stora händer runt metall som skulle böjas till avlånga luckor, han hann med ett par stycken i minuten när han lät bli att titta ut genom fönstret.

– Ett g. För idag. För varje dag.

– I eftermiddag.

– H-huset.

– Vi har en medarbetare där.

– Michal?

– Ja. Du hämtar och betalar hos honom.

Hoffmann tog god tid på sig, han torkade och skurade en dryg timme till, det var ett bra sätt att lära känna rummet och beräkna avstånd mellan fönster och pelare och registrera placeringen av övervakningskameror, att veta mer än alla andra, att kunna kontrollera varje situation, skillnaden mellan liv och död. Plitarna lämnade sina stolar och kontorsrummet och han skyndade in med sin vagn för att torka av ett tomt skrivbord och tömma en lika tom papperskorg, hela tiden noga med att stå med ryggen vänd mot glasväggen och verkstaden. Han behövde bara ett par sekunder, rakhyveln låg kvar i byxfickan och han flyttade den till skrivbordets översta låda och ett ledigt fack mellan blyertspennor och gem. En ny plastpåse i papperskorgen, fortfarande med ryggen mot glaset, han gick ut sedan, hissen ner mot kulverten och fyra låsta dörrar till administrationsbyggnaden.

Det kliade på kroppen och kostymen satt trångt över bröstet, han lossade en aning på slipsknuten och sprang ännu lite fortare genom korridoren och genom dörren till det stora huset som växt samman med fastigheterna intill och numera var en väsentlig del av ett kvarter med Polismyndighetens verksamhet.

Fredrik Göransson svettades längs kinderna, halsen, ryggen.

Piet Hoffmann. Paula.

Ewert Grens var på väg dit, till Aspsåsanstalten, hade redan begärt tid och reserverat besöksrum. Det skulle dröja ett par minuter in i förhöret, inte mer, Hoffmann skulle luta sig fram och lugnt be Grens att stänga av bandspelaren och skratta högt och förklara att du kan åka hem igen, vi är ju för helvete på samma sida, jag sitter ju här på dina kollegors uppdrag och det var dina chefer som i ett rum på Regeringskansliet valde att glömma en avrättning i en innerstadslägenhet för att jag skulle kunna fortsätta infiltrera här, inlåst.

Göransson klev ut ur hissen och in i rummet utan att knacka och utan att bry sig om handen som höll i en telefonlur och armen som vinkade om att han skulle vänta utanför tills samtalet var klart. Han sjönk ner i en av besökssofforna och drog frånvarande i en hals som blev allt mer rödflammig. Rikspolischefen avslutade samtalet och bad att få återkomma, såg en människa han aldrig hade sett förut.

– Ewert Grens.

Pannan var blöt och han flackade med rastlösa ögon.

Rikspolischefen lämnade skrivbordet och gick fram till vagnen med stora glas och små flaskor mineralvatten, öppnade en av dem och hällde upp över två isbitar, hoppades att det var tillräckligt kallt för att lugna ner.

– Han ska dit. Han ska förhöra honom. Det här är inte bra ... det här ... vi måste bränna honom.

– Fredrik?

– Vi måste ...

– Fredrik, se på mig. Exakt ... vad är det du talar om?

– Grens. Han förhör Hoffmann imorgon. I ett av fängelsets besöksrum.

– Här. Ta glaset igen. Drick lite till.

– Förstår du inte? Vi måste bränna honom.

Det satt människor bakom varje skrivbord i administrationsbyggnaden. Han började med den smala korridoren utanför, sopade och skurade tills den grå linoleummattan nästan blänkte. Han väntade sedan tills en i taget gav honom klartecken att komma in för att tömma papperskorgar och torka av hyllplan och skrivbordsytor. Det var små och anonyma rum och de hade alla utsikt över rastgården. Han såg grupper därute med fångar han inte kände igen, cigaretter i händerna när de satt ner i solen och drömde sig bort, några med en fotboll i famnen, ett par stycken som promenerade på motionsslingan längs den inre muren. Bara en dörr var stängd och han passerade den regelbundet, hoppades att den skulle öppnas tillräckligt länge för att han skulle kunna se in, någon timme senare var det också det enda rum som återstod.

Han knackade, väntade.

– Jaha?

Anstaltschefen kände inte igen honom sedan igår.

– Hoffmann. Det är jag som städar, jag tänkte ...

– Du får vänta. Tills jag är klar. Städa dom andra rummen så länge.

– Jag har ...

Lennart Oscarsson hade redan stängt dörren. Men Piet Hoffmann hade bakom hans axel sett det han ville se. Skrivbordet och vaserna med tulpaner. Knoppar som hade börjat spricka.

Han satt på en stol en bit bort med en hand på städvagnen. Allt oftare en blick mot den stängda dörren, han började bli otålig, det fanns ju där, det var nu han skulle ta steg två.

Slå ut nuvarande aktörer.

Ta över.

– Du där?

Dörren var öppen. Oscarsson såg på honom.

– Det går bra nu.

Anstaltschefen var på väg till nästa rum, en kvinna som enligt skylten var ekonom. Piet Hoffmann nickade och gick in, placerade städvagnen vid skrivbordet och väntade. En minut, två minuter. Oscarsson var fortfarande borta, hans röst blandades med kvinnans när de skrattade åt något.

Han lutade sig fram mot de båda buketterna. Knopparna hade öppnat sig tillräckligt, inte helt utslagna men plats för fingrar att lirka upp avklippta och hopknutna kondomer med tre gram kemiskt amfetamin i varje, tillverkat på blomstergödsel istället för aceton i en fabrik i Siedlce, därav en distinkt doft av tulpan.

Piet Hoffmann tömde fem stycken i taget, släppte kondomerna mot botten av städvagnens svarta soppåse, lyssnade på rösterna från rummet intill.

Han log.

Han skulle strax genomföra Wojteks första leverans till den slutna marknaden.

Göransson hade druckit upp två glas mineralvatten och omsorgsfullt tuggat sönder varje isbit, ett knastrande ljud som var mycket obehagligt.

– Jag förstår inte, Fredrik. Bränna vem?

– Hoffmann.

Rikspolischefen hade svårt att sitta still. Det hade känts redan när hans chefskollega gått rakt in i rummet, det där som var svårt att ta på men trängde sig på.

– Vill du ha en kaffe?

– Cigg.

– Du röker väl bara på kvällstid?

– Idag gör jag inte det.

Cigarettpaketet var oöppnat och låg längst in i den undre skrivbordslådan.

– Det har legat där i två år. Jag vet inte om det fungerar att röka längre men avsikten var aldrig att det skulle bjudas bort. Det ska bara ligga där efter varje kopp kaffe när det drar så förbannat i kroppen och bevisa för mig att jag inte har börjat igen.

Han öppnade fönstret när den första röken letade sig fram över bordet.

– Jag tror det är bra om vi låter det vara stängt.

Rikspolischefen såg på någon som drog djupa halsbloss och hade rätt, han stängde fönstret igen och andades in det som luktade så bekant.

– Vi har bråttom, jag vet inte om du förstår det. Grens kommer att sitta ner mittemot honom och lyssna på konsekvenserna av ett möte vi aldrig borde ha deltagit i. Grens kommer att ...

– Fredrik?

– Ja?

– Du är här. Och jag lyssnar. Men bara om du lugnar ner dig och bara om du ger mig hela bilden.

Fredrik Göransson rökte tills det inte fanns mer att röka, fimpade, tände en ny, rökte den till hälften. Han återvände till obehaget vid kaffeautomaten och en kriminalkommissarie som i en granskning av namn i utredningens utkant sökte ett som haft uppdrag för det officiella Wojtek och enligt myndighetens register dömts för grova våldsbrott och trots det beviljats vapenlicens, ett namn som avtjänade ett långt straff för grovt narkotikabrott och imorgon förmiddag skulle förhöras om ett mord på Västmannagatan 79.

– Ewert Grens.

– Ja.

– Siw Malmkvist?

– Det är han.

– En sådan som inte ger sig.

En sådan som inte ger sig.

– Det kommer att gå åt helvete. Hör du det, Kristian? Åt helvete.

– Det går aldrig åt helvete.

– Grens släpper det inte. Efter förhöret med Hoffmann … det är vi sedan, dom som legitimerade, skyddade.

Rikspolischefen skakade inte, svettades inte, men han förstod nu oron som kommit in i rummet, sådan oro som måste jagas bort för att den inte skulle växa sig större.

– Vänta lite.

Han lämnade soffan för telefonen, sökte längst bak i en svart almanacka och slog efter en stund numret han letat efter.

Tonen som kom när signalen gick fram var högre än normalt och den gick att höra också från Göranssons plats i besökssoffan, tre gånger fyra gånger fem gånger, tills en ganska djup mansröst svarade och rikspolischefen förde luren närmare munnen.

– Pål? Det är Kristian. Är du ensam?

Den djupa rösten var en bit bort bara lågt sorl men rikspolischefen såg nöjd ut, nickade svagt.

– Jag behöver din hjälp. Vi har ett gemensamt problem.

Piet Hoffmann stod framför den första låsta säkerhetsdörren i kulverten mellan administrationsbyggnaden och G-huset. Kameran rörde sig något, centralvakten ändrade vinkel och zoomade in ett skäggigt ansikte i trettiofemårsåldern som granskades i en monitor, kanske jämfördes det också mot ett foto i Kriminalvårdens akt, fången som anlänt ett par dagar tidigare var fortfarande bara en i mängden av kriminella dömda att sitta av lång tid.

Han hade varit noga med att innehållet från tömda papperskorgar låg överst i städvagnens stora soppåse, den som passerade och kikade ner skulle möta hopskrynklade kuvert och urdruckna plastmuggar, inte femtio kondomer och etthundrafemtio gram amfetamin. Han hade använt fyrtiotvå gram som legat i fyra biblioteksböcker och med dem slagit ut fängelsets tre huvudleverantörer och skulle nu använda det som funnits i knopparna på femtio gula tulpaner för de första köpen från anstaltens nya leverantör. Fångar på varje avdelning skulle om några timmar veta att flykt med kemisk drog numera såldes och distribuerades av en ny intern som hette Piet Hoffmann och satt någonstans i G-huset. Han skulle den här första gången inte sälja mer än två gram till någon av dem, hur mycket de än lismade och hotade, Wojteks jungfrusil skulle räcka till sjuttiofem inlåsta narkomaner och en första skuld hos en herre som skulle kräva den tillbaka. Han skulle sälja mer om ett par dygn när han tagit över också de två kriminalvårdare i F-huset som mot att regelbundet föra in större partier stått på Grekens lönelista.

Det klickande ljudet, centralvakten hade granskat färdigt och öppnade dörren under några sekunder. Hoffmann passerade, vek av till höger i den första tunnelkorsningen och stannade efter två långa steg, två och en halv meter in. Stefan och Karol Tomasz hade bekräftat att det var här. En fem meter lång zon med en död vinkel mellan två kameror. Han såg sig omkring, ingen som kom från H-huset, ingen som lämnade administrationsbyggnaden.

Han rotade i städvagnen tills han fiskat upp femtio kondomer och tömt ut innehållet på en svart plastsäck på det hårda golvet. En tesked från en av kopparna i anstaltschefens rum, de lite mindre som rymde exakt två gram om pulvret låg slätt på skeden, han fördelade den kemiska drogen i sjuttiofem högar.

Han arbetade fort men kontrollerat, rev de små vita soppåsarna i delar och lindade plasten kring varje tvågramshög, sjuttiofem doser i städvagnens botten och innehållet i den administrativa personalens papperskorgar som skydd.

– Vi sa åtta g, va?

Han hade hört honom komma, en pundares steg, fötter som hasade mot betongen. Han hade ju vetat att han skulle stå där och buga.

– Åtta? Eller hur? Åtta var det, va?

Hoffmann skakade irriterat på huvudet.

– Är det så jävla svårt? Du får två.

Varje ny kund skulle kunna göra åtminstone ett köp, en resa också den här dagen till världen som var artificiell och därför så mycket lättare att leva i. Ingen skulle heller den första tiden kunna gå omkring med sådana mängder att det gick att sälja vidare, inga andra langare, inga konkurrenter, drogen skulle kontrolleras från en cell i korridoren G2 vänster.

– Vafan, jag ...

– Du håller käften. Om du vill ha någonting överhuvudtaget.

Den magre pundaren skakade mer nu än i förmiddags, fötterna hela tiden i rörelse, ögonen överallt utom mot ansiktet de talade med. Han tystnade, höll armen utsträckt tills han fick en liten vit plastboll i handen, började gå redan innan han hunnit stoppa den i fickan.

– Jag tror att du glömde något.

Den magre hade haft små ryckningar kring ögonen, de blev större, också kinderna lekte orytmiskt.

– Jag fixar stålar.

– Femtio spänn grammet.

Ryckningarna avtog under ett par sekunder.

– Femtio?

Hoffmann log åt förvirringen. Han skulle kunna ta mellan trehundra och fyrahundrafemtio. Nu, utan andra leverantörer, kanske till och med sexhundra. Men han ville tränga budskapet genom alla väggar och de skulle höja sedan, när alla kunder fanns på samma lista, den som tillhörde fängelsets enda leverantör.

– Femtio.

– Fan, fan ... då vill jag ha tjugo g.

– Två.

– Eller trettio, fan, kanske till och med ...

– Du står i skuld nu.

– Jag fixar det.

– Vi är noga med våra skulder.

– Lugn, fan, alltså jag har alltid ...

– Det är bra. Vi kommer att hitta en lösning.

Stegen studsade svagt från gången mot H-huset men hastigt

allt högre, de hörde det båda och pundaren hade redan börjat gå igen.

– Arbetar du?

– Skolan.

– Var?

Den magre svettades och kinderna var en enda stor ryckning.

– Fan, det kommer ju ...

– Var?

– Skolsalen på F3.

– Då beställer du i fortsättningen av Stefan. Och hämtar hos honom.

Två låsta dörrar och hissen upp till G-huset, han knuffade in vagnen i städskrubben som luktade fuktiga skurtrasor, stoppade elva av de små plastbollarna i fickorna och lät resten ligga kvar under hopskrynklade dokument. Om en timme skulle de föras av andra händer till anstaltens olika byggnader och på varje avdelning skulle det finnas köpare som kunde vittna om den nye leverantören och om kvalité och pris och han och Wojtek skulle ha tagit över, helt.

De väntade på honom.

Någon i korridoren, ett par i tv-hörnan, flyktiga blickar som längtade.

Han hade elva leveranser i sina framfickor till en avdelning som liknade de andra, fem som skulle betala med pengar som räknades i miljoner, inkomster från ett kriminellt aktivt liv som samhället sällan kom åt, sex som saknade pengar till strumporna de gick omkring i och skulle hamna i skuld och arbeta för Wojtek på utsidan tills den inte fanns mer, de var kapital och kriminell arbetskraft och han ägde dem.

Fredrik Göransson satt i en av rikspolischefens besökssoffor och hörde hur rösten i telefonluren långt borta talade högt, lågmält sorl hade blivit tydliga ord i korta meningar.

– *Gemensamt problem?*

– Ja.

– *Så här dags på morgonen?*

Den djupa mansrösten suckade och rikspolischefen fortsatte.

– Det gäller Hoffmann.

– *Jaha?*

– Han kommer under förmiddagen att begäras ner till förhör i ett av Aspsås besöksrum. En kommissarie vid Citypolisen som utreder Västmannagatan 79.

Han väntade på ett svar, en reaktion, något. Han fick ingenting.

– Det förhöret, Pål, kommer inte att äga rum. Hoffmann får inte under några omständigheter släppas ner till ett möte med en polisman och en förundersökning av just den adressen.

Det var tyst igen och när rösten kom tillbaka var det som det där lågmälda sorlet som inte gick att uppfatta ett par meter bort.

– Jag kan inte förklara mer. Inte här, inte nu. Mer än att du måste lösa det.

Rikspolischefen satt på skrivbordets kant och det började bli obekvämt, han rätade på ryggen och det knäppte någonstans från hans höft.

– Pål, jag behöver bara ett par dagar. Kanske veckan ut. Jag vill att du ger mig det.

Han la på luren och stod framåtböjd, det knäppte ett par gånger till, det lät som korsryggen.

– Vi har fått våra dagar. Det är nu vi agerar. För att slippa samma situation om sjuttiotvå eller nittiosex timmar.

De delade på resten i kaffekannan, Göransson tände en cigarett till.

Mötet i ett vackert rum med utsikt över Stockholm ett par veckor tidigare hade just övergått i något annat. Kod Paula var inte längre bara en operation svensk polis arbetat för och väntat på i flera år, det var också kunskap hos en kriminellt belastad samarbetspartner de egentligen inte visste särskilt mycket om och som om den vidarebefordrades skulle få konsekvenser långt bortom ett avlångt sammanträdesbord.

– Så Erik Wilson är utomlands?

Göransson nickade.

– Och Hoffmanns Wojtekmedarbetare på avdelningen, vi vet vilka dom är?

Intendent Göransson nickade igen och lutade sig något tillbaka, för första gången sedan han hade satt sig ner kändes soffan nästan bekväm.

Rikspolischefen betraktade ansiktet som verkade lugnare.

– Du har rätt.

Han kände på den tomma kaffekannan, han var törstig, han hade egentligen aldrig förstått det där med vatten som skulle bubbla men hällde upp det enda som fanns och det svalkade när rummet var tungt av cigarettrök.

– Om vi informerar om vem Hoffmann är. Om en organisations medlemmar får kunskap om att det finns en infiltratör någonstans bland dem. Efteråt, vad organisationen sedan gör med den kunskapen, det är inte vårt problem. Vi ska inte och kan inte ta ansvar för andra människors handlingar.

Ett glas till, fler bubblor.

– Vi gör som du vill. Vi bränner honom.

torsdag

HAN HADE DRÖMT om hålet. Fyra nätter i rad hade de raka kanterna av damm i hyllan bakom skrivbordet blivit till en grop som växte och saknade botten och var han än befann sig eller hur han än försökte komma därifrån drogs han mot det svarta och började sedan falla tills han andfådd vaknade på golvet bakom manchestersoffan och halkade omkring på en blöt rygg.

Klockan var halv fem och det var redan varmt och ljust på Kronobergs innergård. Ewert Grens gick ut i korridoren och bort till det lilla pentryt, en blå wettexduk hängde runt kranen på diskbänken, han blötte den och tog den till rummet och hålet som var så mycket mindre i verkligheten. Så många timmar, så stor del av hans vardag som under trettiofem år hade kretsat kring tid som inte längre fanns kvar. Han drog den blöta trasan över den långa och raka kanten som markerade var musikmaskinen han fått i tjugofemårspresent hade stått, sedan de betydligt kortare som var högarna av kassettband och foton, till och med de fyrkanter som var två högtalare och nästan vackra i sin tydlighet.

Om det inte ens fanns damm.

Han hämtade en kaktus som stod på fönsterbrädan, pärmarna som låg på golvet, flera sedan länge avslutade förundersökningar som borde ha arkiverats någonstans, han fyllde varje litet mellanrum på de övergivna hyllplanen och han skulle inte falla mer, hålet var borta och om det inte fanns något hål fanns inte heller sådant som saknade botten.

En kopp svart kaffe, luften var fortfarande tät av virvlande partiklar som sökte ny plats att lägga sig på och det smakade inte lika bra som vanligt, som om dammet blandades ut i det bruna, det såg nog lite ljusare ut.

Han åkte tidigt, han ville ha tydliga svar och en fånge som ännu hade morgonen i sig var ofta mindre gapig och hånlog sällan lika trotsigt, ett förhör var antingen en maktkamp eller ett sökande efter tillit och han hade inte tid att bygga förtroenden. Han körde för fort ut ur stan och de första kilometerna på E4:an, saktade plötsligt ner när han passerade Haga och den vidsträckta begravningsplatsen på vänster sida, tvekade men fortsatte rakt fram, ökade farten igen, han skulle svänga av sedan på väg tillbaka, köra långsamt förbi människor med blommor i ena handen och vattenkannor i den andra.

Det var tre mil kvar till fängelset han hade besökt ett par gånger om året i över trettio år, en polisman i Stockholm följde regelbundet utredningar som letade sig dit, ett förhör, en fångtransport, det var alltid någon som visste och någon som hade sett men föraktet för uniformen var större där än någon annanstans och rädslan för konsekvenser för den som talade var befogad, en tjallare överlevde aldrig särskilt länge i slutna rum, det vanligaste svaret inför en snurrande bandspelare var ett hånleende eller bara det tomma tigandet.

Ewert Grens hade under gårdagen mött och avskrivit två av tre namn i utredningens utkant som ägde säkerhetsbolag med officiella uppdrag för Wojtek International, han hade i Odensala utanför Märsta druckit kaffe med en Maciej Bosacki och i Södertälje mer kaffe med en Karl Lager och efter bara ett par minuter vid varje bord insett att vad de än sysslade med så var det inte avrättningar i innerstadslägenheter.

Långt därborta, den väldiga muren.

Det hade hänt att han promenerat under den stora rastgården i någon av tunnelgångarna och han hade varje gång mött dem han hade gömt undan från verkligheten, från livet, han hade tagit deras dagar och år och han förstod varför de spottade efter honom, han till och med respekterade det men det påverkade honom inte, de hade alla skitit på andra människor och i Ewert Grens värld skulle den som tog sig rätten att skada ha stake nog att efteråt stå för det.

Den grå betongen blev längre, högre.

Han hade ett namn kvar på en brunfläckig lapp. En Piet Hoffmann, någon som tidigare dömts för att ha siktat mot och skjutit på poliser och som trots det beviljats vapenlicens, någon som inte stämde.

Ewert Grens parkerade bilen och gick mot fängelsegrinden och den fånge som strax skulle sitta mittemot honom.

Det kändes inte bra.

Han visste inte varför. Om det var för tyst. Om han höll på att bli instängd också i sitt eget huvud.

Han hade stött bort tankarna som burit Zofia och varit som jävligast vid tvåtiden strax innan det börjat ljusna, han hade sedan gått upp som förut, armhävningar, jämfotahopp, tills svetten runnit från hårfästet och bröstet.

Han borde ju vara lugn. Wojtek hade fått sina rapporter, tre dagar, han hade både slagit ut och tagit över. Från och med eftermiddagen skulle han ta emot större leveranser och sälja större partier.

– Gomorron, Hoffmann.

– Gomorron.

Men han kunde inte slappna av. Någonting jagade, någonting som tog plats och inte gick att resonera bort.

Han var rädd.

De hade låst upp, cellgrannarna rörde sig redan därute, han såg dem inte men de fanns där, ropade och viskade. Strumpan mellan dörren och karmen, stolen vid tröskeln, kudden under täcket.

Klockan var två minuter över sju. Arton minuter kvar.

Han tryckte sig mot väggen.

Den äldre mannen i centralvakten granskade hans polislegitimation, slog en stund i datorn, suckade.

– Förhör, sa du?

– Ja.

– Grens?

– Ja.

– Piet Hoffmann?

– Jag har reserverat besöksrummet. Då vore det rätt bra om du släpper in mig. Så att jag kan komma dit.

Den äldre mannen hade inte bråttom. Han lyfte telefonluren och slog ett kortnummer.

– Du får vänta lite till. Det är något jag måste kontrollera.

Det tog fjorton minuter.

Sedan anföll helvetet.

Dörren rycktes upp. *En sekund.* Stolen vräktes omkull. *En sekund.* Stefan passerade nära honom på höger sida, en skruvmejsel i hans knutna hand.

Det återstår ett ögonblick, kanske ett andetag, det är alltid så olika hur människor upplever en halv sekund.

De var sannolikt fyra stycken.

Han hade ju sett det hända flera gånger, deltagit i ett par av dem själv.

En som sprang in med skruvmejseln, bordsbenet, den slipade plåtbiten. En strax bakom, ytterligare händer för att slå sönder eller ihjäl. Två kvar i korridoren, alltid en bit bort för att hålla vakt.

Kudden och träningsoverallen under täcket, hans två och en halv sekund har gått, hans skydd, flykt.

Ett slag.

Han skulle inte hinna mer.

Ett enda slag, höger armbåge mot halsens vänstra sida och halspulsåderns receptorer, ett hårt slag just där och Stefans kropp signalerar högt blodtryck, han sjunker ihop, svimmar av.

Den tunga kroppen föll till golvet och blockerade dörren för nästa knutna hand, en vass plåtbit från verkstaden, Karol Tomasz slog med den i luften mot ingenting alls för att behålla balansen. Piet Hoffmann tryckte sig fram mellan dörrkarmen och en axel som ännu inte uppfattat exakt var den som skulle dö gömt sig, han sprang ut i korridoren och mellan och förbi de två som vaktade och bort mot vaktkurens stängda dörr.

De vet.

Han sprang och såg sig om, de stod kvar.

De vet.

Han öppnade dörren och gick in i plitarnas rum och någon skrek *stukatj* där bakom honom och kriminalvårdsinspektören skrek *för helvete ut härifrån* och själv skrek han nog inte alls, han var inte säker men det kändes inte så, han stod kvar innanför den nu stängda dörren och viskade *jag vill ner till Isol* och när de inte reagerade sa han lite högre *jag vill ha en P18* och när ingen av de stirrande jävla vakterna överhuvudtaget rörde sig skrek han kanske trots allt, *nu, plitjävlar,* det var förmodligen det han gjorde, *jag måste ner till isoleringen, nu.*

Ewert Grens satt på en stol i besöksrummet och betraktade en rulle med toalettpapper på golvet nära sängen och en madrass som stack fram inplastad vid fotändan, ångest och längtan som en gång i månaden under en timme koncentrerades till nakna kroppar som höll hårt i varandra. Han flyttade till fönstret, inte mycket till utsikt, ett par grova stängsel med kanter av taggtråd och lite längre bort nedre delen av grå och tjock betong. Han satte sig ner igen, rastlösheten som alltid bodde hos honom och aldrig någonsin tillät ro, han fingrade på en svart kassettbandspelare i bordets mitt, den hade stått där varje gång han återvänt för ett förhör med dem som inte hade sett och inte hade hört, han mindes ansikten som ibland gått för nära och sänkt rösten innan de stirrat ner i golvet och hatat tills han stängt av, han var osäker på om något förhör någonsin i det här rummet egentligen fört honom särskilt mycket närmare en utrednings lösning.

Det knackade på dörren och en man klev in. Hoffmann skulle enligt all dokumentation vara i yngre medelåldern, det här var en annan människa, betydligt äldre och i anstaltens blå uniform.

– Lennart Oscarsson. Chef här på Aspsås.

Grens tog hans utsträckta hand och log.

– Det var som fan. Förra gången vi sågs var du bara kvinsp på snusket. Du har avancerat. Har du hunnit släppa ut ännu fler?

Några år på ett par sekunder.

De var där, tillbaka när kriminalvårdsinspektör Lennart Oscarsson hade beviljat ett bevakat sjukhusbesök för en dömd återfallspedofil, en snabbknullare som rymt under transporten och mördat en femårig flicka.

– Förra gången vi sågs var du *bara* kriminalkommissarie. Men det är du visst ... fortfarande?

– Ja. För att sparkas uppåt krävs riktigt stora misstag.

Grens stod på andra sidan bordet och väntade på en ny sarkasm, det var ju nästan roligt, men den kom inte. Han hade sett det redan när Oscarsson kom in i rummet, en anstaltschef som verkat frånvarande, ofokuserad, med tankar någon annanstans.

– Du är här för att tala med Hoffmann.

– Ja.

– Jag kommer just från sjukavdelningen. Du kan inte träffa honom.

– Du, jag föranmälde mitt besök igår. Han var jävligt frisk då.

– Dom insjuknade i natt.

– Dom?

– Tre hittills. Hög feber. Vi vet inte vad det är. Men anstaltsläkaren har tagit beslut om barriärvård. Dom har inte tillstånd att träffa någon överhuvudtaget innan vi vet vad det här handlar om.

Ewert Grens suckade högt.

– Hur länge?

– Tre, kanske fyra dygn. Det är det besked jag kan ge nu.

De såg på varandra, det fanns inte mycket mer att säga och de gjorde sig klara att gå när en hög gäll ton skar genom rummet. Den svarta, fyrkantiga plastbiten vid Oscarssons höft, den blinkade rött, en blinkning för varje högt pip.

Anstaltschefen drog till sig larmet som hängde på livremmen och läste på displayen, ett ansikte som först var förvånat, sedan stressat och flyende.

– Du, jag måste gå nu.

Han var redan på väg.

– Det har tydligen hänt något. Du tar dig själv ut?

Lennart Oscarsson sprang mot trappan ner till kulverten och gången bort mot fängelsets avdelningar. Larmets display en gång till.

G2.

G-huset, andra våningen.

Det var där han satt.

Den fånge han nyss ljugit om på en direkt order av Kriminalvårdens högste chef.

HAN HADE SKRIKIT åt dem och sedan satt sig ner på golvet.

De hade reagerat efter en stund, en av plitarna hade låst dörren inifrån och stannat kvar vid glasrutan för att hålla uppsikt över dem som rörde sig i avdelningens korridor, en annan hade ringt till centralvakten och begärt assistans av insatsstyrkan för transport av fånge till Isol efter förmodat hot.

Han hade flyttat sig till en stol och var nu delvis skymd för dem som gick förbi och viskade *stukatj* tillräckligt högt för att han skulle höra.

Stukatj.

Tjallare.

Dörren till rikspolischefens rum stod öppen.

Göransson knackade lätt på karmen och gick in, han var väntad, en tjock, silverfärgad termos på bordet mellan besökssofforna, färdiga smörgåsar i skrynkliga papperspåsar från det lilla frukostfiket längst bort på Bergsgatan. Han satte sig ner, hällde upp kaffet i två koppar och åt brödet i stora tuggor, han var hungrig, oron holkade ur honom. Han hade i korridoren långsamt passerat Grens rum, det enda som tidiga morgnar brukade vara tänt och dränka omgivningen i banal musik. Det hade varit lika tomt som Göransson kände sig. Ewert Grens som brukade sova över och arbeta vid sitt skrivbord så fort det blivit ljust ute var inte där, han hade redan åkt till fängelset i Aspsås, just så tidigt som han igår hade sagt att han skulle göra. *Grens fick inte tala med Hoffmann.* Den stora brödbiten fastnade i munnen och växte där tills han var tvungen att spotta ut den på pappersassietten. *Hoffmann fick inte tala med Grens.* Han drack av kaffet igen, sköljde ner det som fortfarande satt kvar.

– Fredrik?

Rikspolischefen hade kommit tillbaka och satt sig ner bredvid sin kollega.

– Fredrik, hur är det? Mår du bra?

Göransson försökte le men det gick inte, munnen ville liksom inte.

– Nej.

– Vi kommer att lösa det här.

Han åt sin smörgås, lyfte efter ett tag på osten, något grönt under, paprika eller om det var ett par skivor gurka.

– Jag avslutade nyss ett samtal. Grens är på väg tillbaka från Aspsås. Och har fått information om att fången som heter Piet Hoffmann inte är tillgänglig på tre, kanske till och med fyra dygn.

Göransson såg på brödbiten, krampen i kroppen släppte en aning, han tog den och försökte fylla det tomma igen.

– Störd.

– Förlåt?

– Du frågade hur jag mår. Störd. Det är det jag är. Så inihelvete störd.

Han la osthalvan på assietten och kastade den sedan i papperskorgen. Det gick inte. Svalget, halsen, han var så torr.

– För att Hoffmann ska tala. För att få veta vad jag är beredd att göra för att han inte ska det.

De hade bränt förut. *Vi vet inte vem han är.* Släppt infiltratörer när frågorna blivit för många. *Vi arbetar inte med kriminella.* Sett åt ett annat håll när jakten börjat och den infiltrerade brottsorganisationen löst det på sitt eget sätt.

Men aldrig på ett fängelse, aldrig inlåst och utan vägar bort. Liv, död.

Det blev plötsligt så tydligt.

– Vad stör dig mest?

Rikspolischefen lutade sig fram.

– Du måste ta reda på det, Fredrik. Vad det är som stör dig mest. Konsekvenserna om Hoffmann talar? Eller konsekvenserna om vi agerar?

Göransson satt tyst.

– Har du något val, Fredrik?

– Jag vet inte.

– Har jag något val?

– Jag vet inte!

Den silverfärgade termosen föll till golvet när Göranssons hand okontrollerat svepte över bordet. Rikspolischefen väntade, plockade sedan upp den och såg på någon som inte skulle slå igen.

– Fredrik, så här är det.

Han flyttade sig närmare.

– Vi handlar inte fel. Det är så det är. *Vi handlar inte fel.* Det enda *vi* gör, och det enda *vi* har gjort, är att tala med en advokat som företräder ett par av dom medlemmar i Wojtek som just nu avtjänar sina straff på Aspsås. Om *han* sedan väljer att föra den informationen vidare till sina klienter, om *han* valde att göra det redan igår kväll, så är det inget vi kan ansvara för. Och om *hans klienter* sedan väljer att agera som interner alltid gör mot tjallare innanför murarna är det heller ingenting vi kan ansvara för.

Han kom inte mycket närmare, men flyttade sig nog lite ändå.

– *Vi* kan inte ta ansvar för mer än *våra egna* handlingar.

Det gick att se Kronobergsparken från fönstret. Små barn

som lekte i en sandlåda, två hundar som sprang lösa och vägrade lyssna på väntande hussar med koppel i händerna. Det var en vacker liten park mitt på Kungsholmen, Göransson betraktade den länge, han brukade aldrig promenera där, han undrade varför.

– Konsekvenserna om han talar.

– Ja?

Göransson stod kvar vid fönstret, det var skönt med luften som kom in genom den avlånga vädringsluckan.

– Din fråga. Vad som stör mig mest. Konsekvenserna om Hoffmann talar.

Han flyttade stolen något till vänster. Nu såg han hela avdelningskorridoren genom glasrutan, biljardbordet där de fyra som nyss anföll låtsades spela medan de iakttog honom, det var tydligt att de ville att han skulle uppfatta det, han skulle veta att han var en liten jävla råtta som inte hade någonstans att fly, ett fängelse var ett slutet system med väggar som stängde in och den som sprang skulle snart möta det som var hårt och inte gick att komma genom eller förbi. Karol Tomasz stod närmast, han höjde armen, pekade på sin mun, formade *stukatj* om och om igen.

Paula fanns inte längre.

Piet Hoffmann försökte hitta en plats långt inom sig som inte rusade, han måste försöka förstå att han nu hade ett annat uppdrag, att överleva.

De visste.

De måste ha fått veta det under kvällen, under natten. Vid inlåsning hade ingenting varit förändrat, någon hade haft kanaler för kommunikation som öppnade stängda dörrar.

– Om du är på väg att avslöjas. Du kan inte fly särskilt länge inne på ett fängelse. Men du kan begära dig ner till isoleringen.

De var tio stycken, hjälmar och madrassköldar för att försvara, hibernalstavar för att lugna ner. Aspsåsanstaltens insatsstyrka hade sprungit över rastgården och uppför G-husets trappor, sex av dem skulle stanna kvar, förebygga och avvärja nytt våld, fyra av dem skulle eskortera den hotade fången ner till kulverten och väl under jord vidare till C-huset och avdelningen för frivillig isolering, två vakter bakom, två vakter framför.

– Du kan få en dödsdom. Men du ska inte dö.

Sexton celler också här, FrivilligIsol var byggd och såg ut som vilken annan avdelning på vilket annat fängelse som helst – vaktkuren, tv-hörnan, duschrummet, matrummet, pingisbordet – de som sökt sig hit rörde sig fritt men riskerade aldrig att stå framför fångar från andra delar av anstalten, de ansikten han såg var de enda han skulle möta.

En vecka.

Han skulle vänta, undvika konflikter, han levde här, överlevde här, utanför dörren var han död, varje del av det stora fängelset var en skruvmejsel genom halsen eller ett stolsben mot pannan så många gånger det krävdes för att den skulle gå sönder. Om en vecka skulle Erik och Citypolisen plocka ut honom. Han skulle inte dö, inte ännu, inte med Hugo och Rasmus, inte med Zofia, han skulle inte

skulle inte

skulle inte

skulle

inte

– Hur fan mår du?

Han hade fallit handlöst till golvet, slagit i kinden och hakan och under ett par sekunder varit någon annanstans, överfallet, plitarna i akvariet, munnarna som format *stukatj*, insatsstyrkans svarta overaller, han hade plötsligt haft svårt att andas och det hade gungat någonstans i benen när han försökt stå rak.

Han hade inte förstått det tidigare, hur all jävla kraft rann ur kroppen när dödsångest var det enda som fanns.

– Jag vet inte. Toaletten, jag måste skölja av ansiktet, jag svettas så.

Handfatet i mitten såg nästan rent ut, han öppnade kranen och lät det rinna tills det var ordentligt kallt, huvudet under och det svalkade i nacken och långt ner på ryggen, sedan händerna fulla och länge mot ansiktets hud, det var som om han återvände, han var inte ens särskilt yr.

Sparken träffade honom i sidan.

Smärtan var intensiv, det brann någonstans från höften.

Piet Hoffmann hade varken sett eller hört när en kraftig och långhårig i tjugoårsåldern kommit in och sprungit mot honom, men med plitarna från insatsstyrkan utanför skulle han inte fortsätta, inte nu, han spottade och viskade *stukatj* och stängde dörren när han gick ut.

Dödsdomen. Den var redan här.

Han reste sig upp, hostade när han kände med handen mot höften, sparken hade träffat högre upp än han först hade trott, ett par av revbenen hade gått sönder. Han måste härifrån. Till nästa steg. HårdIsol. Hel isolering, kontakt bara med plitarna, aldrig någonsin möta medfångar, tjugofyra timmar om dygnet inlåst i en cell utan vägar in och vägar ut.

Stukatj.

Han måste bort igen. Han skulle inte dö.

Ewert Grens hade stannat halvvägs från Aspsås på OK-macken i Täby och suttit på en av de två stolarna i fönstret med en apelsinjuice och en färdig ostmacka. *Hög feber. Barriärvård. Tre, kanske fyra dygn.* Han hade stått där i besöksrummet bland toalettrullar och inplastade madrasser och velat slå i väggarna men avstått, det hade varit meningslöst att argumentera med en anstaltsläkare om infektioner han aldrig hade hört talas om. Han köpte en plastmacka till, den sista biten tillbaka mot Stockholm och han kunde inte dra ut på det längre, han körde av E4:an vid Haga södra och förbi sjukhuset och stannade en bit bort på Solna kyrkväg, infarten som hette Grind 1 och som var så långt han hade kommit förra gången.

Han var inte ensam.

Besökare trängdes med parkarbetare och vattenkannor, alla i riktning mot de stora gräsmattorna med sina rader av gravar. Han vevade ner framrutorna, det var kvavt, en luft som klistrade mot ryggen.

– Du arbetar här?

En av de med blå overall och två spadar på mopedens flak. Parkarbetaren, eller om han var kyrkovaktmästare, stannade till hos mannen som satt kvar i skydd av bilplåt utan att våga öppna dörren.

– Sedan sjutton år.

Grens rörde på sig oroligt, flyttade på färdigmackans plast som prasslade så på sätet, följde en äldre kvinna med blicken, hon stod lutad över en liten grå sten som såg ny ut, blommor i ena handen och en tom kruka i den andra.

– Då känner du till det mesta här?

– Kan man nog säga.

Hon började gräva, förde försiktigt ner blomman i jorden, den fick precis plats på den smala remsan mellan gräs och sten.

– Jag undrar ...

– Ja?

– Jag undrar ... om man vill ta reda på en särskild gravplats, var en person ligger ... hur gör man?

Lennart Oscarsson stod i fönstret längst bort i rummet han längtat till i hela sitt vuxna liv. Anstaltschefens rum på Aspsås fängelse. Efter tjugoett år som kriminalvårdare, kriminalvårdsinspektör och vikarierande anstaltschef hade han fyra månader tidigare utsetts till fast anställd anstaltschef och flyttat in sina pärmar till hyllorna som var lite längre och satt på en vägg bredvid besökssofforna som var lite mjukare. Han hade längtat så länge att han när han stod där med sin dröm i famnen inte längre visste vad han skulle göra med den. Vad gör en människa när det inte finns mer att längta till? Längtar bort? Han suckade en aning, såg ut över fängelsegården och interner som hade rast, stora klungor med människor som hade mördat, misshandlat, stulit och som satt därute på det torra gruset och för att orka stå ut antingen reflekterade eller förträngde. Han lyfte blicken, över muren och till samhället med de vita och röda radhusen, stannade i fönstret som så länge varit ett sovrum för en familj, han bodde där ensam nu, han hade valt bort och han hade valt fel och ibland är det för sent att göra rätt.

Han suckade igen utan att vara medveten om det. Kvällen och natten hade varit gryende ilska, den sorten som smög sig på och byggde bo i huvudet och sedan växte till frustration. Det hade börjat som en irriterande känsla just innanför tinningen redan när han hade hört rösten han kände igen men aldrig tidigare talat med. Han hade suttit vid köksbordet och ätit sin middag precis som han alltid gjorde trots att det numera stod dukat bara för en, han hade nästan varit klar när det plötsligt hade ringt. Generaldirektören hade varit vänlig men tydlig när han meddelat att den kriminalkommissarie vid Citypolisen som nästa förmiddag skulle anlända till Aspsås för att förhöra en fånge på G2, en Piet Hoffmann, inte alls skulle göra det, de skulle överhuvudtaget inte mötas den här dagen och inte nästa och inte heller nästa. Lennart Oscarsson hade inte ställt några frågor och inte förrän efteråt när han diskat en tallrik, ett glas, en kniv och en gaffel förstått var den irritation som skulle bli till ilska egentligen kom ifrån.

En lögn.

En lögn som alldeles nyss hade växt.

Han hade bett Ewert Grens att gå och sedan själv varit på väg därifrån när ett larm krävt all plats i det trånga besöksrummet. Ett hot, en intern som förts akut från G2 till avdelningen för frivillig isolering.

Piet Hoffmann.

Det namn han på order ljugit om.

Oscarsson bet sig i underläppen tills det började blöda, han tuggade med tänderna i såret tills det sved, som för att straffa sig själv, kanske för att om så för ett ögonblick kunna glömma ilskan som fick honom att vilja öppna fönstret och hoppa och springa till Aspsås samhälle och människorna som inte visste.

Överfallet och telefonsamtalet om att en polis inte skulle genomföra sitt förhör hörde ihop. Men det fanns mer, han hade fått en order till, han skulle samma kväll bevilja en advokat ett sent klientbesök. De knackade då och då på dörrarna när en kommande rättegång eller en nyss avkunnad dom krävde en jurist i cellen men kom aldrig på order och sällan efter inlåsning. Den här hade besökt en av polackerna på G2 och var en av de advokater, Oscarsson var övertygad om det, som mot betalning fungerade som budbärare för att plantera information.

Ett sent advokatbesök på samma avdelning som nästa morgon rapporterade ett överfall.

Lennart Oscarsson bet sig i underläppen igen, hans blod smakade järn och något annat. Han visste inte vad han hade förväntat sig, han hade kanske varit naiv, alla dessa dagar han hade sneglat upp mot rummet han nu stod i och tänkt på uniformen han nu bar, vad det än var, han hade aldrig föreställt sig att det skulle handla om det här.

Det var en cell helt utan personliga tillhörigheter, britsen, stolen, garderoben, utan färger och utan själ. Han hade inte lämnat den sedan han kommit hit och han skulle inte stanna kvar, de visste också här, dödsdomen hade anlänt före honom, den hade stått i duschrummet och väntat med en spark i höften och en mun som viskat *stukatj* med löften om mer, om han skulle överleva en vecka måste han bara göra det på ett helt annat slags isolering, HårdIsol, interner avskärmade inte bara från resten av fängelset utan också från varandra, inlåsta i cellen varje timme.

Han stod på tå när han pinkade, handfatet satt lite för högt upp på väggen men han gick inte ut dit, inte till toaletterna.

Han tryckte sedan på knappen vid dörren och flaggade på.

– Du ville något?

– Jag vill ringa.

– Det finns en telefon i korridoren.

– Jag går inte ut dit.

Pliten tog ett steg in i cellen och böjde sig över handfatet.

– Det luktar.

– Jag har rätt att ringa.

– Fan, har du pinkat i handfatet?

– Jag har rätt att ringa advokaten, frivården, polisen och mina fem godkända nummer. Jag vill göra det nu.

– På den här avdelningen, som du själv sökt dig till, använder vi toaletterna i korridoren. Och din jävla lista har jag inte fått.

– Polisen. Jag vill ringa ett nummer under Citypolisens växel. Du kan inte neka mig det.

– Telefonen finns i ...

– Jag vill ringa härifrån. Jag har rätt att ringa till polisens växel i avskildhet.

Tolv signaler.

Piet Hoffmann höll den bärbara telefonen i handen. Erik Wilson var inte där, han hade ju vetat det, en utbildning i sydöstra USA under den tid som de inte skulle ha kontakt. Men det var dit han hade ringt, till hans rum, det var där han måste börja.

Han kopplades upp en gång till.

– När du har begärt dig ner, när du är i skydd på isoleringen, kontaktar du oss och väntar i en vecka. Den tid vi behöver för att administrera en hämtning och plocka ut dig.

Fjorton signaler.

Erik skulle inte svara hur långt han än räknade.

– Jag vill ringa direkt till växeln.

Jag är ensam.

Den regelbundna tonen från en växel, dov, kraftlös.

Ingen vet ännu.

– Välkommen till Polismyndigheten i Stockholm.

– Göransson.

– Vilken av dom?

– Chefen för utredningsroteln.

Den kvinnliga rösten kopplade vidare. Sedan den där dova, kraftlösa tonen om och om igen. *Jag är ensam. Ingen vet ännu.* Han väntade med luren tryckt mot örat och det regelbundna ljudet blev allt starkare, för varje signal lite högre tills det skar genom hjärnan och blandades med rösten från duschrummet som passerade den stängda cellen och ropade *stukatj* en gång två gånger tre gånger.

Ewert Grens låg i manchestersoffan och såg på hyllan bakom skrivbordet och hålet han fyllt igen tidigt på morgonen, raden av pärmar och en ensam kaktus skymde ett helt liv. *Om det inte ens fanns damm.* Han vände sig om, sökte i taket, hittade nya sprickor som var på väg åt skilda håll och sedan löpte samman för att skiljas igen. Han hade stannat i bilen. Parkarbetaren hade pekat mot gräsmattorna och träden som nästan blev till en skog och talat om de nya gravplatserna som fanns längst bort, mot Haga. Han hade till och med erbjudit sig att följa med, att visa vägen för någon som aldrig varit där. Grens hade tackat men skakat på huvudet, han skulle dit, en annan dag.

– Ljudet?

Någon hade stannat i dörröppningen.

– Ville du något?

– Ljudet.

– Vilket jävla ljud?

– Ljudet. Det där … atonala. Dissonansen.

Lars Ågestam lämnade tröskeln.

– Jag brukar höra det. Siw Malmkvist. Jag var på väg mot det nu. Tills jag insåg att jag hade gått förbi. Att det var … tyst.

Åklagaren gick längre in i rummet som såg annorlunda ut, som om det fått nya proportioner och det som tidigare varit mitten hade försvunnit.

– Har du möblerat om?

Han såg hyllan nu. Pärmar, förundersökningar, en död krukväxt. En bit vägg som tidigare nog hade varit något annat, sannolikt den där mitten.

– Vad … har du gjort?

Grens svarade inte. Lars Ågestam lyssnade på musiken som alltid hade varit där, som han avskydde och som hade trängt sig på.

– Grens? Varför …?

– Det har du inte med att göra.

– Du har …

– Jag vill inte prata om det.

Åklagaren svalde, det hade funnits något att tala om som inte hade varit juridik, han hade försökt och han ångrade sig som han brukade göra.

– Västmannagatan.

– Ja?

– Du fick tre dagar.

Det var så tyst. Det skulle inte vara det, inte härinne.

– Tre dagar. För dom sista namnen.

– Det är inte helt klart.

– Om ni fortfarande inte har kommit någonstans … Grens, jag prioriterar ner den här gången.

Ewert Grens hade legat tills nu. Han reste sig hastigt upp, ett stort avtryck i det mjuka efter hans kropp.

– Du gör så fan heller! Vi har gjort precis som du föreslog. Ringat in och närmat oss flera namn i utredningens utkant. Vi har sökt upp dom, förhört dom, avfört dom. Alla utom ett. En Piet Hoffmann som redan sitter inlåst och just nu ligger oanträffbar på fängelsets sjukavdelning.

– Oanträffbar?

– Tre, kanske fyra dagar.

– Vad tror du?

– Jag tror att han är intressant. Det är något … han stämmer inte.

Den unge åklagaren såg på pärmarna och krukväxten som stod i vägen för det förflutna. Han hade aldrig trott det, att Grens skulle kunna släppa taget om någon han bara behövde älska på avstånd.

– Fyra dagar. För att kunna förhöra den siste. Antingen kopplar du under den tiden honom till brottet eller så prioriterar jag ner.

Kriminalkommissarien nickade och Lars Ågestam började gå ut ur rummet han aldrig skrattat i, inte ens ett leende, varje besök hit var spänningar inför strid och ett förhållningssätt till försöken att stöta bort och såra. Han gick fort för att slippa det unkna och hörde därför inte den svaga harklingen och såg inte när ett papper lämnade kavajens innerficka.

– Du?

Åklagaren stannade, undrade om han hade hört rätt, det hade varit Grens röst och den hade nästan låtit vänlig, kanske till och med vädjande.

– Vet du vad det här är?

Ewert Grens vecklade upp det hopvikta papperet och placerade det på bordet framför soffan.

En karta.

– Norra begravningsplatsen.

– Har du varit där?

– Hur menar du?

– Har du det? Varit där?

Dessa märkliga frågor. Det närmaste de någonsin hade varit konversation.

– Jag har två nära som ligger där.

Ågestam hade aldrig sett den arrogante fan så ... liten. Grens fingrade på kartan över en av Sveriges största begravningsplatser och sökte efter orden.

– Då vet du ... jag undrar ... är det fint där?

Dörren till cellen längst bort i korridoren på avdelningen för frivillig isolering stod öppen. Fången från G2 hade förts dit genom fängelsets kulvert bevakad av fyra medlemmar ur insatsstyrkan och efter det att han begärt att få ringa till polisens växel hade helvetet brutit sönder lugnet och dagen. Han hade flaggat på och krävt ännu en ny placering, han hade gapat om HårdIsol och slagit i väggar och vält garderoben och brutit sönder stolen och pissat på golvet tills det runnit under dörren och ut i korridoren. Han hade varit jagad men samtidigt gett ett intryck av att vara samlad, rädd men kontrollerad, han visste vad han sa och varför och han skulle inte gå sönder inuti och inte falla ihop, fången som hette Piet Hoffmann skulle tystna först när någon hade lyssnat. Lennart Oscarsson hade stått i sitt rum och sett ut över fängelsegården och radhuset en bit bort i det lilla villasamhället när han informerats om oro kring en intern i C-husets frivilliga isoleringsavdelning och beslutat sig för att själv gå dit, möta någon han inte kände men som följt honom sedan ett sent telefonsamtal kvällen innan.

– Därinne?

Anstaltschefen nickade mot den öppna celldörren och de fyra vakter som stod utanför.

– Därinne.

Han hade sett honom förut. Städaren i administrationsbyggnaden. Han hade verkat längre då, rakare i ryggen, ögon som varit nyfikna och närvarande. Den människa som satt på britsen med benen uppdragna till hakan och ryggen hårt pressad mot väggen var någon annan.

Bara döden, eller flykten från den, förändrade så hastigt.

– Har vi ett problem, Hoffmann?

Fången som inte fick förhöras försökte se mer samlad ut än vad han var.

– Jag vet inte. Vad tycker du? Eller kom du hit för att få din papperskorg tömd?

– Jag tycker nog att det verkar så. Och som om det är du som skapar det. Problemet.

Ordern om ett advokatbesök till din avdelning.

– Du begärde frivillig isolering. Du vägrade att tala om varför. Nu har du fått den, din frivilliga isolering.

Ordern om att du inte fick förhöras.

– Så ... vad är ditt problem?

– Jag vill till Durken.

– Du vill vad?

– Till Durken. HårdIsol.

Jag ser på dig.

Du sitter där i de kläder vi gett dig.

Men jag förstår inte vem du är.

– HårdIsol? Exakt ... Hoffmann, exakt vad är det du egentligen talar om?

– Att jag inte vill ha något umgänge med andra fångar.

– Är du hotad?

– Inget annat umgänge. Det var allt jag sa.

Piet Hoffmann såg ut genom den öppna celldörren. Fångar som rörde sig fritt, som verkställde en dödsdom lika enkelt här som på vilken annan avdelning som helst. De hade flytt från andra men inte från varandra.

– Det fungerar inte riktigt så. Hårdisolering, Hoffmann, är ett chefsbeslut. Det är ingenting enskilda interner styr. Du har på egen begäran blivit Paragraf 18-placerad här. Det är vår skyldighet. Om du begär det är det vår skyldighet att genomföra det. Men Durken, HårdIsol, ett helt annat regelverk, helt andra förutsättningar. Paragraf 50 är inget du kan begära, det är ingen frivillig placering, det är ett tvångsbeslut. Av en kriminalvårdsinspektör på din avdelning. Eller av mig.

De gick omkring därute och de visste. Han skulle inte överleva en vecka här.

– Tvångsbeslut?

– Ja.

– Och hur fan tas det?

– Om du är farlig för någon annan. Eller för dig själv.

Med väggar som stängde in fanns ingenstans att fly.

– Farlig?

– Ja.

– Farlig ... hur?

– Våldsam. Mot medfångar. Eller mot oss, någon i personalen.

De väntade på honom.

De viskade *stukatj*.

Han flyttade sig närmare anstaltschefen, iakttog ett ansikte som förändrades av smärta, han hade slagit hårt.

HAN SATT MITT på det hårda betonggolvet. Han hade hört talas om cellerna som kallades Durken eller Björnburen eller Hårdlsol, han hade lyssnat på beskrivningarna av dem som i världen utanför excellerat i våld men efter några dygn här brutit samman för att i fosterställning föras till en sjukavdelning eller dem som bara hängt sig i stillhet med ett lakan kring halsen för att slippa, en människa som kommit hit kunde inte komma längre bort, från livet, från det som var på riktigt.

Han satt på golvet eftersom det inte fanns någon stol. En säng i tungt järn och en toalettstol i cement fastgjuten i golvet. Det var allt.

Han hade träffat med en hårt knuten hand mitt i anstaltschefens ansikte. Över kinden, ögat, näsan. Oscarsson hade fallit ur stolen och mot golvet kraftigt blödande men vid medvetande. Plitarna hade rusat in, anstaltschefen hade hållit sina händer framför ansiktet för att skydda sig mot mer och Piet Hoffmann hade frivilligt sträckt ut sina armar och ben, de hade burit honom därifrån, fyra vakter som slitit i var sin kroppsdel medan de inlåsta hade stått på rad i korridoren och sett på.

Han hade överlevt överfallet. Han hade överlevt den frivilliga isoleringen. Han har tagit sig hit, så mycket skydd det gick att få på en sluten anstalt men han kröp ihop som förut, *jag är ensam, ingen vet ännu,* han la sig ner på det hårda och frös och svettades och frös igen. Han låg kvar också när en av plitarna lite senare öppnade den fyrkantiga luckan i dörren och frågade om han ville utnyttja sin timme med frisk luft, en timme varje dygn i en tårtbitsformad bur med blå himmel över ett nät av metall, han skakade på huvudet, han ville inte lämna den här cellen, inte exponera sig, för någon.

Lennart Oscarsson stängde dörren till avdelningen för frivillig isolering och gick långsamt ett trappsteg i taget till den nedre våningen i C-huset. En hand mot kinden, fingertopparna över det strama. Han var öm och särskilt längs okbenet mötte svullnad, en smak av blod trängde mot tunga och svalg. En dryg timme, sedan skulle området kring ögat successivt övergå i en blå ton. Anstaltschefen bar varje sekund den fysiska smärtan från ett ansikte som skulle ta lång tid att läka men den betydde inte ett skit. Det var den andra som kändes, den som kom inifrån, han hade under ett helt yrkesliv levt hos dem som inte fick plats i det verkliga samhället och varit stolt över att lite bättre än andra kunna läsa också trasiga människor, hans yrkeskunskap, det enda han fortfarande tyckte var värt något.

Det här slaget, det hade han inte läst.

Han hade inte förstått desperationen, inte förutsett kraften i Hoffmanns rädsla.

Insatsstyrkan hade burit fanskapet dit han förtjänade och han skulle sitta instängd länge i den jävligaste av alla jävliga celler. Lennart Oscarsson skulle dessutom under eftermiddagen göra en polisanmälan och ett långt straff skulle bli ännu längre. Det hjälpte inte. Han kände med fingrarna över den ömmande kinden. Det förändrade ingenting, dövade inte frustration över att ha läst en fånge så fel.

Järnsäng, cementtoalett. Hur mycket han än väntade blev cellen inte mer än så. De skitiga väggarna som en gång varit vita, taket som aldrig hade målats, golvet som var så kallt. Han flaggade nyss på, höll knappen inne tillräckligt länge igen för att irritera, någon av plitarna skulle till slut tröttna och skynda hit för att be fången som misshandlade anstaltschefen att sluta ringa eller se fram emot dagar i spännbälte.

Han frös igen.

De visste. Han var en tjallare, han bar en dödsdom. De skulle nå också hit. Det handlade bara om tid, sedan skyddade inte ens en ständigt låst celldörr. Wojtek hade resurser och alla kunde köpas när döden var på väg.

Den fyrkantiga luckan satt en bit upp på dörren. Det skrapade och knäppte när den öppnades.

Ögon som stirrar.

– Du ville något?

Vem är du?

– Jag vill ringa.

Plit?

– Och varför skulle vi låta dig ringa?

Eller en av dem?

– Jag vill ringa till polisen.

Ögonen gick närmare, skrattade.

– Du vill ringa till polisen? Och göra vad? Anmäla att du nyss misshandlade en anstaltschef? Vi som arbetar här tycker inte särskilt mycket om sådant.

– Du ska skita i varför. Och du vet det. Du vet att du inte kan neka mig att ringa till polisen.

Ögonen teg. Luckan stängdes. Steg försvann bort.

Piet Hoffmann reste sig från det kalla golvet och sprang mot knappen på väggen, höll den intryckt, han gissade på fem minuter.

Plötsligt trycktes dörren upp. Tre blå uniformer. De stirrande ögonen han nu var övertygad om verkligen var en plit. Bredvid honom, en till, en likadan. Bakom dem en tredje, en med gradbeteckningar som räckte till kvinsp, en äldre man, sextioårsåldern.

Det var han som talade.

– Jag heter Martin Jacobson. Jag är kriminalvårdsinspektör här. Chef för avdelningen. Vad är problemet?

– Jag har bett om att få ringa. Till polisen. Det är min jävla rättighet.

Kvinspen granskade honom, en fånge i för stora kläder som svettades och hade svårt att stå stilla, såg sedan på pliten med de stirrande ögonen.

– Rulla in telefonen.

– Men ...

– Jag skiter i varför han sitter här. Låt honom ringa.

Han satt på järnsängens kant och höll i en telefonlur.

Han hade begärt Citypolisens växel vid varje ny uppkoppling. Fler signaler den här gången, han hade räknat till tjugo stycken för både Erik Wilson och Göransson.

Ingen av dem hade svarat.

Han satt inlåst i en cell som saknade allt utom en säng i järn och en toalettstol i cement. Han hade ingen kontakt med omvärlden eller andra fångar. Ingen av plitarna utanför celldörren hade en aning om att han hade kommit hit på uppdrag av svensk polis.

Han var fast. Han kom inte därifrån. Han var ensam på ett fängelse dömd till döden av sina medfångar.

Han klädde av sig naken och frös. Han gjorde armhävningar och svettades. Han höll andan tills trycket i bröstet var mer än smärta.

Han låg ner med ansiktet mot golvet och ville känna något,

vad som helst, som inte var rädsla.

Piet Hoffmann visste det redan när dörren till korridoren öppnades och slog igen.

Han behövde inte se, han bara visste, de var här.

Tunga steg från någon som rörde sig långsamt. Han skyndade till celldörren, la örat mot kall metall, lyssnade. En ny fånge eskorterad av flera vakter.

Så hörde han den, rösten han kände igen.

– *Stukatj.*

Stefans röst. På väg mot en cell längre bort i korridoren.

– Vad sa du?

Pliten med ögonen. Piet Hoffmann tryckte örat hårdare mot celldörrens insida, han ville vara säker på att uppfatta varje ord.

– *Stukatj. Det var ryska.*

– Vi talar inte ryska härnere.

– *Det finns en som gör det.*

– Gå nu bara in i din cell!

De var här. De skulle snart vara fler, varje fånge på HårdIsol skulle från och med nu veta att det satt en tjallare och tryckte i en av cellerna.

Stefans röst, det hade varit hat.

Han tryckte på den röda knappen och han skulle fortsätta trycka på den tills plitarna kom.

De hade låtit honom veta att de var där. Det handlade bara om när, om tid. Timmar, dagar, veckor, de som jagade och hatade visste att det kom ett ögonblick när det inte skulle finnas någon väntan kvar.

Den fyrkantiga luckan öppnades men det var andra ögon, den äldre, kriminalvårdsinspektören.

– Jag vill …

– Dina händer skakar.

– För fan …

– Du svettas kraftigt.

– Telefonen, jag …

– Det rycker i ditt ena öga.

Han höll fortfarande knappen intryckt. En gnällig frekvens som studsade i korridoren.

– Släpp knappen, Hoffmann. Du måste lugna ner dig. Och innan jag gör någonting … jag vill veta hur du mår.

Piet Hoffmann tog ner handen. Det blev märkligt tyst omkring dem.

– Jag måste ringa igen.

– Du ringde nyss.

– Samma nummer. Tills jag får svar.

Vagnen med en telefon och en telefonkatalog rullades in och den gråhårige kriminalvårdsinspektören slog numret han kunde utantill. Han såg hela tiden på fångens ansikte, musklerna kring ögat som ryckte, pannan och hårfästet som blänkte och blev till stora droppar, en människa som slogs mot sin egen rädsla medan han väntade på en ton som inte fick något svar.

– Du mår inte bra.

– Jag vill ringa igen.

– Du kan ringa senare.

– Jag måste …

– Du fick inget svar. Du kan ringa senare.

Piet Hoffmann släppte inte luren. Han höll i den med händerna som skakade medan han sökte kriminalvårdsinspektörens blick.

– Jag begär in mina böcker.

– Vilka böcker?

– I min cell. På G2. Jag har rätt att ha fem böcker härnere. Jag vill ha hit två av dom. Jag kan inte sitta här och se på väggarna. Dom ligger på mitt sängbord. *Ur svenska hjärtans djup* och *Marionetterna*. Jag begär hit dom, nu.

Fången skakade inte lika mycket, när han talade om sina böcker, han blev lugnare.

– Poesi?

– Är det något problem?

– Det är inte så ofta det blir läst här.

– Jag behöver det. Det hjälper mig att tro på en framtid.

Hans ansikte, fångens ansikte, det rödflammiga hade blivit något ljusare.

– *Då slår det mig plötsligt att taket, mitt tak, är en annans golv.*

– Va?

– Ferlin. *Barfotabarn.* Om du tycker om poesi, jag skulle kunna ...

– Ge mig bara mina böcker.

Den äldre vakten sa ingenting, han drog vagnen ur cellen och stängde den tunga metalldörren. Det var tyst igen. Piet Hoffmann satt kvar på det kalla golvet och kände på det blöta i pannan. Han hade ryckningar, han skakade, han svettades. Han hade inte varit medveten om att den syntes, rädslan.

HAN HADE FLYTTAT från golvet till sängen och legat på den tunna madrassen som saknade lakan och täcke, han hade frusit och krupit ihop i de styva och för stora kläderna och sedan somnat, drömt om Zofia som sprang framför honom och han som inte kom närmare hur han än försökte, hennes hand som löstes upp när han tog i den och hon ropade och han svarade men hon hörde honom inte, hans röst blev till ingenting och hon blev mindre och kom allt längre bort för att sakta försvinna.

Han vaknade av ljudet i korridoren.

Någon som eskorterades, till duschen eller till buren för att få luft, någon som hade sagt något. Han gick fram till dörren, örat mot den fyrkantiga luckan, det var en annan röst den här gången, svensk, helt utan brytning, en röst han inte hade hört förut.

– Paula, var är du?

Han var säker på att han hade hört rätt.

– Paula, du gömmer dig väl inte?

Vakten med ögonen bad rösten att hålla käften.

Den hade ropat utan riktning men precis utanför hans cell, valt ut en tydlig mottagare.

Piet Hoffmann sjönk ihop vid dörren, satte sig ner med knäna mot bröstet och hakan, benen, de fungerade inte.

Någon hade igår natt avslöjat honom, han hade blivit en *stukatj*, han hade fått sin dödsdom. Men ... Paula ... han hade inte förstått det, inte förrän nu, denne någon hade också känt till hans kodnamn. Paula. Herregud ... det fanns bara fyra människor som kände till kodnamnet Paula. Erik Wilson som hittade på det. Intendent Göransson som godkände det. Bara de två, under flera år var det bara de. Efter mötet på Rosenbad ytterligare två. Rikspolischefen. Statssekreteraren. Ingen annan.

Paula.

Det var någon av de fyra.

Det var någon av dem, hans skydd, hans flykt, som hade bränt honom.

– *Paula, du, vi vill ju så gärna träffa dig.*

Samma röst, en bit bort nu, mot duschrummet, sedan samma trötta håll käften från vakterna som inte förstod.

Piet Hoffmann höll hårdare om benen, tryckte dem mot kroppen.

Han var allas villebråd. Han var en tjallare på ett fängelse där tjallare var lika hatade som sexualbrottslingar.

Någon bankade på sin celldörr.

Någon skrek *stukatj* från andra sidan.

Det blev snart som det brukade bli när gemensamt hat förenades i en låst cellkorridor, två som bankade, tre och fyra, sedan ännu fler, minut för minut, hat som kanaliserades när händer slog hårdare och hårdare, han höll för öronen men slagen trängde in i hans huvud tills han inte orkade mer, han tryckte på knappen och höll den intryckt och det var som om ljudet av klockan drunknade i ljudet av monoton rytm.

Den fyrkantiga luckan. Kvinspens ögon.

– Ja?

– Jag vill ringa. Och jag vill ha mina böcker. Jag måste ringa och jag måste få hit mina böcker.

Dörren öppnades. Den äldre kriminalvårdsinspektören kom in, drog handen genom sitt gråa, tjocka hår och pekade ut i korridoren.

– Det där bankandet ... det handlar om dig?

– Nej.

– Jag har arbetat här väldigt länge. Du har muskelryckningar, du skakar, du svettas. Du är jävligt rädd. Och jag tror att det är därför du vill ringa.

Han stängde dörren och var noga med att fången skulle se det.

– Har jag rätt?

Piet Hoffmann iakttog den blå uniformen framför honom. Han verkade vänlig. Han lät vänlig.

Lita inte på någon.

– Nej. Det har ingenting med det att göra. Jag skulle vilja ringa nu.

Kriminalvårdsinspektören suckade. Telefonvagnen stod i andra änden av korridoren, han tog den här gången fram sin mobiltelefon, slog numret till Citypolisens växel och räckte över den till fången som vägrade erkänna att han var rädd och att bankandet därute hörde ihop med det.

Det första numret. Signaler som klingade av utan svar.

Ryckningarna, skakandet, det ökade.

– Hoffmann.

– En gång till. Det andra numret.

– Du mår inte bra. Jag skulle vilja tillkalla läkare. Du borde till sjuk …

– Slå det jävla numret. Ni flyttar inte mig någonstans.

Signalerna igen. Tre gånger. Sedan en mansröst.

– Göransson.

Han hade svarat.

Benen, han kunde känna dem igen.

Han hade svarat.

De skulle strax veta, de skulle om bara ett par minuter kunna påbörja det administrativa arbete som inom en vecka var frihet.

– Du, herregud, äntligen, jag har försökt … jag behöver er hjälp. Nu.

– Vem talar jag med?

– Paula.

– Vem?

– Piet Hoffmann.

Tystnaden, den var inte särskilt lång, men det lät som om kontakten bröts, en elektronisk tystnad som var tom, död.

– Hallå? För helvete, hallå, var ...

– Jag är kvar här. Vad hette du sa du?

– Hoffmann. Piet Hoffmann. Vi ...

– Jag är ledsen, jag har ingen aning om vem du är.

– Vafan ... du vet ... du vet mycket väl vem jag är, vi har träffats, senast på statssekreterarens rum ... jag ...

– Nej. Vi har aldrig träffats. Om du ursäktar, jag har lite att göra.

Varje muskel var spänd, det brann i magen och bröstet och halsen och när det brinner måste man skrika eller springa eller gömma sig eller ...

– Jag ringer till sjukavdelningen nu.

Telefonen i handen, han vägrade släppa den.

– Jag går ingenstans innan jag får hit mina två böcker.

– Telefonen.

– Mina böcker. Jag har rätt till fem böcker på HårdIsol!

Han släppte greppet om mobiltelefonen och lät den glida ur handen.

Den sprack när den nådde golvet, plastdelar som försvann åt olika håll, han la sig ner nära dem, armarna runt magen och bröstet och halsen, det brann ju fortfarande och när det brinner måste man springa eller gömma sig.

– HAN LÄT DESPERAT?

– Ja.

– Pressad?

– Ja.

– Rädd?

– Mycket rädd.

De såg på varandra. *Om vi informerar om vem Hoffmann är.* De drack mer kaffe. *Efteråt, vad organisationen sedan gör med den kunskapen, det är inte vårt problem.* De flyttade pappershögar från en sida av bordet till den andra. *Vi ska inte och kan inte ta ansvar för andra människors handlingar.*

Det borde ha varit över.

De hade arrangerat ett sent kvällsmöte för en advokat som sedan talat med en av sina klienter. De hade bränt honom.

Trots det, alldeles nyss, han hade ringt från en cell, från fängelset.

– Du är säker?

– Ja.

– Det kan inte ...

– Det var han.

Rikspolischefen hämtade cigaretterna som låg i skrivbordslådan för att inte rökas. Han räckte det öppnade paketet till sin kollega, tändstickorna låg på bordet, rummet var strax en vit dimma.

– Ge mig en.

Göransson skakade på huvudet.

– Har du inte rökt på två år ska inte jag smitta dig.

– Jag ska inte röka. Jag ska hålla i den.

Han kände den mellan fingrarna, saknad och vana, nu var den lugn när han måste behålla det.

– Vi har gott om tid.

– Vi hade fyra dygn. Det har redan gått ett. Om Grens och Hoffmann möts. Om Hoffman talar. Om …

Göransson avbröt sig själv. Han behövde inte säga mer. De såg båda en haltande kriminalkommissarie, åldrad och envis, en av dem som aldrig gav sig och som skulle söka sanningen så länge den gick att söka och sedan söka ännu mer när han insåg att den redan från början funnits hos egna kollegor, han skulle fortsätta då och han skulle inte sluta förrän han var framme hos dem som skyddat och gömt undan.

– Det handlar bara om tid, Fredrik. En organisation som fått kunskap och vill använda den gör det. Utan kontakt med medfångar tar det lite längre tid men tillfället, ögonblicket, det kommer.

Rikspolischefen fingrade på cigaretten som inte var tänd.

Det var så bekant, han skulle lukta på fingertopparna sedan, dröja kvar i det förbjudna.

– Men, om du vill, vi kan … jag menar, att sitta sådär, isolerad, det är ju ett jävla ställe. Ingen mänsklig kontakt. Han borde tillbaka till avdelningen han kom ifrån, till dom han lärt känna, om han inte mår särskilt bra därnere, han borde … han borde vara bland medfångar. Av … humanitära skäl.

HAN STOD DÄR han brukade stå i fönstret i chefsrummet och såg ut över hela sin värld, det stora fängelset och det lilla samhället, han hade aldrig varit särskilt nyfiken på det som fanns någon annanstans, det man kunde se härifrån var det enda han någonsin längtat till. Solen blev en spegel i fönstret och han kände över kinden, näsan, pannan, han var öm, det var svårt att se ordentligt i den lite mörka glasrutan men det verkade som om det blå kring ögat redan var på väg mot nästa nyans.

Han hade läst fel, en desperation han inte hade känt igen.

– Ja?

Telefonen på skrivbordet hade avbrutit känslan av hud som stramade.

– Lennart?

Han kände igen generaldirektörens röst.

– Det är jag.

Det skrapade en aning i luren, en mobiltelefon som var utomhus och i ganska stark vind.

– Det gäller Hoffmann.

– Ja?

– Han ska tillbaka. Till den avdelning han kom ifrån.

Skrapandet hade blivit till nästan ohörbart knastrande.

– Lennart?

– Vafan är det du säger?

– Han ska tillbaka. Senast imorgon bitti.

– Det finns en tydlig hotbild.

– Av humanitära skäl.

– Han ska inte tillbaka till samma avdelning. Han ska inte

ens tillbaka till samma anstalt. Om han ska någonstans, ska han bort, knalltransport, till Kumla eller Hall.

– Du knallar honom ingenstans. *Han ska tillbaka.*

– En hotad fånge återförs *aldrig* till samma avdelning.

– Det är en order.

De två buketterna på hans skrivbord, de hade börjat blomma, de gula kronbladen som tända lampor framför honom.

– Jag fick en order om att bevilja ett sent advokatbesök och jag verkställde den. Jag fick en order om att vägra en kriminalkommissarie ett förhör och jag verkställde den. Men den här ... den verkställer jag inte. Om 0913 Hoffmann förs tillbaka till den avdelning där han hotades ...

– Det är en order. Ingen förhandling.

Lennart Oscarsson böjde sig fram mot det gula, ville känna doften av något som var på riktigt. Kinden stötte emot kronbladen en aning och det stramade igen, det hade varit en kraftig smäll.

– Jag har personligen ingenting emot att skicka honom till helvetet. Jag har mina skäl. Men med mig som chef på den här anstalten kommer det inte att ske, det vore detsamma som död och det har varit tillräckligt med mord på svenska fängelser dom senaste åren, utredningar av det ingen har sett och ingen har hört och lik som efter ett tag göms undan eftersom ingen heller egentligen är intresserad.

Det skrapade igen, om det blåste eller om det var tunga andetag mot en känslig mikrofon.

– Lennart?

Det var andetag.

– Du verkställer. Eller lämnar din stol. Du har en timme på dig.

Han låg på järnsängen och blundade. *Jag är ledsen, jag har ingen aning om vem du är.* De som skulle öppna dörren och föra honom till verkligheten hade förklarat att han inte fanns.

Han var officiellt dömd till tio års fängelse.

Om de som visste förnekade, om de som arrangerat en skenrättegång och producerat ett brottsregister, om de förnekade det, det fanns ingen kvar som kunde förklara.

Han kom inte ut. Han jagades för att dö och hur mycket han än sprang och hur länge han än gömde sig fanns ingen där på andra sidan muren som skulle öppna dörren och hjälpa honom därifrån.

Det blåste på fängelsegården, varm luft som studsade mot betongmuren och återvände med ännu mindre syre. Anstaltschefen gick fort och torkade den blöta pannan mot skjortärmen. Ytterdörren till HårdIsol var låst och han letade bland sina nycklar, det var inte ofta han besökte den ganska mörka korridor som var tillfälligt hem för dem som straffat ut sig också från avdelningarna med landets tyngst kriminella.

– Martin.

Vaktkuren låg direkt innanför ytterdörren och han klev in till tre av sina anställda, Martin Jacobson och två av de yngre vikarierna han ännu inte lärt sig namnen på.

– Martin, jag skulle vilja tala med dig en stund.

De två vikarierna nickade, de hade hört det han inte sagt och de gick ut i korridoren och stängde dörren efter sig.

– Hoffmann.

– Cell 9. Han mår inte särskilt bra. Han ...

– Han ska tillbaka. Till G2. Senast imorgon förmiddag.

Kriminalvårdsinspektören såg ut i den tomma korridoren, hörde den stora och fula klockan på väggen ticka, en sekundvisare som tog plats.

– Lennart?

– Du hörde rätt.

Martin Jacobson lämnade stolen vid det smala bordet som mest användes till att ställa kaffekoppar på, såg på sin vän, kollega, chef.

– Vi har arbetat tillsammans här i … drygt tjugo år. Vi har bott grannar nästan lika länge. Du är en av mina få vänner, härinne, därute, en sådan jag bjuder hem på söndagskonjak.

Han sökte med blicken efter någon som inte var där.

– Se på mig, Lennart.

– Inga frågor.

– Se på mig!

– Jag ber dig, Martin, den här gången, inga jävla frågor.

Den gråhårige mannen svalde, av förvåning, av ilska.

– Vad handlar det här om?

– Inga jävla frågor!

– Han dör.

– Martin …

– Det är emot allt vi vet, allt vi säger, allt vi gör.

– Jag går nu. Du har fått en order. Verkställ den.

Lennart Oscarsson öppnade dörren, han var redan på väg bort.

– Jag får se på ditt ansikte.

Han stannade, vände sig om.

– Han slog dig. Lennart … är det här personligt?

Det stramade. Om han rörde sig, varje steg, smärta som strålade från kindbenet och nedåt.

– Är det det? Personligt?

– Gör bara som jag ber dig.

– Nej.

– I så fall, Martin, gör som jag beordrar dig!

– Jag gör det inte. Eftersom det är fel. Om han ska flyttas tillbaka ... då får du göra det själv.

Lennart Oscarsson gick mot cell 9 med två stora hål i ryggen. Han kände sin kanske bäste väns ögon, hur de stirrade och hur han ville vända sig om och förklara den order han själv nyss föraktat. Martin var en klok vän, en klok kollega, en sådan som hade mod att tala om när någon som borde veta bättre hade fel.

En hand omedvetet mot kavajens baksida när han kom närmare den låsta cellen, han förde den mot hålen, ögonen, drog den över tyget, försökte bli av med dem. Vikarierna utan namn gick nära honom och stannade vid dörren, nyckelknippan skramlade medan de letade efter rätt nyckel.

Fången låg på järnsängen avklädd allt utom ett par vita kalsonger, han blundade, skakade en aning, överkroppen lika blank som ansiktet.

– Du ska tillbaka.

Den bleka kroppen, han såg inte mycket ut, bara några timmar tidigare hade han slagit hårt mot ansiktet.

– Imorgon. Klockan åtta.

Han rörde sig inte.

– Till samma avdelning och samma cell.

Han verkade inte höra, inte se.

– Uppfattade du vad jag sa?

Anstaltschefen väntade, nickade sedan mot sina unga kollegor och mot dörren.

– Böckerna.

– Förlåt?

– *Jag behöver böckerna.* Det är min lagstadgade rättighet.

– Vilka böcker?

– Jag har begärt att få in två av dom fem böcker jag har rätt till. Jag gör det nu igen. *Ur svenska hjärtans djup*. *Marionetterna*. Dom finns i min cell.

– Du ska läsa?

– Det är långa nätter här.

Lennart Oscarsson nickade åt vakterna igen, de skulle stänga och låsa och lämna cellen.

Han satte sig upp. *Tillbaka*. Han skulle dö. *Tillbaka*. Han skulle dö i det ögonblick han klev in på samma avdelning, hatad, jagad, han hade brutit ett fängelses första regel, han var en tjallare, tjallare dödade man.

Han la sig ner på knä på golvet framför toalettstolen i cement, två fingrar i halsen, han höll dem där tills han började spy.

Rädslan som sugit ur och spottat bort, han måste bli av med den, han låg på knä och tömde sig, tömde allt som hade varit och allt som fanns inom honom, han var ensam nu, de som hade bränt brände igen.

Han tryckte på klockan.

Han skulle inte dö, inte ännu.

Han hade hållit den intryckt i fjorton minuter när luckan i dörren öppnades och vakten med ögonen ropade åt honom att för helvete släppa.

Han vände sig inte om, knappen hårdare mot väggen.

– Böckerna.

– Du ska få dom.

– Böckerna!

– Jag har dom med mig. Anstaltschefens order. Om du vill att jag ska komma in släpper du knappen.

Piet Hoffmann såg dem redan när dörren öppnades. Hans böcker. I plitens ena hand. Bröstet, det släppte, det där som tryckt så förbannat och tvingat honom att skaka, han slappnade av, ville sjunka ihop, ville gråta, det kändes så, det släppte och han ville bara gråta.

– Det luktar spyor här.

Pliten såg ner i cementhålet, fick kväljningar, gick tillbaka.

– Du väljer själv. Du vet, det finns ingen som städar här. Den här lukten, den får du vänja dig vid.

Vaktens händer klämde på böckerna, skakade dem, bläddrade, skakade en gång till. Hoffmann stod framför honom men kände ingenting, han visste att de höll.

Han hade suttit länge på järnsängen med två böcker från Aspsås bibliotek alldeles nära. De var helt intakta. Han hade nyss legat ner på knä och tömt sig, nu, han var lugn, kroppen var liksom mjuk, den gick nästan att böja igen, om han vilade, om han sov en stund, han skulle kunna fylla den igen, med kraft, han skulle ju inte dö, inte ännu.

fredag

HAN HADE VAKNAT blank av svett, somnat om, drömt osammanhängande och utan färger, sådan sömn som var ytlig och svartvit och långt borta, han hade vaknat igen och satt sig upp i järnsängen och sett länge på golvet och böckerna som låg där, han skulle inte lägga sig ner en gång till, hans kropp ropade på vila men med sömn som tog mer kraft än den gav valde han att sitta kvar och vänta medan gryning blev morgon.

Det var tyst, mörkt.

Korridoren på Hårdlsol skulle sova någon timme till.

Han hade tömt sig igår, rädslan som var i vägen och måste bort, lukten fortfarande kraftig när den hängde kvar kring betonghålet. Han hade tömt sig och nu fanns bara det andra, att överleva.

Piet Hoffmann lyfte upp de två böckerna och la dem framför sig på sängen. *Ur svenska hjärtans djup. Marionetterna.* Inbundna i hård och enfärgad bibliotekspärm, märkta med MAG i blått och ASPSÅS BIBLIOTEK i rött. Han slog upp första sidan, tog ett hårt tag om pärmen och ryckte med kraft loss den, ett andra ryck och bokens rygg släppte, ett tredje och baksidan följde med. Han såg mot den låsta celldörren. Fortfarande tyst. Ingen som gick där utanför, ingen som hade hört och skyndat med granskande ögon mot luckan en bit upp. Han flyttade sig, ryggen mot dörren, om någon skulle kika in skulle han eller hon möta en orolig långtidsdömd som inte kunde sova.

Han strök varsamt med handen över en sönderriven bok. Fingrarna längs vänster marginal och ett utskuret, rektangulärt hål.

Den låg där. I elva delar.

Han vände boken upp och ner, lirkade ut metall som om ett par minuter skulle bli en fem centimeter lång miniatyrrevolver. Först de största bitarna, stommen med pipa och trumaxel och avtryckare, lätta slag med symaskinsskruvmejselns skaft mot den millimeterstora sprinten mellan dem, sedan pipskyddet med den första skruven, kolvsidorna med den andra och kolvstabilisatorn med den tredje.

Han vände sig mot dörren, steg som bara fanns i hans huvud, som förut.

Han snurrade på den lilla revolverns trumma, tömde den, kontrollerade sex skott långa som en halv lillfingernagel bredvid varandra på sängens järnbotten, ammunition som tillsammans vägde mindre än ett gram.

Han hade sett en människa sluta andas på den där jävla toaletten längst bort i Świnoujścies färjeterminal, den korta pipan tätt mot det uppspärrade ögat, miniatyrrevolvern hade dödat med ett enda skott.

Piet Hoffmann höll i den, höjde den, siktade på den skitiga väggen. Vänster pekfinger lätt mot avtryckaren, det fick precis plats med varbygeln avsågad, långsamt bakåt, han såg hur hanen följde fingrets rörelse, ett sista tryck och den kastade sig framåt, sedan ljudet, det spröda klickandet, den fungerade.

Han rev sönder den andra boken på samma sätt, blottade ett

utskuret hål i vänster marginal, en sprängkapsel stor som en grov spik och en mottagare stor som en femtioöring. Han drog symaskinsskruvmejseln mot nederkanten på den tjocka bokpärmens framsida och baksida, skar upp den limmade fogen och petade ut två niometersbitar tunn pentylstubin och en lika tunn plastficka med sammanlagt fyra centiliter nitroglycerin.

Klockan var ett par minuter över sju.

Han hörde hur vakterna bytte av varandra i korridoren bakom den låsta dörren, nattskift hade blivit dagskift. En timme kvar. Han skulle sedan hämtas och flyttas tillbaka.

G2 vänster. *Tillbaka*. Han var dömd att dö där.

Han tryckte på knappen på väggen.

– Ja?

– Jag behöver skita.

– Du har ett hål bredvid sängen.

– Det är igenkorkat. Mina spyor sedan igår.

Den enkla högtalaren knastrade.

– Hur bråttom?

– Nyss.

– Om fem minuter.

Piet Hoffmann stod vid dörren, steg, fler steg, två plitar som hämtade någon, *till cellen*, som låste upp och låste in, *toalettbesök*, aldrig två fångar samtidigt i korridoren, *in i cellen för helvete*. Revolvern vilade i handflatans mitt, han öppnade trumman, räknade till sex kulor, stoppade ner den i en av byxornas djupa framfickor och yvigt tyg gömde den som de gömde sprängkapseln och mottagaren i den andra fickan och pentylstubinen och plastfickan med nitroglycerin innanför kalsongernas linning.

– Öppna åt fången på nian.

Pliten som ropat hade befunnit sig alldeles utanför hans dörr. Hoffmann sprang till järnsängen, la sig ner, såg hur den fyrkantiga luckan öppnades och hur vakten kikade in tillräckligt länge för att förvissa sig om att fången låg ner precis där han skulle.

Nyckelskramlet.

– Du ville gå på toaletten. Res dig upp och gör det.

En vakt stod vid celldörren. En annan en bit bort i korridoren. Två stycken ute på rastgården.

Hoffmann såg mot vaktkuren. Den femte satt där. Den äldre, Jacobson, kvinspen, grått tunt hår och ryggen mot korridoren.

De är för långt ifrån varandra.

Han gick långsamt mot duschrummet och toaletterna, tre plitar inomhus, *de är för långt ifrån varandra.*

Han satte sig ner på toalettstolens skitiga plastsits, spolade och lät kranen rinna, andades djupt, någonstans från magen följde han med varje andetag, lugnet som fanns där, han behövde det, han skulle inte dö, inte ännu.

– Jag är klar. Du kan öppna igen.

Vakten låste upp och Piet Hoffmann kastade sig hastigt framåt, visade, förde, tryckte miniatyrrevolvern hårt mot de satans ögonen som stirrat på honom genom luckan i celldörren.

– Din kollega.

Han viskade.

– Din kollega ska komma hit.

Vakten rörde sig inte. Om han inte förstod. Om han var rädd.

– *Nu*. Han ska komma *nu*.

Hoffmann bevakade personlarmet som hängde vid vaktens livrem och tryckte revolverns mynning ännu hårdare mot ett slutet ögonlock.

– Erik?

Han hade förstått. Hans röst var svag, hans vinkning med ena handen försiktig.

– Erik? Kommer du hit?

Piet Hoffmann skymtade nästa vakt, han kom närmare, stannade plötsligt, han hade uppfattat hur hans kollega stod helt stilla med vad som såg ut som en metallbit riktad mot huvudet.

– Du kommer hit.

Vakten som hette Erik tvekade, började sedan gå, en blick upp mot kameran som någon i centralvakten kanske just nu tittade på.

– En gång till och jag dödar. Dödar. *Dödar*.

Han tryckte en hand ännu hårdare mot ett ögonlock och ryckte med en annan loss de två plastbitar som var deras enda sätt att larma.

De väntade. De gjorde precis som han sa. De kände det ju, han hade inte något att förlora, sådana människor känns.

En kvar.

En enda människa som kunde röra sig fritt i korridoren. Hoffmann såg mot vaktkuren. Ansiktet fortfarande vänt bort, nacken något böjd nedåt, som om han läste.

– Res dig upp!

Den äldre, grå mannen vände sig om. Det var tjugo meter mellan dem men han visste precis vad det var han såg. En fånge som höll något mot ett huvud. En kollega som stod orörlig bredvid och väntade.

– Inga larm! Ingen låst dörr!

Martin Jacobson svalde.

Han hade alltid undrat vad han skulle känna. Han visste det nu.

Alla dessa jävla år av väntan på ett överfall och all jävla oro för att just en sådan här situation skulle uppstå.

Lugn.

Det var det han kände.

– Inga larm! Ingen låst dörr! *Jag dödar!*

Kriminalvårdsinspektör Jacobson kunde säkerhetsinstruktionerna för Aspsås fängelse utantill. *Vid överfall: Lås in. Larma.* Han hade för ganska många år sedan varit med och formulerat förutsättningarna för en fängelsekultur med obeväpnad personal och skulle nu för första gången använda dem.

Han skulle först låsa vaktkurens dörr inifrån.

Han skulle sedan larma centralvakten.

Men rösten, han hade lyssnat på den, och kroppen, han hade betraktat den, han hade hört och sett och känt Hoffmanns aggressivitet och han visste att fången som skrek och höll i ett vapen var våldsam och kapabel, han hade läst Kriminalvårdens akt och utredningarna kring en psykopatklassad intern och hans kollegors liv, människors liv, var så mycket större än förutbestämda säkerhetsinstruktioner. Han stannade därför inte kvar i vaktkuren och han låste heller inte dörren. Han tryckte varken på personlarmet eller på knappen på väggen. Han gick istället sakta framåt, precis så som Hoffmanns ena arm visade att han skulle. Han passerade den första celldörren och någon började banka på den inifrån, ett monotont och tungt ljud mellan korridorens väggar. En fånge hade reagerat när något hände där utanför och gjorde som de alltid hade gjort om de var irriterade eller sökte uppmärksamhet eller som nu bara var glada över något vafansomhelst som inte var tristess. För varje ny dörr började fler banka, andra som inte heller hade en aning om vad som pågick men som följde med det som var bättre än ingenting.

– Hoffmann, jag ...

– Tyst.

– Vi kanske ...

– Tyst! *Jag dödar.*

Tre plitar. Alla tillräckligt nära nu. Därute, de på rastgården, det skulle dröja ytterligare några minuter innan de kom in igen.

Han ropade i den tomma korridoren.

– Stefan!

En gång till.

– Stefan, Stefan!

Cell 3.

– *Tjallarjävel.*

Rösten hade varit upphetsad, skurit sönder ord och väggar.

Stefan.

Bara ett par meter bort, en låst dörr, det enda som skilde dem åt.

– *Du kommer att dö, tjallarjävel.*

Piet Hoffmann halkade något med vapnet när han tryckte det hårdare mot den unga vaktens ögonlock.

Vätska, tårar, han grät.

– Ni ska byta plats. Du ska in där. I cell 3.

Han rörde sig inte. Det var som om han inte hade hört.

– Öppna och gå in! Det är det enda du ska göra. Öppna för helvete!

Vakten rörde sig mekaniskt, tog upp nyckelknippan, tappade den mot golvet, försökte igen, vred omständligt runt, flyttade på sig när dörren långsamt gled upp.

– *Tjallarjäveln. Med sina nya kompisar.*

– Ni ska byta plats. Nu!

– *Tjallarjäveln. Men vafan ... vafan är det du håller i handen?*

Stefan var betydligt längre och betydligt tyngre än Piet Hoffmann.

När han stod i celldörrens öppning fyllde han upp den, en

mörk och hånleende skugga.

– Gå ut!

Han tvekade inte, hånleendet, han gick för fort, för nära.

– Stanna!

– *Och varför skulle jag göra det? För att en liten tjallarjävel håller ett vapen mot ett plithuvud?*

– Stanna!

Stefan fortsatte emot honom, den öppna munnen, de torra läpparna, den varma andedräkten, hans ansikte var för nära, det trängde sig på, det anföll.

– *Skjut då. Så har vi en plit mindre.*

Piet Hoffmann tänkte nog ingenting när den stora kroppen närmade sig. Han hade velat byta ut gisslan, hotade hellre Wojtek än Kriminalvården, men underskattat hatet. När Stefan sprang de sista stegen emot honom fanns inga tankar, bara rädslan som var kraft att överleva, han knuffade bort vakten och riktade revolverns pipa mot ögat som hatade och han sköt, ett enda skott genom pupillen, linsen, glaskroppen in i en mjuk hjärna, det stannade nog där någonstans.

Stefan fortsatte ett steg till, han hånlog och tycktes oberörd men föll strax tungt framåt och Hoffmann flyttade på sig för att inte få honom över sig, böjde sig sedan fram, tryckte pipan mot det andra ögat, ett skott till.

En människa låg död på golvet.

Det regelbundna bankandet som trummat envist och påträngande och skottet som ekat, plötsligt, plötsligt blev allt tyst.

En märklig tystnad utan andetag.

– Du kan gå in nu.

Han pekade på en av de yngre men den äldre, Jacobson, svarade.

– Hoffmann, du, nu måste vi ...

– Jag ska inte dö ännu.

Han iakttog tre plitar som han behövde, som var i vägen. Två yngre och skärrade, nära sammanbrott. En äldre, ganska lugn, en sådan som skulle fortsätta att försöka lägga sig i men också en sådan som inte bröt ihop.

– Gå in i cellen.

Metall mot ögonlock som grät, det mörka, bara en fingerrörelse bort.

– Gå in!

Den unge vakten gick in i den tomma cellen och satte sig ner på järnsängens kant.

– Stäng! Och lås!

Hoffmann kastade nyckelknippan till Jacobson och inga ord den här gången, inga försök att kommunicera, ingen falsk kontakt avsedd att förvirra, skapa närhet, känslor.

– Kroppen.

Han sparkade på den, det handlade om makt, att behålla den, avståndet.

– Jag vill ha den utanför cell 6. Men inte för nära, det ska fortfarande gå att öppna dörren.

Jacobson skakade på huvudet.

– Han är för tung.

– *Nu*. Utanför cell 6. *Eller hur?*

Han flyttade revolvern till tinningen, till ögat, till tinningen, till ögat.

– Var tycker du att jag ska ha den när jag trycker av?

Jacobson höll i de mjuka armarna som helt saknade muskelreflexer, den seniga, lätt åldrade kroppen drog, släpade etthundratjugo kilo död längs det hårda plastgolvet och Hoffmann nickade när den låg just så nära att celldörren gick att öppna.

– Öppna den.

Han kände inte igen honom, de hade aldrig setts, men det var rösten som under gårdagen passerat hans cell och flera gånger kallat honom Paula, någon av Wojteks alla springpojkar.

– *Din satans stukatj.*

Samma röst, gäll när han rusade ut, när han plötsligt stannade.

– *Vafan ...*

Han såg på någon som låg framför hans fötter, helt stilla, lungor som inte andades.

– *Satans jävla ...*

– Gå ner på knä!

Hoffmann pekade på honom med miniatyrrevolvern.

– Gå ner!

Piet Hoffmann hade väntat sig hot, kanske förakt.

Men mannen framför honom sa ingenting när han sjönk ihop bredvid den orörliga kroppen och för ett ögonblick blev Hoffmann stillastående, han hade varit beredd på att behöva döda igen, nu stod han framför någon som lydde.

– Vad heter du?

Den unga vakten, hans ögon hade blundat och gråtit för trycket av en revolvermynning.

– Jan. Janne.

– Janne, gå in där.

Ännu en människa i fängelsets uniform satt på kanten av ännu en tom järnsäng när Jacobson låste dörren till cell 6.

Bankandet, det återkom.

Bakom varje dörr kommunicerade isolerade fångar som inte visste vad som pågick men hörde och kände att något inte stämde, det tydliga skottet och de höga rösterna och den plötsliga tystnaden, de slog hårdare nu, av oro och om och om igen på stängda celldörrars insidor.

Piet Hoffmann räknade snabbt. Det kändes så länge men hade bara nyss börjat. Det hade gått åtta, kanske nio minuter sedan han öppnat dörren till toaletten och höjt vapnet, inte mer.

Två av plitarna var inlåsta, den tredje stod framför honom och den fjärde och den femte skulle stanna kvar ute på rastgården ännu en stund. Men när som helst kunde centralvakten välja in just den här avdelningens kameror i någon av sina monitorer och när som helst kunde plitar från andra avdelningar passera. Han hade bråttom. Han visste vart han var på väg. Han hade ju varit på väg dit sedan han insett att han var ensam, dödsdömd, bränd av någon av de få som känt till hans uppdrag och kodnamn, den plats han för länge sedan hade sett ut för att slippa dö om det som inte skulle hända hade hänt.

De stod nära honom. Precis så nära som de måste. Tillräckligt avstånd för att ha full kontroll och samtidigt undvika risk att övermannas, fången som ännu inte hade något namn var farlig, han skulle döda om han kunde.

– Jag vill att du hämtar lampan där.

Han höll den utsträckta armen mot en enkel golvlampa som stod tänd i ett av vaktkurens hörn och väntade tills Jacobson hade ställt den på golvet framför honom.

– Bind honom. Med förlängningssladden.

Händerna på fångens rygg och Jacobson drog i den vita sladden tills den trängt in i lika vit hud. Hoffmann kände på den, kontrollerade den, band sedan själv sladdens fortsättning kring vaktens midja och de började förflytta sig uppåt i trapphuset som levde, stängda avdelningsdörrar kapslade in högljudda samtal ilskna fångar emellan och det genomträngande slamret från tallrikar vid en dukning och röster från irriterade kortspelare och en ensam tv-apparat som lämnats på för högt. Ett enda skrik, en enda spark mot en dörr och han skulle avslöjas. Han förde revolverpipan växelvis mellan fångens och plitens ögon, de skulle veta, de skulle veta.

De hade tagit sig högst upp i byggnaden, till den trånga korridoren strax utanför verkstaden.

Dörren var öppen. Varje del av den stora salen nedsläckt. De interner som arbetade här satt fortfarande och åt frukost med en timme kvar till förmiddagens arbetspass.

– Det räcker inte.

Han hade väntat med att kommendera ner fången på knä tills de hade nått verkstadens mitt.

– Ännu längre ner! Och luta dig framåt.

– *Varför?*

– Luta dig framåt!

– *Du kan döda mig. Du kan döda plitjäveln. Men Paula, det var väl det du kallade dig hos dina snutkompisar, Paula lilla, du är lika jävla död. Härinne. Senare. Det spelar ingen roll. Vi vet. Vi släpper dig inte. Och du vet att det är så det fungerar.*

Hoffmann slog den fria och knutna handen med kraft mot fångens nacke. Han visste inte varför, det bara blev så när han inte kunde svara. Det var ju rätt. Wojteks springpojke hade rätt.

– Ta ner packbanden! Dra dom runt hans handleder! Och slit sedan bort sladden!

Jacobson stod på tå när han lyfte ner rullen med de grå packbanden i hårdplast från hyllan över pressmaskinen, de som användes för att tillsluta lådor av papp. Nu skulle han klippa av två halvmeterlånga bitar och dra en av dem kring fångens armar tills den skar djupt och det började blöda, han skulle sedan klä av den knäliggande och sig själv, varje plagg på golvet i två prydliga högar, han skulle vända sig om, en naken rygg mot Hoffmann, vass hårdplast också kring hans egna handleder.

Piet Hoffmann hade noga memorerat rummet som luktade olja och diesel och damm. Han hade lokaliserat bevakningskamerorna över borrmaskinen och de mindre truckarna, stegat avståndet mellan de avlånga arbetsbänkarna och de tre stora pelare som innertaket vilade på, han visste exakt var dieselkaret stod och vilka verktyg som förvarades i vilket skåp.

Den namnlöse fången och den gråhårige vakten låg nakna och på knä med händerna bakom ryggen. Hoffmann kontrollerade igen att de var ordentligt bundna, lyfte sedan upp de båda klädhögarna och bar dem till ett arbetsbord nära väggen med ett stort fönster vänt mot kyrkan. Mottagaren låg i en av hans framfickor, han placerade den i innerörat, lyssnade och log, en blick ut genom fönstret mot kyrktornet, han hörde vind som blåste försiktigt mot en sändare, den fungerade.

Så trängdes vinden bort.

Ett högt och repetitivt ljud tog över.

Larmet.

Han skyndade mot klädhögen, slet till sig plastbiten som blinkade rött från livremmen i den blå uniformens byxlinning och läste av det elektroniska budskapet.

B1.

HårdIsol. Den avdelning de just lämnat. Det hade kommit tidigare än han hade trott.

Han såg ut genom fönstret.

Mot kyrkan. Mot kyrktornet.

Det var fortfarande femton minuter kvar innan de första skulle hinna fram till muren. Och ytterligare ett par timmar innan rätt utbildad personal skulle stå på rätt plats med rätt vapen.

Larmet hade kommit från en av kriminalvårdsinspektörerna som på väg ut till rastgården hade kikat in när han passerat den stängda dörren i trapphuset för att säga *gomorron* och förvissa sig om att allt var som det skulle. Nu rusade den första vågen vakter genom den svagt upplysta korridoren, stannade alla samtidigt, betraktade alla samma scen.

En död människa låg på golvet.

Låsta celldörrar tog emot regelbundna slag från förvirrade och aggressiva interner.

En blek och svettig kollega släpptes ut ur cell 6.

Den nyss utsläppte kollegan pekade upprörd på cell 3.

Ännu en inlåst kollega släpptes ut, en ung man som grät, såg mot golvet och sa något, *han sköt honom*, en gång till och mycket högre, om det var för att överrösta bankandet eller om det var för att han behövde formulera det igen, *han sköt honom, genom ögat.*

Han hörde hur de sprang i trapphuset, såg genom fönstret hur ännu fler kom närmare över rastgården. De två nakna kropparna på golvet rörde oroligt på sig. Han flyttade revolvern mellan deras ansikten, ögon, påminde dem, han behövde ännu en stund utan upptäckt.

– Vad handlar det här om?

Den äldre vakten, hopkrupen på knä och med leder som smärtade intensivt, han hade inte sagt något men det var tydligt att han gungade fram och tillbaka för att fördela tyngd.

Piet Hoffmann hörde honom men svarade inte.

– Hoffmann. Se på mig. Vad handlar det här om?

– Det har jag redan svarat på.

– Jag förstod inte svaret.

– Att inte dö, ännu.

Nacken, han böjde den, ansiktet uppåt, han såg in i revolvern med ett öga och på Hoffman med det andra.

– Du kommer inte härifrån vid liv.

Han såg på honom, krävde svar.

– Du har familj.

Om han talade, blev någon, växlade från objekt till subjekt, en människa som kommunicerade med en annan människa.

– Du har fru och barn.

– Jag vet vad du håller på med.

Piet Hoffmann flyttade sig, gick bakom de nakna kropparna, kanske för att kontrollera att plastbanden kring handlederna fortfarande satt på plats, sannolikt för att slippa det vakande och krävande ögat.

– Du förstår, det har jag också. En fru. Tre barn. Alla vuxna nu. Det ...

– Jacobson? Var det så du hette? Håll käften! Jag förklarade ganska vänligt att jag vet precis vafan det är du håller på med. Jag har ingen familj. Inte just nu.

Han drog i plasten, den skar längre in, det blödde lite igen.

– Och jag ska inte dö, ännu. Om det betyder att du istället måste dö har ingen jävla betydelse. Du är bara mitt skydd, Jacobson, min sköld och du kommer inte att bli något annat än så. Med eller utan fru och barn.

Kriminalvårdsinspektören från B2 hade under ett par minuter försökt att få kontakt med den kollega han nyss släppt ut ur cell 3. En ung man, inte särskilt mycket äldre än hans egen son, en sommarvikarie som inte ens arbetat en hel månad. Det är så det är. Någon går ett helt arbetsliv och väntar på och fruktar en förmiddag som den här. Någon annan möter den redan efter tjugofyra dagar.

En enda mening.

Han hade upprepat den som svar på varje fråga.

Han sköt honom, genom ögat.

Den unge vakten var kraftigt chockad, han hade sett en människa dö och haft ett vapen tryckt mot ögonlocket, den runda ringen i den mjuka huden lyste fortfarande tydlig, han hade sedan suttit och väntat tillsammans med den döden inlåst i en isoleringscell. Det skulle inte bli fler ord, inte just nu. Kriminalvårdsinspektören instruerade närmaste vakt att ta hand om honom och fortsatte till den andra, han som suttit i cell 6 och som var blek och svettig, han som viskade, fullt hörbart.

– Var är Jacobson?

Kriminalvårdsinspektören la en hand på hans axel, den var tunn, skakade lite.

– Vad menar du?

– Vi var tre stycken. Jacobson, han var också här.

Samtalet var sedan länge slut.

När orden dröjde sig kvar och irriterade hoppades han på mer, något som mildrade, lugnade, en fortsättning som försäkrade att allt var bra, nu. Men det blev inte mer, nu. Kriminalvårdsinspektören på B2 hade förklarat vad som fanns att förklara.

Två inlåsta vakter. En död intern.

Och en förmodad gisslantagning.

Anstaltschefen slog luren mot skrivbordet och en vas med gula tulpaner föll mot golvet. En tredje vakt, Martin Jacobson, hade förts bort av en beväpnad långtidsdömd placerad på hårdisoleringen, en 0913 Hoffmann.

Han satte sig ner på golvet, fingrade förstrött på de gula kronbladen som flöt omkring i utspillt vatten.

Han hade förstås protesterat. Precis som Martin senare hade protesterat.

Jag ljög en utredande kriminalkommissarie rätt upp i ansiktet. Jag ljög för att du kommenderade mig att göra det. Det här, jag gör det inte.

De gula kronbladen, han rev sönder dem, ett i taget, strimlade till små och porösa bitar och släppte dem mot det våta golvet. Han sträckte sig sedan efter telefonluren, den hängde fortfarande lös i sladden, slog numret och slutade inte tala förrän han var helt säker på att generaldirektören hade uppfattat varje ord, varje insinuation.

– Jag vill ha en förklaring.

En harkling. Det var allt.

– Pål, en förklaring!

En enda harkling. Det blev inte mer.

– Du ringer till mitt hem en sen kväll och beordrar mig att utan frågor flytta en fånge tillbaka till den avdelning han hotats på. Du ger mig förutsättningen att det ska ske senast nästa morgon. Nu, Pål, nu riktar just den fången ett skarpladdat vapen mot en av mina anställda. Förklara sambandet mellan din order och en gisslantagning. Eller tvinga mig att ställa frågorna till någon annan.

Det var varmt i vaktkuren som var en del av entrén och kallades centralvakten på Aspsås kriminalvårdsanstalt precis som på alla andra svenska fängelser. Vakten som hette Bergh och bar en blå skrynklig uniform svettades trots bordsfläkten snett bakom ryggen som tvingade lösa papper och en tunn hårlugg att fladdra. Han vände sig därför om och letade efter handduken som brukade ligga där i utrymmet mellan kontrollpanelens röda och gröna knappar och någon av de sexton tv-monitorerna.

Nakna kroppar.

Det svartvita hade dålig upplösning och ryckte en aning men han var helt säker.

Bilden på monitorn närmast handduken var två nakna kroppar på ett golv och en man i anstaltens kläder som höll någonting nära deras huvuden.

Han såg upp mot den vackert blå himlen. Några tunna tussar till moln, annars behaglig sol och ljum vind. Det var en bra försommardag. Bortsett från ljudet av sirener från den där första polisbilen, två uniformerade i framsätet, båda från Aspsås polisdistrikt.

– Oscarsson ...?

Chefen för Aspsås fängelse stod på asfaltparkeringen vid huvudgrinden, betongmuren som en omålad, grå vägg bakom honom.

– Vafan håller ni ...

– Han har redan skjutit en gång.

– Oscarsson?

– Och hotar att göra det en gång till.

De satt med nedrullade fönster i framsätet, en ung kvinnlig polisassistent som Lennart Oscarsson aldrig tidigare hade sett bredvid en polisinspektör i hans egen ålder, Rydén, de kände inte varandra men kände till varandra, en av få polismän som tjänstgjort i Aspsås lika länge som Oscarsson arbetat på fängelset.

De stängde av blåljuset och klev ur bilen.

– Vem?

Jag kommer just från sjukavdelningen. Du kan inte träffa honom.

– Piet Hoffmann. Trettiosex år. Tio år för narkotika. Enligt KVV:s akt mycket farlig, psykopatklassad, våldsam.

En polisinspektör i Aspsåsdistriktet hade besökt det stora fängelset tillräckligt ofta för att lära känna det.

– Jag förstår inte. B-huset. HårdIsol. Och beväpnad?

Han ska tillbaka. Till G2. Senast imorgon förmiddag.

– Vi förstår det inte heller.

– Men vapnet? För helvete, Oscarsson ... hur? Varifrån ...

– Jag vet inte. Jag *vet* inte.

Rydén såg mot betongmuren, över den, och det han visste var tredje våningen och taket till B-huset.

– Jag måste ha mer. Vilket vapen?

Lennart Oscarsson suckade.

– Enligt vakten som hotades ... han var förvirrad, chockad, men beskriver något slags ... miniatyrpistol.

– Pistol? Eller revolver?

– Vad är skillnaden?

– Med magasin? Eller roterande trumma?

– Jag vet inte.

Rydéns blick dröjde kvar på B-husets tak.

– En gisslantagning. En farlighetsbedömd våldsman.

Han skakade på huvudet.

– Vi behöver en helt annan beväpning. Helt annan kunskap. Vi behöver polismän som är särskilt utbildade för det här.

Han gick mot bilen, en hand in genom det öppna fönstret, han nådde precis kommunikationsradions mikrofon.

– Jag kontaktar vakthavande befäl på LKC. Jag begär hit nationella insatsstyrkan.

Det skitiga golvet var hårt och kallt mot hans nakna underben.

Martin Jacobson rörde sig försiktigt, försökte gunga kroppen bakåt, värken tryckte mot hans leder. Hopsjunkna, framåtböjda, bakbundna, de hade legat på knä bredvid varandra sedan de kom in i verkstadens stora sal, han sneglade på fången som var nära, kunde känna hans andedräkt, mindes inte hans namn, det var sällan de inlåsta i hårdisoleringens celler blev individer, mellaneuropé, så mycket var han säker på, storvuxen, och det var tydligt hur han hatade, det fanns något där mellan dem, något gammalt, när deras ögon sökte varandra fastnade de, han spottade, hånade och Hoffmann hade tröttnat när han skrikit något på ett språk Jacobson inte förstått, sparkat mot ena kinden och bundit de vassa plastremmarna också kring hans ben.

Martin Jacobson hade gradvis börjat känna det han inte hade haft kraft att känna när allt hade varit kaos och han koncentrerat sig på att försöka få gisslantagaren att kommunicera.

En krypande, jävlig, närgången rädsla.

Det här, det var på riktigt, Hoffmann var trängd och målmedveten och en annan människa låg redan på ett annat golv och skulle aldrig mer tänka, tala, skratta.

Jacobson gungade igen, andades djupt, det var mer än rädsla, det han kände, det han aldrig hade känt förut, dödsångest.

– Ligg stilla.

Piet Hoffmann hade sparkat honom på axeln, inte hårt men tillräckligt för att den blottade huden skulle rodna, han började sedan gå genom verkstaden längs avlånga arbetsbänkar, stannade vid varje kamera, sträckte sig upp och vände den första inåt väggen, den andra, den tredje, men höll en stund i den fjärde med båda händerna, ansiktet mot linsen, han såg in i den, tryckte sig ännu närmare tills hela ansiktet täckte bilden, han skrek, han skrek och vände sedan också den mot väggen.

Bergh svettades fortfarande. Men märkte det inte. Han hade flyttat stolen i centralvaktens glaskur, satt nu lutad över raden med monitorer, fyra av dem med bilder inifrån B-husets verkstadslokal. Sedan ett par minuter hade han sällskap, strax bakom hans rygg stod anstaltens chef och de iakttog samma svartvita sekvenser med gemensam koncentration, nästan stillhet. Plötsligt förändrades något. En av monitorerna, kopplad till utgående bild från den kamera som satt närmast fönstret, blev svart. Men inte elektroniskt svart, den fungerade fortfarande, det var mer som om den skymdes av någon eller något. Så nästa. Kameran hade vridits hastigt, kanske mot en vägg, det mörka skulle kunna vara ett objektiv som filmade grå betong på någon centimeters avstånd. Den tredje, de var beredda, de uppfattade en hand där just före vridningen, en människa som med kraft hade vänt bort såväl kamera som stativ.

En kvar. De fixerade monitorn, väntade, ryckte båda till.

Ett ansikte.

Nära, alldeles för nära, en näsa och en mun, det var allt. En mun som skrek något innan den försvann.

Hoffmann.

Han hade formulerat något.

Han frös.

Inte av kyla från det kalla golvet, av rädsla, av att sakna kraft att stå ut med tankar kring sin egen död.

Fången bredvid honom hade hotat igen, mer hat, mer hån, tills Hoffmann hämtat en tygtrasa från en av arbetsbänkarna och tryckt in den i munnen och ord blivit till ingenting.

De låg båda stilla, också medan han tillfälligt lämnade dem, målmedvetna steg till den bortre väggen klädd i glas, ett innerfönster mot en kontorsdel. Martin Jacobson kunde när han vred på huvudet se hur han gick in i det lilla rummet, hur han böjde sig fram mot skrivbordet och lyfte upp något som på avstånd såg ut som en telefonlur.

Munnen rörde sig långsamt. Smala, spända läppar som tycktes spruckna, nästan såriga.

jag

De såg på varandra, nickade.

De hade båda uppfattat hur munnens rörelser format det första ordet.

– Nästa.

Oscarsson stod bredvid Bergh i den trånga vaktkuren och ivriga fingrar tryckte på knappen för uppspelning, en bildruta i taget. Munnen fyllde monitorns hela skärm, de identifierade genast två vokaler, läpparna helt åtskilda.

I den första stavelsen ett *ö*, i den andra ett *a*.

– Såg du?

– Ja.

– En gång till.

Det blev så tydligt.

Två ord, läpparnas budskap, uttalade med aggressivitet så stark att den anföll.

jag dödar

Hans hand skakade till, det kom så oväntat, han hade varit tvungen att släppa telefonluren.

Om han fick svar.

Om han inte fick svar.

En blick genom innerfönstret och verkstadens sal mot dem som var nakna, de låg fortfarande ner, orörliga. En porslinskopp mitt på skrivbordet till hälften fylld av dygnsgammalt kaffe, han tömde den, kallt och beskt men koffein i kroppen för en stund.

Han slog numret igen. Den första signalen, den andra, han väntade, fanns hon kvar, hade hon ens samma nummer, han visste inte, han hoppades, hon kanske ...

Hennes röst.

– Du?

Det var så länge sedan.

– Jag vill att du gör precis det vi kom överens om.

– Piet, jag ...

– *Precis* det vi kom överens om. *Nu.*

Han la på. Han saknade henne. Han saknade henne så.

Och han undrade om hon fortfarande fanns där, för honom.

Det blå och blinkande ljusskenet blev allt kraftigare, allt tydligare och skulle strax tränga genom det skogsparti som skilde landsvägen från avfarten mot Aspsås fängelse. Lennart Oscarsson stod intill polisinspektör Rydén på parkeringen utanför huvudgrinden när två svarta, fyrkantiga, tunga bilar närmade sig. Nationella insatsstyrkans jourgrupp hade tjugofem minuter tidigare lämnat högkvarteret vid Sörentorp och Solna och släppte – medan det tunga fordonet fortfarande rullade – av nio identiskt klädda män i svarta höga kängor, mörkblå overaller, ansiktsluvor, skyddsglasögon, hjälmar, flamsäkra handskar, skottsäkra västar. Rydén skyndade fram, hälsade på den långe och tunne som hoppat ut ur den första bilens passagerarsäte, insatsstyrkans chef, John Edvardson.

– Där. Det svarta taket. Översta våningen.

Fyra fönster i byggnaden nära den yttre muren, Edvardson nickade, han var redan på väg dit och Oscarsson och Rydén halvsprang för att hinna med. De såg sig om och de åtta följde efter, kpistar i händerna, två av dem med särskilda prickskyttegevär för långa avstånd.

De passerade centralvakten och administrationsbyggnaden, fortsatte genom en öppen grind i nästa mur, den som var något lägre och som delade in hela anstalten i olika sektorer, identiska fyrkanter med identiskt L-formade byggnader i tre våningar.

– G- och H-huset.

Lennart Oscarsson sökte sig nära innermurens kant, de hade överblick och var samtidigt skyddade.

– E- och F-huset.

Han pekade i tur och ordning ut långtidsdömda människors livsrum.

– C- och D-huset.

Sextiofyra celler och sextiofyra interner i varje komplex.

– Normalfångar. Den särskilda sexavdelningen, den finns numera i en annan del av anstalten, vi hade lite problem där för några år sedan när fel fångar korsade varandras vägar.

De halvsprang fortfarande längs meter efter meter av tjock betong, närmade sig den sista L-formade byggnaden, Oscarsson flåsade en aning när han fortsatte.

– A- och B-huset. En del i varje ben. B-huset är vänt mot andra sidan. Han har skymtats ett par gånger i det största fönstret, det med utsikt mot ängarna, mot kyrkan därborta, Aspsås kyrka, jag har iakttagelser från två oberoende vakter och dom är helt säkra.

En grå betongbunker, en legokloss, ett fult och hårt och tigande hus.

– Längst ner HårdIsol. Tvångsisoleringen. B1. Det var där han tog gisslan. Det var därifrån han flydde.

De stannade för första gången sedan den beväpnade jourgruppen ett par minuter tidigare lämnat bilarna.

– En våning upp, B2 vänster och B2 höger. Sexton celler på varje sida. Normalfångar, trettiotvå stycken.

Lennart Oscarsson väntade någon sekund, klippte fortfarande sönder orden, andhämtningen hade inte kommit ifatt.

Han sänkte nog rösten något.

– Där. Längst upp. B3. Verkstaden. En av internernas arbetsplatser. Du ser fönstret. Det mot gården.

Han tystnade, det stora fönstret, det var märkligt, det var så vackert ute, solen och den gröna ängen och den blå himlen, och därinne, bakom glasrutan, död.

– Beväpning?

Edvardson kommenderade medan han väntade på Rydéns svar ut sex av nationella insatsstyrkans poliser att postera sig utanför B-husets tre ingångar och de två prickskyttarna att kartlägga närliggande byggnaders tak.

– Jag har nu två gånger närmat mig dom vakter som såg hans vapen. Dom är fortfarande förvirrade, chockade, men jag är rätt säker på att dom talar om ett slags miniatyrrevolver som kan laddas med sex skott. Jag har bara sett den i verkligheten vid ett enda tillfälle, SwissMiniGun, en schweizisk revolver som marknadsförs som världens minsta.

– Sex skott?

– Enligt vakterna har han avfyrat minst två.

John Edvardson såg på anstaltschefen.

– Oscarsson ... hur i helvete får en inlåst fånge tillgång till ett dödligt vapen därinne, på Durken, på ett av Sveriges högst säkerhetsklassade fängelser?

Lennart Oscarsson orkade inte svara, inte just nu, skakade bara uppgivet på huvudet. Nationella insatsstyrkans chef vände sig därför mot Rydén.

– En miniatyrrevolver. Jag känner inte till den. Men du påstår att den är tillräcklig för att döda?

– Han har redan gjort det en gång.

John Edvardson betraktade fönstret vänt mot den vackra kyrkan, gisslantagaren hade iakttagits där, en långtidsdömd med kontakter tillräckliga för att ta in ett skarpladdat vapen på ett slutet fängelse.

– Psykopatklassad?

– Ja.

Ett armerat fönster.

Två gisslan som låg nakna på golvet.

– Och dokumenterat våldsbenägen?

– Ja.

Han därinne hade hela tiden vetat vad han gjorde, han hade enligt vakterna agerat lugnt och målmedvetet, han hade sedan valt ut verkstaden, inte heller det hade varit en slump.

– Då har vi problem.

Edvardson såg mot husfasaden, det var dit de sökte en väg och de jagade tid, gisslantagaren hade nyss hotat att döda en andra gång.

– Han har iakttagits i fönstret men som det är placerat kan inga prickskyttar arbeta inifrån anstalten. Och med den bild du och hans akt ger av människan Hoffmann ... vi kan inte heller göra en inbrytning. Forcerar dörren, eller en av luckorna i taket, det gör vi enkelt, men en fånge så potent och så sjuk ... när vi gör det, när vi stormar, han kommer *inte* att vända sig mot oss, han kommer att stå kvar, han kommer att sikta på gisslan oavsett hur hotad han själv känner sig och han kommer att göra det han har lovat. Döda.

John Edvardson började gå, tillbaka, mot grinden och muren.

– Vi ska ta honom. Men inte här. Jag kommer att placera ut prickskyttarna. *Utanför* anstalten.

Han flyttade sig från fönstret.

De låg nakna framför hans fötter.

De hade inte rört sig, inte försökt att kommunicera.

Han kontrollerade deras armar, ben, drog lite till i de vassa plastremmarna, de skar redan djupare än nödvändigt men det handlade om makt, han måste vara säker på att hans kraft kunde riktas utåt, mot dem som just nu riktade sin inåt, mot honom.

Han hade för andra gången hört sirener. De första, en halvtimme sedan, poliser från det lokala distriktet, de enda som hann fram så fort. De här hade haft ett annat ljud, mer ihållande, starkare, och de hade dröjt precis så länge som de skulle med utgångspunkt från insatsstyrkans högkvarter i Sörentorp.

Han gick genom salen, räknade steg, granskade entrédörren, granskade det andra fönstret, fastnade på innertaket och på det lager av lösa glasfiberskivor som fanns där som en hinna för att absorbera och dämpa ljud i en bullrig verkstadslokal. Han lyfte upp ett långt och smalt järnrör som låg på en av arbetsbänkarna, började med kraft stöta det mot glasfiberskivorna och de föll en efter en som identiska fyrkanter mot golvet och blottade det egentliga innertaket.

Den svarta, tunga bilen lämnade parkeringsplatsen utanför Aspsåsfängelsets stora grind och stannade en dryg minut och en dryg kilometer senare utanför en annan och betydligt mindre grind, den vid en grusgång mot en vit och stolt kyrka. John Edvardson gick längs det nykrattade, Rydén bredvid och de två prickskyttarna strax bakom. Enstaka besökare i solskenet på den välskötta kyrkogården såg oroligt på beväpnade uniformer med svarta ansikten, det hörde inte ihop, det våldsamma och det fridfulla. Kyrkporten stod öppen och de kikade in i en tom och väldig sal men valde dörren till höger och den branta trappan upp och sedan nästa dörr som med färska brytmärken på en av listerna verkade nyligen uppbruten och sist den lätta aluminiumstege som slutade vid luckan i taket mot kyrkans torn. De kröp ihop för att kunna passera under klockan i gjutjärn och reste sig inte upp förrän de nått den smala balkongen, det blåste kraftigare här och fängelset blev en grå och fyrkantig koloss när sikten var helt fri, de höll hårt i det låga räcket och studerade byggnaden närmast muren och det fönster på tredje våningen där gisslantagaren hade skymtats och antogs befinna sig.

Piet Hoffmann hade rivit ner hälften av glasfiberplattorna under innertaket när han avbröt hetsiga rörelser. Han hade hört något. Ljudet i örat. Han hörde det tydligt. Det som hittills bara hade varit svag vind i mottagaren blev nu en smäll, sedan steg, sedan skrapljud. Någon gick omkring, några, det var flera fötter. Han sprang till fönstret, han såg dem, de stod i kyrkans torn, fyra stycken, de stod där och tittade på honom.

En skugga alldeles i kanten av fönstret, bara kort, sedan var den borta.

Han hade stått där, han hade iakttagit dem och sedan försvunnit.

– Det här är en bra plats. Den bästa platsen för att komma åt honom. Vi kommer att operera härifrån.

John Edvardson höll hårdare i balkongens järnräcke, det blåste mer än han hade förstått och det var långt ner.

– Jag behöver din hjälp, Rydén. Jag kommer från och med nu att arbeta härifrån, kyrkan och kyrktornet, men vill också ha någon närmare anstalten, med överblick, någon som du, ögon som kan omgivningen.

Rydén följde några av kyrkogårdens besökare, de hade flera gånger kikat oroligt upp mot tornet och var nu på väg bort, den ro de sökte och delade med någon som var saknad skulle inte infinna sig den här dagen.

Han nickade långsamt, han hade lyssnat och förstått men hade en annan lösning.

– Jag gör det gärna. Men det finns en polis, ett befäl, som kan fängelset ännu bättre, som arbetade i det här distriktet när det byggdes och som sedan dess varit här regelbundet för att lämna fångar, för förhör. En skicklig utredare.

– Vem?

– En kommissarie vid Citypolisen. Han heter Ewert Grens.

VARJE ORD ÅTERGAVS perfekt, den silverfärgade mottagaren fungerade just så bra som han hade vetat att den skulle göra.

– Vem?

Han rättade till den något, ett pekfinger lätt på den tunna metallskivan när han tryckte hörsnäckan hårdare mot innerörat.

– En kommissarie vid Citypolisen. Han heter Ewert Grens.

Deras röster var så tydliga, som om de höll upp sändaren och ansträngde sig för att tala rakt in i den.

Piet Hoffmann väntade vid fönstret.

De stod i närheten av det låga järnräcket, kanske lutade de sig till och med en aning framåt.

Så hände något.

Tydliga skrapljud, först vapen av metall som stötte emot underlag av trä, sedan en tung kropp som la sig ner.

– Femtonhundratre meter.

– Femtonhundratre meter. Uppfattade jag rätt?

– Ja.

– För långt. Vi har inte ens uppsättningar för det avståndet. Vi kan se honom. Men inte nå honom.

BILEN RÖRDE SIG KNAPPT.

Tät och trött förmiddagstrafik kröp fram i Klarastrandsledens båda filer.

En passagerare i bussen framför klev ilsket ur och började vandra ensam i kanten av den tungt belastade genomfartsådern, såg nöjd ut när han passerade varma fordon och skulle nå avfarten till E4:an långt före sitt stillastående resesällskap. Ewert Grens övervägde att tuta på mannen som gick precis där han inte skulle, kanske till och med slänga ut en ilsken polisspade men lät bli, han förstod honom och om en hetsig promenad i dålig luft längs sammanväxta bilar hindrade människor från att slå hårt på instrumentbrädan och skrämma sina medtrafikanter var det just det de måste få ägna sig åt.

Han fingrade på den skrynkliga kartan som låg i passagerarsätet.

Han hade bestämt sig. Han var på väg till henne.

Han skulle om ett par kilometer stanna framför en av de ständigt öppna grindarna till Norra begravningsplatsen och han skulle gå ut ur bilen och han skulle leta upp hennes grav och han skulle säga något till henne som liknade farväl.

Mobiltelefonen låg under kartan.

Han lät den ligga där under de tre första signalerna, såg på den under nästa tre, lyfte upp den när han insåg att den inte skulle tystna.

Vakthavande.

– Ewert?

– Ja.

– Var befinner du dig?

Det bekanta tonläget, Grens började redan söka vägar ut ur den frusna kön, en vakthavande som lät sådär ville egentligen haft hjälp nyss.

– Klarastrandsleden. På väg norrut.

– Du har en kommendering.

– När?

– Det är jävligt bråttom, Ewert.

Ewert Grens tyckte inte om att ändra redan uppgjorda planer.

Han tyckte om rutiner och han tyckte om att avsluta och hade därför svårt att byta riktning när han i själen redan var på väg.

Han borde således ha suckat, kanske protesterat en aning, men känslan, den var lättnad.

Han behövde inte åka. Inte än.

– Vänta.

Grens blinkade, tryckte ut bilens front i mötande fil för en U-sväng över den vita, heldragna linjen och hysteriskt tutande från tvärbromsande fordon. Tills han tröttnade, vevade ner sidorutan och placerade lampan med blått och roterande ljus på biltaket.

Varje bil tystnade. Varje förare hukade.

– Ewert?

– Jag är här.

– Det gäller Aspsåsfängelset. Du kan anstalten inifrån bättre än något annat befäl i länet. Jag behöver dig där, nu, som PIC.

– Ja?

– Vi har ett skarpt läge.

John Edvardson stod mitt på den vackra kyrkogården som

omgav Aspsås kyrka. Han hade tjugo minuter tidigare lämnat tornet och de prickskyttar som observerat såväl Hoffmann som gisslan vid två tillfällen. De kunde när som helst välja att ta sig in, några sekunder var allt de behövde för att bryta upp dörren eller taket och övermanna gisslantagaren men så länge gisslan levde, så länge den var oskadd, skulle de inte riskera den.

Han såg sig omkring.

Kyrkogården bevakades av en patrull från Uppsalapolisen som spärrat av området, inga sörjande innanför de blå och vita plastbanden, ingen präst, ingen kyrkovaktmästare. Två bilar hade anlänt från Arlanda och ytterligare två från Stockholm och han hade placerat ut en i varje hörn av betongmuren som ringade in fängelset. Han disponerade nu fyra polismän från distriktet Aspsås, lika många från Uppsala, Arlanda och Stockholm och när nationella insatsstyrkans resterande tolv medlemmar strax anlände skulle sammanlagt trettiosju poliser finnas på plats för att övervaka, skydda, anfalla.

John Edvardson var spänd. Han stod på en kyrkogård och betraktade en grå mur och oron som funnits där hela tiden gnagde och irriterade och han fick inte tag i den, det var något ... något som inte stämde.

Hoffmann.

Han som stod därborta och hotade att döda stämde inte.

Under det senaste decenniet, Edvardson gissade på två, kanske tre gisslantagningar om året på svenska fängelser. Varje gång med den nationella insatsstyrkan på plats och med samma förutsägbara scenario. En intern som inne på anstalten på något sätt fått tillgång till egenproducerad mäsk och berusat sig kraftigt, som sedan kommit fram till att han kände sig kränkt och orättvist behandlad av framför allt den kvinnliga personalen och i det rus som föder grandiositet hade han reagerat, agerat, blivit potent, farlig, oåtkomlig och tagit den tjugonioåriga kvinnliga vikarien som gisslan med en rostig skruvmejsel mot halsen. Sedan hade larmet kommit och ett par dussin specialtränade polismän med prickskyttevapen och så hade det bara handlat om tid, den tid det tog för mäsk att gå ur en kropp och en bakfull intern att långsamt inse hur styrkeförhållandena egentligen såg ut och med händerna över huvudet ge upp och som enda resultat få ytterligare sex år i fängelse och hårdare krav på minskat antal permissioner.

Men Hoffmann, han stämde inte in.

Enligt vakterna som låsts in i två celler var han inte påverkad, han hade agerat genomtänkt, varje steg hade känts analyserat, han hade inte varit impulsstyrd, bara målmedveten.

John Edvardson höjde volymen i kommunikationsradion när han fördelade den nationella insatsstyrkans tolv nyanlända, fyra av dem mot dörren till B-husets verkstad för att montera upp mikrofoner, fem av dem via stegar på husets utsida och upp på taket med ytterligare avlyssningsutrustning, tre av dem som förstärkning till det redan bevakade trapphuset.

Han hade närmat sig verkstaden. Han hade stängt av kyrkogården.

Han hade gjort allt han just nu kunde och skulle göra.

Nästa steg var gisslantagarens.

Den tunga ståldörren på polishusets fjärde våning stod öppen. Ewert Grens drog sitt tjänstekort genom skåran i kortläsaren, slog in den fyrsiffriga koden och väntade medan gallergrinden gled upp. Han klev in i det trånga utrymmet och fram till den numrerade boxen, öppnade den med sin nyckel, lyfte ut det tjänstevapen han sällan använde. Pistolens magasin var fullt och han tryckte det på plats, ammunition med manteln en aning urgröpt och ersatt med något som såg ut som en genomskinlig glasbit, sådan ammunition som trasade sönder. Han skyndade sedan mot utredningsroteln, saktade ner när han passerade Sven Sundkvists rum, *vi har ett jobb, Sven, jag vill se dig och Hermansson i garaget om femton minuter och jag vill då veta allt vi har i våra register på en 721018-0010*, han fortsatte sedan, Sven svarade kanske något men han hörde det i så fall inte.

Någon rörde sig på taket.

Skrapljud, hasljud.

Piet Hoffmann stod vid högen med glasfiberplattor. Han hade tagit rätt beslut. Om de fortfarande hade hängt kvar där under innertaket skulle de ha dämpat och gömt de små förflyttningar som just nu genomfördes ovanför hans huvud.

Nya skrapljud.

Den här gången utanför dörren.

De fanns i kyrktornet, på taket, vid entrédörren. De fortsatte att krympa hans handlingsytor. De hade blivit tillräckligt många för att bevaka fängelset och samtidigt förbereda inbrytning från flera håll.

Han plockade upp de fyrkantiga glasfiberplattorna och kastade dem en efter en mot dörren, på dörren, det skulle höras, de skulle stå där utanför med sin avlyssningsutrustning och veta att det just blivit besvärligare att ta sig in, att det från och med nu fanns något i vägen som skulle ta ännu en sekund att passera, den extra tid en person som höll i ett vapen behövde för att skjuta ihjäl sin gisslan.

Mariana Hermansson körde ganska mycket för fort, tjutande sirener och blinkande blåljus, de hade hunnit någon mil norr om Stockholm och de satt märkligt tysta, kanske i tanken vid någon tidigare gisslantagning, kanske på ett tidigare besök på fängelset som regelbundet var del av deras utredande vardag. Sven rotade efter en stund som han brukade i handskfacket och han hittade dem, två blandade kassetter med Siwan och sextiotalsrefränger och han stoppade in den ena i bilens bandspelare, det var ju så de alltid gjorde, lyssnade på Grens förflutna för att slippa prata och inse att de inte hade särskilt mycket att säga varandra.

– Ta ur det där!

Ewert hade höjt rösten och Sven var inte säker på att han förstått varför.

– Jag trodde ...

– Ta ur det, Sven! Du ska visa respekt för min sorg.

– Du menar ...

– Respekt. Sorg.

Sven tryckte ut kassetten och la den i handskfacket, noga med att stänga igen och att Ewert skulle se och höra det. Han förstod sig sällan på sin chef och han hade lärt sig att låta bli att fråga, att det ibland bara var lugnast när människors egenheter fick förbli just egenheter, han var ju själv en av de där tråkiga, en av dem som inte sökte strid, som inte krävde svar för att etablera sig hierarkiskt, han hade ju för länge sedan bestämt sig för att det fick de rädda och osäkra människorna hålla på med.

– Gisslantagaren?

Han vände sig mot baksätet.

– Ja?

– Hade du en bakgrund?

– Ett ögonblick.

Sven Sundkvist lirkade fram fem dokument ur ett kuvert och satte på sig läsglasögonen. Det första, ur allmänna spaningsregistret, bar den särskilda kod som användes för bara några få kriminella. Han räckte det till Grens.

– En av *dom.*

Ewert Grens suckade. En av dem som vid ett planerat gripande alltid var detsamma som förstärkning från piketen eller specialenheter med särskilt utbildade poliser. En av dem utan gränser.

– Mer?

– Brottsregistret. Tio år för amfetamin. Men det är ett tidigare straff som är intressant för oss.

– Jaha?

– Fem år. Försök till mord. Grovt våld mot tjänsteman.

Sven Sundkvist bläddrade i nästa dokument.

– Jag har fått fram domens underlag. Gisslantagaren hade vid gripandet i Söderhamn först slagit en pistolkolv flera gånger i ansiktet på en polisman, sedan avlossat två skott mot nästa, ett i låret, ett i vänster överarm.

Ewert Grens höll en hand i luften.

Han var svagt röd i ansiktet, lutade sig bakåt, drog den andra handen vilset genom det tunna håret.

– Piet Hoffmann.

Sven Sundkvist ryckte till.

– Hur vet du det?

– Han heter det.

– Jag hade inte hunnit komma till hans namn. Men ... han heter just det. Ewert ... hur kan du veta det?

Grens svagt röda färg blev mörkare, andningen kanske något häftigare.

– Jag läste domen, *Sven, just den jävla domen*, för mindre än tjugofyra timmar sedan. Det var Piet Hoffmann jag var på väg till när jag skulle till Aspsåsanstalten för förhör om mordet på Västmannagatan 79.

– Jag förstår inte.

Ewert Grens skakade långsamt på huvudet.

– Han var ett av tre namn som jag hade i uppdrag att undersöka och avföra från utredningen kring Västmannagatan. *Piet Hoffmann.* Jag begriper inte varför och inte hur, men Sven, han var en av dom.

Det var en kyrkogård som borde ha varit vacker. Med solen genom de gröna och höga lönnarna, raka grusgångar som nyligen krattats och gräsmattor som välklippta fyrkanter kring gravstenar som stod stilla och väntade på nästa besökare. Men det vackra var en illusion, en yta som när de gick närmare var hot, oro, rastlöshet och besökarna hade bytt vattenkannor och blommor mot kpistar och svarta ansiktsmasker. John Edvardson mötte redan vid grinden och de skyndade mot en vit kyrka med höga trappsteg framför en stängd träport, Edvardson räckte en kikare mot Ewert Grens, väntade tyst medan kriminalkommissarien sökte och hittade rätt fönster.

– Den där delen av verkstaden.

Ewert Grens gav kikaren till Hermansson.

– Den där delen av verkstaden har bara en ingång och en utgång. Om du ska ta gisslan ... det är helt fel ställe att fly till.

– Vi har hört dom tala.

– Båda två?

– Ja. Dom lever. Vi kan alltså inte gå in.

Rummet som låg till höger strax innanför kyrkans ingång var inte särskilt stort men det enda som just nu kunde förvandlas till en ledningscentral. Ett utrymme där de närmast sörjande brukade samlas inför en begravning eller brudparet brukade vänta i avskildhet inför en vigsel. Sven och Hermansson flyttade stolarna till väggen medan Edvardson gick fram till det lilla altaret i trä och ovanpå det först vecklade ut en ritning över hela anstalten och sedan en detaljskiss över verkstaden.

– Hela tiden ... synlig?

– Jag skulle när som helst kunna beordra mina prickskyttar att skjuta. Men det är för långt. Femtonhundratre meter. Våra vapen, om jag ska garantera träff, högst sexhundra meter.

Ewert Grens vilade ett pekfinger mot ritningen och fönstret där som just nu var deras enda kontakt med en människa som hade mördat bara några timmar tidigare.

– Han vet att vi inte kan skjuta härifrån ... och bakom galler, bakom pansarglas ... han känner sig säker.

– Han *tror* att han är säker.

Grens såg på Edvardson.

– Tror?

– *Vi* kan inte. Med *vår* utrustning. Men det går.

Det låg en ritning på det stora sammanträdesbordet i ett av hörnrummen på Regeringskansliet. Den var väl upplyst, ljuset från takets lampor blandades med det från höga fönster med utsikt över vattnet i såväl Norrström som Riddarfjärden. Fredrik Göransson strök med handen över det styva papperets veck och flyttade den sedan något för att rikspolischefen och statssekreteraren skulle kunna se.

– Det här, byggnaden närmast muren, det är B-huset. Och där, det övre planet, där ser ni verkstaden.

Tre ansikten lutade sig över bordet och utforskade via en bit papper en plats de aldrig hade besökt.

– Hoffmann står alltså här. Nära honom, på golvet, ligger gisslan. En intern och en kriminalvårdare. Helt avklädda.

Det var svårt att förstå, de raka strecken på en arkitektritning, det stod någon där som hotade att döda.

– Enligt Edvardson har han regelbundet sedan insatsstyrkans jourgrupp anlände varit fullt exponerad i fönstret.

Göransson flyttade pärmarna och en tjock mapp med Kriminalvårdens akt från bordet och ner till stolarna för att skapa ytterligare plats och när det inte räckte fortsatte han med termosen och de tre tomma kopparna. Han rullade sedan ut en karta över Aspsås samhälle och drog med en tuschpenna en rak linje från de stora fyrkanterna som var fängelsets olika byggnader och hela vägen över en grön och öppen yta till en av kartans andra rektanglar, den med ett kors på.

– Kyrkan. Exakt femtonhundratre meter bort. Den enda plats med sikt nog för en prickskytt. Hoffmann vet det, Edvardson är säker på det. Han vet att polisens utrustning inte når så långt och det är det han talar om för oss när han står där.

Det fanns lite kaffe kvar i termosen och statssekreteraren tog sin kopp från stolen och fyllde den till hälften. Hon reste sig sedan upp och gick en bit bort i rummet, såg på sina besökare, hennes röst var låg.

– Ni borde ha informerat mig redan igår.

Hon förväntade sig inget svar.

– Ni har målat in oss i ett hörn.

Hon skakade av ilska, hon iakttog dem en i taget, sänkte rösten ytterligare.

– Ni har tvingat honom att agera. Och därför, jag har inget val, måste också jag agera.

Hon såg fortfarande på dem när hon gick mot dörren.

– Jag är tillbaka om femton minuter.

Varje trappsteg hade varit en plåga och när Ewert Grens såg aluminiumstegen som mynnade i en lucka till kyrktornet protesterade det styva benet med små vassa hugg som trängde undan alla andra tankar. Han sa ingenting när han halkade redan på den första pinnen och inte heller när bröstet bara ett par pinnar upp tryckte mot halsen. Hans panna var blank av svett och armarna domnade när han hävde sig genom träluckan och slog hjässan blodig i den tunga gjutjärnsklockans nederkant. Han låg ner, kröp den sista biten mot dörren till balkongen och den svaga vinden som svalkade.

De hade nu sammanlagt fyrtiosex poliser på plats, utanför fängelset, inne på fängelset, utanför kyrkan och två här, i kyrktornet, prickskyttar som med kikare bevakade ett fönster på tredje våningen i B-husets fasad.

– Det finns två möjliga platser. Järnvägsbron, därborta, ligger visserligen ett par hundra meter närmare fängelset men från den har vi en betydligt sämre vinkel, träffytan blir för liten. Härifrån, däremot, är träffytan perfekt. Vi ser honom fullt ut. Men vi har ett problem. Våra prickskyttar använder ett gevär som heter PSG 90 och är avsett för skott på avstånd upp till sexhundra meter. Det är vad skyttarna är tränade för. Och det här, Ewert, det är betydligt längre.

Ewert Grens hade rest sig upp, stod nu längst ut på den smala balkongen med fingrarna knutna kring räcket, han såg skuggan igen, Hoffmanns skugga.

– Och vad betyder det?

– Ett omöjligt avstånd. För oss.

– Omöjligt?

– Det längsta kända avståndet en prickskytt någonsin träffat på är tvåtusentrehundrasjuttiofem meter. En kanadensisk prickskytt.

– Ja?

– Ja vadå?

– Då är det alltså inte omöjligt.

– Omöjligt. För oss.

– Det här är nästan niohundra meter kortare! Vafan är problemet?

– Problemet är att det finns ingen polis som skjuter på dom avstånden. *Vi* har inte den utbildningen. *Vi* har inte den utrustningen.

Grens vände sig mot Edvardson och balkongen skakade till, han var tung och han hade ryckt häftigt i räcket.

– Vem?

– Vem vad?

– Vem har den? Utbildningen. Utrustningen.

– Försvaret. Det är dom som utbildar våra prickskyttar. Dom har utbildningen. Och dom har framför allt utrustningen.

– Ta hit en av dom då. *Nu.*

Balkongen skakade igen, Ewert Grens var upprörd och den stora kroppen rörde sig fram och tillbaka, han slängde med huvudet och stampade med foten. John Edvardson väntade tills han var klar, han brukade inte bry sig särskilt mycket om när kriminalkommissarien skulle se farlig ut.

– Det fungerar inte riktigt så. Militär får inte användas för polisiära ändamål.

– Det handlar om liv!

– Författning SFS 2002:375. *Förordning om försvarsmaktens stöd till civil verksamhet.* Jag kan läsa den för dig om du vill. Paragraf sju.

– Det skiter jag i.

– Det är svensk lag, Ewert.

Han hade lyssnat på hur de rörde sig på taket, små små förflyttningar, de fanns där hela tiden, de var beredda men avvaktade.

Så knastrade det i öronsnäckan.

– Försvaret. Det är dom som utbildar våra prickskyttar. Dom har utbildningen. Och dom har framför allt utrustningen.

Piet Hoffmann log.

– Ta hit en av dom då. *Nu.*

Han log igen, men bara inombords, var sedan noga med att ställa sig i profil, axeln vinkelrätt mot fönstret.

Utrustning, utbildning, kunnande.

En prickskytt. En *militär* prickskytt.

Kartan över Aspsås samhälle låg fortfarande kvar på sammanträdesbordet när statssekreteraren återvände till sitt tjänsterum, noga med att stänga dörren efter sig.

– Nu fortsätter vi.

Hon hade varit spänd och röd i ansiktet när hon femton minuter tidigare hade gått ut och vad hon än hade gjort, vem hon än hade talat med, så hade det fungerat, hon såg lugnare ut, hon var sammanbiten och koncentrerad när hon drack det sista ur kaffekoppen.

– Loggboken?

Hon hade nickat mot en av pärmarna som flyttats ner från bordet.

– Ja.

– Ge mig den.

Göransson räckte henne den svarta, tjocka pärmen och hon noterade medan hon långsamt bläddrade i den hur varje sida var handskriven, omväxlande med svart och blå kulspetspenna.

– Finns samtliga möten mellan er hanterare och denne Hoffmann bokförda här?

– Ja.

– Och det här är det enda exemplaret?

– Det är det exemplar jag förvarar i egenskap av myndighetskontrollant. Det enda som finns.

– Förstör det.

Hon la pärmen på bordet och knuffade den lätt i riktning mot Göransson.

– Finns det några andra formella kopplingar mellan Polismyndigheten och Hoffman?

Göransson skakade på huvudet.

– Nej. Inte i hans fall. Inte i andra infiltratörers fall. Vi arbetar inte så.

Han tycktes slappna av något.

– Hoffmann har fått lön från oss i nio år. Men bara från det konto vi kallar tipspengar. Ett konto som inte kopplas till personuppgifter och därför inte kräver rapportering till Skattemyndigheten. Han finns alltså inte på några lönelistor. Han finns, formellt sett, överhuvudtaget inte för oss.

Mappen med Kriminalvårdens akt låg fortfarande kvar på en av stolarna.

– Och den där? Det är hans?

– Den handlar bara om honom.

Hon öppnade den, sökte i högen av registerutdrag och utredningar om mental status.

– Är det här allt?

– Det är vår bild av honom.

– Vår bild?

– Den bild vi skapat.

– Och den samlade bilden ... om jag formulerar mig så här ... utgör den ett tillräckligt underlag för den polis som kommer att ta beslut om Hoffmann i gisslantagningens ... ja, fortsättning?

Det blev ljusare i rummet, solen trängde in och de vita arken förstärkte och reflekterade det starka skenet.

– Det var en tillräcklig bild för att bli godkänd av den maffiagren han infiltrerade. Vi byggde sedan på den för att göra honom fullt trovärdig också under arbetet inne på Aspsås.

Statssekreteraren la mappen åt sidan, betraktade Göransson, han som befäl skulle mycket väl ha kunnat vara operativ chef på plats under gisslantagningen.

– Skulle du ... med det här underlaget och i den situation som råder i Aspsås med gisslans liv under hot ... skulle du fatta ett beslut som förutsätter att Hoffmann är farlig, kapabel?

Intendent Göransson nickade.

– Tveklöst.

– Skulle vem som helst av alla polisbefäl som kan bli aktuella för uppdraget som insatschef ta samma beslut baserat på samma underlag?

– Ingen polis på plats skulle utifrån vår bild av Hoffmann ifrågasätta att han är beredd att ta en kriminalvårdares liv.

Solen tröttnade på de lätta molnen utanför Regeringskansliets fönster, det starka ljuset gav sig av, det var behagligt att se sig omkring i rummet.

– Så ... om insatschefen i Aspsås är övertygad om att Hoffmann är beredd att döda gisslan ... och om han just nu ska fatta ett beslut ... vad gör han?

– Om vår PIC på plats anser att gisslan befinner sig i akut fara, och att Piet Hoffmann kommer att döda, ska han beordra en inbrytning för att säkerställa gisslans liv.

Göransson flyttade sig närmare bordet och kartan, drog en fingertopp mot papperet, från rektangeln som föreställde B-huset till rektangeln en och en halv kilometer bort som föreställde kyrkan.

– Men det är inte möjligt i det här fallet.

Han ritade en ring i luften över byggnaden markerad med ett kors, höll handen kvar där, rörelsen var långsam, varv efter varv en cirkel som inte stannade kvar.

– Polisens insatschef kommer därför, om han måste, att

beordra nationella insatsstyrkans prickskyttar att nedkämpa gisslantagaren.

– Nedkämpa?

– Skjuta.

– Skjuta?

– Oskadliggöra.

– Oskadliggöra?

– Döda.

RUMMET MED DET lilla träaltaret var redan förvandlat till ledningscentral. Ritningarna över Aspsås fängelse låg kvar på ytan avsedd för en präst att förrätta mässan på, pappmuggar med automatkaffe från närmaste bensinmack stod tomma och till hälften urdruckna på golvet, det smala fönstret rörde sig lätt i vinden och på vid gavel för att få fylla på det syre som stressade och forcerade röster sedan länge andats ut. Ewert Grens rörde sig rastlöst mellan Edvardson, Sundkvist och Hermansson, högljudd men inte aggressiv eller ens förbannad, han hade nyss tagit över som polisinsatschef och var målmedveten och lösningsinriktad, det var han som om en stund skulle fatta det avgörande beslutet, det var han och bara han som bar direkt ansvar för flera människors liv. Han lämnade rummet utan luft, vandrade på den tomma kyrkogården mellan gravar och nyplanterade blommor och såg en annan kyrkogård han ännu inte vågat gå omkring på, som han skulle gå på sedan, när det här var över. Han stannade mellan en grå och mycket vacker gravsten och ett träd som såg ut som en lönn, lyfte kikaren från bröstet och halsen och granskade huset bakom Aspsåsanstaltens mur, mannen som skymtade i ett fönster, han som hette Piet Hoffmann och som Grens skulle ha förhört dagen före, det luktade illa, det stämde inte, människor som insjuknade hastigt hade sällan kraft och besinning att skjuta andra människor genom ögat.

– Hermansson?

Han hade gått fram till det öppna fönstret, ropat mot det.

– Jag vill att du söker upp anstaltsläkaren. Jag vill veta hur det kommer sig att en fånge som igår morse ordinerades barriärvård idag vid lunch kan stå därborta och sikta på gisslan.

Ewert Grens dröjde kvar en stund utanför det öppna fönstret och såg bort mot fängelset. Den där kraften inombords, den som bara brukade finnas där och sedan tvinga honom att jaga jaga jaga tills han var framme, den här gången, han visste precis varifrån den kom. Den äldre vakten. Om de två människor som gisslantagaren siktade på båda hade varit medfångar, han hade inte varit lika ivrig, han hade inte känt samma gnagande oro. Det var så det var. En av de nakna kropparna på verkstadsgolvet brydde han sig inte särskilt mycket om, han kände ingenting för internen som i princip skulle kunna vara i maskopi med gisslantagaren, det var ingen känsla han var särskilt stolt över men det var så han kände. Vakten, däremot, som bar uniform och arbetade där, *allmänhetens representant på en arbetsplats allmänheten föraktade*, en åldrad man som gett sina dagar till den här skiten skulle inte behöva acceptera sådan djup kränkning, någon som tog sig rätten att avsluta hans liv, en revolver mot huvudet.

Grens svalde.

Den vakten, den människan, det var honom det handlade om.

Han sänkte kikaren och tog fram mobiltelefonen. Han försökte minnas om han någonsin två dagar i rad bett sin närmaste chef om hjälp. De hade ju sedan länge ett outtalat samförstånd om att inte lägga sig i varandras vardag för att undvika konflikter med en människa ingen av dem tyckte om. Men han hade inget val. Han slog numret till rummet som låg i en korridor bara ett par dörrar bort från hans eget. Inget svar. Han ringde igen, till växeln, bad om att få bli kopplad till hans mobil. Intendent Göransson svarade redan efter den första signalen, rösten låg, som om han lätt framåtlutad satt i ett möte.

– Du, Ewert ... jag har nog inte riktigt tid just nu. Jag försöker hitta en lösning på ett akut problem.

– Det här är akut.

– Vi ...

– Jag befinner mig exakt femtonhundratre meter från fängelset i Aspsås. Jag ansvarar för en pågående gisslantagning. En kriminalvårdare riskerar att dö om jag tar fel beslut och jag kommer att göra allt jag kan för att se till att det inte händer. Men jag behöver byråkratisk hjälp. Du vet, sådant som du håller på med.

Intendent Göransson drog en hand över ansiktet, genom håret.

– Du befinner dig på Aspsås?

– Ja.

– Och du är PIC?

– Jag löste just av Edvardson. Han koncentrerar sig på insatsstyrkan.

Göransson höll telefonen högt över huvudet, pekade med stora rörelser på den, sökte rikspolischefens och statssekreterarens blickar och nickade ivrigt mot dem tills de hade förstått.

– Jag lyssnar.

– Jag behöver en kompetent prickskytt.

– Nationella insatsstyrkan var väl på plats?

– Ja.

– Då förstår jag inte.

– Jag behöver någon med utbildning och utrustning för att skjuta på ett avstånd på femtonhundra meter. Poliser gör tydligen inte det. Jag behöver därför en *militär* prickskytt.

De lyssnade, rikspolischefen och statssekreteraren, de satt nära honom och de började förstå.

– Du vet precis som jag att militär inte får ingripa mot civila.

– Du är byråkrat, Göransson. Om du är bra på någonting

överhuvudtaget så är det nog det. Att vara byråkrat. Jag vill att du hittar en lösning.

– Ewert ...

– *Innan* gisslan är död.

Göransson höll telefonen i handen.

Obehaget.

Det var där igen.

– Det var Ewert Grens. Den kriminalkommissarie som egentligen utreder Västmannagatan 79. Nu står han här.

Han pekade på kartan, de tunna strecken som symboliserade något som fanns, på riktigt. Ewert Grens stod där, på riktigt. Det var Ewert Grens som snart skulle ta ett beslut baserat på den sammanlagda information som fanns i tillgängliga register och akter, den bild som skapats av hans egna kollegor och som för varje polisbefäl var detsamma som ett tvingande underlag för skott.

Skott.

– Här ... han står precis här som utsedd polisinsatschef. Det är han som styr hela operationen på plats, som ansvarar för den, som beslutar om *hur* den ska lösas.

Göranssons hand skakade, han tryckte den hårt mot kartans papper men den skakade ändå, den brukade inte göra det, skaka.

– Femtonhundratre meter från det fönster där Hoffmann synts regelbundet och med prickskyttar, polisens prickskyttar, som saknar tillräcklig utbildning och utrustning. Han begär därför in en militär prickskytt. Kraftigare vapen, tyngre ammunition, tränad för att skjuta på extrema avstånd.

Skott för att döda.

– Det finns alltid en lösning. Om man verkligen vill finns det alltid en rimlig lösning. Och det ligger förstås i allas vårt intresse att hitta den, att hjälpa till med att få ett avslut.

Statssekreterarens röst hade varit lugn, tydlig.

– Det är ju vår skyldighet att rädda gisslans liv.

Ewert Grens hade begärt en utbildad och utrustad prickskytt.

Med den kunskap som nu fanns i fängelsets korridorer skulle Hoffmann inte avbryta sin gisslantagning.

Om Grens fick sin militära prickskytt skulle han också använda den.

– Vad är det du egentligen säger?

Göransson hade rest sig upp. Han såg på den späda kvinnan framför sig.

De skulle inte hålla i någon avtryckare.

Det skulle polisbefälet som beordrade skottet göra. Det skulle prickskytten som sköt göra.

De tog inga beslut.

De gav andra möjlighet att ta beslut.

– Men ... herregud ...

Göransson höll fortfarande fingret mot kartan när han plötsligt drog den till sig och knycklade ihop den med båda händerna till en boll.

– ... vad är det vi håller på med?

Han rörde sig häftigt, ansiktet stelt och rödflammigt.

– Vi håller på att göra Ewert Grens till mördare!

– Lugna ner dig lite.

– Vi legitimerar ett mord!

Han kastade bollen av papper, den träffade ett fönster och studsade sedan mot statssekreterarens skrivbord.

– Om vi ger det ansvariga polisbefälet den lösning han efterfrågar! Om han tar ett beslut på det underlag han har på Hoffmann! Ewert Grens kan tvingas att kommendera ett dödande skott mot en människa som trots att han aldrig tidigare begått våldsbrott förutsätts vara våldsbenägen, gränslös, kapabel!

Statssekreteraren böjde sig fram och plockade upp kartbollen, höll den i famnen, såg länge på ansiktet som strax skulle brista.

– Om det blir så, om det här polisbefälet får tillgång till en militär prickskytt och sedan måste ta beslut om att skjuta ... då gör han det för att rädda gisslans liv.

Hennes röst var kontrollerad, så låg att den kunde uppfattas men inte högre än att den som lyssnade var tvungen att låta bli att andas.

– Det är bara Hoffmann som har dödat. Det är bara Hoffmann som hotar att döda igen.

Aspsåsfängelsets fyrkantiga rastgård var grovt och torrt grus som dammade, inga människor, inga ljud, samtliga interner satt sedan ett par timmar inlåsta i sina celler bakom dörrar som inte skulle öppnas förrän gisslantagningen var över. Grens promenerade med Edvardson och två medlemmar ur nationella insatsstyrkan ett steg framför sig och Hermansson ett steg bakom. Hon hade väntat på honom innanför fängelsets grind och kort beskrivit ett möte med en anstaltsläkare som inte hade hört talas om någon epidemi och inte någon gång under sin tid på Aspsås förskrivit barriärvård. De närmade sig ytterdörren till B-husets första våning när Grens stannade och väntade in henne.

– En jävla lögn ... och den hör ihop ... den hör ihop med det här. Jag vill att du fortsätter, Hermansson, leta fram anstaltschefen, tvinga honom att svara.

Hon nickade och vände om och han följde hennes ganska magra rygg och axlar genom den lätta dammröken. De hade inte talat med varandra särskilt mycket den senaste tiden, inte ens det senaste året, han hade nog inte talat särskilt mycket med någon alls. När han hade besökt graven, han skulle närma sig henne igen då, han som aldrig mer skulle tilltala en kvinnlig polis hade för varje år lärt sig tycka om henne lite mer, han var fortfarande inte riktigt säker på när hon skrattade åt honom och när hon var irriterad men hon var duglig och klok och hon såg på honom på ett krävande och kompromisslöst sätt som människor sällan vågade. Han skulle tala med henne igen, kanske till och med be henne att lämna polishuset en stund och bjuda henne på en kopp och en mazarin på fiket en bit bort på Bergsgatan, det kändes bra, att tänka på det, att se fram emot det, en fika med dottern de aldrig fick.

Ewert Grens öppnade dörren till hårdisoleringen och den korridor där det hade börjat några timmar tidigare. Kroppen som legat framstupa med blödande huvud var redan borta, fastspänd på en bår och på väg till obduktion, och de två kriminalvårdarna som hotats med vapen och låsts in i var sin cell satt nu med en krishanteringsgrupp i ett mottagningsrum och i samtal med en fängelsepsykolog och en fängelsepräst.

Det första han egentligen tänkte på var bankandet.

I varje cell på första våningen stod tvångsisolerade fångar och slog på en stängd och låst dörr. Ett regelbundet ljud som fick hjärtat att slå i fel takt. Han visste att det var vad de brukade göra och han hade bestämt sig för att ignorera det men det trängde sig på och kröp in i hans huvud och det var med lättnad han fortsatte upp genom trapphuset bakom Edvardson och förbi beväpnade poliser på varje avsats.

De stannade när de nådde den tredje våningen, nickade tyst mot de åtta medlemmar ur den nationella insatsstyrkan som stod utanför verkstaden beredda att på order slå in dörren, kasta en chockgranat och ta full kontroll över situationen inom tio sekunder.

– Det är för lång tid.

Ewert Grens talade lågt och John Edvardson lutade sig närmare för att kunna svara lika lågt.

– Åtta sekunder. Med den här gruppen, Ewert, jag kan få ner tiden till åtta sekunder.

– Det är fortfarande för lång tid. Hoffmann ... för att sikta och för att flytta mynningen mellan två huvuden och sedan skjuta ... han behöver inte mer än en och en halv sekund. Och med hans mentala status ... jag kan inte riskera en död gisslan.

John Edvardson nickade mot taket och det dova skavandet från kroppar som då och då bytte position.

Grens skakade på huvudet.

– Det räcker inte lik förbannat. Från dörren, från taket, dom sekunder du talar om ... gisslan hinner dö flera gånger om.

Bankandet, han klarade det inte mycket längre, hans koncentration räckte inte till för dårarna därnere och dåren därinne, han var på väg ut i trapphuset mot det malande och påträngande men vände tillbaka när Edvardsons hand tog tag i hans ena axel.

– Ewert ...

– Tack.

De stod tysta med de väntande polisernas andetag bakom ryggen.

– I så fall, Ewert, om inte Hoffmann plötsligt ger upp frivilligt, om och när vi bedömer att hans hot inte längre bara är hot ... då återstår bara en enda utväg. Den militära prickskytten. Med ett vapen tillräckligt för att döda.

Obehaget följde tätt efter honom och blev till ryckiga rörelser och långa upprepade harklingar. Fredrik Göransson hade i tio minuter gått omkring i yviga cirklar mellan fönstret och skrivbordet på ett av Regeringskansliets tjänsterum och han hade ingenstans att ta vägen.

– *Vi* såg till att dom intagna fick information om en tjallare.

Den hårt hopskrynklade kartan låg i papperskorgen, han tog upp den, vecklade ut den.

– *Vi* tvingade honom att agera.

– Han hade ett uppdrag.

Rikspolischefen hade hittills låtit statssekreteraren svara. Nu såg han på sin kollega.

– Det ingick inte i det att hota människor till livet.

– Vi brände honom.

– Du har varit med om att bränna infiltratörer förr.

– Jag har förnekat att vi överhuvudtaget arbetar med infiltratörer. Jag har sett på utan att ge en avslöjad infiltratör skydd när organisationen själv tagit hand om honom. Men det här ... det är inte samma sak. Det här är inte att bränna. Det här är att mörda.

– Du missuppfattar fortfarande. Det är inte vi som tar beslut. Vi tar bara fram en lösning till den polis som *ska* ta ett beslut.

Den jagade mannen med de ryckiga rörelserna orkade inte längre stå stilla, med obehaget strax bakom sig sprang han förbi sammanträdesbordet och mot den stängda dörren.

– Jag deltar inte i det här.

Han frös inte längre. Golvet som luktade diesel var lika hårt och lika kallt men han kände inte kylan, inte smärtan i knälederna, han tänkte inte ens på att han var naken och bunden och strax skulle få ännu en spark i sidan av någon som ibland viskade att han skulle döda. Martin Jacobson saknade kraft att prata, att tänka, han låg ner och han rörde sig inte. För det han nu såg, han var inte längre säker, om Hoffmann verkligen gick mot den största av arbetsbänkarna och ur byxornas linning drog fram en plastficka med någon sorts vätska i, om han där klippte sönder den i tjugofyra lika stora delar och med tejprullen från hyllan fäste dem på den namnlöse fångens huvud, armar, rygg, mage, bröst, lår, underben, fötter, om han från samma plats vid linningen tog fram något som såg ut som en flera meter lång och tunn bit pentylstubin och sedan virade den varv efter varv kring fångens kropp, om det var så, om det han såg också var det som hände, han orkade inte mer, han vände sakta bort blicken för att slippa se, det fanns ju inte mer plats för det han inte förstod.

En av tre utdragna stolar kring ett sammanträdesbord stod tom och rummets innehavare, en statssekreterare på justitiedepartementet, strök sin hand fram och tillbaka över en skrynklig karta som för att omedvetet försöka platta till det där knöliga som inte hörde till.

– Kan vi genomföra det här?

Mannen mittemot henne, en rikspolischef, hörde hennes fråga men visste att den inte betydde just det, hon hade inte frågat om de var kapabla nog, det tvivlade ingen av dem på, det var inte Göransson som skulle ha löst det här, den möjligheten försvann inte med honom. Det hon egentligen hade sagt var *litar vi på varandra* eller kanske till och med *litar vi på varandra tillräckligt mycket för att först lösa det här och sedan förhålla oss till lösningen och framför allt konsekvenserna av den?*

Han nickade.

– Ja. Vi kan genomföra det här.

Statssekreteraren hade flyttat sig till bokhyllan bakom skrivbordet och drog fram en pärm i en lång rad av svarta ryggar. Hon bläddrade och hittade den författning hon sökte. SFS 2002:375.

Hon loggade sedan in i sin dator, sökte upp den i sin helhet och skrev ut den i två exemplar.

– Här. Ta ett.

SFS 2002:375.

Förordning av Försvarsmaktens stöd till civil verksamhet.

Hon pekade på den sjunde paragrafen.

– Det är den det handlar om. Det är den vi måste förbi.

> När stöd lämnas enligt denna förordning får Försvarsmaktens personal inte användas i situationer där det finns risk för att den kan komma att bruka tvång eller våld mot enskild.

De visste båda precis vad det innebar. Det var uteslutet att använda militär för polisiära ändamål. Det här landet hade under nästan åttio år undvikit att lösa problem genom att låta militärer skjuta mot civila.

Ändå var det precis vad de måste göra.

– Är det också din uppfattning? Den som kriminalkommissarien på plats har? Att det enda sättet att lösa det här, att få ett skott härifrån att nå ... hit, till den här byggnaden ... är att använda en militär prickskytt?

Statssekreteraren hade plattat ut kartan tillräckligt för att det skulle gå att följa hennes finger.

– Ja. Jag delar den uppfattningen. Det behövs kraftigare vapen, tyngre ammunition, bättre utbildning. Det har jag krävt i flera år.

Hon log, trött, reste sig upp, gick långsamt omkring i rummet.

– Polismyndigheten får alltså inte använda dom prickskyttar som är anställda av Försvarsmakten.

Hon stannade.

– Däremot får Polismyndigheten använda dom prickskyttar som är anställda av Polismyndigheten. Eller hur?

Hon såg på honom och han nickade försiktigt och slog samtidigt ut med armarna i luften, hon var på väg någonstans och han begrep inte vart. Hon gick mot datorn igen, sökte en stund på skärmen och återvände med fler dokument i dubbla exemplar.

– SFS 1999:740.

Hon väntade tills han hittat rätt sida.

– Polisutbildningsförordningen. Nionde paragrafen.

– Ja?

– Vi går därifrån. Mot lösningen.

Hon läste högt.

> Rikspolisstyrelsen får, om det finns särskilda skäl, medge undantag från vad som föreskrivs om utbildning i denna förordning.

Rikspolischefen ryckte på axlarna.

– Jag känner väl till den paragrafen. Men ser fortfarande inte sammanhanget.

– Vi anställer en militär prickskytt. På en tjänst som polisiär prickskytt.

– Han skulle fortfarande vara militär och sakna formell utbildning till polis.

Statssekreteraren log igen.

– Du är väl, precis som jag, jurist? Eller hur?

– Ja.

– Du är rikspolischef. Du har polismans befogenheter. Eller hur?

– Ja.

– Trots att du saknar formell polisutbildning?

– Ja.

– Då går vi därifrån. Mot lösningen.

Han förstod inte mycket mer nu, om riktningen, vad det var hon ville.

– Vi lokaliserar denne utbildade, utrustade, militäre prickskytt. Vi entledigar honom i samråd med hans chefer från hans tjänst vid Försvarsmakten och ger den nyss entledigade och militäre prickskytten ett erbjudande om ... ja, låt oss säga ... ett sextimmarsvikariat vid Polismyndigheten. En tjänst som intendent eller annat polisbefäl. Du väljer nivå och hur du vill titulera honom.

Han log inte, inte ännu.

– Han anställs alltså under exakt sex timmar som polis. Han fullföljer sitt uppdrag. Och kan sedan, när sex timmar gått, söka och återanställas på den vakanta tjänst som ännu inte hunnit utlysas vid Försvarsmakten.

Men han började förstå vart.

– Polismyndigheten lämnar dessutom aldrig, vare sig före, under eller efter ett uppdrag, ut namn på sina prickskyttar.

Precis vart.

– Ingen kommer därför veta vem som sköt.

ETT TOMT, RENT HUS.

Golv inga fötter ännu trampat på, fönster inga ögon ännu längtat ut genom.

Hela byggnaden var nedsläckt, befriad från ljud, det till och med blänkte från dörrarnas oanvända handtag. Lennart Oscarsson hade sett invigningen av det nybyggda K-huset, ännu fler celler, större kapacitet, fler fångar, som en manifestation av en nytillträdd anstaltschefs ambitioner och kraft. Det skulle inte bli så. Han promenerade genom den tomma korridoren, förbi celldörrarna på vid gavel. Han skulle strax tända den starka belysningen och aktivera det nya larmsystemet och successivt skulle lukten av målarfärg och nyuppackade furumöbler blandas med den av ångest och illa borstade tänder. De obebodda cellerna skulle om bara ett par minuter istället invigas av hastigt evakuerade, säkerheten för interner placerade i B-huset var allvarligt hotad med nationella insatsstyrkans kraftiga vapen riktade mot dörrar och fönster och med en gisslantagare på byggnadens tredje våningsplan som ingen egentligen hade kunskap om, varken hans syfte, målsättning eller krav.

Ännu en satans dag.

Han hade ljugit för en utredande polis och tuggat sönder sin underläpp. Han hade tvingat en fånge tillbaka till den avdelning han hotats på och när fången tagit gisslan strimlat gula kronblad från tulpaner till små och porösa bitar och släppt dem mot ett vått golv. När hans mobiltelefon nu ringde, signaler som ekade i det övergivna, gick han in i en tom cell och la sig utmattad på britsen som saknade madrass.

– Oscarsson?

Han kände genast igen generaldirektörens röst, sträckte ut kroppen på det hårda.

– Ja.

– Vilka krav?

– Jag ...

– Vilka krav ställer han?

– Inga.

– Tre timmar och femtiofyra minuter. Och inte ett enda krav?

– Ingen kommunikation överhuvudtaget.

Han hade nyss sett en mun fylla en tv-monitor, spända läppar som mycket långsamt format ord om död. Han orkade inte tala om det.

– Om det kommer krav. *När* det kommer krav, Lennart. Han får inte lämna anstalten.

– Jag förstår inte.

– Om han begär att grinden ska öppnas. Du kommer inte att ge tillstånd till det. Inte under några omständigheter.

Den hårda britsen. Han kände den inte.

– Förstår jag dig rätt? Du vill att jag ska ... att jag ska bortse från den policy du själv formulerat? Och som vi alla i ledande ställning har skrivit under? Om liv, om människors liv är i fara, om vi bedömer att en gisslantagare är beredd att verkställa det hot han formulerar, om han begär att bli utsläppt, *ska* vi för att spara liv öppna grindarna. Är det den överenskommelsen du nu vill att jag ska bortse från?

– Jag vet vilka regler jag har formulerat. Men ... Lennart, om du fortfarande tycker om ditt arbete, då fortsätter du att agera som jag ber dig.

Han kunde inte röra sig. Det gick helt enkelt inte.

– Som *du* ber *mig*?

Var och en har sin gräns, sin exakta brytpunkt när det inte

går längre.

Det här var hans.

– Eller som *någon* ber *dig*?

– Res dig upp.

Piet Hoffmann stod mellan två nakna kroppar, han hade böjt sig ner mot en av dem och talat nära trötta, åldrade ögon tills de sakta förstått och börjat resa sig upp. Kriminalvårdaren som hette Jacobson grimaserade av smärta när han rätade på knä och rygg och började gå åt det håll gisslantagaren pekade, förbi de tre kraftiga betongpelarna och in bakom en vägg nära entrédörren, en avskild del som verkade fungera som något slags lager, obrutna papplådor staplade ovanpå varandra med etiketter från leverantörer av verktyg och maskindelar. Han skulle sätta sig ner, Hoffmann tryckte honom irriterat mot golvet när det inte gick fort nog, han skulle sitta lutad bakåt och sträcka ut benen för att det skulle vara enklare att binda också hans fötter. Den äldre mannen försökte flera gånger förtvivlat nå honom, frågade varför och hur och när men fick inget svar, följde sedan länge Piet Hoffmanns tigande rygg tills den försvann någonstans bakom en borrmaskin och en arbetsbänk.

Det helvetes bankandet. Ewert Grens skakade på huvudet. Det verkade följa något mönster. Dårarna slog på sina celldörrar i två minuter, väntade sedan i en, så två nya minuter. Han gick därför mot vaktkuren, Edvardson strax efter, stängde dörren noga. De två små monitorerna som stod bredvid varandra på ett skrivbord visade båda samma bild, den som var svart, en kamera vänd mot en av verkstadens väggar. Han sträckte sig efter kaffebryggarens glaskanna som var kall och hade en brun, trögflytande vätska på botten. Han vände den upp och ner och väntade medan det bruna långsamt rann mot en av de redan använda muggarna, erbjöd John Edvardson hälften men fick behålla allt, han drack och svalde, det var inte särskilt gott men tillräckligt starkt.

– Ja?

Han hade tömt den nästan vita plastmuggen när den fasta telefonen framför honom plötsligt börjat ringa.

– Kommissarie Grens?

Han såg sig omkring. Alla dessa jävla kameror. Centralvakten hade sett honom gå in i vaktkuren och kopplat samtalet dit.

– Ja.

– Hör du vem det är?

Grens kände igen rösten. Byråkraten några våningar upp i ett av polishusen i kvarteret Kronoberg.

– Jag vet vem du är.

– Kan du prata? Det är något som dunkar så förbannat.

– Jag kan prata.

Han hörde hur rikspolischefen harklade sig.

– Har situationen förändrats?

– Nej. Vi vill agera. Vi skulle kunna agera. Men vi har just nu fel personal. Och ont om tid.

– Du begärde en militär prickskytt.

– Ja.

– Det är därför jag ringer. Ärendet ligger nu på mitt bord.

– Ett ögonblick.

Grens vinkade åt Edvardson, han ville att han skulle kontrollera dörren, att den var ordentligt stängd.

– Ja?

– Och jag tror att jag har en lösning.

Rikspolischefen tystnade, väntade på att Grens skulle reagera, fortsatte igen efter det tomrum som lösts upp i ljudet från korridoren.

– Jag skrev nyss under ett anställningsbevis. Jag har, på ett sex timmar långt vikariat som polissekreterare, anställt en just entledigad instruktör och militär prickskytt som fram tills nu tjänstgjort vid Svea livgarde i Kungsängen. En anställning som inledningsvis omfattas av att bistå Aspsås polisdistrikt. Han har precis lämnat Kungsängen i en helikopter och landar vid Aspsås kyrka om tio, högst femton minuter. När hans anställning sedan upphör, om exakt fem timmar och femtiosex minuter, hämtas han och färdas åter i samma helikopter till Kungsängen för att där hinna söka en nyss vakant men ännu inte utlyst tjänst som instruktör och militär prickskytt.

Han hörde den när den fortfarande var en liten rund prick mot den molnfria himlen. Han sprang till fönstret och iakttog hur den växte medan ljudet blev starkare och hur den sedan landade blå och vit på ängens höga gräs mellan fängelsemuren och kyrkogården. Piet Hoffmann såg mot de två som väntade högt uppe på kyrktornets balkong, mot helikoptern därnere och de poliser som sprang mot den, han lyssnade på dem som rörde sig på taket ovanför hans huvud och på dem alldeles utanför dörren och han nickade sedan mot ingen alls, nu, nu var alla på plats. Han kontrollerade den namnlöse fångens bundna armar och ben och skyndade sedan till väggen som skilde det enkla lagerrummet från resten av salen, slet upp den äldre vakten, tvingade honom framför sig över golvet och till kameran som fanns där med objektivet riktat mot betongen, han vände på den och var noga med att såväl hela hans mun som vakten syntes när han talade.

Han hade gått lätt framåtböjd, klädd i en vit och grå kamouflageuniform, han var i fyrtioårsåldern och hade presenterat sig som Sterner.

– Jag kan inte göra det här.

Medan de närmat sig kyrkan och sedan fortsatt uppför trätrapporna och aluminiumstegen hade Ewert Grens beskrivit ett gisslandrama som om allt gick åt helvete skulle kunna kulminera i ett skott från kyrkans torn.

– Kan inte? Vafan menar du?

Den militäre prickskytt som under ytterligare fem timmar och trettioåtta minuter skulle tjänstgöra som laglig polis hade klivit ut på den smala balkongen och bytt plats med en av de två som redan legat där.

– Det här är inget vanligt prickskyttegevär. Automatgevär 90. Det heter så. Det är grövre, mer kraftfullt, används vid materielförstöring. För att slå ut en buss. En båt. Spränga minor.

Han hade hälsat på den kollega som stannat kvar och som skulle fungera som observatör.

– Långt avstånd. Det var den information jag fick. Det var det jag förberedde mig för. Men det här ... jag får inte skjuta på mjukmål.

Han hade med en kikare i handen sedan observerat Piet Hoffmann i kanten av fönstret och insett vad det egentligen handlade om.

Nu såg han på Grens.

– Förlåt? Så han där ... han är ett ... *mjukmål*?

– Ja.

– Och ... exakt vad innebär det?

– Det innebär att den ammunition som jag har med mig är en brand- och sprängammunition som jag inte får använda på människor.

Grens skrattade till, det lät åtminstone så, ett kort, irriterat skratt.

– Så ... vafan gör du här?

– Skjutavstånd femtonhundratre meter. Det var det uppdrag jag fick.

– *Uppdraget du fick* var att hindra en människa från att ta livet av två andra människor. Eller om du nu föredrar det så – ett mjukmål från att ta livet av andra mjukmål.

Sterner fixerade gisslantagaren med kikaren, han stod kvar där på samma plats i fönstret, han exponerade sig, det var svårt att förstå varför.

– Jag följer bara internationell lag.

– En lag ... *förhelvete Sterner...* den konstrueras av sådana som gömmer sig bakom skrivbord! Men det här ... det är verkligheten. Och om han som står därnere, *mjukmålet*, han som just nu är den verkligheten, om han inte stoppas kommer människor att dö. Och både dom och deras nära anhöriga kommer givetvis att vara jävligt tacksamma över att få veta att du följer ... hur var det nu ... *internationell lag*.

Kikarens förstoring var kraftig och trots att hans händer skakade en aning i blåsten var det lätt att följa mannen som hade långt, ljust hår och som ibland vände sig om och såg ner på något, gisslan, Sterner var övertygad om det, den låg där på golvet nära honom, det var där den fanns.

– Om jag gör som du vill, om jag skjuter med det här prickskyttegeväret och med den ammunition jag har med mig, då släpper armar och ben. Dom trycks av från kroppen. Det blir inget kvar.

Han sänkte kikaren och såg upp mot Grens.

– Du kommer att hitta mjukmålet, människan ... du kommer att hitta kroppsdelar, precis överallt.

Ansiktet, munnen, den var där, igen.

Mannen i blå och skrynklig vaktuniform reste sig upp. Samma monitor som förra gången, samma kamera som hade vänts tillbaka från betongväggen. Bergh var fortfarande varm men stängde av och flyttade bordsfläkten, den stod i vägen mitt i centralvaktens trånga kur, han behövde mer plats för att kunna se ordentligt när han kopplade upp och la ut bilden på samtliga sexton skärmar.

Munnen som sa något, och sedan det andra, en människa till, Jacobson, naken, bunden. Gisslantagaren höll i honom och tog plötsligt ett steg bakåt, han ville att det skulle synas hur han förde en miniatyrrevolver mot Jacobsons huvud och hur han sedan formade sina ord.

Bergh behövde inte spola tillbaka den här gången.

De två första kände han genast igen.

jag dödar

Och de tre sista var märkligt enkla att tolka utifrån läpparnas tydliga rörelser.

om tjugo minuter

Sven Sundkvist sprang med mobiltelefonen i handen uppför kyrkans trappor. Samtalet från en upprörd röst i centralvakten hade varit tydligt, de hade fått sin nedräkning och varje minut, varje sekund var mindre tid kvar för ett beslut. Han rätade upp stegen och öppnade luckan och kröp från järnklockan till balkongen, Ewert var där, och den nye prickskytten och hans observatör, Sven talade högt till dem alla, det fanns inte längre tid för samtal som skulle upprepas.

Ewert såg på honom, ögonen närvarande, den där ådern vid tinningen som pulserade.

– Hur länge sedan?

– En minut och tjugo sekunder sedan.

Ewert Grens hade väntat på det men trott att det skulle dröja, att han skulle ha mer tid, han suckade, det var så det var, det var så det alltid var, det fanns aldrig nog med tid. Han höll sig i räcket, såg ut över samhället, över anstalten, två världar, några meter emellan men två avgränsade, unika världar med egna regelsystem och förutsättningar och som inte hade ett skit med varandra att göra.

– Sven.

– Ja?

– Vem är han?

– Vem?

– Kriminalvårdaren.

Han därborta i fönstret och bakom pansarglaset, han vet, Hoffmann vet precis hur fan det fungerar och han har bestämt sig för att det ska börja just nu, att vi reagerar på en åldrad vakt. Och han har rätt. Det är den gråhårige kriminalvårdaren vi bryr oss om. Om ... det bara hade varit ännu en långtidsdömd narkotikalangare, svårt att säga, svårt att tänka, vi hade inte ansträngt oss lika mycket.

– Sven?

– Strax.

Sven Sundkvist bläddrade i sitt anteckningsblock, tätt skrivna sidor med blyertspenna, det var inte särskilt många som använde det längre.

– Martin Jacobson. Sextiofyra år. Anställd på Aspsås sedan han var tjugofyra. Fru. Vuxna barn. Bor i samhället. Omtyckt, respekterad, ingen hotbild.

Grens nickade frånvarande.

– Behöver du mer?

– Inte nu.

Den där vreden. Hans inre motor, drivkraft, utan den, han var ingen alls. Nu tog den tag i honom, skakade honom hårt, inte fan, inte fan hade den nakne, bundne mannen med en miniatyrrevolver mot ögat arbetat i fyrtio år för en skitlön och bland människor som föraktade honom för att sedan bara dö på ett illaluktande verkstadsgolv ett år före sin pension, inte fan ...

– Sterner.

Den militäre prickskytten låg med kikaren nära räcket en bit bort på balkongen.

– Du är polis nu. *Du är polis nu.* I fem och en halv timme till. Och jag är utsedd polisinsatschef på plats. Jag är alltså ditt befäl. Det innebär att du från och med nu gör exakt det jag beordrar dig att göra. Och jag är, *lyssna noga*, inte särskilt intresserad av resonemang kring mjukmål och internationella lagar. Är det uppfattat?

De såg på varandra, han fick inget svar, han hade inte förväntat sig det.

Det stora fönstret.

En naken, sextiofyraårig man.

Han mindes en annan människa, en annan gisslantagning, snart tjugo år sedan men han kunde fortfarande känna den kvävande ilskan, några tvångsomhändertagna småungar, potenta och kriminella, som beslutat sig för att rymma och därför ta gisslan och anfallit den pensionerade, extraarbetande kvinnan i köket, en billig skruvmejsel mot hennes hals, de hade noga valt ut personalgruppens svagaste medlem och hon hade avlidit senare, inte under gisslantagningen men i sviterna av den, de hade liksom tagit hennes inre ifrån henne och hon hade inte vetat hur man tog det tillbaka.

Det här, lika jävla fegt, lika jävla utstuderat, personalstyrkans äldsta, gruppens svagaste.

– Jag vill att du oskadliggör honom.

– Vad menar du?

– Skadeskjut honom.

– Det går inte.

– Det går inte? Jag förklarade nyss ...

– Det går inte eftersom jag i så fall måste skjuta mot bålen. Och härifrån ... träffytan är för liten. Om jag skulle skjuta mot ... säg en av armarna ... är för det första risken större att jag missar, och för det andra, om jag skulle träffa en arm, då sprängs också andra delar av kroppen bort, i stycken.

Sterner räckte geväret mot Grens.

Det svarta och nästan magra vapnet var tyngre än han hade trott, han gissade på femton kilo, de hårda kanterna tryckte mot handflatorna.

– Det där prickskyttegeväret ... det har en anslagskraft som är förödande för en människokropp.

– Vid träff?

– Han dör.

Öronsnäckan hade två gånger varit på väg att falla ur, han höll fingret mot den som förut, varje ord var avgörande.

– Skadeskjut honom.

Något knastrade, störde, han bytte öra, mottagningen var inte bättre där, han koncentrerade sig, lyssnade, han måste, *måste*, uppfatta allt.

– Vid träff?

– Han dör.

Det räckte.

Piet Hoffmann gick genom salen, mot det lilla kontoret och skrivbordet längst in, han drog ut den översta lådan och tog rakhyveln som låg där i ett ledigt fack mellan blyertspennor och gem, sedan saxen ur pennstället, han fortsatte ut och till det enkla lagerrummet, vakten som hette Jacobson satt kvar mot väggen, Hoffmann kontrollerade plastremmarna kring händer och fötter, rev med ett ryck ner gardinen framför fönstret och lyfte upp mattan från golvet och återvände till salen och den andra gisslan.

Plastbehållarna med nitroglycerin satt kvar på hans hud. Pentylstubinen tryckte hårt lindad mot hans kropp. Hoffmann mötte hans vädjande blick medan han slängde mattan över honom och band fast den med gardinen.

Han knuffade karet med diesel från arbetsbänken och placerade det nära gisslans ben.

Han trevade med händerna under mattan, fångade sprängkapseln och tejpade fast den vid pentylstubinens ena ände.

Han gick sedan till fönstret, såg upp mot kyrktornet, på vapnet som var riktat mot honom.

DE STOD BREDVID varandra i ett av Regeringskansliets höga fönster på tredje våningen, de hade nyss öppnat den spröda glasrutan på vid gavel och andades in frisk, sval luft. De var klara. De hade fyrtiofem minuter tidigare meddelat den utsedde polisinsatschefen på plats i Aspsås kyrka att han strax skulle få tillgång till den militäre prickskytt han begärt, att denne redan var på väg.

Det som inte hade gått att lösa var löst.

Nu fanns förutsättningarna för att fatta ett beslut baserat på tillgänglig dokumentation.

Ett beslut som bara var Ewert Grens, som han strax ensam skulle ta och ensam ansvara för.

HAN HADE NOG aldrig varit inne i ett kyrktorn förut. Inte vad han kunde minnas. Kanske som barn, något studiebesök och på led bakom en ambitiös klasslärare. Märkligt, egentligen, alla dessa år av träning och han hade aldrig skjutit från ett så självklart objekt, en kyrka som var naturlig högsta punkt här precis som på så många andra platser. Han lutade ryggen mot väggen och såg på den tunga gjutjärnsklockan, formad för så länge sedan för att ringa om lycka och helvete. Han satt framför den i avskildhet, vilade sig som han skulle göra, som en prickskytt alltid gjorde inför ett eventuellt skott, en stund av ro i egen värld och med observatören kvar vid vapnet.

Han hade anlänt till kyrkan mindre än en timme tidigare. Om drygt fem timmar skulle han befinna sig i Kungsängen, han skulle ha lämnat tillfällig tjänstgöring som polis och återanställas som militär. Han hade när han transporterats hit förutsatt att det handlade om att skjuta mot ett icke-levande mål. Det var inte så. Han skulle om några få minuter göra det han aldrig tidigare gjort. Sikta och skjuta med ett skarpladdat vapen mot en människa.

En riktig människa.

En sådan som andades, tänkte och skulle saknas av någon.

– Objekt i sikte.

Han var inte orolig för modet att avlossa skott, för kompetensen att träffa.

Men han fruktade det där efteråt, inombords, som aldrig gick att förbereda sig inför, som en död gör med den som dödat.

– Repeterar. Objekt i sikte.

Observatörens röst var angelägen, Sterner gick ut i den lätta vinden, la sig ner, kramade vapnet i sina händer, väntade. Skuggan i fönstret. Han såg på observatören, de hade känt samma sak, gjort samma iakttagelse, ingen av dem var övertygad om att han som stod därnere i profil inte insåg att han faktiskt *var* möjlig att träffa.

– Vi närmar oss skott.

Den klumpige kriminalkommissarien med det hetsiga sättet att tala och ett styvt ben som verkade smärta mer än han ville visa hade placerat sig precis bakom honom.

– Om inte Hoffmann tar tillbaka sitt hot kommer jag att beordra skott. Hans nedräkning går ut om tretton minuter. Är du förberedd?

– Ja.

– Och ammunitionen?

Sterner vände sig inte om, han låg hela tiden kvar på mage med ansiktet mot fängelset och med fokus på kikarsiktet och ett fönster högst upp på B-husets fasad.

– Jag borde, *med korrekt information*, laddat och använt den underkalibrerade ammunition som just nu lämnar Kungsängen i en helikopter och som inte kommer att hinna hit. Med den här ... om jag ska penetrera ett armerat fönster före målträff ... den fungerar. Men jag upprepar ... det är *inte* möjligt att skadeskjuta. Ett avlossat skott kommer att vara ett dödande skott.

DÖRREN VAR STÄNGD.

Brun, kanske ek, flera repor kring låset, en nyckelknippa som skavt lite mer varje gång den vridits två varv kring en kolv som kärvade.

Mariana Hermansson knackade lätt på den.

Inga steg, ingen röst, om någon fanns därinne var det utan att röra sig, utan att tala, någon som inte ville ha kontakt.

Hon hade på Ewerts uppmaning sökt upp anstaltsläkaren på andra sidan det stora fängelset, innanför samma murar men flera hundra meter bort från verkstaden och Hoffman och risken för ännu mer död. Hon hade stått i C-huset och genom ett av sjukavdelningens smala innerfönster iakttagit en nedbäddad och hostande intern medan mannen i den vita rocken förklarat att 0913 Hoffmann aldrig vårdats i någon av avdelningens sängar, att symptom på epidemi aldrig identifierats, att barriärvård därför heller aldrig beordrats.

Ewert Grens hade mötts med en lögn. Fängelsets chef hade förhindrat ett förhör. Nu höll just den fången en revolver mot en kriminalvårdsinspektörs huvud.

Hon knackade igen, hårdare.

Hon tryckte ner handtaget.

Dörren var olåst.

Lennart Oscarsson satt i en fåtölj i något mörkt skinn, armbågarna mot det breda skrivbordet, ansiktet mot handflatorna. Han andades ansträngt, djupa oregelbundna andetag, och det hon såg av pannan och kinderna blänkte i taklampans hårda ljus, kanske svett, kanske tårar. Han hade inte märkt att hon kommit in i hans chefsrum, att hon nu stod bara någon meter framför honom.

– Mariana Hermansson, Citypolisen.

Han ryckte till.

– Jag har några frågor. Om Hoffmann.

Han såg på henne.

– Jag dödar.

Hon valde att stå kvar.

– Han sa det.

Hans ögon flackade, hon försökte möta dem, det gick inte, de var någon annanstans.

– Jag dödar. Han sa det!

Hon visste inte vad hon hade väntat sig. Men det var inte det här. Någon som höll på att gå sönder.

– Han heter Martin. Vet du det? En av mina nära vänner. Mycket mer än så, min *närmaste* vän. Aspsåsanstaltens äldsta medarbetare. Fyrtio år. Fyrtio år har han varit här! Och nu … nu ska han dö.

De flyende ögonen, hon jagade dem.

– Igår. En kriminalkommissarie, Ewert Grens, samma kriminalkommissarie som just nu leder operationen från kyrkans torn, han var här. Han var här för att förhöra en intern. Piet Hoffmann.

Den fyrkantiga monitorn.

– Om Martin dör.

Munnen som rör sig så sakta.

– Om han dör.

Jag dödar.

– Jag vet inte om …

– Du förklarade att det inte gick. Att Hoffmann var sjuk. Att han vårdades isolerad på sjukavdelningen.

– … jag vet inte om jag orkar det.

Lennart Oscarsson hade inte hört henne.

– Jag besökte för en stund sedan C-huset. Jag talade med Nycander. Hoffmann har aldrig varit där.

Munnen.

– Du ljög.

Den rör sig.

– Du ljög. Varför?

När den rör sig långsamt på den där monitorn ser det precis ut som om den talar om att döda.

– Oscarsson! Hör du mig? En människa låg död på en av korridorernas golv i B-huset. Två andra människor har exakt nio minuter kvar att leva. Vi måste ta ett beslut. Vi behöver ditt svar!

– Vill du ha en kopp kaffe?

– Varför ljög du? Vad handlar det här om?

– Eller te?

– Vem är Hoffmann?

– Jag har både grönt och rött och vanligt i påse. Den där sorten som man doppar.

Anstaltschefens panna släppte stora droppar på den blanka skrivbordsytan när han reste sig upp och gick mot en vagn i glas och guldfärgade bågar i rummets ena hörn, porslinskoppar och porslinsfat staplade på varandra.

– Vi behöver dina svar. Varför? Varför ljög du?

– Det är viktigt att det inte drar för länge.

Han såg inte på henne, vände sig inte om trots att hon för första gången höjt rösten, han höll en av kopparna under en termos och fyllde den med ångande vatten, en påse med en bild av ett rött nypon försiktigt mitt i.

– Ungefär två minuter. Inte mer.

Han var på väg bort.

– Vill du ha mjölk?

De behövde honom.

– Socker? Kanske både och?

Hermansson förde höger hand under jackan och vinklade tjänstepistolen tills den släppte hölstret, armen rakt ut och framför anstaltschefens ansikte, en mantelrörelse, skottet träffade ganska mitt på det avlånga klädskåpet.

Kulan gick rakt igenom dörren, slog sedan mot skåpets bakre vägg, de hörde båda hur den föll till golvet någonstans bland svarta och bruna skor.

Lennart Oscarsson rörde sig inte. Den varma tekoppen i ena handen.

Hon pekade med mynningen mot klockan på väggen bakom skrivbordet.

– Åtta minuter kvar! Hör du mig? Jag vill veta varför du ljög. Och jag vill veta vem Hoffmann är, varför han står i verkstadens fönster med en revolver mot gisslans panna.

Han såg på vapnet, på skåpet, på Hermansson.

Han gick mot skrivbordsstolen och satte sig ner.

– Jag låg nyss på en ... en oanvänd brits i K-huset och letade i det fina, vita, nymålade taket. Eftersom ... eftersom jag inte vet vem Hoffmann är. Eftersom jag inte vet varför han står där och påstår att han ska döda min bäste vän.

Hans röst, hon var osäker, som om han höll på att gråta, eller om det var det sköra som blir när man ger upp.

– Det jag vet ... det här handlar om andra saker ... det finns andra människor inblandade.

Han svalde, svalde igen.

– Jag beordrades att bevilja ett advokatbesök kvällen innan Grens var här. En intern på samma avdelning som Hoffmann. Stefan Lygás. Han deltog i det första överfallet. Och det var han som ... som sköts i morse. Advokater, du kanske vet, information som någon vill ha in bakom murarna ... den går ofta den vägen.

– Beordrades? Av vem?

Lennart Oscarsson log svagt.

– Jag beordrades att förhindra att Grens – eller någon polis överhuvudtaget – kom nära Hoffmann. Jag stod där i besöksrummet, jag försökte se på honom, förklara att fången han sökte fanns på sjukavdelningen, att han skulle göra det i ytterligare tre, kanske fyra dagar.

– Av vem?

Samma leende, kraftlöst.

– Jag beordrades att flytta Hoffmann. Till den avdelning han kom ifrån. Trots att en hotad intern aldrig flyttas tillbaka.

Hermansson skrek nu.

– Av vem!

Leendet.

– Och jag beordrades, alldeles nyss, om Hoffmann får för sig att kräva att grindarna öppnas för honom och gisslan ... *jag ska inte släppa ut honom.*

– Oscarsson, jag måste veta vem som ...

– Jag vill att Martin överlever.

Hon såg på ansiktet som inte ville vara med så mycket längre, på klockan som hängde på väggen.

Det var sju minuter kvar.

Hon vände sig om, sprang därifrån, hans röst, den jagade henne genom korridoren.

– *Hermansson?*

Hon stannade inte.

– *Hermansson ...*

Ord som studsade mot kala väggar.

– *... någon vill att Hoffmann ska dö.*

FÖTTERNA BUNDNA. HÄNDERNA bundna. En trasa i munnen. En matta över huvudet.

Nitroglycerin mot huden. Pentylstubin runt bröstet, bålen, benen.

– Uppsättning trettiotvå.

Han drog den tunga kroppen mot fönstret, slog på den, tvingade den att stå kvar där.

– TPH tre.

– Repetera.

– Transport höger tre.

De var nära skott. Dialogen mellan skytten och observatören skulle pågå tills det avlossats.

Han behövde mer tid.

Piet Hoffmann sprang över verkstadens golv till lagerrummet och den andra gisslan, kriminalvårdaren med det bleka ansiktet.

– Jag vill att du skriker.

– Plastbanden, dom skär ...

– Skrik!

Den äldre mannen var trött, han flåsade, hans huvud hängde lite snett, som om han saknade kraft att hålla det uppe.

– Jag förstår inte.

– Skrik, för helvete!

– Vad ...

– Vafansomhelst. Det är fem minuter kvar. Skrik det.

De rädda ögonen såg på honom.

– Skrik det!

– Fem minuter kvar.

– Högre!

– Fem minuter kvar!

– Högre!

– *Fem minuter kvar!*

Piet Hoffmann satt stilla, han lyssnade, försiktiga ljud utanför entrédörren.

De hade hört.

De hade hört att gisslan levde, de skulle inte gå in, inte ännu.

Han fortsatte, till kontoret och telefonen och tonen gick fram, en gång, två gånger, tre, fyra, fem, sex, sju, han höll i den tomma porslinskoppen, kastade den mot väggen, skärvor över skrivbordet, sedan pennstället, samma vägg, hon hade inte svarat, hon var inte kvar, hon ...

– Objekt ur sikte sedan en och en halv minut.

Han hade inte synts tillräckligt.

– Repetera.

– Objekt ur sikte sedan en och en halv minut. Kan varken lokalisera objekt eller gisslan.

– Förbered inbrytning inom två minuter.

Hoffmann sprang ut ur kontoret och de rörde sig på taket igen, de gjorde sig beredda, sökte sina positioner, han stannade vid fönstret, drog med kraft till sig mattan, gisslan skulle vara nära och han hörde honom stöna när plasten grävde i såren kring fotlederna.

– Objekt åter i sikte.

Han stod kvar, väntade, nu, *avbryt nu för helvete*.

– Avbryter. Avbryter förberedelse för inbrytning.

En långsam utandning, han avvaktade, sprang sedan tillbaka

till kontoret och telefonen, en gång till, han slog numret, signalerna, han orkade inte räkna dem, den jävla tonen, den jävla jävla tonen, den jävla ...

Den bröts av.

Någon hade svarat men talade inte.

Ljudet av en bil, en rullande bil, den som svarat befann sig i en bil som var på väg, och kanske, lite svagare, som om de satt en bit bort, det måste ha varit det, röster från två barn.

– Har du gjort det vi kom överens om?

Det var svårt att höra, men han var helt säker, det var hon.

– Ja.

Han la på.

Ja.

Han ville skratta, hoppa, men slog bara nästa nummer.

– Centralvakten.

– Koppla mig till ansvarigt polisbefäl.

– Ansvarigt polisbefäl?

– Nu!

– Och vem fan är du?

– Någon i en av dina monitorer. Jag gissar att just den här är ganska svart.

Ett klickande, några sekunders tystnad, så en röst, den han hade hört förut, den som bestämde, han hade kopplats vidare till kyrktornet.

– JAG DÖDAR OM tre minuter.

– Vad vill du?

– Jag dödar om tre minuter.

– Jag upprepar ... vad vill du?

– Döda.

TRE MINUTER.

Två minuter och femtio sekunder.

Två minuter och fyrtio sekunder.

Ewert Grens stod i ett kyrktorn och kände sig oerhört ensam. Han skulle strax besluta om en annan människa skulle leva eller dö. Det var hans ansvar. Och han var inte längre säker på om han hade tillräckligt med mod för att göra det och sedan leva med det efteråt.

Det blåste inte längre. Det kändes åtminstone inte någonting mot pannan och kinderna.

– Sven?

– Ja?

– Jag vill höra det igen. Vem han är. Vad han är kapabel till.

– Det finns inte mer.

– Läs!

Sven Sundkvist höll personakten i handen. Det fanns bara tid för några få rader.

– Kraftig antisocial personlighetsstörning. Utan förmåga att känna empati. Omfattande utredningar, signifikativa kännetecken impulsivitet, aggressivitet, brist på respekt för egen och andras säkerhet, brist på samvete.

Sven såg på sin chef men fick inget svar, ingen kontakt.

– Vid polisskjutningen i Söderhamn, en öppen gräsyta i centrala stadens utkant, slog han ...

– Det räcker.

Han böjde sig ner mot den liggande prickskytten.

– Två minuter. Förbered skott.

Han pekade på dörren till tornet och på aluminiumstegen i luckans överkant, de skulle gå ner till rummet med träaltaret, skytten skulle störas så lite som möjligt. Han hade kommit halvvägs när han slog på kommunikationsradion och förde den till munnen.

– Från och med nu trafik mellan mig och skytten. Ni stänger av era mobiltelefoner. Bara jag och skytten kommunicerar fram till skott.

Trätrappan gnällde för varje steg, de närmade sig ledningscentralen, han skulle lämna den igen när det här var över.

Mariana Hermansson slog på den skitiga glasrutan, mot kameran som granskade henne, det var den fjärde låsta dörren i den långa kulverten under fängelset och när den öppnades sprang hon mot centralvakten och utgången.

Martin Jacobson förstod inte vad som hände. Men han kände att det var på väg att ta slut. De senaste minuterna, Hoffmann hade sprungit flera gånger fram och tillbaka, hans andetag hade varit häftiga och han hade ropat högt om tid och om död. Jacobson försökte röra på benen, på händerna, han ville bort, han var ju så rädd, han ville inte sitta kvar här, han ville resa sig upp och gå hem och äta middag och titta på tv och dricka ett glas kanadensisk whisky, den där sorten som smakade så mjukt.

Han grät.

Han grät också när Hoffmann kom in i det trånga lagerrummet, när han tryckte honom mot väggen och viskade att det strax skulle smälla som fan, att han skulle sitta kvar precis här, att om han gjorde det var han skyddad och skulle slippa dö.

Han låg ner med båda armbågarna som stöd mot balkonggolvets träbotten och med tillräckligt utrymme för benen, hans utgångsställning var bekväm och han kunde koncentrera sig på kikarsiktet och fönstret.

Det var nära.

Aldrig någonsin tidigare hade en prickskytt på svensk mark tagit ett liv i fredstid, inte ens skjutit för att döda. Men gisslantagaren hade hotat, vägrat att kommunicera, hotat igen, han hade gradvis tvingat fram det här, ett val mellan ett liv och ett annat.

Ett skott, en träff.

Han var kapabel, till och med på det här avståndet kände han sig helt säker, ett skott, en träff.

Men han skulle aldrig se konsekvenserna av det, en människa i delar, han mindes den där förmiddagen under utbildningen, resterna av levande grisar som övningsobjekt, han orkade inte se människor så.

Han flyttade sig en aning längre ut på balkongen, han såg fönstret ännu bättre nu.

Hon sprang genom den öppna fängelsegrinden och ut på den nästan fulla parkeringsplatsen, hon slog Ewerts nummer för andra gången och blev för andra gången nedkopplad, hon närmade sig bilen och försökte med Sven och med Edvardson utan att få signal, hon öppnade och startade och körde över gräsmattan och planteringen och såg lika mycket upp på kyrktornet som på vägen, det låg ju någon där och väntade.

Ewert Grens tog av sig hörlurarna, han ville bli av med rösterna som var där för att han hade beordrat det, som var hans ansvar nu och som hade en enda uppgift.

Att döda.

– Mål?

– Ensam man. Blå jacka.

– Avstånd?

– Femtonhundratre meter.

Han hade inte mycket tid kvar.

Hermansson lämnade avfarten till fängelset och körde på fel sida av vägen mot Aspsås samhälle.

– Vind?

– Sju meter per sekund höger.

Hon ökade farten lika mycket som hon höjde kommunikationsradions volym.

– Yttertemperatur?

– Arton grader.

Oscarsson, det han nyss hade sagt, Ewert ... innan skottet, innan ... han måste få veta.

Jag har aldrig skjutit mot en människa.

Jag har aldrig kommenderat någon annan att skjuta mot en människa.

Trettiofem år som polis. Om en minut ... det är mindre än en minut kvar.

– Grens, kom.

Sterner.

– Grens här, kom.

– Gisslan … den är nu dold … som om någon sorts matta bundits runt dom.

– Ja?

Ewert Grens väntade.

– Jag tror … mattan … Grens, det ser jävligt konstigt ut …

Grens skakade.

Det var inte de utanför muren som bestämde, det var gisslantagaren, det var han som upplöste gränsen, som utmanade, tvingade.

– Fortsätt!

– … jag tror att han förbereder en … avrättning.

Du har arbetat där ett helt liv.
Du är äldst. Du är svagast. Du är utvald.
Du ska inte dö.

– Skjut.

Han hade hela tiden iakttagit tornet och människorna där, han hade varit noga med att stå i profil, gisslan nära, dieselkaret nära, han hade lyssnat på deras röster som hade varit så tydliga, det hade varit lätt att höra kommandot.

– Skjut.

Femtonhundratre meter.
Tre sekunder.
Han uppfattade klicket.
Han tvekade.
Han flyttade på sig.

Skottet.

Döden.

De väntade.

– Avbryter. Objekt ur sikte.

Hoffmann hade stått där, huvudet snett, ansiktet i profil, han hade varit lätt att se och lätt att träffa. Plötsligt hade han flyttat på sig. Ett enda steg hade räckt. Ewert Grens andades häftigt, han hade inte varit medveten om det, han kände med en hand på ena kinden, den hettade.

– Objekt åter i sikte. Klart för skott. Inväntar en andra order.

Hoffmann var tillbaka, han stod där igen.

En gång till.

Ett nytt beslut.

Det han inte ville ta, inte orkade ta.

– Skjut.

Han hade hört ett klick. När vapnet osäkrades. Och han hade flyttat på sig.

Nu stod han kvar. Mitt i fönstret.

Det första klicket i hans öra och han stod kvar.

Nästa.

Det andra klicket.

Det från ett finger mot en avtryckare.

Femtonhundratre meter. Tre sekunder.

Han flyttade på sig.

Ett enda ögonblick.

Det tänjdes ut. Det var tomt och det var tyst och det pågick.

Ewert Grens visste allt om sådana ögonblick, hur de jagade, hur de åt upp och hur de aldrig, aldrig släppte.

– Avbryter. Objekt ur sikte.

Han hade flyttat på sig en gång till.

Ewert Grens svalde.

Hoffmann skulle just dö och det var som om han visste om det, ett enda ögonblick, han hade använt det och han hade flyttat på sig igen.

– Objekt åter i sikte. Klart för skott. Inväntar en tredje order.

Han var tillbaka.

Grens fångade hörlurarna som vilade mot axlarna, höll i dem, satte dem på plats.

Han vände sig mot Sven, sökte ett ansikte som var vänt bort.

– Upprepar. Klart för skott. Inväntar en tredje order. Kom.

Det här var hans beslut. Bara hans.

Ett djupt andetag.

Han letade efter sändarknappen, kände på den med fingertopparna, tryckte ner den, hårt.

– Skjut.

Piet Hoffmann hade hört kommandot för tredje gången.

Han hade stått stilla vid klicket när vapnet osäkrats.

Han hade stått stilla vid klicket när fingret mött avtryckaren.

Det var en märklig känsla, att veta att skottet nu var på väg, att han hade tre sekunder kvar.

Explosionen kvävde ljudet, ljuset, hennes andhämtning, någonstans snett bakom henne detonerade det som påminde om en bomb.

Hon bromsade in tvärt, bilen krängde, drog henne mot vägkanten och diket, hon släppte efter och bromsade igen och fick kontroll, hon stannade och klev ur, fortfarande så jagad att hon inte hunnit bli rädd.

Mariana Hermansson hade haft bara ett par hundra meter kvar till Aspsås kyrka.

Nu vände hon sig om, mot fängelset.

En hastig, intensiv eld.

Sedan tjock, svart rök som trängde ut ur ett stort hål som alldeles nyss hade varit ett fönster i fasaden till fängelsets verkstad.

fjärde delen

lördag

DET VAR FÖRMODLIGEN så mörkt det kunde bli en natt i slutet av maj.

Husen och träden och ängarna väntade omkring honom med kanter som var oskarpa, de skulle träda fram snart, när ljuset långsamt närmade sig.

Ewert Grens körde längs tom asfalt, han hade hunnit ett par mil norr om Stockholm, snart halvvägs. Hans kropp var spänd, varje led, varje muskel värkte fortfarande av adrenalin trots att det gått tolv timmar sedan ett skott och en explosion och människors död. Han hade inte ens försökt att sova, visserligen lagt sig en stund på manchestersoffan och lyssnat på det tysta polishuset men inte slutit ögonen, det som rusade inom honom gick inte att stänga av. Han hade försökt med vilsna tankar på Anni och gravplatsen, föreställt sig omgivningarna där hon vilade, där han ännu inte hade varit men dit han skulle. Det var en sådan natt när han arton månader tidigare skulle ha talat med henne, nätterna han hade levt bara med hennes hjälp, han skulle ha ringt till vårdhemmet trots att han inte fick, tjatat på någon i personalen tills de väckt henne och räckt fram luren, lyssnat på hennes andetag och de små ljud som bara var hennes och gradvis känt lugn medan han berättat för henne med örat mot hennes närvaro. När hon sedan inte längre fanns hade han slutat att ringa och istället tagit bilen och kört mot Gärdet och Lidingöbron och vårdhemmet som låg så fint på den dyra ön, han hade suttit på parkeringsplatsen nära hennes fönster, tittat på det, efter en stund lämnat bilen och gått ett varv kring huset.

Ewert, du kan inte schemalägga din sorg. Ewert, det du är rädd för har redan hänt. Ewert, jag vill aldrig mer se dig här.

Nu fick han inte ens det.

Han hade efter någon timme rest sig upp, gått ut i korridoren och till bilen på Bergsgatan och börjat köra mot Solna och Norra begravningsplatsen, han skulle prata med henne igen, han hade stått vid en av grindarna och letat bland skuggorna och sedan fortsatt norrut, genom oskarpa kanter, till en mur kring en kriminalvårdsanstalt och en kyrka med ett vackert torn.

– Grens.

Mörkret, tystnaden, hade det inte varit för den starka lukten, brand och sot och diesel, det skulle ha kunnat vara en dröm, huvudet i fönstret, munnen som formulerade död, om en stund fanns kanske bara fåglarna som sjöng högt med gryningsljuset och samhället som vaknade utan att ha hört talas om en gisslantagning och människor som låg stilla på golvet.

– Jaha?

Han hade tryckt på den lilla knappen bredvid grinden och talade vänd mot mikrofonen.

– Det är jag som utreder den här skiten. Släpper du in mig?

– Klockan är tre på natten.

– Ja.

– Det är ingen här som ...

– Släpper du in mig?

Han passerade grinden och centralvakten och gick över en av fängelsets torra innergårdar.

Han hade aldrig tidigare avlossat död mot en människa.

Det hade varit hans beslut.

Hans ansvar.

Ewert Grens närmade sig byggnaden som hette B-huset, stannade kort utanför ytterdörren och såg upp mot tredje våningen.

Lukten av brand hade nästan tilltagit.

Först en explosion, en projektil hade penetrerat och slagit sönder ett fönster och en människas huvud. Sedan en till, kraftigare, den svarta jävla röken som aldrig tog slut, som gömde när de försökte se, en explosion ingen kunde förklara.

Hans beslut.

Han började gå uppför trapporna, förbi de stängda dörrarna, närmare lukten av rök.

Hans ansvar.

Ewert Grens hade egentligen aldrig haft något förhållande till döden. Han arbetade med den, mötte den regelbundet, men tankar kring en egen död var bara likgiltighet, de hade upphört trettio år tidigare i det ögonblick han som förare av en polisbuss kört över ett huvud som för alltid slutat fungera. Annis huvud. Han hade ingen längtan efter att dö, det var inte det, men heller ingen längtan efter att fortsätta leva, han hade mött skuld och sorg med förmågan att kapsla in och sedan fortsatt med det, och nu, han visste inte ens var han skulle börja leta.

Dörren var öppen och svart av sot på insidan.

Grens såg in i den utbrända verkstaden, trädde genomskinliga plastpåsar över skorna och klev över ett blått och vitt avspärrningsband.

Det vilade alltid något slags ensamhet över rum som mött brand, lågor hade ätit och sedan vänt sig om, övergett. Han gick på resterna av hyllor som rasat och mellan maskiner som var svarta och hade tuggats på och stannade sedan.

Det fanns där. I taket, på väggarna. Det han hade kommit för.

De vita hade han sett förut, kriminalteknikernas markeringar för fragment av kroppar, fler än på Västmannagatan. De röda däremot, han hade nog aldrig varit på en brottsplats med röda vimplar.

Två kroppar hade blivit hundratals, tusentals bitar.

Han undrade om Errfors, rättsläkaren, någonsin skulle kunna pussla ihop dem tillräckligt för identifiering. Människor som levde nyss, som inte fanns längre, mer än i fragment, upplösta i delar och markerade med små flaggor. Han började räkna dem utan att veta varför, bara några få kvadratmeter vägg och han hade hunnit till trehundrasjuttiofyra när han tröttnade och gick vidare till fönstret som inte fanns, den svaga vinden genom det stora hålet i väggen. Han stod på den plats Hoffmann hade stått, kyrkan och kyrktornet som silhuetter mot himlen, prickskytten hade legat där, han hade siktat och avlossat ett skott på Ewert Grens order.

Aspsås samhälle blev allt mindre i bilens backspeglar.

Han hade stannat kvar ett par timmar i lukten av bränd olja och tung rök. Den där känslan hade fortfarande jagat, hur mycket han än räknat kroppsdelar markerade med vita och röda flaggor, den som inte gick att förstå men som var obehag och höll honom klarvaken och påminde om adrenalin och irritation. Han tyckte inte om den, försökte bli av med den bland bråten på golvet och verktyg som aldrig skulle användas igen men den klistrade fast, viskade något han inte kunde uppfatta. Han närmade sig Stockholm genom de norra förorterna när mobiltelefonen ringde från baksätet, han saktade ner, sträckte sig mot kavajen.

– Ewert?

– Är du vaken?

– Var är du?

– Så här dags, Sven? Borde det inte vara jag som ringer dig?

Sven Sundkvist log, det var länge sedan han och Anita blivit förvånade av en telefon som ringt i sovrummet mellan midnatt och gryning, Ewert ringde alltid genast i det ögonblick han hade ett ärende som krävde omedelbara svar och sådana ärenden hade han särskilt på natten när andra sov. Den här natten hade han själv inte sovit. Han hade legat nära Anita och lyssnat på väckarklockans tickande tills han efter ett par timmar försiktigt krupit ur sängen och gått ner till köket på radhusets bottenvåning och löst korsord som han ibland gjorde när nätterna var långa. Men oron hade vägrat lämna deras hem. Samma oro Ewert talat om tidigare på kvällen, tankar som inte hade någonstans att ta vägen.

– Jag är på väg in till stan, Ewert. Jag närmar mig Gullmarsplan och ska sedan fortsätta västerut. Till Kungsängen. Sterner ringde nyss.

– Sterner?

– Prickskytten.

Grens ökade farten, de första morgonpendlarna var fortfarande i sina garage, det var lätt att köra.

– Då har vi lika långt dit. Jag passerar snart Hagaparken. Vad gäller det?

– Vi tar det där.

En annan låst grind i en annan uniformerad värld.

Grens och Sundkvist anlände till Svea livgarde i Kungsängen med bara ett par minuters mellanrum. Sterner väntade vid regementets vakt, han tycktes utvilad men i samma kläder som igår, den vita och grå kamouflageuniformen, skrynklig efter en natt ovanpå överkastet. Framför den stängda grinden och med regementet i bakgrunden såg han ut som schablonen av en amerikansk marinsoldat, kortsnaggat hår och breda axlar till ett fyrkantigt ansikte, en sådan som på film står för nära och skriker för högt.

– Samma kläder som igår?

– Det blev så. När helikoptern släppte av mig ... jag gick och la mig.

– Och du sov?

– Som ett barn.

Grens och Sundkvist såg på varandra. Han som sköt hade sovit. Men han som tog beslut om skott, till och med hans närmaste medarbetare, de hade båda varit vakna.

Sterner anmälde dem i vakten och visade vägen till en öde kaserngård med bestämda byggnader som granskade varje besökare. Sterner gick fort och Grens hade svårt att hinna med när de passerade den första dörren och fortsatte en trappa upp, långa korridorer med stengolv, värnpliktiga ännu i kalsonger för en dag i uniform.

– Livkompaniet. Första kompaniet. Dom som ska bli befäl och stannar längst.

Han fortsatte in i ett rum av enkla institutionsmöbler, vitkalkade väggar som borde målas om, plastgolv på hård betong.

Fyra arbetsplatser, en i varje hörn.

– Mina kollegor kommer inte in idag. En tvådagarsövning i norra Uppland, trakten kring Tierp. Vi kan sitta ostörda här.

Han stängde dörren.

– Jag ringde er så fort jag vaknade. Tanken jag somnade med, den fanns där igen, och den vägrade lämna sängen.

Han lutade sig fram.

– Jag såg honom. Genom kikarsiktet. Jag såg honom länge. Jag följde hans rörelser, hans ansikte i nästan trettio minuter.

– Ja?

– Han stod i fönstret, fullt exponerad. Ni talade om det, jag hörde det, att han visste att han syntes, att han ville demonstrera makt över gisslan, hela situationen, kanske er. Ni talade om att han gjorde det eftersom han var säker på att han var utom skotthåll.

– Ja?

– Det var vad *ni* sa. Vad *ni* trodde.

Han såg mot dörren, som om han ville förvissa sig om att den verkligen var stängd.

– *Jag* trodde inte det. Inte då. Och jag gör det inte nu.

– Det får du nog förklara.

Grens kände obehaget igen, det hade hållit honom vaken och hörde ihop med känslan från den utbrunna verkstaden.

Det var något som inte stämde.

– När jag såg honom genom kikarsiktet. Målet definierat i sikte. Inväntar order. Jag vet inte, det var som om han visste. Upprepar. Inväntar order. Att han var möjlig att träffa.

– Jag förstår inte.

– Jag avbröt. Avbryter. Objekt ur sikte. Jag avbröt två gånger.

– Ja?

– Och båda gångerna ... fortfarande som om han visste att jag skulle skjuta. Han flyttade sig så ... exakt.

– Han flyttade sig flera gånger.

Sterner reste sig upp, han var orolig, gick till dörren och kände på den, till fönstret och utsikten över grusgården.

– Det gjorde han. Men båda gångerna ... *exakt* när skotten skulle avlossas.

– Och tredje gången?

– Han stod stilla. Då ... det var som ... som om han hade bestämt sig. Han stod stilla och väntade.

– Och?

– Ett skott, en träff. Prickskytteutbildningens motto. Jag skjuter bara om jag är säker på att träffa.

Grens stod nu också upp, på väg till samma fönster.

– Var?

– Var ...?

– Var träffade du?

– Huvudet. Jag skulle inte ha gjort det. Men jag hade inget val.

– Vad menar du?

– Jag menar att på långt håll är det alltid mot bröstet vi siktar. Mot den största träffytan. Jag borde alltså ha siktat där. Men han stod hela tiden i profil och för att få så stor träffyta som möjligt ... jag sköt mot huvudet.

– Och explosionen?

– Jag vet inte.

– Vet inte?

– *Jag vet inte.*

– Men du ...

– Den hörde inte ihop med skottet.

Ett tjugotal tonåringar i uniform gick i två rader på grusgården.

De försökte lyfta sina ben och pendla sina armar samtidigt medan en något äldre gick bredvid och ropade något.

De lyckades inte.

– En sak till.

– Ja?

– Vem var han?

– Varför?

– Jag dödade honom.

De två raderna stod nu stilla.

Den äldre uniformen visade hur vapnet skulle ligga på axeln medan tonåringarna gick.

Det var noga att de alla höll det precis likadant.

– Jag dödade honom. Jag vill veta hans namn. Det känns som om jag har rätt till det.

Grens tvekade, såg på Sven, sedan på Sterner.

– Piet Hoffmann.

Sterner visade ingenting, om det var ett namn han kände igen dolde han det väl.

– Hoffmann. Och ni har hans personuppgifter?

– Ja.

– Jag skulle vilja gå över till kanslihuset. Och att ni gör mig sällskap. Det är en sak jag vill kontrollera.

Ewert och Sven följde Sterners rygg över grusgården till byggnaden som var lite mindre än de andra, kanslihuset, för regementschefen och stabspersonalen och med den lite finare officersmässen. Två trappor upp, Sterner knackade på karmen kring den öppna dörren, en äldre man framför en dator nickade vänligt mot dem.

– Jag behöver hans personnummer.

Sven hade redan tagit fram blocket ur innerfickan, han bläddrade och hittade det han sökte.

– 721018-0010.

Den äldre mannen framför datorn knappade in tio siffror, väntade några sekunder och skakade på huvudet.

– Född i början på 70-talet? Då finns han inte här. Tio år tillbaka, det är vad lagen säger. Dokument äldre än så förvaras på Krigsarkivet.

Han log, såg nöjd ut.

– Men ... jag tar alltid egna kopior innan vi skickar iväg det vi har. Därinne. Svea livgardes eget arkiv. Varje ung man som dom senaste trettio åren gjort sin värnplikt här finns på hyllorna i nästa rum.

Ett trångt rum med hyllor längs varje vägg och från golv till tak. Han la sig ner på knäna, sökte med fingret längs pärmarna och valde en med svart rygg.

– Född 1972. Om han var här ... 91, 92, 93, kanske till och med 94. Sa du Livkompaniet? Prickskytteutbildningen?

– Ja.

Han bläddrade och ställde tillbaka pärmen där han nyss tagit den, valde den bredvid.

– Inte 91. Då försöker vi med 92.

Han hade hunnit halvvägs när han avbröt och tittade upp.

– Hoffmann?

– Piet Hoffmann.

– Då har vi en träff.

Ewert och Sven tog samtidigt ett kliv framåt för att bättre kunna se det papper som arkivarien höll upp. Hoffmanns fullständiga namn, Hoffmanns personnummer, sist en lång rad blandade siffror och bokstäver, något slags beteckning.

– Vad betyder det?

– Det betyder att någon som heter Piet Hoffmann, någon som dessutom har det personnummer ni nyss gav mig, genomförde sin värnpliktstjänstgöring här 1993. En elva månader lång utbildning. Till prickskytt.

Ewert Grens granskade det enkla papperet en gång till.

Det var han.

Människan de sett dö sexton timmar tidigare.

– Särskild utbildning i vapenkunskap och i skjutning liggande och i skjutning sittande och i skjutning knästående och i skjutning stående och i skjutning på korta avstånd och i skjutning på långa avstånd och ... jag tror att ni förstår?

Sterner öppnade pärmen, tog ut papperet och kopierade det i maskinen som var lika stor som rummet.

– Den där känslan jag hade ... som om han visste exakt var jag befann mig, vad jag höll på med. Om han är utbildad här ... han hade tillräcklig kunskap för att avgöra att Aspsås kyrktorn var den enda plats vi kunde nå honom ifrån. Han visste att det *var* möjligt att döda honom.

Sterner höll i kopian, kramade nästan sönder den i handen, gav den sedan till Grens.

– Han hade valt platsen med omsorg. Det var ingen tillfällighet att han sökte sig till verkstaden och just det fönstret. Han provocerade fram ett skott. Och han visste att en skicklig, välutbildad prickskytt skulle träffa om han måste.

Han skakade på huvudet.

– Han ville dö.

Korridoren på akutavdelningen på Danderyds sjukhus hade gula väggar och ljusblått golv. Sköterskorna log vänligt och Ewert Grens och Sven Sundkvist log lika vänligt tillbaka. Det var en lugn morgon, de hade båda varit här i tjänsten flera gånger tidigare, ofta på kvällar och helger, skadade människor som trängts på bårar i korridorens hårda belysning. Det var tomt nu, som det brukade vara när alkohol och fotbollsmatcher och snöfyllda vägar var långt bort.

De hade kört direkt från Kungsängen och Svea livgarde via Norrviken och Edsberg till Danderyd, genom små och snälla förorter, villasamhällen som fått Sven att ringa hem till Anita och Jonas, de hade ätit frukost tillsammans och skulle strax gå till var sin skola, han saknade dem.

Läkaren var en ung man, lång och smal på gränsen till benig och med ögon som var reserverade, han hälsade och visade dem in i en nedsläckt vårdsal med fördragna gardiner.

– Han har en kraftig hjärnskakning. Jag får be er att låta det förbli mörkt.

En enda säng i rummet.

En man i sextioårsåldern, grånat hår, trötta ögon, skrapsår på båda kinderna, ett sår i pannan som verkade djupt, en mitella kring höger arm.

Han hade legat under en vägg.

– Jag heter Johan Ferm. Vi sågs igår kväll när jag skrev in dig.

Jag har två polismän med mig som vill ställa några frågor.

Räddningstjänstens rökdykare hade sökt länge i en utbränd verkstadslokal innan de hört svaga ljud från en av högarna med bråte. En naken och blåslagen kriminalvårdare med brutet nyckelben, men en människa som fortfarande hade andats.

– Jag har gett dom fem minuter. Sedan bryter jag.

Den gråhårige mannen reste sig halvvägs upp, grimaserade plötsligt av smärta och spydde i en hink bredvid sängen.

– Han får *inte* röra sig. En kraftig hjärnskakning. Era fem minuter tickar.

Ewert Grens vände sig mot den unge läkaren.

– Vi föredrar att vara ensamma.

– Jag stannar här. Av medicinska skäl.

Grens ställde sig vid fönstret medan Sven Sundkvist flyttade pallen från handfatet till sängkanten, noga med att se till att hans ansikte var någorlunda i jämnhöjd med den skadade kriminalvårdarens.

– Du känner Grens?

Martin Jacobson nickade. Han visste vem Ewert Grens var, de hade mötts flera gånger, kriminalkommissarier besökte regelbundet den plats han valt att arbeta på under hela sitt liv.

– Det här är inget förhör, Jacobson. Det tar vi senare, när du mår bättre och när vi har mer tid på oss. Men vi behöver redan nu några upplysningar.

– Förlåt?

– Det här är inget ...

– Du måste tala högre. Mina trumhinnor, dom sprängdes vid explosionen.

Sven lutade sig fram och höjde rösten.

– Vi har en ganska bra bild av vad som hände vid gisslantagningen. Dina kollegor har i detalj redogjort för skjutningen mot en intern på hårdisoleringen.

Läkaren knackade lätt på Svens axel.

– Ställ korta frågor. Det är vad han orkar. Korta svar. Annars har ni slösat bort era fem minuter.

Sven övervägde att vända sig om och be mannen i den vita rocken att hålla käften. Han gjorde inte det. Han snäste inte åt människor eftersom det sällan förbättrade förutsättningarna.

– Först ... minns du något av vad som hände igår?

Jacobson andades tungt, han hade ont och sökte orden som försvann in i en kraftig hjärnskakning.

– Jag minns allt. Tills jag blev medvetslös. Om jag förstått rätt så var det en vägg som rasade över mig?

– Den rasade i samband med en explosion. Men jag vill veta ... vad hände strax innan?

– Jag vet inte. Jag var inte där.

– Du var inte ... där?

– Jag satt i ett angränsande rum, Hoffmann placerade mig där, bakbunden, någonstans i verkstadens bortre del, ganska nära ingången. Han flyttade mig dit när vi klätt av oss. Sedan dess ... jag tror att vi bara hade en enda kontakt. *Du kommer inte att dö.* Han sa det. Strax före explosionen.

Sven såg på Ewert, de hade båda uppfattat vad det var den äldre vakten egentligen hade formulerat.

– Jacobson ... kan det vara så att Hoffmann flyttade på dig för att ge dig ... skydd?

Martin Jacobson svarade utan att tänka efter.

– Jag är säker på att det var så. Trots allt som hände ... jag kände mig inte längre hotad.

Sven lutade sig ännu lite närmare, det var viktigt att Jacobson hörde.

– Explosionen. Jag skulle vilja fortsätta med den. Om du tänker tillbaka, minns du något som kan förklara den? Den oerhörda kraften?

– Nej.

– Ingenting alls?

– Jag har tänkt på det. Och visst, det var en verkstad, det fanns diesel där. Det förklarar kanske röken. Men själva smällen ... ingenting.

Jacobsons ansiktsfärg hade växlat från vit till askgrå och från hårfästet rann allt större svettdroppar.

Läkaren ställde sig vid sängen.

– Han orkar inte mer. En fråga till. Sedan bryter jag.

Sven nickade. Den sista frågan.

– Under hela gisslantagningen tiger Hoffmann. Ingen kommunikation. Förrän alldeles i slutet. *Jag dödar.* Vi förstår det inte. Jag vill veta om du vid något tillfälle uppfattade kommunikation? Eller något som överhuvudtaget liknade kommunikation? Vi förstår inte hans märkliga tystnad.

Vakten som låg i en sjukhussäng med sår i ett askgrått ansikte dröjde med svaret. Sven fick en känsla av att han var på väg bort och läkaren tecknade att han ville avbryta när Jacobson höjde en arm, han ville fortsätta, han ville svara en gång till.

– Han ringde.

Jacobson såg på Sven, på Ewert.

– Han ringde. Från verkstadens kontor. Två gånger.

Ewert Grens närmade sig för andra gången den här morgonen Aspsås och det stora fängelset.

De hade betalat för en besk kopp te och vitt bröd med köttbullar ovanpå något som enligt Sven var lilafärgad rödbetssallad och de hade suttit ner i caféet i sjukhusets entré och ätit tysta med Jacobsons iakttagelser som sällskap. Hoffmann hade enligt den skadade vakten vid två tillfällen lämnat gisslan och gått in på verkstadens kontor. Han hade genom skiljeväggens stora glasruta haft full uppsikt över dem medan han lyft skrivbordets telefonlur och talat i ungefär femton sekunder varje gång, en gång alldeles i början, Hoffmann hade varnat dem för att röra sig och gått baklänges mot kontoret med vapnet riktat mot dem, en gång till strax före explosionen, den nakna och bakbundna vakten hade från sin plats bakom en mellanvägg sett honom ringa igen och nu vara tydligt nervös, några få sekunder men Jacobson var säker på det, ögonblick av tvekan och oro, kanske de enda under hela dramat.

Parkeringsplatsen som några timmar tidigare vilat övergiven saknade ledigt utrymme, morgonen hade vaknat på Sveriges högst säkerhetsklassade anstalt. Ewert Grens parkerade på gräsmattan nära muren och ringde medan han väntade på Sven Sundkvist till Hermansson som på tredje dagen sammanställde den förundersökning av mordet på Västmannagatan 79 som under eftermiddagen skulle överlämnas till åklagaren för ett eventuellt beslut om nedprioritering.

– Jag vill att du lägger det åt sidan ett tag.

– Ågestam var här igår. Han vill ha det i eftermiddag.

– Hermansson?

– Ja?

– Ågestam får sammanställningen när du är klar med den. *Lägg den åt sidan.* Jag vill att du gör en lista över samtliga utgående samtal från Aspsås fängelse mellan klockan 08.45 och 09.45 och mellan 13.30 och 14.30. Jag vill sedan att du kontrollerar dom. Jag vill veta vilka vi kan glömma och vilka som någon skulle ha kunnat ringa från verkstadens kontor.

Han hade förväntat sig att hon skulle protestera.

Hon gjorde inte det.

– Hoffmann?

– Hoffmann.

Fängelsets rastgård var full av interner, det var förmiddagsrast och vårsol och de satt i klasar och såg upp mot himlen med kinder som långsamt blev röda. Grens hade ingen lust att lyssna på sarkasmer från någon han för länge sedan utrett och förhört och valde vägen under jord, en betongklädd kulvert och minnen av en annan brottsutredning, varken Ewert Grens eller Sven Sundkvist sa något men de tänkte på samma sak, hur de hade gått här bredvid varandra också fem år tidigare, en pappa hade tagit livet av sin dotters mördare och sedan själv dömts till ett långt fängelsestraff, en utredning som ofta återkom och irriterade med bilder de sedan länge försökte glömma, en del utredningar gjorde det.

De lämnade kulverten och slogs av tystnaden redan i B-husets trappuppgång. Det irriterande bankandet var borta. De passerade hårdisoleringen på B1 och normalavdelningarna på B2 och det var fortfarande tomt med samtliga fångar evakuerade i K-huset, det skulle fortsätta vara det så länge byggnaden som ekade av en explosion var en avspärrad brottsplats och del av en utredning.

Fyra kriminaltekniker kröp omkring på olika platser i den utbrända salen och jagade sotflammor på väggar som tidigare varit kalkvita. Lukten av dieselolja klibbade fast, en tjock och vass lukt som påminde om hur giftigt varje andetag varit ett knappt dygn tidigare. Nils Krantz lämnade resterna av död, sammanbiten och koncentrerad, varken Ewert eller Sven hade någonsin sett honom skratta, han var väl helt enkelt ännu en av dem som fungerade så mycket bättre med mikroskop än cocktailglas.

– Följ mig.

Krantz gick mot den del av verkstaden som vette mot fängelsets innergård, satte sig ner på huk framför en vägg med ett hål stort som en grapefrukt, vände sig om och pekade tvärs genom rummet.

– Skytten penetrerade alltså fönstret där. Det fönster ni såg från kyrktornet och som Hoffmann valde att exponera sig i under hela förloppet. Det handlar om brand- och sprängammunition och en utgångshastighet på åttahundratrettio meter per sekund. Det innebär tre sekunder mellan avlossat skott och träff.

Nils Krantz hade aldrig bevittnat ett brott medan det pågick, han hade aldrig befunnit sig på en plats när den övergick i brottsplats. Men hans arbete, det handlade om just det, att vara där, att efteråt få andra att vara där, precis när det hände.

– Projektilen penetrerade ett fönster och ett skallben med stor genomslagskraft. Den plattades till och farten sänktes något tills den här, ni ser det stora hålet, mötte nästa vägg.

Han slöt handen kring en lång metallstång i hålets mitt, den markerade skottvinkeln och satt något snett, skottet hade avlossats från en plats högre upp.

– Ammunitionen som laddas är nästan tio centimeter lång. Men den del som avfyras, som återstår när vi räknar bort hylsan, är tre, kanske till och med tre och en halv centimeter som träffat och slagit sönder delar av väggen och sedan fortsatt ut på anstaltens gård. Och en projektil som i följd slår sönder glas, människoben och tjock betongmur plattas ut rejält och påminner efteråt mest om ett gammalt 1700-talsmynt.

Grens och Sundkvist såg på kratern i väggen, de hade båda hört Jacobson berätta om ljudet som liknat ett piskrapp, kraften hade varit oerhörd.

– Den finns därute någonstans. Vi har inte hittat den ännu men gör det snart. Jag har flera poliser från Aspsåsdistriktet som ligger på knä i grus och gräs och letar.

Krantz gick genom rummet och stannade vid fönstret där Hoffmann stått. Röda och vita vimplar på väggen, på golvet, i taket. Fler än Grens mindes från nattens besök.

– Jag var tvungen att skapa något slags system. Rött för blodstänk, vitt för delar av kroppsdelar. Jag har aldrig tidigare arbetat med så söndersprängda kroppar.

Sven studerade de små vimplarna, försökte förstå vad det egentligen var de markerade, flyttade sig nära, han som annars undvek tydlig död.

– Vi har en explosion och fragment av döda människor. Vi har något jag inte begriper.

Men det här, Sven flyttade sig ännu närmare, han var inte rädd, kände inte ens obehag, det här var inte död, han kunde inte se det så.

– Mänsklig vävnad. Tusentals delar. Den här typen av projektil sliter sönder kroppar. Men i stora stycken. Den exploderar inte.

Människor nedbrutna i partiklar, Sven var nu bara någon centimeter ifrån, de upphör då, att vara det, människor.

– Så vi söker efter något annat. Något som exploderar. Något som bryter ner i fragment och inte stora stycken.

– Som?

– Som sprängämnen. Jag hittar ingen annan förklaring.

Ewert Grens såg röda och vita flaggor, skärvor av glas, sot som bäddade in.

– Sprängämnen. Vad?

Krantz slog irriterat ut med armarna.

– TNT. Nitroglycerin. C4. Semtex. Pentyl. Oktogen. Dynamex. Eller något annat. *Jag vet inte, Grens.* Eftersom vi fortfarande letar. Vad jag däremot vet … det har med säkerhet applicerats nära kropparna. Kanske till och med direkt på huden.

Han nickade mot vimplarna.

– Ja … ni förstår.

Rött för blodstänk, vitt för delar av kroppsdelar.

– Vi vet också att det är ett sprängämne som utvecklar stark värme.

– Jaha?

– Tillräckligt stark för att dieselkaret skulle ta eld.

– Jag känner lukten.

Kriminalteknikern sparkade lätt på karet som stod nedanför det hål som dagen innan varit ett fönster.

– Dieseln som hade blandats ut med bensin orsakade all jävla rök. Dieselolja som finns i tunnor eller kar på varje verkstad på varje anstalt, drivmedel till maskiner och truckar, för tvätt av verktyg. Men det här karet ... det stod mycket nära Hoffmann. Och det hade flyttats dit.

Nils Krantz skakade på huvudet.

– Sprängämnen. Giftig rök. Karet stod inte där av en slump, Ewert. Piet Hoffmann ville vara säker.

– Säker?

– På att både han och en av gisslan skulle dö.

Grens stängde av motorn och klev ur bilen. Han vinkade åt Sven att köra i förväg och började gå över de ängar som blev en femtonhundratre meter lång promenad från Aspsås fängelse till Aspsås kyrka. De öppna gräsytorna rensade ut förlorad sömn och stanken av dieselolja men inte känslan som bitit sig fast, den han inte tyckte om och som han visste skulle dröja kvar tills han förstått vad det var han inte såg.

Han borde ha tagit andra skor.

Det gröna som på avstånd sett så mjukt ut var gropar och lera och han hade halkat ett par gånger, fallit tungt mot marken, byxornas tyg var grönt av gräs och brunt av jord när han stannade vid kyrkogårdens sidogrind.

Han vände sig om, dimman som svept in under morgonen var borta, de grå murarna tydliga i solljuset. Han hade stått precis där ett dygn tidigare, han hade ännu inte tagit beslutet, det om en människas död.

Några besökare rörde sig mellan gravarna, blommor i famnen, makar eller barn eller vänner som brydde sig om. Grens undvek deras blickar men följde deras händer när de grävde bland gröna buskar och kransar, det var som om han prövade och det här, att vara nära en grav som inte betydde något, det kändes ingenting.

Ett avspärrningsband i plast löpte mellan kyrkogårdens träd och tillfälliga stolpar. Han tryckte ner det och klev över med ett styvt ben högt i luften. Vid kyrkans tunga port väntade fyra personer. Sven Sundkvist, två uniformerade poliser från Aspsåsdistriktet och en äldre man med vit prästkrage.

Han räckte fram en hand, tog emot en hand.

– Gustaf Lindbeck. Jag är kyrkoherde här.

En sådan som sa Gustaf, med tydligt f. Grens log en aning. Jag kanske borde säga Ewert, med tydligt w.

– Grens, kriminalkommissarie vid Citypolisen.

– Är det du som är ansvarig för det här?

Kyrkoherden drog lätt i avspärrningsbandet.

– Det är jag som leder den här utredningen om det är det du menar.

Ewert Grens drog i samma plastband.

– Är det här ett problem för dig?

– Jag har redan ställt in ett dop och en vigsel. Om en timme har jag en begravning. Jag vill veta om jag kan genomföra den.

Grens såg mot kyrkan, mot Sven, mot besökarna som låg på knä framför gravstenar och vattnade växter i små rabatter.

– Vi gör så här.

Han ryckte lätt i bandet tills en av de provisoriska stolparna föll omkull.

– Jag behöver undersöka delar av kyrkans nedre plan en gång till. Det tar ungefär en halvtimme. Under den tiden kan du, men bara du, vistas därinne och förbereda det du måste. När vi är klara häver jag avspärrningen och besökande kan komma in. Däremot – av utredningstekniska skäl – kommer jag att behålla den kring kyrktornet något dygn till. Kan det vara en vettig lösning?

Kyrkoherden nickade.

– Jag är tacksam för det. Men ... en sak till. Vi har själaringning om bara en timme. Kan jag använda kyrkklockan?

Ewert betraktade tornet och tungt gjutjärn som hängde i dess mitt.

– Det kan du. Själva klockan är inte avspärrad.

De gick mot den nu öppna porten. *Kyrkklockan*. Den vackra kyrkogården iakttog honom. *Själaringning*. Det hade gått ett och halvt år och han hade inte ens valt ut hennes gravsten.

Kyrkoherden fortsatte rakt fram, in i den svala och stilla kyrkan, Grens och Sundkvist vek av till höger strax efter entrén, stolarna fortfarande i en hög vid ena väggen, kartan uppvikt över träaltaret nära vapenrummets enda fönster.

Sven? Ja? Jag vill höra det igen. Vem han är. Vad han är kapabel till.

Ewert höll i den skissade bilden av ett fängelse.

Kraftig antisocial personlighetstörning. Utan förmåga att känna empati.

Han vek långsamt ihop den.

Signifikativa kännetecken impulsivitet, aggressivitet, brist på respekt för egen och andras säkerhet, brist på samvete.

Kartan i kavajens innerficka, de behövde den inte mer.

– Du hjälper mig, Ewert.

Sven hade plockat ihop och tömt sammanlagt sex plastmuggar med gula och röda Shellmärken på, några timmar med beslut om liv och död baserade på energin ur trist kaffe från närmaste bensinmack. Han drog i en av högarna med staplade stolar och väntade demonstrativt tills Ewert drog i nästa. De lämnade rummet som strax skulle vara avskild samlingsplats för sörjande och öppnade dörren till trappan mot tornet, en hastig blick in i gudstjänstrummet och på kyrkoherden som rullade en vagn med biblar mellan två bänkrader, han såg dem och höjde en hand i luften.

– Ska ni gå upp?

– Ja.

– Själaringningen ... det är bara tjugo minuter kvar.

– Vi är klara till dess.

De gick uppför trapporna och aluminiumstegen och det kändes på något sätt längre och högre än under gårdagen. Dörren till kyrktornets balkong stod öppen och rörde sig lätt i en vind som lekte över gravar och gräsmattor. Grens skulle stänga den efter sig när han såg märket på karmen. Ett färskt brytmärke ungefär i höjd med handtaget. Det var tydligt och han mindes hur den första prickskytten påpekat att dörren hade varit uppbruten. Han petade med en penna på träflisan som hängde lös, den hade inte hunnit mörkna, det hade inte gått särskilt lång tid.

Morgonens dis var på väg bort och himlen skulle snart vara lika blå som dagen före. Aspsås kriminalvårdsanstalt väntade under den som grå och tysta cementklumpar, murar och byggnader som skulle stänga in, inte längta, inte skratta.

Ewert Grens gick ut på den sviktande truställningen.

Sven, fortsätt läs.

En prickskytt hade legat där tjugofyra timmar tidigare.

Det finns inte mer.

Ett vapen riktat mot en människas huvud.

Läs!

Vid polisskjutningen i Söderhamn, en öppen gräsyta, slog han ...

Det räcker.

Han hade tagit beslutet.

Han hade kommenderat död.

Vinden tilltog, det var skönt i ansiktet och för en stund fanns bara solen som värmde bleka kinder och fåglarna som jagade det som inte gick att se ovanför hans huvud. Han höll i det låga räcket, ett ögonblick av svindel, ett enda steg till och han skulle falla handlöst. Han såg på sin fot och på ett par svarta och runda fläckar som missfärgade den sista träplankan, den som slutade någon decimeter utanför räcket. Han kände på dem med fingertopparna, luktade på dem, vapenfett, det hade runnit från gevärets pipa och för alltid skitat ner en del av balkongens träbotten.

Ewert Grens la sig på knä, fortsatte sedan helt ner, den stela kroppen på prickskyttens plats. Armbågarna mot trägolvet, ett inbillat vapen i händerna, han siktade mot fönstret som inte fanns mer, ett hål omgivet av sot längst upp på en gavel i byggnaden som kallades B-huset.

– Det var här han låg. När han väntade på min order.

Ewert såg upp på Sven.

– När han väntade på att jag skulle be honom att mörda.

Han vinkade otåligt mot sin kollega.

– Lägg dig ner du också. Jag vill att du ska känna det här.

– Jag tycker inte om höjder. Du vet det.

– Sven, lägg dig bara ner. Räcket, det håller, det skyddar.

Sven Sundkvist kröp försiktigt en bit bort för att undvika att ligga nära den tunge Grens. Han avskydde höjder, för mycket att förlora när man faller ner, en känsla som blev starkare för varje år, han kröp och ålade och sträckte fram handen när han var tillräckligt nära, höll krampaktigt i räcket.

Det var högt. Ewert andades för tungt. Det blåste.

Sven slöt fingrarna hårdare kring en kall järnstång och kände hur något lossnade och hur han höll det i handen. Han ryckte till, det släppte ännu mer, något svartmålat och rektangulärt, tre eller fyra centimeter långt, en sladd i ena ändan.

– Ewert.

En utsträckt arm.

– Den här satt på räcket.

De förstod båda vad det var.

En solcell.

Svartmålad, i nyans med räcket, den hand som placerat den där hade inte haft för avsikt att låta den synas.

Sven drog försiktigt i den lika svarta sladden, den släppte och han drog hårdare, halade in en rund metallbit, mindre än den första, en knapp centimeter i diameter.

En elektronisk sändare.

När jag såg honom genom kikarsiktet. Jag vet inte, det var som om han visste.

– En sändare, en sladd, en solcell. Ewert ... Sterner hade rätt.

Det var som om han visste att han var möjlig att träffa.

Sven höll i sladden, gungade den fram och tillbaka, glömde för ett ögonblick att vara rädd för det långt ner.

– Hoffmann hörde varje ord mellan dig och skytten.

EWERT GRENS HADE varit noga med att stänga dörren till sitt rum.

Två koppar kaffe och en fralla med ost och skinka från varuautomaten i korridoren.

Han kunde ännu känna trycket från en explosion och lukten av rök och det inbillade ljudet av andetag som blev till ingenting medan han såg på.

Han hade inte haft något val.

Piet Hoffmann var enligt all samlad dokumentation en av de få kriminella med potens att göra verklighet av hot. Ewert Grens bläddrade i KVV:s akt i psykopattester och fängelsetid, läste ur brottsregistret på datorns skärm om fem år och försök till mord och grovt våld mot tjänsteman, i ASPEN om iakttagelser av en kriminell som var KÄND FARLIG VAPEN.

Han hade ju inte haft något val.

Han skulle stänga av datorn och gå ut i korridoren för en andra fralla med ost och skinka när han fastnade längst ner på skärmen, Piet Hoffmanns första post i brottsregistret.

Datum för senaste ändring.

Grens räknade. Arton dagar sedan.

Men ett straff som avtjänats tio år tidigare.

Han stannade kvar i rummet, gick från vägg till vägg, från fönster till dörr, den där känslan igen, något som var obehag och inte stämde.

Han slog numret han för länge sedan lärt sig utantill, polisens datasupport, han hade svurit många kvällar över de knappar och symboler som hade egen vilja.

En ung mansröst svarade. De var alltid unga och alltid män.

– Det är Grens. Jag skulle behöva lite hjälp.

– Kommissarien? Ett ögonblick.

Ewert Grens hade vid ett par tillfällen promenerat genom huset för att också kunna se på när de förklarade, det var därför han visste att det han hörde medan han väntade, metall som slog mot metall, betydde att den unga rösten precis som de andra staplade en tom burk Coca-Cola i någon av sina högar kring datorn.

– Jag vill veta vem som har ändrat en post i brottsregistret. Kan du se det?

– Det kan jag nog. Men det sorterar under Domstolsverket. Du måste tala med deras support.

– Men om jag frågar dig? Nu?

Den unga rösten öppnade en ny burk.

– Ge mig fem minuter.

Fyra minuter och fyrtiofem sekunder senare log Grens åt telefonen.

– Vad har du?

– Inget som ser konstigt ut. Ändrad på en av Domstolsverkets datorer.

– Av vem?

– En behörig. Någon Ulrika Danielsson. Vill du ha hennes nummer?

Han vandrade omkring i rummet igen, drack av kallt kaffe som försökte gömma plastmuggens botten.

Han stod upp under nästa samtal.

– Ulrika Danielsson.

– Grens, Citypolisen i Stockholm.

– Jaha?

– Det gäller en utredning. 721018-0010. En dom som är snart tio år gammal.

– Jaha?

– Den har enligt registret nyligen ändrats. Exakt arton dagar sedan.

– Jaha?

– Av dig.

Han kunde höra hennes tystnad.

– Jag vill veta varför.

Hon var nervös. Han var säker på det. För långa pauser, för djupa andetag.

– Det kan jag inte tala om.

– Inte tala om?

– Sekretesskäl.

– Vilken jävla sekretess?

– Jag kan inte säga mer än så.

Grens höjde inte rösten, han sänkte den, det fungerade emellanåt bättre.

– Jag vill veta *varför* du ändrade. Och *vad* du ändrade.

– Jag har sagt det jag har att säga.

– Du, Ulrika ... kan jag förresten kalla dig det, Ulrika?

Han väntade inte på något svar.

– Ulrika, jag är kriminalkommissarie. Jag utreder ett mord. Och du arbetar på Domstolsverket. Sekretess kan du använda om du vill gömma dig för journalister. Men inte för mig.

– Jag ...

– Du svarar mig nu. Eller så återkommer jag, Ulrika, om ett par dygn. Det är vad det tar för mig att få en domstolsorder.

De djupa andetagen. Hon försökte inte dölja dem längre.

– Wilson.

– Wilson?

– Din kollega. Du får tala med honom.

Det var inte längre bara en känsla.

Det var något som inte stämde.

HAN LÅG NER på den bruna manchestersoffan. En halvtimme hade gått och han hade verkligen försökt, han hade blundat och slappnat av och var längre ifrån att kunna sova än när han började.

Jag förstår det inte.

En fånge i ett verkstadsfönster var i vägen.

Varför ville du dö?

Ett ansikte i profil.

Om du kunde höra oss som Sterner var säker på, om det vi hittade i kyrktornet och som ligger där på mitt skrivbord är en fungerande mottagare, varför i helvete flydde du då din egen död två gånger och valde att möta den en tredje?

En människa som hela tiden var noga med att kunna bli sedd.

Hade du bestämt dig men vågade inte?

Varifrån fick du i så fall mod att stå kvar och dö?

Och varför såg du för säkerhets skull till att efter skottet sprängas i tusentals fragment?

– Sover du?

Det hade knackat på dörren och Hermanssons huvud tittade in.

– Inte särskilt mycket.

Han reste sig upp, glad att se henne, han var ofta det. Hon satte sig bredvid honom i soffan, en pärm i famnen.

– Jag har avslutat sammanställningen av mordet på Västmannagatan 79. Jag är ganska säker på att han fortfarande rekommenderar att den prioriteras ner. Vi kommer inte längre.

Grens suckade.

– Det känns ... det känns jävligt märkligt. Om vi lägger ner ... mitt tredje olösta mord i det här huset.

– Tredje?

– Ett i början av åttiotalet, en kropp som styckats i smådelar och hittades i vattnet en bit utanför Kastellholmen, några fiskare som vittjade ett nät. Ett för bara två vintrar sedan, kvinnan i en sjukhuskulvert, hon som släpats dit från tunnelsystemet, råttbett som stora hål i ansiktet.

Han slog lätt på pärmen.

– Är det jag, Hermansson, som har blivit sämre? Eller är det verkligheten som blivit mer komplicerad?

Hermansson såg på sin chef, hon log.

– Ewert?

– Ja?

– Exakt hur länge har du arbetat här?

– Det vet du.

– Hur länge?

– Sedan ... innan du föddes. Trettiofem år.

– Och hur många mord har du varit med och utrett?

– Exakt, antar jag?

– Ja.

– Tvåhundratretton.

– Tvåhundratretton?

– Med det här.

Hon log igen.

– Trettiofem år. Tvåhundratretton mord. Varav tre olösta.

Han svarade inte. Det var inte någon fråga.

– Ett vart tolfte år, Ewert. Jag vet inte hur du mäter sådant. Men jag tycker nog att det verkar vara ett rätt hyggligt facit.

Ewert Grens sneglade på henne. Det där han brukade undra. Han visste ju redan. Om han hade fått en son, en dotter.

Ungefär som hon.

– Du hade något mer?

Hon öppnade pärmen och tog fram plastfickan som satt längst bak.

– Två saker till.

Hon petade ut två papper ur den trånglande plasten.

– Du bad mig att kartlägga samtliga utgående samtal från Aspsåsanstalten mellan klockan 08.45 och 09.45 och mellan 13.30 och 14.30.

Tydliga kolumner med siffror till vänster och förnamn och efternamn till höger.

– Trettiotvå stycken. Trots att det var beordrat restriktioner kring samtal ut från anstalten.

Hermansson följde den långa raden siffror med ett finger.

– Jag har uteslutit trettio av dem. Elva samtal från anställda som talat med sina anhöriga, oroliga eller för att meddela att dom skulle bli sena hem. Åtta samtal till oss, till polisen, till distriktet i Aspsås eller City. Tre samtal till Kriminalvården i Norrköping. Fyra samtal till interners anhöriga på väg till planerade besök och ombedda att ändra tid. Och ...

Hon såg på kriminalkommissarien.

– ... fyra samtal till dom stora dagstidningarnas tipstelefoner.

Grens skakade på huvudet.

– Ungefär samma frekvens som vanligt. För tipssamtalen, det var väl våra kollegor som ringde dom?

Hermansson skrattade kort.

– Enligt justitiekanslern rubriceras den frågan som efterforskning av källa. Jag tror, Ewert, att det är ett brott med fängelse i straffskalan.

– Kollegor, alltså.

Hon fortsatte.

– Jag har avfört samtliga. Jag har fått trettio trovärdiga förklaringar.

Hon flyttade fingret till kolumnerna längst ner.

– Återstår två samtal. Ett under förmiddagen, klockan 09.23, ett under eftermiddagen, klockan 14.12. Samtal från Aspsåsanstalten till ett abonnemang registrerat på företaget Ericssons kontor i Västberga.

Nästa plastficka, handskrivna lappar ur ett anteckningsblock.

– Jag undersökte dom. Enligt Ericssons personalavdelning disponeras abonnemanget av en medarbetare som heter Zofia Hoffmann.

Grens harklade sig.

– Hoffmann.

– Gift med en Piet Hoffmann.

Hon vände på lappen, mer handskrivet.

– Jag kontrollerade dom personuppgifter jag fick. Zofia Hoffmann är mantalsskriven på Stockrosvägen i Enskede. Enligt arbetsgivaren, företagets korrekta namn är tydligen Ericsson Enterprise AB, försvann hon från arbetsplatsen igår strax före lunch.

– Medan gisslantagningen pågick.

– Ja.

– Mellan dom båda samtalen.

– Ja.

Ewert Grens reste sig upp ur den mjuka soffan och rätade på en öm rygg medan Hermansson tog fram ännu en lapp.

– Zofia och Piet Hoffmann har enligt Skattemyndigheten två gemensamma barn. Två pojkar som i tre år under dagtid har vistats på en förskola med adress i Enskededalen och hämtats av antingen mamman eller pappan kring femtiden. Den här dagen, ett par timmar innan hennes man sköts ihjäl av oss och ganska exakt tjugo minuter efter det att hon försvunnit från sin arbetsplats, hämtade Zofia Hoffmann båda pojkarna betydligt tidigare och utan att tala med någon i personalen. Hon verkade forcerad, två förskollärare beskriver henne likadant, hon mötte inte deras blickar, hörde inte deras frågor.

Mariana Hermansson studerade den äldre mannen som först böjde sig fram och ner mot golvet och sedan tillbaka, den stora kroppen och en övning den förmodligen lärt sig i en sträng gymnastiksal ett halvt sekel tidigare.

– Jag skickade en patrull till bostaden, en villa byggd på femtiotalet, några minuters resa söder om innerstan. Vi lyste in genom stängda fönster, ringde på låsta dörrar, öppnade en brevlåda med dagens tidning och gårdagens post. Ingenting. Ingenting, Ewert, som tyder på att någon i familjen varit där sedan igår förmiddag.

Två gånger till, han böjde sig framåt, han böjde sig bakåt.

– Efterlys henne.

– Zofia Hoffmann *är* efterlyst. Sedan en halvtimme tillbaka.

Ewert Grens stod stilla igen, nickade lätt, det där som betydde beröm.

– Han ringde henne. Han varnade henne. Han skyddade henne för följderna av sin egen död.

Hon hade stängt dörren och tagit två steg ut i korridoren när hon stannade, vände, öppnade igen.

– Det var en sak till.

Grens stod fortfarande kvar mitt på golvet.

– Jaha?

– Kan jag komma in?

– Du har väl aldrig frågat om lov förut.

Det kändes inte bra.

Hon hade varit på väg till honom hela morgonen och likväl lämnat hans rum utan att de hade talat om det hon kommit för.

– Jag har kunskap som är central. Och som du skulle ha haft igår. Men jag hann inte.

Hon var inte van vid att sakna kontroll, att inte vara säker på att hon hade gjort allt rätt.

– Jag var på väg till dig. Jag sprang genom Aspsås korridorer och körde så fort jag kunde mot kyrkan.

Den var en känsla hon inte tyckte om. Inte annars, och särskilt inte här, hos Ewert.

– Jag försökte ringa men din telefon var avstängd. Jag visste att det handlade om minuter, om sekunder. Jag kunde höra dig och skytten i bilens kommunikationsradio. Ditt kommando. Och knallen av ett skott som avlossades.

– Hermansson?

– Ja?

– Kom till saken.

Hon såg på honom. Hon var nervös. Det var länge sedan hon hade varit det i det här rummet.

– Du bad mig tala med Oscarsson. Jag gjorde det. Omständigheterna kring Hoffmann, Ewert, någon beordrade Oscarsson, någon styrde honom.

Hon hade lärt sig att tolka hans ansikte.

Hon visste vad det betydde att hans kinder började bli röda och att ådern vid hans ena tinning pulserade.

– Oscarsson beordrades kvällen innan du var där att bevilja ett advokatbesök till en intern på samma avdelning som Hoffmann, att förhindra att du eller någon polis överhuvudtaget skulle förhöra eller ens träffa honom, att flytta honom till den avdelning han kommit ifrån trots att en hotad intern aldrig flyttas tillbaka, att mot Kriminalvårdens eget regelverk hålla grindarna stängda vid Hoffmanns eventuella krav om att dom skulle öppnas.

– Hermansson, vad i helv ...

– Ewert, jag vill tala klart. Jag hade informationen men hann inte ge dig den. Och sedan ... explosionen, det var inte relevant att tala om det just då.

Grens la en hand på hennes axel. Han hade nog aldrig gjort det förut.

– Hermansson, jag är förbannad. Men inte på dig. Du gjorde rätt. Däremot vill jag veta vem.

– Vem?

– Vem beordrade!

– Jag vet inte.

– Vet inte!

– Han ville inte säga det.

Ewert Grens nästan sprang genom rummet, till skrivbordet och hyllan som fanns bakom den. Ett hål och kanter av damm. Den var inte där. Musiken som i alla år varit hans tröst och kraft. Det var vid sådana här tillfällen han hade behövt den som mest, när ilska övergick i raseri, började någonstans i magen och fortsatte genom varje liten del av kroppen och skulle stanna inom honom tills han visste för vem han hade agerat nyttig idiot, vem som låtit honom skjuta.

– Med den här informationen, Hermansson, hade jag inte kommenderat skott.

Han såg på sin unga kollega.

– Om jag då vetat det jag vet nu ... Hoffmann hade aldrig behövt dö.

Den bruna plastmuggen skulle strax vara full av svart, starkt, beskt kaffe. En maskin som gnisslade som den brukade göra, högst mot slutet, när den inte ville släppa ifrån sig de sista dropparna. Intendent Göransson drack upp medan han stod kvar i korridoren. Han såg hur Mariana Hermansson kom ut ur Grens rum, en pärm under armen, han visste vad deras möte hade handlat om, de gjorde precis det de skulle göra, efterarbete kring dödsskjutningen i Aspsås.

Jag deltog inte.

Han kramade muggen, het vätska rann över handryggen.

Jag klev av.

Göransson drack mer av det beska, tömde muggen. Han hälsade på Sven Sundkvist som passerade, också han med en pärm i famnen, på väg in i det rum Hermansson just lämnat, till Ewert Grens.

Han såg det röda på kinderna, den pulserande ådern vid tinningen.

Sven kände Ewert Grens bättre än någon annan i huset, han hade mött sin chefs vrede och lärt sig att hantera den, när gapandet och sparkandet på papperskorgar tog över varken hörde eller såg han det längre, det hade inte med honom att göra, Ewert kunde bara jaga sina egna demoner.

– Du ser inte glad ut.

– Gå förbi Hermansson när du är klar här. Hon får förklara. Jag orkar inte ännu.

Sven såg på mannen mitt på golvet. De hade mötts tidigt samma morgon. Ilskan som var så stark, den hade inte funnits där då.

Något hade hänt.

– Vad vet du om Wilson?

– Erik?

– Finns det någon mer Wilson i den här jävla korridoren?

En annan sorts ilska. Tydlig, närvarande. Ewert kunde vara arg på det mesta, en kinkig och irriterad ilska som besökte så ofta att den inte nådde fram. Den här ilskan hade ett allvar, den tog plats och Sven försökte inte marginalisera den.

Jag måste till Hermansson sedan.

– Jag känner honom inte. Trots att vi har varit här nästan lika länge. Det har bara blivit så. Men ... det verkar vara en vettig människa. Varför?

– Jag bara hörde hans namn idag. I fel sammanhang.

– Vad menar du?

– Vi tar det också senare.

Sven frågade inte mer. Han skulle ändå inte få något svar.

– Jag har en första rapport om Hoffmann Security AB. Intresserad?

– Det vet du.

Han la två papper på Grens skrivbord.

– Jag vill att du tittar. Kommer du hit?

Ewert ställde sig bredvid Sven.

– Ett fåmansbolag med årsredovisningar och stadgar som ser normala ut. Jag kan undersöka det mer sedan, om du vill, vända på siffror ordentligt.

Han pekade på nästa papper.

– Men det här. Det vill jag att du ser på redan nu.

En skiss med fyrkantiga rutor staplade ovanpå varandra.

– Ägarstrukturen, Ewert. Den är intressant. En styrelse med tre personer. Piet Hoffmann, Zofia Hoffmann och en polsk medborgare, Stanislaw Rosloniec.

En polsk medborgare.

– Jag har kontrollerat Rosloniec. Han är bosatt i Warszawa, förekommer inte i några internationella brottsregister och – det är nu det blir intressant – han är anställd vid ett polskt företag som heter Wojtek Security International.

Wojtek.

Ewert Grens letade i Svens fyrkantiga rutor men såg en flygplats i Danmark och en kriminalkommissarie som hette Jacob Andersen.

Arton dagar sedan.

De hade suttit i ett mötesrum på Kastrups polisstation och ätit flottiga wienerbröd och Andersen hade talat om en dansk informatör som skulle ha genomfört ett köp av amfetamin. I en lägenhet i Stockholm. Med två polacker och deras svenske kontaktman.

Svenske kontaktman.

– Förhel ... vänta lite, Sven!

Grens drog ut en skrivbordslåda och tog fram cd-spelaren och skivan med rösten som Krantz bränt ner. Hörlurarna över öronen och tre meningar han kunde utantill.

– En död man. Västmannagatan 79. Femte våningen.

Han tog av sig hörlurarna och satte dem på Svens huvud.

– Lyssna.

Sven Sundkvist hade analyserat Larmcentralens inspelning från den nionde maj klockan 12.37.50 lika många gånger som Ewert.

– Och nu den här.

En röst som förvarats i en av datorns ljudfiler. De hade båda mött den när de ett dygn tidigare väntat på en kyrkogård.

– Jag dödar om tre minuter.

Det ena viskade *död* och den andra skrek *dödar* men när Ewert Grens och Sven Sundkvist lyssnade noga *död dödar* och jämförde hur han uttalade *d* och hur han uttalade *ö* hörde de båda det som var så tydligt.

Det var samma röst.

– Det är han.

– Visst fan är det han, Sven! Det var Hoffmann som var i lägenheten! Det var Hoffmann som larmade!

Grens var redan på väg ut ur rummet.

Wojtek är polsk maffia.

Hoffmann Security AB har kopplingar till Wojtek.

Bilen stod parkerad på Bergsgatan och han skyndade nerför trapporna trots att hissen var ledig.

Så varför larmade du?

Så varför sköt du ihjäl en annan medlem på hårdisoleringen och sprängde en tredje i bitar?

Han lämnade Bergsgatan och körde Hantverkargatan mot city. Han skulle besöka den människa vars död han ansvarade för.

Han stannade bilen i bussfilen utanför porten till Vasagatan 42.

Ett par minuter, sedan knackade Nils Krantz på sidorutan.

– Något särskilt?

– Jag vet inte ännu. Det kändes bara så, en timme kanske, jag måste tänka.

– Här, behåll dom så länge. Jag hör av mig om jag behöver dom.

Krantz lämnade en nyckelknippa och Ewert Grens la den i kavajens innerficka.

– Förresten, Ewert.

Kriminalteknikern hade stannat en bit bort på trottoaren.

– Jag har identifierat två sprängämnen. Pentyl och nitroglycerin. Det var pentyl som orsakade själva explosionen, vågen som tryckte ut fönstret och värmen som antände dieseln. Och nitroglycerinet hade applicerats direkt på någons hud – vems vet jag inte ännu.

Grens gick uppför trapporna i en av de många fastigheter i innerstan som byggts kring sekelskiftet, något av nittonhundratalets första år med kraftig förändring av stadsbilden.

Han stannade framför dörren på andra våningen.

Hoffmann Security AB. Samma lösning överallt. Ett säkerhetsbolag som front för öststatsmaffia.

Han öppnade med nycklarna han fått av Krantz.

En vacker lägenhet, glänsande parkettgolv, högt i tak, vitkalkade väggar.

Han såg ut genom fönstret med utsikt över Kungsbron och Vasateatern, ett äldre par på väg in till kvällens föreställning, sådant han själv ofta tänkt göra men aldrig genomförde.

Du dömdes för narkotikabrott. Men du var ingen amfetaminlangare.

Han passerade hallen och gick in i den del av lägenheten som en gång varit ett vardagsrum men nu var ett arbetsrum med två vapenskåp på väggen vid en öppen spis.

Du hade kopplingar till Wojtek. Men du var ingen maffiamedlem.

Han satte sig ner i den skrivbordsstol han gissade att Hoffmann brukade sitta i.

Du var någon annan.

Han reste sig upp igen och gick omkring i lägenheten, kikade in i de tomma vapenskåpen, kände på det avstängda larmet, sköljde ur de odiskade dricksglasen.

Vem?

Grens hade när han gick från Hoffmann Security AB tagit omvägen via de utrymmen som enligt rapporten skulle tillhöra lägenheten. Han hade öppnat ett källarförråd som mött med stark lukt av fukt och han hade gått omkring på en vind under en fläkt som surrat högt kring hans huvud medan han letat efter ett förråd som varit tomt bortsett från den hammare och den skruvmejsel som legat i en hög med begagnade däck.

Det hade hunnit bli sent och han borde kanske ha fortsatt att köra också den sista kilometern från porten på Vasagatan till den egna lägenheten på Sveavägen men ilskan och oron tryckte bort tröttheten, han skulle inte sova den här natten heller.

Utredningsrotelns korridor väntade övergiven, sommarens första kvällar tillbringade hans kollegor hellre med ett glas vin på en av Kungsholmens uteserveringar och en långsam promenad hem än bland tjugofyra parallella utredningar och obetalda övertidstimmar i ett likgiltigt kontorsrum. Han kände inte utanförskap, inte saknad, han hade bara för länge sedan valt att inte delta och ett eget val kunde aldrig bli ful ensamhet. Den här kvällen var efterarbete kring ett skott på ett fängelse och nästa kväll efterarbete kring ett annat skott, det fanns alltid en utredning som för hon och han som drabbats var trauma men för utredaren en känsla av att höra till på avstånd. Grens närmade sig kaffeautomaten och två plastmuggar svart när han stannade till vid sitt postfack och såg ett stort och vadderat kuvert i högen av oöppnad korrespondens, det fanns åt helvete för många referenslistor och själlösa massutskick. Han drog ut det och vägde det i handen, inte särskilt tungt, vände på det utan att hitta någon avsändare. Hans namn och adress var lätt att läsa, en mans handstil, det var han säker på, något orytmisk, kantig och nästan vass, förmodligen en tuschpenna.

Ewert Grens la det bruna kuvertet mitt på skrivbordet och granskade det medan han tömde den första muggen. Ibland känns det bara, det där som inte går att förklara. Han öppnade skrivbordslådan och påsen med oanvända plasthandskar, drog dem på sig och sprättade med ett pekfinger upp kuvertet i dess ena kant. Han kikade försiktigt ner i öppningen. Inget brev, ingen medföljande text eller bit papper. Han räknade till fem föremål, plockade upp ett i taget, placerade dem i en rad framför sig mellan mapparna med pågående utredningar.

En halv plastmugg kaffe till.

Han började längst till vänster. Tre pass. Med röd botten och guldfärgade versaler. EUROPEISKA UNIONEN, SVERIGE, PASS. Samtliga svenska, äkta, utfärdade av Polismyndigheten i Stockholms län.

Fotografiet hade tagits i en vanlig fotoautomat.

Några centimeter stort, svartvitt, aningen suddigt, små reflexer i blanka ögon.

Samma ansikte tre gånger. Med olika namn, olika personnummer.

Ett ansikte som tillhörde en död människa.

Piet Hoffmann.

Grens lutade sig tillbaka i skrivbordsstolen och såg mot fönstret och ljuset därute, svaga gatlyktor som vaktade raka och tomma asfaltgångar på Kronobergs innergård.

Om det är du.

Han lyfte på kuvertet, vände på det.

Om det kommer från dig.

Han höll det närmare, fingertopparna lätt över dess framsida. Det saknade frimärken. Däremot, längst upp i höger hörn, något som såg ut som en poststämpel. Han granskade den länge. Svår att läsa, texten delvis borta. FRANKFURT. Det var han säker på. Och sex siffror. 234212. Sist något slags symbol, kanske en fågel, kanske ett flygplan.

Resten var mest streck som badat i för mycket vätska.

Grens letade i skrivbordslådan och i telefonlistan som låg där någonstans i en plastficka. Horst Bauer, Bundeskriminalamt, Wiesbaden. Han hade tyckt mycket om den tyske kriminalkommissarien som han samarbetat med något år tidigare i en utredning kring en busslast övergivna rumänska barn. Bauer var hemma och vid middagsbordet men vänlig och hjälpsam och ringde medan Ewert väntade och maten kallnade tre samtal för att bekräfta att det kuvert som nyss legat i ett av Citypolisens postfack med all sannolikhet skickats från en budfirmas inlämningskontor på Frankfurt am Main International Airport.

Ewert Grens tackade och la på.

En av världens största flygplatser.

Han suckade högt.

Om det är du. Om det kommer från dig. Du instruerade någon att skicka det åt dig. Efter din död.

Två föremål kvar på skrivbordet. Det första inte ens en centimeter stort. Han höll i det med klumpiga plastfingrar. En mottagare, en silverfärgad öronsnäcka, elektronik för att avlyssna samtal som fångades upp av en sändare i samma storlek.

Herregud.

Det hade inte ens gått tolv timmar sedan Sven hade hållit just en sådan sändare i handen, sammanlänkad med en svart sladd och en solcell målad i samma nyans.

Kyrktornets bräckliga räcke.

Femtonhundratre meter från ett nu urblåst verkstadsfönster.

Ewert Grens sträckte sig mot hyllan bakom skrivbordet och plastpåsen som ännu inte förts in i något beslagsprotokoll och ännu inte lämnats till tekniska. Han tömde ut påsens innehåll, ringde ett av de få nummer han kunde utantill och la telefonluren på bordsytan med Fröken Urs monotona röst nära sändaren. Han gick sedan ut ur rummet och stängde dörren medan han förde den silverfärgade mottagaren mot örat och lyssnade på klockslag som upprepades med tio sekunders mellanrum.

Den fungerade.

Den mottagare han nyss fått i ett kuvert var förinställd på exakt samma frekvens som sändaren de hittat på tornets räcke.

Ett föremål kvar. En cd-skiva.

Grens balanserade den blanka skivan i handflatan. Ingen text på någon av sidorna, ingenting som avslöjade vad den innehöll.

Han petade in den i den smala öppningen på datorns kortsida.

– Regeringskansliet onsdagen den tionde maj.

Det var samma röst.

Han hade lyssnat på den tillsammans med Sven för bara ett par timmar sedan.

Rösten som hade larmat. Rösten som hade hotat.

Hoffmann.

Grens svalde plastmuggens sista droppar. En tredje?

Om en stund. Han läste av ljudfilens siffror. Om sjuttioåtta minuter och trettiofyra sekunder.

När jag har lyssnat klart.

DEN TREDJE MUGGEN automatkaffe stod på skrivbordet.

Ewert Grens hade hämtat den men behövde den inte. Det som for i hans bröst och gjorde honom yr hade inget med koffein att göra.

En *legal polisinsats* hade just blivit ett *legitimerat mord*.

Han lyssnade igen.

Först skrapljud, någon som går, en mikrofon som möter tyg vid varje steg. Efter elva minuter och fyrtiosju sekunder, han kontrollerade ljudfilens klocka, ett par röster, dova, mikrofonen hade suttit lågt, i benhöjd och det var tydligt hur Hoffmann ibland flyttade på sig för att komma närmare ljudkällan, långsamt sträckte fram ett ben mot den som talade, omotiverat reste sig upp och stod alldeles nära.

– Ärendet ... jag har läst det. Jag antog ... jag antog att det rörde sig om en ... kvinna?

Den enda röst han inte hade hört förut.

En kvinna, fyrtio, kanske femtio år. En mjuk röst med hårda formuleringar, han var säker på att han skulle känna igen den om han hörde den en gång till.

– Paula. Jag heter det. Härinne.

Den tydligaste rösten.

Den som bar mikrofonen.

Hoffmann. Men han kallade sig Paula. Ett kodnamn.

– Vi måste bygga honom farligare. Han kommer att ha begått grövre brott. Han kommer att ha dömts till längre straff.

Den tredje rösten.

En ganska ljus röst, en sådan som inte hör ihop med sitt ansikte, en kollega i samma korridor bara några dörrar bort och som någon av de första dagarna under utredningen av Västmannagatan 79 liksom bara råkade passera och förhöra sig om och tipsa lite åt fel håll.

Ewert Grens slog handen hårt mot skrivbordet.

Erik Wilson.

Han slog igen, båda händerna nu, svor högt åt de kala kontorsväggarna som bara stod där.

Två röster kvar.

De två han kände igen bäst, delar av en hierarkisk kedja, länkar mellan en kriminell och ett regeringskansli.

– Paula har inte tid med Västmannagatan.

En nasal, vass, lite för hög.

Rikspolischefen.

– Du har hanterat liknande ärenden förut.

En djup, fyllig, som inte släppte orden, höll dem kvar, vokaler som tänjdes ut.

Göransson.

Ewert Grens stannade inspelningen och drack i en enda rörelse upp kaffet som fortfarande var för varmt och brände från halsen till magen. Han kände det inte, varmt, kallt, han skakade som han hade gjort sedan han lyssnat första gången och skulle strax gå tillbaka ut i korridoren och fortsätta hälla i sig det heta tills han orkade uppfatta något annat än kvävande ilska.

Ett möte på Rosenbad.

Han tog en tuschpenna ur pennstället och ritade en rektangel och fem cirklar direkt på skrivbordsunderlägget.

Sammanträdesbord med fem huvuden.

Ett som sannolikt var justitiedepartementens statssekreterare.

Ett som kallade sig Paula. Ett som arbetade som Paulas hanterare. Ett som var landets högste polischef. Och ett, han såg på den runda ringen som skulle föreställa Göransson, som var Ewert Grens närmaste chef och Erik Wilsons närmaste chef och ansvarade för bådas arbete och därför under hela utredningen hade känt till varför Västmannagatan 79 saknade svar.

– Jag var en nyttig idiot.

Ewert Grens lyfte upp det nedklottrade skrivbordsunderlägget och kastade det mot golvet.

– Jag var en nyttig jävla idiot.

Han tryckte på ljudfilen ännu en gång, meningar han redan lyssnat på.

– Paula. Jag heter det. Härinne.

Du var inte maffia. Du var en av oss. Du var anställd av oss för att spela maffia.

Och jag mördade dig.

söndag

DEN STORA KLOCKAN på Kungsholms kyrka slog en halvtimme efter midnatt när Ewert Grens lämnade sitt rum och polishuset för att köra den korta sträckan till Rosenbad. Det var en vacker, varm kväll men han märkte det inte. Han visste vad som hade hänt på Västmannagatan 79. Han visste varför Piet Hoffmann avtjänat tid på Aspsås kriminalvårdsanstalt. Och han anade varför just de människor som arrangerat Hoffmanns fängelsestraff plötsligt funnits där och tillsammans med den ansvarige kriminalkommissarien sökt en byråkratisk lösning för att döda honom.

Piet Hoffmann var farlig.

Piet Hoffmann hade sanningen om ett mord som var mindre viktigt än fortsatt infiltration.

När Grens identifierat Hoffmanns namn i utkanten av utredningen och skulle förhöra honom blev han ännu farligare.

De hade bränt honom.

Men han hade överlevt ett överfall, tagit gisslan och placerat sig väl synlig i ett verkstadsfönster.

Du spelade in mötet. Du skickade det till mig. Den man som beslutade om din död.

Ewert Grens parkerade på Fredsgatan nära den nedsläckta byggnad varifrån Sverige regerades. Han skulle alldeles strax bege sig in i den. Han hade just avlyssnat ett möte som tjugoen dagar tidigare spelats in i ett av dess många chefsrum.

Han tog fram mobiltelefonen och slog numret till Sven Sundkvist. Tre signaler. Någon som harklade sig och letade efter kraft.

– Ja?

– Sven, det är jag. Jag vill ...

– Ewert, jag sov. Jag har sovit sedan klockan åtta. Vi missade förra natten, minns du det?

– Du kommer inte att sova särskilt mycket i natt heller. Du ska till USA, södra Georgia, ditt plan lämnar Arlanda om två och en halv timme. Du kommer ...

– Ewert.

Sven hade satt sig upp, kraften blev en annan, det var väl lättare att tala när bröst och luftvägar slapp kuddar och täcken.

– Vad pratar du om?

– Nu vill jag att du vaknar till och klär på dig, Sven. Du ska träffa Erik Wilson och du ska få honom att bekräfta att ett möte jag tagit del av har ägt rum. Jag ringer dig om någon timme. Då sitter du i en taxi och då har du lyssnat på ljudfilen som jag skickat till din dator. Du kommer att förstå precis vad det här handlar om.

Grens stängde av motorn och klev ur bilen.

Dörrarna till makten var av glas och hade när han varit här under dagtid öppnats automatiskt. Nu förblev de stängda och han tryckte på knappen som väckte vakten en trappa upp.

– Ja?

– Kriminalkommissarie Grens, Citypolisen. Jag är här för att titta på några av dina övervakningsbilder.

– Nu?

– Har du mycket annat att göra?

Högtalaren skrapade när händer prasslade med papper nära en mikrofon.

– Sa du Grens?

– Du kan se mig i kameran. Och nu kan du se legitimationen jag håller upp.

– Du är inte föranmäld. Jag vill se den en gång till när du

visar den ordentligt härinne hos mig. *Sedan* ska jag överväga om du får stanna eller om jag föredrar att du kommer tillbaka imorgon.

Ewert Grens ökade farten, det var nästan tomt på E18 norrut efter Roslagstull och han brydde sig just nu inte om skyltar som begränsade hastigheten till sjuttio kilometer i timmen.

Han hade först kontrollerat bevakningsföretagets liggare över besökare.

Statssekreteraren vid justitiedepartementet hade tisdagen den tionde maj tagit emot sammanlagt fyra gäster. De hade anlänt var för sig inom tjugofem minuter. Först rikspolischefen, sedan Göransson, något senare Erik Wilson och sist en handstil som hade varit svår att tolka men såväl Grens som vakten hade efter en stund varit övertygade om att den besökare som hade skrivit in sig klockan 15.36 hette Piet Hoffmann.

Han passerade Danderyd, Täby, Vallentuna, tredje gången han det här dygnet närmade sig samhället som hette Aspsås men han skulle varken till fängelset eller kyrkan, han var på väg till ett radhus och en man han inte skulle lämna förrän han besvarat den enda fråga Grens kommit för att ställa.

Ewert Grens hade med besöksliggaren i handen begärt att få se inspelningar från två av de kameror som övervakade Regeringskansliet och varje person som passerade in eller ut. Han hade identifierat dem en i taget. Först när de skrev in sig, kameran satt ovanför vaktkuren i Rosenbads entré och de stod alla fyra nära utan att titta upp. Sedan via en kamera som satt i ansiktshöjd i en korridor på tredje våningen mittemot dörren till statssekreterarens tjänsterum. Han hade sett hur rikspolischefen och Göransson med ett par minuters mellanrum knackat på och försvunnit in, hur Wilson anlänt nästan tjugo minuter senare och hur Hoffmann efter ytterligare sju minuter kommit gående i korridoren, han hade vetat exakt var kameran varit placerad och fångat den tidigt, tittat in i den lite för länge, mött linsen medveten om att hans närvaro dokumenterades.

Piet Hoffmann hade knackat på dörren precis som de andra men inte släppts in precis som de, han hade instruerats att stå kvar i korridoren, att sträcka ut armarna medan Göransson visiterade honom. Grens hade haft svårt att stå stilla när han insett att det kraftiga ljud han hört ungefär nio minuter in i inspelningen var intendentens händer som stötte till mikrofonen.

Han körde fort och bromsade tvärt när avfarten till Aspsås samhälle klev fram i mörkret.

Ett par kilometer till, han skrattade kanske inte ännu, men han log.

Söndagen var bara någon timme gammal, han hade ont om tid men skulle kunna hinna, fortfarande mer än ett dygn kvar till måndag morgon, till bevakningsföretagets redovisning av helgens övervakningsband till Regeringskansliets säkerhetsavdelning.

Han hade haft röster, han hade nu också bilder.

Och han skulle strax bekräfta sambandet mellan tre av mötets deltagare och de order en fängelsechef tagit emot före och under en gisslantagning som slutat med död.

En radhustomt längs en radhusgata i ett radhusområde.

Ewert Grens parkerade bilen framför brevlådan med nummer 15 och satt sedan kvar och såg på tystnaden. Han hade aldrig tyckt om sådana platser. Människor som bodde för nära varandra och försökte se likadana ut. Han hade i den stora lägenheten på Sveavägen någon som gick på hans tak och någon annan som stod under hans golv och ytterligare någon som drack ett glas vatten på andra sidan köksväggen men han såg dem inte, kände dem inte, han hörde dem ibland men visste inte vad de hade på sig, vilken bil de ägde, slapp möta dem i morgonrock med tidningen under armen och slapp fundera på om deras plommonträd hängde för långt över staketet.

Han stod knappt ut med sig själv.

Så hur i helvete skulle han stå ut med röken av grillat kött och ljudet av fotbollar mot dörrar av trä?

Han skulle fråga Sven sedan, när det här var över, hur man gör, hur man egentligen pratar med människor man inte är intresserad av.

Han öppnade och klev ut i en nästan ljum vårnatt. Ett par hundra meter bort vilade den höga muren, en mörk linje mot en himmel som vägrade bli svart och skulle fortsätta vägra det tills ännu en sommar övergått i tidig höst.

Fyrkantiga plattor i en välklippt gräsmatta, han gick mot dörren och såg in genom fönster som var upplysta på både det nedre och övre våningsplanet, sannolikt köket, sannolikt ett sovrum. Lennart Oscarsson levde resten av sitt liv bara några minuters promenad från arbetsplatsen, Grens var säker, att orka leva i ett radhus, det hörde på något sätt ihop med att inte behöva separera en verklighet från en annan.

Han hade haft för avsikt att överraska. Han hade inte ringt och förvarnat, hade hoppats att möta en människa som nyss sov och därför saknade kraft att protestera.

Det var inte så.

– Du?

Han mindes Hermanssons beskrivning av en människa nära att brista.

– Vad vill du?

Oscarsson hade anstaltens uniform på sig.

– Så du arbetar ännu?

– Förlåt?

– Kläderna.

Oscarsson suckade.

– Jag verkar i så fall inte vara ensam. Om du inte åkt hit mitt i natten för att dricka te och hjälpa mig lösa korsord?

– Släpper du in mig? Eller vill du stå kvar härute och prata?

Furugolv, furutrappa, furupanel. Han gissade att anstaltschefen renoverat hallen själv. Köket kändes äldre, skåp och bänkar från åttiotalet, pastellfärg som inte gick att köpa längre.

– Bor du ensam här?

– Numera.

Ewert Grens visste allt om hur ett hem ibland vägrar låta sig förändras och en människa som flyttat ut liksom dröjde sig kvar bland färgerna och möblerna.

– Törstig?

– Nej.

– Då dricker jag själv.

Lennart Oscarsson öppnade kylskåpet, prydligt och välfyllt, grönsaker på hyllan längst ner, ölflaskan han nu höll i handen från hyllan längst upp.

– Du höll på att förlora en god vän igår.

Anstaltschefen satte sig ner, drack utan att svara.

– Jag hälsade på honom i morse. Danderyds sjukhus. Han är skakad, har rätt ont, men kommer att klara sig.

Flaskan hårt mot bordet.

– Jag vet det. Jag har också talat med honom. Två gånger.

– Hur känns det?

– Känns?

– Att veta att det var ditt fel.

Den skulden. Grens visste allt om den också.

– Klockan är halv två på natten. Jag går omkring i uniform i mitt eget kök. Och du undrar hur det känns?

– För det var väl det? Ditt fel?

Oscarsson slog ut med armarna.

– Grens, jag vet vad du är ute efter.

Ewert Grens såg på mannen som inte heller skulle gå och lägga sig den här natten.

– Du talade för snart trettiosex timmar sedan med en av mina kollegor. Du erkände att du tagit minst fyra beslut som tvingat Hoffmann att agera som han gjorde.

Lennart Oscarsson var röd i ansiktet.

– Jag vet vad du är ute efter!

– Vem?

Anstaltschefen reste sig upp, hällde ut resten av innehållet i flaskan, slog den sedan mot väggen och väntade tills den sista skärvan glas låg stilla. Han knäppte upp uniformsjackan, la den på det nu tomma köksbordet, en stor sax ur bestickstället. Han sträckte omsorgsfullt ut ena ärmen, lät handryggen glida över tyget tills han var säker på att det var platt och började sedan klippa, en ganska stor bit, fem kanske sex centimeter bred.

– Vem gav dig order?

Han höll den första tygbiten i handen, kände på de fransiga kanterna, han log, Grens var övertygad om det, ett nästan blygt leende.

– Oscarsson, *vem*?

Han klippte som förut, raka, omsorgsfulla linjer, den rektangulära biten prydligt ovanpå den första.

– Stefan Lygás. En intern du ansvarade för. En intern som är död.

– Det var inte mitt fel.

– Pawel Murawski. Piet Hoffmann. Två andra interner du ansvarade för. Två andra interner som är döda.

– Det var inte mitt fel.

– Martin Jacobson. En ...

– Det räcker nu.

– Martin Jacobson, en kriminalvårdsinspektör som ...

– För helvete Grens, det räcker!

Den första ärmen var klar. Tygbitar staplade i en liten hög.

Oscarsson drog i nästa, skakade den lätt, ett veck ungefär i mitten, handen länge fram och tillbaka tills det försvann.

– Pål Larsen.

Han klippte igen, snabbare nu.

– Generaldirektör Pål Larsen beordrade mig.

Grens mindes hur det ungefär en halvtimme in på inspelningen hade skrapat mot mikrofonen av byxben som sträckt på sig och sedan en tesked mot porslin när någon samtidigt hade passat på att dricka en kopp kaffe.

– Jag har tillsatt dig. Det betyder att du bestämmer inom Kriminalvården.

En kort paus medan statssekreteraren hade lämnat rummet för att hämta in Kriminalvårdens högste chef som suttit och väntat utanför i korridoren.

– Du bestämmer det du och jag kommer överens om att du ska bestämma.

Generaldirektören hade fått en order. Generaldirektören hade vidarebefordrat en order. Från den verkliga avsändaren.

Ewert Grens såg på en människa som i bar överkropp klippte sönder den uniform han längtat efter under hela sitt vuxna liv och han skyndade därifrån, ut ur köket som aldrig skulle byta färg och huset som var mer ensamhet än hans eget hem.

– Vet du vad jag ska göra med dom här?

Lennart Oscarsson stod i den öppna ytterdörren när Grens klev in i bilen. De nyss sönderklippta bitarna i höjda händer, han tappade ett par stycken, de föll långsamt till marken.

– Tvätta bilen, Grens. Du vet, man behöver alltid sådana

blanka bitar när man putsar, och det här, det är jävligt dyrt tyg.

Han slog numret redan när bilen rullade ut ur det tysta radhusområdet. Han såg mot kyrkan och det fyrkantiga kyrktornet, mot fängelset och verkstadsdelen som skymtade bakom den höga muren.

Det hade inte ens gått trettiosex timmar. Det skulle följa honom resten av hans liv.

– Ja?

Göransson hade varit vaken.

– Svårt att sova?

– Vad vill du, Ewert?

– Du och jag ska ha ett möte. Om en halvtimme ungefär.

– Jag tror inte det.

– Ett möte. På ditt kontor. I din egenskap av myndighetskontrollant.

– Imorgon.

Grens såg på skylten i backspegeln, den var svår att läsa i mörkret men han visste vad samhället han just nu lämnade hette.

Han hoppades att det skulle dröja innan han behövde återvända.

– Paula.

– Förlåt?

– Det är det vi ska tala om.

Han väntade, det var länge tyst.

– Vilken Paula?

Han svarade inte, skogen byttes långsamt mot höghus, han närmade sig Stockholm.

– Grens, svara mig! Vilken Paula?

Ewert Grens höll bara i luren en stund, la sedan på.

Korridoren var tom. Kaffeautomatens gnisslande gömdes av mörkret. Han satte sig ner på en av stolarna utanför Göranssons rum.

Hans chef skulle snart komma. Grens var övertygad om det.

Han drack av automatkaffet.

Wilson var Hoffmanns hanterare. En hanterare sammanställer infiltratörens arbete i en loggbok. En loggbok förvaras i ett säkerhetsskåp hos en ansvarig myndighetskontrollant.

Hos Göransson.

– Grens.

Intendenten öppnade dörren till sitt rum. Ewert Grens såg på klockan och log. Exakt en halvtimme hade gått sedan deras samtal.

Han visades in i ett chefsrum som var betydligt större än hans eget och satte sig ner i en skinnfåtölj, snurrade ett varv.

Göransson var nervös.

Han var noga med att låtsas motsatsen men Grens kände igen andningen, röstläget, de lite för stora rörelserna.

– Loggboken, Göransson. Jag vill se den.

– Jag förstår inte.

Grens var rasande men tänkte inte visa det.

Han skrek inte, han hotade inte.

Inte än.

– Ge mig loggboken. Hela pärmen.

Göransson hade satt sig ner på skrivbordets kant. Nu svepte han med armen över två väggar täckta av hyllor, pärmar på varje hyllplan.

– Vilken jävla pärm?

– Pärmen på den jag mördat.

– Jag begriper inte vad du talar om.

– Tjallarpärmen.

– Vad ska du med den till?

Jag ska sätta dit dig din jävel. Jag har ett dygn på mig.

– Det vet du.

– Det jag vet, Ewert, är att den bara finns i ett enda exemplar och i mitt låsta säkerhetsskåp, att bara jag har koden dit, att det finns en anledning till att det är så.

Göransson sparkade lätt mot det ganska stora skåpet som var grönt och som stod mot väggen bakom hans skrivbord.

– Eftersom *inga* obehöriga ska se den.

Grens andades långsamt, han hade varit så nära att slå, en knuten näve som hade nått halvvägs mot Göranssons ansikte när han fångat den, en lust som varit så stark.

Han släppte ut fingrar som krampade, räckte fram dem, kanske överdrivet stilla.

– Pärmen, Göransson. Och så behöver jag en penna.

Göransson såg på handen framför honom, de knotiga fingrarna.

En Ewert Grens som skriker, som hotar, jag kan hantera det.

– Får jag den?

– Vad?

– Pennan.

Men det högljudda viskandet.

– Och ett papper.

– Ewert?

– Ett papper.

De knotiga fingrarna pekade på honom.

Han gav dem ett anteckningsblock och en penna, en röd, tusch.

– Du fick ett namn av mig för en halvtimme sedan. Jag vet att det namnet finns där i din tjallarpärm. Jag vill se det.

Han vet.

Ewert Grens höll anteckningsblocket mot skinnfåtöljens armstöd och skrev något. En handstil som annars var svår att läsa. Men inte nu. Fem omsorgsfullt formade bokstäver med röd tuschpenna.

Grens vet.

Göransson gick mot säkerhetsskåpet, kanske skakade hans händer, kanske var det därför det tog så lång tid att slå in sex siffror, att öppna den tunga dörren, att ta fram en svart, avlång pärm.

– Finns samtliga möten mellan er hanterare och denne Hoffmann bokförda här?

– Ja.

– Och det här är det enda exemplaret?

– Det är det exemplar jag förvarar i egenskap av myndighetskontrollant. Det enda som finns.

– Förstör det.

Han la den svarta pärmen framför sig på skrivbordet, bläddrade bland kodnamn på kriminella som rekryterats för att arbeta som infiltratörer på uppdrag av svensk polis, han hade kommit halvvägs när han stannade.

Jag ansåg att det var fel och jag sa det.

– Grens?

– Ja?

Jag lämnade hennes rum.

– Det finns här. Namnet du söker.

Ewert Grens hade redan rest sig upp, han stod bakom sin chef, läste över hans axel, tätt skrivna sidor.

Först kodnamnet. Sedan datumet. Så sammanfattningen av

den dagens korta möte i en fastighet som hade ingång från två olika adresser.

Sida för sida, möte för möte.

– Du vet vad jag vill ha.

Jag klev av.

– Du kan inte få det.

– Kuvertet, Göransson. Ge mig det.

Med varje loggbok följde ett kuvert med infiltratörens riktiga namn, förseglat av hanteraren på uppdragets första dag, lacksigill, rött och blankt.

– Öppna det.

Jag kan gå med rak rygg ur det här.

– Jag kan inte göra det.

– Nu, Göransson.

Grens kramade kuvertet i handen, läste namnet han för första gången hört uttalas bara några dagar tidigare, ett inspelat möte på ett tjänsterum i Regeringskansliet.

Fem bokstäver.

Samma namn han nyss skrivit på ett anteckningsblock.

P-a-u-l-a.

Han sträckte sig efter Göranssons brevkniv, bröt sigillet och sprättade upp det bruna kuvertet.

Han visste det ju redan.

Ändå högg det så förbannat i bröstet.

Ewert Grens drog upp lappen och läste namnet han visste skulle stå där. Bekräftelsen på att den människa han gett order om att döda verkligen hade arbetat för Citypolisen.

Piet Hoffmann.

Piet.

Paula.

Det svenska kodnamnsystemet, begynnelsebokstaven på ett mansnamn blev begynnelsebokstaven på ett kvinnonamn. Tjallarpärmen var full av infiltratörer som kallade sig Maria, Lena, Birgitta.

– Och nu vill jag ha den hemliga underrättelserapporten. Om vad som verkligen hände på Västmannagatan 79.

Viskandet igen.

Göransson såg på en medarbetare han aldrig tyckt om.

Han vet.

– Den får du inte.

– Var förvarar du den hemliga underrättelserapporten? Vad som verkligen hände på Västmannagatan 79? Vad vi som utredde inte skulle få veta?

– Den finns inte här.

– Var?

– Den finns bara i ett exemplar.

– Förhelvete Göransson, var?

Han vet.

– Hos chefen för Länskrim. Vår högste chef.

Han haltade kraftigt, det var inte smärtan, det var många år sedan han brytt sig om den, han gick ju så här, vänster ben lätt i golvet höger ben tungt i golvet vänster ben lätt i golvet, men med ilskan som motor stötte han varje gång höger ben hårdare mot underlaget och en nedsläckt korridor transporterade hastigt det monotona ljudet mellan väggarna. Hissen fyra våningar ner, höger mot rulltrappan, genom matsalen, hissen fem våningar upp. Sedan det där ljudet igen, någon som haltade i en sista bit korridor, som stannade framför dörren till chefen för Länskriminalen.

Han stod stilla, lyssnade.

Han tryckte ner handtaget.

Det var låst.

Ewert Grens hade avbrutit promenaden tre gånger, först vid datasupportens stora rum och en av de Coca-Coladrickande unga männen för att hämta en cd-skiva med märkligt enkla och tillgängliga program som inom två minuter öppnade varje lösenord på varje dator, sedan vid pentryt mittemot varuautomaterna för en handduk och vid vaktmästarens rum mittemot förrådet för en hammare och en skruvmejsel.

Han lindade handduken flera varv kring hammaren, placerade skruvmejseln i skarven mellan dörrens övre gångjärn och sprint, såg sig omkring ännu en gång i mörkret och slog sedan hårt med hammaren mot skruvmejseln tills sprinten lossnade. Han flyttade skruvmejseln till nedre gångjärnet och nästa sprint, hammarens slag tills den släppte. Det var sedan enkelt att dela två gångjärn, att försiktigt vicka mejseln fram och tillbaka mellan dörr och dörrkarm, att trycka hela dörren bakåt tills låskolven gled ur sin hållare.

Han lyfte dörren och ställde den åt sidan.

Den var lättare än han trott.

Han hade under utryckningar forcerat andra dörrar, för en hjärtattack på andra sidan, för skrämda och ensamma barn, för att slippa vänta på en låssmed som aldrig kom.

Men han hade aldrig förut brutit sig in i en hög polischefs tjänsterum.

Den bärbara datorn stod på skrivbordet, likadan som hans egen, han startade den, väntade medan cd-skivans program identifierade och bytte ut lösenordet och sökte sedan bland dokumenten som han lärt sig att göra.

Ett par minuter räckte.

Ewert Grens hängde tillbaka dörren på sina gångjärn, lirkade fast sprintarna, kontrollerade att inga brytmärken fanns i karmen och gick sedan därifrån med datorn gömd i portföljen.

VÄCKARKLOCKAN SOM STOD bakom telefonen fungerade inte. Den hade stannat på kvart i fyra. Grens fixerade en vit urtavla medan han för andra gången den här natten ringde Fröken Ur.

Nolltre fyrtiofem och trettio. Den fungerade.

Det var natten som var på väg bort utan att han märkte det.

Han var svettig, lossade handduken från hammaren, torkade i pannan och i nacken. Förflyttningen genom huset, dörren som han brutit upp, mer motion än han var van vid.

Han satte sig ner vid datorn som nyss stått på ett annat skrivbord, sökte i filen han tidigare börjat läsa.

Västmannagatan 79.

Den hemliga underrättelserapporten. Det verkliga förloppet.

Han sträckte sig efter en tunn mapp en bit bort på skrivbordet, bläddrade i den. Samma händelse. Men inte sanningen. Den bristfälliga information han och Sven och Hermansson och Ågestam hade haft tillgång till och som därför hade blivit en nedlagd utredning.

Han fortsatte att leta bland datorns dokument. Om han gick exakt ett år tillbaka. Trehundratvå hemliga underrättelserapporter när informatörers eller infiltratörers arbete för att avslöja ett brott hade skapat ett annat. Han kände igen flera av dem. Andra utredningar som hade gått åt helvete trots att kunskapen redan funnits i huset.

Han hade inte sovit föregående natt, han skulle inte sova denna, ilska som inte fick komma ut tog istället plats och motade bort trötthet som inte fick komma in.

Jag var en nyttig idiot.

Jag genomförde ett legitimerat mord.

Jag har burit skulden hela mitt vuxna liv och jag har förtjänat den men ingen jävel ska tvinga mig att bära den åt andra.

Jag kände inte Hoffmann. Jag är inte ens intresserad av honom.

Men den här, den satans jävla förbannade skulden jag inte tänker bära, den känner jag.

Han drog telefonen till sig, mindes det nummer han oftast slog så här dags, rösten var svag, som alltid när en människa just vaknar.

– Ja?

– Anita?

– Vem ...

– Det är Ewert.

En irriterad suck från ett mörkt sovrum på översta våningen i ett radhus någonstans i Gustavsberg.

– Sven är inte här. Han tillbringar natten ombord på ett flygplan till USA. Eftersom du för några timmar sedan skickade honom dit.

– Jag vet det.

– Så den här natten kan du inte ringa hit fler gånger.

– Jag vet det.

– Gonatt, Ewert.

– Jag brukar ringa till Sven. Nu får du ta det. Du förstår ... jag är så inihelvete arg.

Hennes långsamma andetag, han kunde höra dem.

– Ewert?

– Ja?

– Ring någon annan. Någon som får betalt för det. Jag måste sova.

Hon hade lagt på. Han stirrade på en främmande dator som stod där på hans skrivbord och stirrade tillbaka, på honom, på hans gömda ilska.

Sven satt i ett flygplan någonstans över Atlanten.

Hermansson, det kändes inte bra att ringa henne, en ung kvinna och en äldre ensam man mitt i natten.

Grens lyfte på skrivbordsunderläggets plastflik, pekfingret längs den långa listan. Han hittade numret han letade efter och slog siffrorna till den enda människa han inte ville prata med överhuvudtaget.

Åtta signaler.

Han la på, väntade i exakt en minut, ringde igen.

Någon som svarade direkt. Någon som ryckte upp luren med våld.

– Är det du, Grens?

– Du var alltså vaken?

– Nu är jag det. Vafan vill du?

Ewert Grens avskydde honom. Osmidig, hierarkisk. Egenskaper han föraktade men just den här gången behövde.

– Ågestam?

– Ja?

– Jag vill ha din hjälp.

Lars Ågestam gäspade, sträckte på sig, sjönk ihop.

– Gå och lägg dig, Grens.

– Din hjälp. Nu.

– Ett enda svar. Det svar du fått varje gång du väckt mig och min familj vid den här tiden. Ring åklagarjouren.

Han hade lagt på. Ewert Grens väntade inte den här gången, ringde tillbaka omedelbart.

– Grens! Du … du ger fan i att …

– Hundratals rättegångar. Bara det senaste året. Vittnen och bevis och förhör som … som försvunnit.

Lars Ågestam harklade sig.

– Vad pratar du om?

– Att vi måste träffas.

Någon talade i bakgrunden. Ågestams fru, det lät så. Grens försökte komma ihåg hur hon såg ut, de hade träffats, det mindes han men inte hennes ansikte, ett av de där som saknade konturer.

– Grens, är du berusad?

– Hundratals. Du har själv varit inblandad i flera.

– Visst. Vi kan ses. Imorgon.

– Nu, Ågestam! Jag har inte särskilt mycket tid på mig. Måndag morgon. Sedan ... sedan är det för sent. Och det här samtalet ... det är lika mycket för din skull. Herregud ... förstår du hur märkligt det känns att säga så? Till dig?

Den kvinnliga rösten i bakgrunden igen. Grens hörde den, men inte vad den sa. Ågestam viskade när han återkom.

– Jag lyssnar.

– Det här är inget jag kan ta över telefon.

– Jag lyssnar ju!

– Vi måste ses. Du kommer att förstå varför.

Åklagaren suckade.

– Kom hit.

– Till dig?

– Hem till mig.

Han hade passerat Åkeshovs tunnelbanestation och sedan fortsatt in i området med villor från fyrtiotalet för välutbildad medelklass. Det skulle bli en vacker dag, det var en sådan sol som växte långt därborta. Han stannade bilen framför trädgården som hade stora äppelträd och låg i slutet av gatan med sovande hus. Han hade varit här en gång förut, drygt fem år sedan, den nyanställde åklagaren hade hotats flera gånger under en rättegång mot en mordåtalad småbarnspappa och Grens hade inte tagit det på allvar förrän det gula huset haft svart sprayfärg, *du ska dö knektjävel*, rinnande från köksfönstret till vardagsrumsfönstret.

Två stora koppar på bordet.

En glaskanna med nybryggt te mellan dem.

– Svart. Eller hur?

– Svart.

Grens drack upp och Ågestam fyllde koppen en andra gång.

– Nästan lika gott som i automaten i korridoren.

– Klockan är kvart över fyra. Vad var det du ville?

Portföljen låg redan på bordet. Grens öppnade den och drog ut tre mappar.

– Känner du igen dom här?

Lars Ågestam nickade.

– Ja.

– Tre utredningar vi arbetade tillsammans med under förra året.

Ewert Grens pekade på dem en i taget.

– Grovt narkotikabrott, P-huset Regeringsgatan. *Åtalades men frikändes.* Brott mot vapenlagen, gångvägen under Liljeholmsbron. *Åtalades men frikändes.* Försök till människorov, Magnus Ladulåsgatan. *Åtalades men frikändes.*

– Kan du tala lite tystare? Min fru. Mina barn. Dom sover.

Ågestam höll en hand mot taket och övervåningen.

– Har du barn? Det hade du inte förra gången.

– Jag har det nu.

Grens sänkte rösten.

– Kommer du ihåg dom?

– Ja.

– Varför?

– Du vet varför. Jag fick inte bifall. Brist på bevis.

Grens la mapparna åt sidan, bytte dem mot en dator som nyss stått på ett chefsbord bakom en låst dörr. Han letade bland dokumenten som förut, vände skärmen mot åklagaren.

– Jag vill att du läser.

Lars Ågestam tog tekoppen, förde den till munnen och höll den där, han kom inte längre när fingrarna liksom fastnade.

– Vad är det här?

Han såg på Ewert Grens.

– Grens? *Vad* är det här?

– Vad det är? Det är samma adresser. Det är samma tidpunkter. Men en annan sanning.

– Jag förstår inte.

– Den här? Grovt narkotikabrott, P-huset Regeringsgatan. Men vad som *verkligen* hände. Beskrivet i en hemlig underrättelserapport av en polis som inte utredde.

Ewert Grens sökte i datorn.

– Två till. Läs.

Halsen var rödflammig. Handen for genom håret.

– Och det här?

– Den här? Brott mot vapenlagen, gångvägen under Liljeholmsbron. Och den? Försök till människorov, Magnus Ladulåsgatan. Också vad som *verkligen* hände. Också beskrivet i hemliga underrättelserapporter av poliser som inte utredde.

Åklagaren stod upp.

– Grens, jag …

– Och det här är bara tre av trehundratvå ärenden från förra året. Dom finns alla där. Med sanningen vi aldrig fick. Med brott som gömts undan för att lösa andra brott. En officiell utredning, en sådan som du och jag håller på med. Och en som bara finns här, för polisledningen, i hemliga underrättelserapporter.

Ewert Grens såg på mannen i morgonrock framför sig.

– Lars, du är inblandad i tjugotre av dom. Fall där du har åtalat och misslyckats, du har lagt ner eftersom du inte haft all information som den *verkliga*, den *hemliga* rapporten haft, den som hade fått tjallaren fälld.

Lars Ågestam rörde sig inte.

Han sa Lars.

Det känns ... märkligt, oinbjudet. Det är bara mitt namn. Men i Grens mun ... det blir nästan obehagligt.

Han har aldrig använt mitt förnamn förut.

Jag vill aldrig att han gör det igen.

– Tjallaren?

– Tjallaren. Informatören. Infiltratören. En kriminell människa som begår brott men det skiter vi i eftersom han hjälper oss att lösa andra brott.

Ågestam hade hållit koppen framför munnen under hela samtalet. Nu satte han ner den.

– Vems dator?

– Det vill du inte veta.

– *Vems*?

– Chefen för Länskrim.

Lars Ågestam reste sig upp från bordet, försvann ut ur köket och med ivriga steg uppför trappan. Ewert Grens såg efter honom.

Jag har mer.

Västmannagatan 79.

Du ska få den också. När vi ska avsluta det här. Inom tjugofyra timmar.

De ivriga stegen igen, nu nerför. Åklagaren bar en skrivare i famnen, anslöt den till datorn, de lyssnade till trehundratvå papperskopior som la sig i en hög, en i taget.

– Du lämnar tillbaka den?

– Ja.

– Behöver du hjälp?

– Nej.

– Säker?

– Dörren är olåst.

Solen hade tagit över köket, ljuset som nyss blandats ut med starka lampor var nu tillräckligt på egen hand och han märkte inte när Ågestam släckte all belysning.

Klockan var halv fem men dagen redan här.

– Lars.

Hon var ung och hennes hår trassligt, hon bar vit morgonrock och vita tofflor och hon var mycket trött.

– Förlåt. Väckte vi dig?

– Varför sover du inte?

– Det här är Ewert Grens och …

– Jag vet vem det är.

– Jag kommer upp om en stund. Vi ska bara avsluta det här.

Hon suckade, hon vägde inte mycket men hennes steg var tyngre än Grens egna när hon återvände till sovrummet och andra våningen.

– Ledsen, Ågestam.

– Hon somnar igen.

– Hon är fortfarande upprörd?

– Hon anser att du gjorde en missbedömning. Det anser jag också.

– Jag bad om ursäkt. Och förhelvete, det är fem år sedan!

– Grens?

– Ja?

– Du skriker igen. Väck inte barnen.

Lars Ågestam tömde de båda kopparna i diskhon, det där som var lite tjockare och smakade beskt och som alltid fastnade i koppens botten.

– Jag behöver inte mer te.

Han lyfte högen med trehundratvå nyss utskrivna kopior.

– Det spelar ingen roll vad klockan är. Det här ... jag är inte längre trött, Grens, jag är ... irriterad. Om det är något jag behöver så är det att lugna ner mig.

Han öppnade skåpet ovanför diskbänken. På hyllan längst upp, en flaska Seagrams och lagom stora glas.

– Vad säger du, Grens?

Ågestam fyllde två glas till drygt hälften.

– Klockan är halv fem på morgonen.

– Ibland är det så.

En annan människa.

Ewert Grens log svagt medan Ågestam drack upp hälften.

Om han skulle ha gissat, han hade tio gånger av tio gissat på nykterist.

Grens drack efter en stund också själv, den var mjukare i smaken än han hade trott, fungerade utmärkt i ett kök till pyjamas och morgonrock.

– Sanningen vi aldrig fick, Ågestam.

Han la en hand på pappershögen.

– Jag sitter inte här för att jag tycker så mycket om att se dig nyvaken. Inte heller för ditt te, inte ens för whiskyn. Jag kom hit för att jag är övertygad om att vi tillsammans kan lösa det här.

Lars Ågestam bläddrade bland hemliga underrättelserapporter vars existens han till alldeles nyss inte haft en aning om.

Hans hals var fortfarande rödflammig.

Han förde fortfarande handen oroligt fram och tillbaka genom håret.

– Trehundratvå stycken.

Han stannade ibland, läste en stund, bläddrade igen, valde på måfå ut nästa dokument.

– Två versioner. En officiell. Och en bara för polisledningen.

Han viftade med högen i luften framför sig, han fyllde glaset med mer whisky.

– Förstår du, Grens? Jag kan åtala dom alla. Jag kan åtala varenda jävla polis som arbetar med det här. För urkundsförfalskning. För osant intygande. För brottsprovokation. Det räcker till en egen polisavdelning på Aspsås.

Han drack upp och han skrattade.

– Och alla dessa rättegångar? Vad säger du om dom, Grens? Alla dessa pläderingar och förhör och domar utan den kunskap ni på Polismyndigheten redan hade tillgång till!

Han kastade högen mot bordet, några papper föll till golvet, han reste sig upp och stampade på dem.

– Du har just väckt barnen.

De hade inte hört henne komma, hon stod i dörröppningen, med den vita morgonrocken men utan tofflorna.

– Lars, du måste lugna ner dig.

– Jag kan inte.

– Du skrämmer dom.

Ågestam kysste henne på båda kinderna, han var redan på väg till barnens sovrum.

– Grens?

Han vände sig om på trappans första steg.

– Jag kommer att använda hela dagen till det här.

– Måndag morgon. Då saknas två band.

– Jag återkommer senast ikväll.

– Måndag morgon. Då får fel personer information om att jag är jävligt nära.

– Senast ikväll. Det är vad jag hinner. Räcker det?

– Det räcker.

Åklagaren stod kvar, skrattade igen.

– Grens, fattar du? En egen polisavdelning. En egen polisavdelning på Aspsås!

KAFFET SMAKADE ANNORLUNDA.

Han hade hällt ut den första plastmuggen redan efter ett par klunkar. En ny från automaten i korridoren hade sedan smakat likadant. Han höll den tredje i handen när han insåg varför.

Det där som låg som en hinna i gommen.

Han hade börjat dagen i Ågestams kök med två glas whisky. Han brukade inte det. Han konsumerade överhuvudtaget inte särskilt mycket starksprit, det var många år sedan han hade slutat att dricka ensam.

Ewert Grens satt vid skrivbordet och kände sig märkligt tom.

De första morgontidiga hade redan anlänt och passerat hans öppna dörr men de hade inte irriterat honom, inte ens de som försökt stanna till och säga gomorron.

Han hade nyss släppt ut ilskan.

Han hade suttit i bilen på väg från Ågestam, ett par tidningsbud, några cyklister, det hade varit allt, en storstad var som tröttast strax före fem.

Det hade funnits gott om plats för skulden. Den som andra försökte få honom att bära. Han hade fräst åt den, försökt tysta den när den satt sig ner bredvid honom, jagat den till baksätet. Den hade sedan fortsatt att tjata och tvingat honom att köra fortare och han hade varit på väg hem till Göransson för att bli av med den tills han besinnat sig, han skulle konfrontera men inte ännu, snart, han skulle möta dem som bar det verkliga ansvaret alldeles snart. Han hade parkerat på Bergsgatan i höjd med polishusets ingång men inte gått direkt till rummet, han hade tagit hissen upp till Kronobergshäktet och sedan fortsatt hela vägen till taket och rastgården. Åtta långsmala burar, tjugo meter motion och en timme frisk luft per dygn och häktad. Han hade kommenderat vakten i bevakningsrummet att kalla tillbaka två interner som från var sin bur och i Kriminalvårdens illasittande kläder stod och såg ut över staden och friheten och att sedan själv lämna sin arbetsplats för en tidig fika ett par våningar längre ner. Grens hade väntat tills han varit helt ensam och sedan promenerat in i en av de små rastgårdarna, han hade sett mot himlen genom skiktet av galler och han hade skrikit, över sovande hyreshus i stockholmsgryningen hade han i femton minuter hållit en stulen dator med en annan verklighet i handen och skrikit högre än någonsin förut, han hade släppt ut raseriet och det hade skyndat över taken och lösts upp någonstans över Vasastan, han hade varit mycket hes efteråt, trött, nästan förbrukad.

Kaffet smakade fortfarande fel. Han ställde det åt sidan och satte sig på manchestersoffan, la sig efter en stund ner, blundade medan han letade efter ett ansikte i ett fönster i en fängelseverkstad.

Jag begriper det inte.

En människa som väljer ett liv där varje dag är detsamma som en potentiell dödsdom.

För spänningen? För något slags jävla agentromantik? För egen moral?

Det tror jag inte på. Det är sådant som bara låter bra.

För pengarna?

Tiotusen sketna kronor i månaden som betalats ut som tipspengar för att undvika formella lönelistor och skydda din identitet?

Knappast.

Grens rättade till tyget på soffans lite för höga kant, den

skavde i nacken och gjorde det svårt att slappna av.

Jag begriper det inte.

Du kunde begå vilket jävla brott du ville, du omfattades liksom inte av lagen, men bara så länge du var till nytta, tills du blev en människa som kunde avvaras.

Du var fredlös.

Du visste det. Du visste att det var så det fungerade.

Du hade allt det jag inte har, du hade en fru, barn, hem, du hade något att förlora.

Du valde det ändå.

Jag förstår det inte.

Nacken var stel. Den lite för höga soffkanten.

Han hade somnat.

Ansiktet i ett fönster i en fängelseverkstad hade försvunnit, sömnen hade tagit över, den som kom efter raseri och som var mjuk och vaggade honom i nästan sju timmar. Han hade nog vaknat en gång, han var inte säker men det kändes så, som om telefonen hade ringt, som om Sven förklarat att han satt på en flygplats utanför New York och väntade på nästa plan till Jacksonville, att ljudfilerna var intressanta och att han ombord på planet hade förberett mötet med Wilson.

Det var länge sedan Ewert Grens hade sovit så bra.

Trots stark sol i rummet, trots alla jävla ljud.

Han sträckte på sig, ryggen var lika irriterad som den brukade bli i den för trånga soffan, det styva benet värkte när det nådde golvet, han gick sönder bit för bit, en dag i taget, femtionioåriga män som motionerade för lite och åt för mycket gjorde det.

En kall dusch i personalrummet han sällan besökte, två kanelbullar och en flaska drickbar yoghurt med banansmak i varuautomaten.

– Ewert?

– Ja?

– Är det där din lunch?

Hermansson hade kommit ut från sitt rum en bit ner i korridoren, hon hade hört honom, haltandet, det var bara Grens som rörde sig så.

– Frukost, lunch, jag vet inte. Vill du ha något?

Hon skakade på huvudet, de gick långsamt bredvid varandra.

– I morse, tidigt ... Ewert, var det *din* röst?

– Du bor här på Kungsholmen?

– Ja.

– Rätt nära?

– Jag har inte särskilt långt hit.

Grens nickade.

– Då var det nog mig du hörde.

– Var?

– Häktets rastgård på taket. Man har bra utsikt därifrån.

– Jag hörde. Och resten av Stockholm.

Ewert Grens såg på henne, log, han gjorde inte ofta det.

– Jag valde mellan det och att skjuta ett skott i en garderobsdörr. Jag har förstått att det finns dom som väljer det andra alternativet.

De var framme vid hans dörr, han stannade, det kändes som om hon var på väg in.

– Ville du något, Hermansson?

– Zofia Hoffmann.

– Ja?

– Jag kommer inte längre. Hon är försvunnen.

Yoghurten med banansmak var slut. Han borde ha köpt en till.

– Jag har kontrollerat hennes arbetsplats igen. Hon har inte hört av sig sedan gisslantagningen. Barnens förskola, samma sak.

Mariana Hermansson försökte se in i hans rum. Grens stängde dörren lite till. Han visste inte varför, hon hade ju varit därinne ett par gånger om dagen sedan han anställt henne tre år tidigare. Men han hade sovit där alldeles nyss, nästan sju timmar på soffan, det var som om han inte ville att hon skulle veta det.

– Jag har lokaliserat hennes nära släktingar. Inte särskilt många. Föräldrarna, en moster, två farbröder. Alla i stockholmsområdet. Hon är inte där. Barnen är inte där.

Hon såg på honom.

– Jag har talat med tre kvinnor som beskrivs som hennes närmaste väninnor. Med grannarna, med en trädgårdsmästare som arbetade för familjen ett par timmar då och då, med flera medlemmar i den kör hon sjöng i någon gång i veckan, med den äldste sonens fotbollstränare och ledaren för den yngste sonens gymnastikgrupp.

Hon slog ut med armarna.

– Ingen har sett dom.

Hermansson väntade på svar. Hon fick inget.

– Jag har kontrollerat med sjukhus, hotell, härbärgen. Dom finns inte, Ewert. Zofia Hoffmann och dom två pojkarna, dom finns helt enkelt inte.

Ewert Grens nickade.

– Vänta här. Jag ska visa dig någonting.

Han öppnade dörren, stängde efter sig, noga med att hon inte såg in eller följde efter.

Du anlände till Aspsås fängelse som Wojteks kontaktman i Sverige.

Du skulle på deras uppdrag först slå ut konkurrenter och

sedan bygga Wojtek större.

Ett enda ögonblick och du var någon annan.

Ett enda möte med en advokat, en budbärare, och de visste vem du egentligen var.

Du ringde henne. Du varnade henne.

Grens lyfte upp ett vadderat kuvert som låg på skrivbordet och som nu saknade tre pass, en öronsnäcka och en i hemlighet inspelad cd-skiva, han återvände med det under armen till korridoren och Hermansson.

– Hon tog emot två korta telefonsamtal från Hoffmann. Vi vet inte vad dom handlade om och vi har inte hittat något som tyder på att hon på annat sätt är inblandad. Vi misstänker henne inte på sannolika skäl för någonting överhuvudtaget.

Grens höll upp kuvertet så att Hermansson kunde se.

– Vi kan därför inte efterlysa henne utanför landets gränser. Trots att det är där hon finns.

Han pekade på stämpeln.

– Jag är övertygad om att det är Zofia Hoffmann som har skickat det här. Frankfurt am Main International Airport. Tvåhundrasextiofem destinationer, fjortonhundra flygplan, etthundrafemtiotusen passagerare. Varje dag.

Han började gå mot varuautomaten, han behövde en yoghurt till, en kanelbulle till.

– Hon är långt borta, Hermansson. Och hon vet. Hon vet att vi varken får eller kan leta efter henne.

SOLEN STOD HÖGT.

Det hade varit varmt redan på morgonen, han hade slagits mot fuktiga lakan och en kudde som för länge sedan drunknat i hårfästets svett, varje ny timme hetsade sedan ytterligare ett par grader och nu, strax före lunch, tvingade hettan och det skarpa ljuset honom att stanna tvärt framför den stora grinden tills det där som var dubbelt försvann.

Erik Wilson satt stilla i hyrbilens förarsäte.

Han hade varit på plats i fem dagar, tillbaka i Glynco Georgia och på en militärbas som hette FLETC för att fortsätta det arbete han avbrutit när Paula ringt om en köpare på Västmannagatan som betalat med en polsk kula i tinningen.

Han startade bilen igen, långsamt genom grinden och förbi vakten som gjorde honnör. Tre veckor till. Den svenska och europeiska polisens samarbete med amerikanska polisorganisationer var en förutsättning för utveckling av verksamheten med informatörer och infiltratörer, det var här traditionen och kunskapen fanns och med Paula som inte fick kontaktas under arbetet innanför murarna på Aspsås, en bra tid att avsluta en påbörjad utbildning i avancerad infiltration.

Denna märkliga värme.

Han hade fortfarande inte vant sig, det brukade gå fortare, kännas mindre, det var åtminstone så han mindes sina första resor hit.

Om det var klimatet som hade förändrats. Om det var han som hade blivit äldre.

Han tyckte om att köra längs de breda, raka vägarna i det

stora landet som byggts kring biltrafik, ökade hastigheten när han kom ut på I 95, sextio kilometer till Jacksonville och andra sidan delstatsgränsen, en halvtimme så här dags på dagen.

Samtalet hade väckt honom.

Det hade fortfarande varit gryning, det starka solljuset och fåglarna med det vassa lätet hade just vaknat utanför fönstret.

Sven Sundkvist hade suttit i en bar och ätit frukost på Newark International Airport.

Han hade förklarat att han om några timmar skulle fortsätta sin resa.

Han hade hävdat att han var på väg till södra USA för att få omedelbar assistans i en utredning.

Erik Wilson hade frågat vad det handlade om, de talade sällan med varandra när de möttes i korridoren i polishuset mitt på Kungsholmen, varför skulle de göra det här, sjuhundra mil bort. Sundkvist hade inte svarat, envist förhört sig om när och var tills Wilson föreslagit den enda lunchrestaurang han kände till, en plats att sitta på utan att bli sedd, utan att behöva tala med röster som inte hörde till.

Det var en behaglig plats i hörnet av San Marco Boulevard och Philips Street, tyst trots att varje bord var upptaget och mörk trots att solen klättrade på tak, väggar, fönster. Sven Sundkvist såg sig omkring. Män klädda i kostym och slips som sneglade i smyg på varandra medan de förde fram sina bästa argument till halstrad fet fisk, förhandlingar som krävde europeiskt vin och mobiltelefoner på bordets vita duk. Kypare som inte märktes men fanns vid bordet i samma ögonblick som en tallrik var tom eller en tygservett föll till golvet. Lukten av mat som blandades med den av tända stearinljus och den av röda och gula rosor.

Han hade varit på väg i sjutton timmar. Ewert hade ringt i

det ögonblick Anita hade släckt sänglampan och krupit nära, hennes mjuka axel och bröst mot hans rygg, de första lugna andetagen i hans nacke när tankar gradvis försvunnit och inte gått att hålla kvar hur mycket de än sträckt sig efter dem. Anita hade undvikit att svara när han packat väskan och undvikit att se på honom när han sökt hennes blick. Han förstod henne. Ewert Grens hade så länge varit en del av deras sovrum, en människa som levde i en egen tidsbubbla och därför inte kände igen andras. Sven saknade kraft att tala om det för honom, sätta gränser, men insåg att Anita för att stå ut ibland måste göra just det.

Taxin från flygplatsen var en av dem utan air-condition och värmen hade varit lika oväntad som påträngande, han hade rest i kläder för svensk vår och landat i sommarlik hetta nära Floridas stränder. Han gick mot restaurangens ingång och drack av mineralvatten som smakade kemiska tillsatser. De hade suttit i samma korridor i tio år och samarbetat under flera utredningar, trots det, han kände honom inte. Erik Wilson var inte någon man gick ut och drack en öl med eller om det var Sven man inte gjorde det med eller om de helt enkelt bara var alldeles för olika. Sven som älskade livet i ett radhus med Anita och Jonas, Wilson som föraktade det. Nu skulle de hälsa på varandra, vänta ut varandra, en som krävde information och en som inte hade för avsikt att ge.

Han var lång, betydligt längre än Sven, blev ännu längre när han ställde sig på tå för att granska gästerna vid restaurangens alla bord. Han verkade nöjd och satte sig ner vid bordet längst in i den dyra lokalen.

– Jag är något sen.

– Jag är glad att du är här.

Kyparen som bara fanns där, ett glas mineralvatten till, var sitt, dubbla citronskivor.

Jag har en minut på mig.

När han insett varför jag är här, en enda minut för att övertyga honom om att han måste sitta kvar.

Sven flyttade på silverstaken med ett vitt stearinljus och placerade datorn på platsen mellan dem. Han öppnade programmet som innehöll flera ljudfiler, tryckte på symbolen som såg ut som ett långt streck, ett par meningar, exakt sju sekunder.

– Vi måste bygga honom farligare. Han kommer att ha begått grövre brott. Han kommer att ha dömts till längre straff.

Erik Wilsons ansikte.

Det visade ingenting.

Sven sökte hans blick, om han var förvånad över att höra sin egen röst, om han kände obehag, det fanns i så fall inte där, inte ens i ögonen.

En sekvens till, en enda mening, fem sekunder.

– Bara med respekt får han handlingsfrihet från cellen.

– Vill du höra mer? Du förstår ... det är ett ganska långt, intressant möte. Och jag ... jag har hela.

Wilsons röst var ännu behärskad när han reste sig upp, som ögonen, känslor som inte skulle synas.

– Det var trevligt att träffas.

Nu.

Den där minuten.

Han är redan på väg bort.

Sven öppnade en tredje ljudfil.

– Innan jag går härifrån vill jag att du sammanfattar exakt vad det är du garanterar mig.

– Du tror att du vet vad det var du hörde?

Erik Wilson hade redan börjat gå, han hade hunnit halvvägs mot utgången, det var därför Sven nästan skrek när han fortsatte.

– Det tror inte jag. Det var rösten från en död man.

Besökare i glansiga kostymer hade inte förstått vad det var han hade sagt. Men de hade alla avbrutit sina samtal, lagt ner sina bestick, letade efter människan som solkade ner deras stillhet.

– Rösten från en man som för två dagar sedan stod i ett fönster i en fängelseverkstad och höll en pistol mot en kriminalvårdsinspektörs huvud.

Wilson hade hunnit till bardisken som låg på höger sida strax före utgången när han stannade.

– Rösten från en man som därför sköts till döds på order av vår kollega Ewert Grens.

Han vände sig om.

– Vafan är det du pratar om?

– Jag talar om Paula.

Han såg på Sven, tvekade.

– För det är väl så du kallar honom?

Ett steg fram.

Ett steg bort från utgången.

– Sundkvist, varför i helvete ...

Sven sänkte rösten något, Wilson lyssnade, han skulle inte gå någonstans.

– Och jag talar om att han eliminerades. Att du och Grens båda var delaktiga i det. Att ni medverkade i ett legitimerat mord.

Ewert Grens reste sig upp, en tom plastmugg i papperskorgen, en halväten kanelbulle från hyllan bakom skrivbordet i två tuggor.

Han var orolig, allt mindre tid kvar, han vankade rastlöst mellan den fula besökssoffan och fönstret med utsikt över Kronobergs innergård.

Sven borde ha inlett sitt förhör nu. Han borde ha konfronterat Wilson, börjat kräva svar.

Grens suckade.

Erik Wilson var helt avgörande.

En av rösterna var död. Tre av dem skulle Grens vänta med, de skulle lyssna, men bara när han ville det.

Wilson var den femte rösten.

Den som kunde bekräfta att mötet verkligen ägt rum, att inspelningen var autentisk.

– Har du tid?

En ljus sidolugg och ett par runda glasögon lutade sig in i rummet.

Lars Ågestam hade bytt pyjamas och morgonrock mot grå kostym och grå slips.

– Har du det?

Grens nickade och Ågestam följde efter den stora kroppen som haltade fram över linoleummattan, satte sig i besökssoffan på tyg som för länge sedan förlorat sina ränder. Det hade varit en lång natt. Grens, whisky och länskrimchefens dator i hans kök. De hade för första gången tilltalat varandra utan ömsesidig avsky. Ewert Grens hade till och med använt hans förnamn. Lars. Lars, hade han sagt. De hade just då, just där nästan varit nära och Grens hade försökt visa det.

Lars Ågestam lutade sig tillbaka i soffan, sjönk ihop.

Han spände sig inte.

Han förberedde sig inte för någon som hotade och kränkte.

Varje tidigare besök i det här rummet hade liksom anfallit honom, obekvämt och fientligt, men med musiken borta och känslan från natten, han fnissade plötsligt till, det bara kom, det hade nästan känts bra att kliva in.

Han hade lagt två pärmar framför sig på bordet, öppnade först den som låg överst.

– Hemliga underrättelserapporter. Trehundratvå stycken. Kopiorna jag skrev ut i natt.

Han lyfte sedan upp den andra pärmen.

– Sammanfattningarna av dom förundersökningar som gjordes på samma ärenden. Det ni kände till, det ni kunde utreda. Jag har hunnit gå igenom etthundra av dem. Etthundra av de ärenden som lades ner eller där åtal inte gav fällande dom. Jag har ägnat all tid sedan vid sågs hemma hos mig till att leta fram, analysera, jämföra med vad som verkligen hände. Det vill säga med den information några av dina kollegor redan hade, den som finns återgiven här, i de hemliga underrättelserapporterna.

Ågestam talade om kopior som hämtats från en dator som stått på ett chefsbord. Grens hoppades att dörren fortfarande fungerade som den skulle.

– Tjugofem av fallen ledde till åtalseftergift – åklagaren ansåg att det inte fanns tillräckligt med bevis för en fällande dom och la därför ner. Trettiofem av fallen frikände den åtalade helt – domstolen underkände åklagarens åtal.

Lars Ågestams hals flammade i rött som den brukade göra när han gradvis blev allt mer upprörd. Ewert Grens hade sett det varje gång de stått framför varandra och föraktat. Nu riktades ilskan mot någon annan och det var nästan obehagligt, att förakta varandra var ju deras enda sätt att kommunicera, det var vad de var trygga i, om de inte kunde gömma sig bakom det, det var svårt, att börja om.

– Om, jag är helt säker, om åklagarna haft tillgång till dom fakta som polisen, *dina kollegor Grens*, redan hade och som dom undanhöll, om informationen i hela den här jävla pärmen med hemliga underrättelserapporter inte gömts i en dator i ett chefsrum, då hade samtliga fall, *samtliga Grens*, slutat med fällande dom.

Sven Sundkvist beställde in mer mineralvatten, fler citronskivor. Han var inte längre varm, den vackra restaurangen var sval och hade luft som var lätt att andas, men han var spänd.

Han hade haft en minut på sig.

Han hade fått Wilson att stanna, vända tillbaka, sätta sig ner.

Nu måste han få honom att fortsätta delta.

Han iakttog sin kollega. Ansiktet var fortfarande oberört. Men inte ögonen. Det fanns oro långt därinne. De flackade inte, Wilson var alldeles för professionell för det, men rösterna på ett band hade överraskat honom, de störde, krävde svar.

– Den här inspelningen låg i ett kuvert i Ewert Grens postfack.

Sven nickade mot symbolen på datorns skärm, den som betydde ljudfil.

– Ingen avsändare. Dagen efter Hoffmanns död. Postfacken, vad tror du, det kan väl vara ungefär lika långt dit från ditt rum som mitt?

Wilson suckade inte, skakade inte på huvudet, spände inte käkens muskler. Men ögonen, den där oron igen.

– Ett kuvert med en inspelning. Men det fanns mer. Tre pass utställda på tre olika namn – alla med samma fotografi, en rätt grynig, svartvit bild av Hoffmann. Och på kuvertets botten, en elektronisk mottagare, en sådan där liten i silverfärgad metall som man stoppar i örat. Vi har kunnat koppla den till en sändarutrustning i ett kyrktorn i Aspsås samhälle. En plats som den prickskytt Grens kommenderade att skjuta hade valt och som garanterade träff.

Erik Wilson borde ha tagit den vita dukens kant och dragit tills golvet var sprucket glas och utspridda blommor, han borde ha spottat, gråtit, brustit.

Han gjorde inte det. Han satt så stilla han kunde, hoppades att visa ingenting.

Sundkvist hade påstått att de deltagit i ett legitimerat mord.

Han hade påstått att Paula var död.

Om det hade varit någon annan. Han hadc fortsatt att gå. Om någon annan hade presenterat det där jävla bandet hade han avfärdat det som nonsens. Men Sundkvist spelade aldrig. Han själv gjorde det, Grens gjorde det, de flesta poliser, de flesta människor han kände gjorde det. Men inte Sundkvist.

– Innan jag går härifrån vill jag att du sammanfattar exakt vad det är du garanterar mig.

Ingen annan än Paula kunde ha spelat in det där mötet och haft motiv att göra det. Han hade nu valt att låta Grens och Sundkvist ta del av det. Han hade haft ett syfte.

De brände dig.

– Jag vill visa några bilder också.

Sven vände datorns skärm mot Wilson, öppnade en ny fil.

En stillbild, ett fryst ögonblick från en av Aspsås kriminalvårdsanstalts många övervakningskameror, en ganska suddig bit fasad kring ett ganska suddigt och gallerförsett fönster.

– Aspsås verkstad. B-huset. Han som står där, du ser honom i profil, har åtta och en halv minut kvar att leva.

Erik Wilson drog datorn till sig, vinklade skärmen, han ville se den där människan, ungefär mitt i fönstret, en bit av en axel, delar av ett ansikte.

Han hade mött en tio år yngre man. Han hade själv varit en tio år yngre man. Om det hade varit idag? Hade han rekryterat Hoffmann? Hade Hoffmann låtit sig rekryteras? Piet hade suttit på KVV Österåker. Ett fängelse några mil norr om Stockholm med en hel del småtjuvar. Piet hade varit en av dem. Hans första straff. Den där sorten som skulle avtjäna sina tolv månader, springa ute ett tag, dömas till tolv nya. Men han hade haft ursprung, modersmål, personlighet användbar till mer än att bekräfta statistik för återfallsbrottslighet.

– Den här? Fem minuter kvar att leva.

Sundkvist hade bytt bild. En annan övervakningskamera. Den hade kommit närmare, ingen fasad, bara fönster, ansiktet var tydligare.

De hade till beslaget som varit underlag för den redan registrerade domen lagt några pistoler, sannolikt en och annan Kalashnikov, de brukade göra det. Det hade sedan varit lätt att kräva en ny farlighetsbedömning och hårdare restriktioner; inga permissioner, ingen kontakt med omvärlden. Piet hade varit desperat, han hade lyssnat, han hade efter några månader utan samtal och utan mänsklig beröring kunnat rekryteras till vad som helst.

– Tre minuter. Jag tror du kan se det på bilden. Han skriker. En kamera som finns inne i verkstaden.

Ett ansikte täcker hela bilden.

Det är han.

– *Jag dödar*. Vi har tolkat det. Det är det han skriker.

Erik Wilson såg på den absurda bilden. Det förvridna ansiktet. Öppen, desperat mun.

Han hade metodiskt byggt Paula.

En småtjuv hade i dokument för dokument formats till en av landets farligaste personer. Kriminalvårdsregistret, Domstolsverkets register, polisens eget spaningsregister. Myten om potens som sedan spätts på av patrull efter patrull som ovetande agerat utifrån tillgänglig information. Och när han skulle ta det sista steget, längst in i Wojteks ledningsrum, när uppdraget krävt ännu mer respekt, hade han byggt också det. Erik Wilson hade låtit kopiera ett DSM-IV-TR-utlåtande, ett psykopattest som genomförts på en av Sveriges högst säkerhetsklassade kriminella individer.

Ett dokument som hade placerats i Kriminalvårdens akt.

Piet Hoffmann hade plötsligt haft en allvarlig brist på samvete, varit mycket aggressiv och mycket farlig för andras säkerhet.

– Min sista bild.

Svart och tät rök, längre bort kanske en byggnad, längst upp förmodligen en blå himmel.

– Klockan var fjorton och tjugosex. När han dog.

Den fyrkantiga skärmen, han hörde Sundkvist tala men fortsatte leta i det svarta och täta, försökte se en människa som nyss stod där.

– Ni var fem personer på mötet, Erik. Jag måste få veta om det inspelade i ett kuvert i Grens postfack är autentiskt. Om det som hörs här, om det också är exakt vad som sas. Om tre människor som aldrig höll i någon avtryckare lät genomföra ett legitimerat mord.

Halsen var nu rödflammig hela vägen upp, sidoluggen hade fallit ur sitt fasta läge och spretade för en stund utan riktning, han rörde sig forcerat fram och tillbaka längs Grens skrivbord.

Lars Ågestam väste nästan.

– Det här jävla systemet, Grens. Kriminella arbetar på uppdrag av polisen. Kriminellas egen kriminalitet skyddas och marginaliseras. Ett brott legitimeras för att ett annat brott ska utredas. Poliser ljuger och undanhåller sanningen för andra poliser. Grens, för helvete, i ett demokratiskt samhälle!

Han hade under natten kopierat trehundratvå hemliga underrättelserapporter från länskrimchefens dator. Han hade hittills gått igenom etthundra av dem, jämfört sanningen och Citypolisens utredningar. Tjugofem hade lett till åtalseftergift, trettiofem hade frikänt den åtalade.

– Och i resterande fyrtio fall konstaterar jag att det bristande underlaget visserligen ledde till domar men i samtliga fall till felaktiga domar – den som dömdes, dömdes till straff, men för fel brott. *Grens, lyssnar du?* I samtliga fall!

Ewert Grens såg på åklagaren, kostym och slips, en pärm i ena handen, glasögonen i den andra.

Ett jävla system.

Och du ska få mer, Ågestam.

Vi ska snart prata om den underrättelserapport du ännu inte sett, den som är så färsk att den ligger i en separat fil.

Västmannagatan 79.

En utredning vi la ner medan andra poliser med tjänsterum i samma korridor hade svaren vi saknade, som förutsatte att en människa skulle brännas och behövde en nyttig idiot för att bära skulden.

– Tack. Du har gjort ett bra jobb.

Han räckte fram handen mot åklagaren han aldrig skulle lära sig tycka om.

Lars Ågestam tog den, skakade den kanske lite för länge men det kändes så bra, förtrolighet, första gången på samma sida, timmarna från natten som dröjde sig kvar, whiskyn i var sitt glas och Grens som vid ett tillfälle kallat honom för Lars.

Han log.

Medvetet förakt och försök att kränka, han skulle slippa det.

Han släppte handen och hade just börjat gå mot dörren med märklig glädje i bröstet när han plötsligt vände sig om.

– Grens?

– Ja?

– Den där kartan du visade mig förra gången jag var här.

– Ja?

– Du frågade om Haga. Norra begravningsplatsen. Om det var fint där.

Den låg på skrivbordet. Han hade sett den redan när han klivit in. En bild av viloplatsen som använts i tvåhundra år och som var en av landets största.

Grens förvarade den nära. Han var på väg dit.

– Hittade du det du sökte?

Ewert Grens andades tungt, den stora kroppen vaggade.

– Gjorde du det?

Grens vände sig demonstrativt om, han sa ingenting, bara den där tunga andhämtningen när ansiktet riktades mot skrivbordets hög av mappar.

– Du, Ågestam.

– Ja?

Han såg inte på besökaren som strax skulle gå, rösten var nu en annan, den lite för höga som den unge åklagaren sedan länge hade lärt sig var obehag.

– Du har nog missuppfattat det här.

– Jaha?

– Du förstår, Ågestam, det här är bara arbete. Jag är inte din jävla kompis.

De hade fått in maten, fet fisk som inte var lax, kyparens förslag. *Jag måste få veta om det inspelade i ett kuvert i Grens postfack är autentiskt.* De hade ätit utan att tala, utan att överhuvudtaget se på varandra. *Om det som hörs här är exakt vad som sas.* Frågorna låg ändå där på bordet bredvid ljusstaken och pepparkvarnen, väntade på dem. *Om tre människor som aldrig höll i någon avtryckare lät genomföra ett legitimerat mord.*

– Sundkvist?

Erik Wilson la besticken på den tomma tallriken, tömde ett tredje glas mineralvatten, lyfte servetten från knät.

– Ja?

– Du har åkt lång väg för ingenting.

Han hade bestämt sig.

– Du förstår, på något sätt ... det är som om vi alla är i samma bransch.

– Du besökte Ewert Grens redan dagen efter. Du visste, Erik, men du sa inget.

– I samma jävla bransch. Dom kriminella. Och dom som utreder kriminalitet. Infiltratörerna utgör bara själva gråzonen.

Han skulle inte säga någonting.

– Och Sundkvist, det är framtiden. Fler informatörer. Fler infiltratörer. Det växer. Det är därför jag är här.

– Om du hade talat med oss då, Erik. Vi hade inte suttit mittemot varandra idag. På var sin sida om en död man.

– Och det är därför mina europeiska kollegor är här. Eftersom vi ska lära oss. Eftersom det ska fortsätta växa.

De hade arbetat i samma korridor så oerhört länge.

Wilson hade aldrig tidigare sett Sven Sundkvist förlora behärskningen.

– Nu vill jag att du lyssnar jävligt noga, Erik!

Sven ryckte till sig datorn med kraft, en tallrik mot det vita marmorgolvet, ett glas mot den vita duken.

– Jag kan spola vart fan du vill. Hit? Ser du? Exakt det ögonblick kulan penetrerar pansarglaset.

En mun skrek in i en monitor.

– Eller hit? Exakt det ögonblick verkstaden exploderar.

Ett ansikte stod i profil i ett fönster.

– Eller, kanske, hit? Den har jag inte visat ännu. Fragment.

Vimplarna på väggen. Det enda som fanns kvar.

En människa slutade andas.

– Du agerar som du ska agera, som du alltid har agerat, du skyddar din infiltratör. Men, Erik, för helvete, han är död! Det finns ingen att skydda längre! Eftersom du och dina kollegor misslyckades med att göra det. Det är därför han står där i fönstret. Det är därför han dör exakt ... där.

Erik Wilson förde en hand mot datorskärmen som vänts mot honom, tryckte ihop den hårt och drog sedan ur sladden.

– *Jag* har arbetat som hanterare lika länge som du suttit några rum bort. *Jag* har ansvarat för infiltratörer i hela mitt yrkesliv. *Jag* har aldrig misslyckats.

Sven Sundkvist öppnade datorn och vände den tillbaka.

– Du kan behålla sladden. Jag har gott om batteri.

Han pekade på skärmen.

– Jag förstår inte, Erik. Ni har arbetat nära varandra i nio år. Men när jag visar dig bilden där ... exakt det ögonblick han ... där, ser du, exakt *där* dör han ... du reagerar inte.

Erik Wilson fnös.

– Han var inte min vän.

Du litade på mig.

– Men jag var hans vän.

Jag litade på dig.

– Det är så det fungerar, Sundkvist. En hanterare ska spela infiltratörens bäste vän. En hanterare ska spela infiltratörens bäste vän så jävla bra att infiltratören varje dag är villig att riskera sitt liv för att ge hanteraren mer information.

Jag saknar dig.

– Så han där på skärmen? Du såg precis rätt. Jag reagerade inte.

Erik Wilson släppte tygservetten mot bordet.

– Betalar du, Sundkvist?

Han började gå. Den vackra restaurangen omkring honom, en ensam dam och ett glas rött vin på bordet till vänster, två män med bordet fullt av papper och desserttallrikar till höger.

– Västmannagatan 79.

Sven Sundkvist gick ifatt honom, bredvid honom.

– Du visste allt, Erik. Men du valde att hålla käft. Och medverka till att någon som var delaktig i ett mord försvann. Du manipulerade såväl Polismyndighetens som Domstolsverkets register. Du placerade ...

– Hotar du mig?

Erik Wilson hade stannat, ansiktet rött, axlarna högt.

Han visade något som var mer än bara ingenting.

– Gör du det, Sundkvist? Hotar mig?

– Vad tror du?

– Vad jag tror? Du har försökt övertyga mig genom att presentera bevis och försökt få mig att känna genom att visa bilder på död. Och nu försöker du hota mig med något slags jävla utredning? Sundkvist, du har använt förhörsbokens alla kapitel. Vad jag tror? Du förolämpar mig.

Han fortsatte att gå nerför den lilla trappan, förbi bordet med fyra äldre män som letade efter läsglasögon och studerade var sin meny och de tomma serveringsvagnarna och de två gröna växterna som klättrade på en vit vägg.

En sista blick.

Han stannade.

– Men ... det är så här. Jag tycker inte om människor som bränner min bästa infiltratör när jag inte är närvarande.

Han såg på Sven Sundkvist.

– Så ... du, den där inspelningen. Mötet du talar om. Det ägde rum. Det du hör ... det är autentiskt. Varje ord.

EWERT GRENS BORDE kanske ha skrattat. Åtminstone känt det som ibland bubblar mitt i magen och som är glädje som inte hörs.

Inspelningen var autentisk.

Mötet hade ägt rum.

Sven hade ringt från en restaurang i centrala Jacksonville och sett Wilson gå mot sin bil och en resa tillbaka till södra Georgia sedan han bekräftat allt.

Grens skrattade inte. Han hade tömt sig på morgonen i en bur på ett tak, han hade skrikit tills raseriet släppt och låtit honom sova i besökssoffan och det fanns nu plats att fylla.

Men inte med mer ilska, det räckte inte längre.

Inte med glädje, trots att han visste att han var så nära.

Han hatade.

Hoffmann hade bränts. Men överlevt. Och tagit gisslan för att fortsätta överleva.

Jag genomförde ett legitimerat mord.

Ewert Grens ringde för andra gången till en människa han avskydde.

– Jag behöver din hjälp igen.

– Jaha.

– Kan du komma hem till mig ikväll?

– Hem?

– Korsningen Odengatan och Sveavägen.

– Varför det?

– Som jag sa. Jag behöver din hjälp.

Lars Ågestam fnös.

– Skulle jag träffa dig? Efter arbetstid? Varför skulle jag göra det? Jag är ju inte ... hur var det nu ... din *kompis*?

Den hemliga underrättelserapport som också fanns i datorn, så färsk att den låg i en annan fil.

Den jag inte visade dig i natt.

Den jag ska visa dig eftersom jag inte tänker bära någon annans skuld.

– Vi ska inte umgås, vi ska arbeta. Västmannagatan 79. Den förundersökning du nyss la ner.

– Du är välkommen till Åklagarmyndigheten imorgon på dagtid.

– Du kommer att kunna öppna den igen. Eftersom jag vet vad som *verkligen* hände. Men jag behöver din hjälp en gång till, Ågestam. Imorgon bitti är det för sent. När Regeringskansliets säkerhetsansvariga inser att något saknas och för den informationen vidare. När fel personer hinner justera sina gemensamma versioner, förstöra bevis, förändra verkligheten en gång till.

Grens harklade sig länge nära luren, som om han var osäker på hur han skulle fortsätta.

– Och jag ber om ursäkt. För det där. Jag kanske var ... ah, du vet.

– Nej. Vad?

– Förhelvete Ågestam!

– Vad?

– Jag kanske var ... jag kanske uttryckte mig lite ... klumpigt, lite ... ja, onödigt hårt.

Lars Ågestam gick de sju trapporna ner i fastigheten på Kungsbron. En behaglig kväll, ljum, han längtade till värmen, som han alltid gjorde efter åtta månader med snålblåst och oregelbunden snö. Han vände sig om, såg mot Åklagarmyndighetens fönster, alla mörka. Två sena samtal hade blivit längre än han räknat med, ett samtal hem, han hade förklarat att han skulle bli sen och flera gånger lovat att han innan han la sig skulle diska de glas från natten som fortfarande luktade alkohol, sedan ett samtal med Sven Sundkvist, han hade nått honom på vad som verkat vara en flygplats, han hade sökt kompletterande uppgifter om den del av utredningen som rörde Polen och Svens besök där på en numera sprängd amfetaminfabrik.

– Hem?

– Ja.

– Ska du hem till Ewert Grens?

Sven Sundkvist hade länge suttit tyst utan att vilja lägga på, deras samtal hade egentligen redan varit över och Ågestam otålig, på väg.

– Ja. Jag ska hem till Ewert Grens.

– Du får ursäkta mig, Ågestam, men jag förstår nog inte riktigt. Jag har känt Ewert, jag har varit hans närmaste medarbetare, i snart fjorton år. Men jag har aldrig, *aldrig någonsin Ågestam*, bjudits in i hans hem. Det är ... jag vet inte ... så privat, hans märkliga ... skydd. En gång, det är fem år sedan nu, en enda gång Ågestam, dagen efter bårhusdramat på Södersjukhuset, jag tvingade mig in i hans hem, mot hans vilja. Men du säger alltså att han *bjöd* in dig? Och att du är helt säker på det?

Lars Ågestam gick långsamt genom stan, en hel del människor på gatorna trots att det var söndag och klockan passerat nio, vinterns långa törst efter värme och gemenskap, det var alltid svårare att gå hem när livet just kommit tillbaka.

Han hade inte förstått att det kunde vara mer än bara en utredning, mer än bara en fråga om att arbeta sent. Det hade visserligen känts som något slags förändring under natten i köket i Åkeshov, whisky och trehundratvå kopior av hemliga underrättelserapporter påminde om närhet. Men Ewert Grens hade snart dödat den känslan, noga med att såra som bara han kunde. Nu, om det var så märkligt att bli hembjuden som Sven sa, det kanske *var* en förändring, de kanske var på väg att stå ut en aning med varandra.

Han såg på människorna igen, de som drack öl i ytterjacka och halsduk på uteserveringar, som skrattade, som konverserade, som människor som tycker om varandra gör.

Han suckade.

Det fanns ingen förändring, skulle aldrig göra det.

Grens hade andra skäl, Ågestam var säker på det, egna skäl, sådana han inte tänkte dela med en ung åklagare han bestämt sig för att avsky.

– Grens.

Fortfarande mycket trafik längs Sveavägen, han fick anstränga sig för att höra rösten i porttelefonen.

– Ågestam här, du ville ...

– Jag öppnar. Fyra trappor.

En tjock rödaktig matta på golvet, väggar som förmodligen var av marmor, lampor som var starka utan att vara påträngande. Om han hade bott i stan, och i lägenhet, han skulle ha letat efter en sådan här trappuppgång.

Han undvek hissen, breda trappsteg hela vägen upp, E och A Grens på den mörka dörrens brevlåda.

– Kom in.

Den tunnhårige, storvuxne kommissarien öppnade, samma kläder som på eftermiddagen, som på natten, en grå kavaj och ännu gråare byxor.

Hallen, Ågestam såg sig förvånat omkring, den tog aldrig slut.

– Du har stort.

– Jag har inte varit här särskilt mycket dom senaste åren. Men hittar fortfarande.

Ewert Grens log. Det såg konstigt ut. Han hade aldrig sett det förut. Det grova ansiktet som brukade vara spänt, jaga människan det var vänt emot, det här leendet, ett annat ansikte som gjorde Ågestam osäker.

Han gick genom den långa hallen med flera rum på varje sida, räknade till minst sex stycken, tomma rum som tycktes stå orörda, sovande, det var så Sven hade beskrivit dem, rum som inte ville vakna.

Köket var lika stort, lika orört.

Han följde Grens genom dess första del och in i nästa, en liten matsal, ett gammalt slagbord och sex stolar.

– Lever du ensam här?

– Sätt dig ner.

En hög med blå mappar och ett stort block i mitten, två ännu blöta glas bredvid, en flaska Seagrams mellan dem.

Han hade förberett.

– En skvätt? Eller kör du bil?

Han hade ansträngt sig. Till och med samma whiskysort.

– Hit? Med dig i närheten? Det vågar jag inte. Du kan ju ha något dammigt p-botsblock i ett handskfack.

Ewert Grens mindes en kall vinterkväll ett och ett halvt år tidigare, han hade krupit runt på knä med kostymbyxornas pressveck i blöt nysnö och mätt avståndet mellan en bil och Vasagatan.

Ågestams bil.

Han log igen, leendet som nästan blev obehagligt.

– Som jag minns det skrevs den där p-boten av. Av åklagaren själv.

Han hade i raseri bötfällt Lars Ågestams åtta centimeter felparkerade bil, trött på en åklagare som trasslat när jakten på en försvunnen sextonårig flicka tvingat dem ner i tunnlarna under Stockholm.

– Du kan hälla upp. Ett halvt glas.

De drack båda medan Grens tog fram ett papper ur en av mapparna och la det framför Ågestam.

– Du fick trehundratvå hemliga underrättelserapporter. Vad som *verkligen* hade hänt, det vi andra inte kände till och därför inte kunde presentera i våra officiella utredningar.

Lars Ågestam nickade.

– Den där avdelningen på Aspsås. Med bara poliser. När jag ställer alla ljugande poliser till svars.

– Det var rapporter från förra året. Den här kopian, den är däremot helt färsk.

```
M drar en pistol
(polsktillverkad 9 mm Radom)
ur axelhölstret.
M osäkrar och håller den mot
köparens huvud.
```

– Ställd, precis som dom andra, till chefen för Länskriminalen.

```
P beordrar M att lugna ner
sig.
M sänker vapnet och tar ett
steg bakåt, säkrar.
```

Lars Ågestam skulle just börja tala när Grens avbröt honom.

– Jag har arbetat ... jag gissar ... halvtid med Västmannagatan 79 sedan larmet. Sven Sundkvist och Mariana Hermansson lika länge. Nils Krantz uppskattar att han och hans tre kollegor sökt i en vecka med förstoringsglas och fingeravtryckstejp, Errfors att han analyserat liket efter en dansk medborgare under samma tid. Ett antal polisassistenter har bevakat brottsplatser, förhört hyresgäster och letat blodiga skjortor i sopcontainrar under – om jag är snäll – tjugo dagar.

Han såg på åklagaren.

– Och du? Hur många timmar har du lagt ner på det här?

Ågestam ryckte på axlarna.

– Svårt att säga ... en vecka.

```
Köparen skriker plötsligt
'jag är polis, för helvete,
få bort honom'.
M tar ett nytt steg framåt
och höjer för andra gången
vapnet.
```

Ewert Grens drog underrättelserapporten ur Ågestams händer och viftade med den framför dem.

– Tretton och en halv arbetsvecka. Femhundrafyrtio mantimmar. När mina kollegor och mina chefer som sitter i samma korridor redan hade svaret. Han till och med ringde, Ågestam, det står också här, Hoffmann ringde förhelvete själv och larmade!

Lars Ågestam sträckte sig efter rapporten.

– Kan jag få tillbaka den?

Han lämnade bordet, gick in i kökets andra del och öppnade ett av skåpen över diskbänken, letade en stund, öppnade ett till.

– Vad är ditt syfte med det här?

– Jag vill lösa ett mord.

– Har du svårt att förstå vad jag säger, Grens? Vad är ditt *syfte* med det här?

Han hittade det han sökte, ett glas, fyllde det med vatten.

– Jag tänker inte bära mer skuld.

– Skuld?

– Du har inte med det att göra, Ågestam. Men det är så. Jag ska aldrig bära skuld igen. Därför kommer jag att se till att dom som är ansvariga bär den åt mig.

Åklagaren såg på rapporten.

– Och det kan du göra med den?

– Ja. Om jag hinner slutföra det här. Före morgonen.

Lars Ågestam stod stilla mitt i det stora köket. Han kunde höra trafiken genom det öppna fönstret, den hade avtagit, bilarna kom mer sällan men körde fortare, det började bli sent.

– Kan jag röra mig en stund? Här i lägenheten?

Grens ryckte på axlarna.

– Gå du.

Hallen var ännu längre än nyss, mjuka mattor på ett parkettgolv som mörknat men inte slitits, tapeter som gick i brunt och bar mönster från sjuttiotalet. Han lämnade den, första bästa dörr och in i något som såg ut som ett bibliotek, satte sig ner i en skinnfåtölj som föreföll protestera medan den insutten väntade på sin ägare. Det enda rum i lägenheten som inte ropade av ensamhet. Han följde hyllornas rader med lika stora böcker, tände golvlampan som var vackert framåtböjd och hade sådant ljus som färgade de kopierade sidorna gula. Han lutade sig tillbaka så som han inbillade sig att kriminalkommissarien brukade göra, läste igen en hemlig underrättelserapport som skrivits av en polisman redan dagen efter mordet på Västmannagatan 79 medan den utredning Grens och han själv ansvarade för långsamt ledde mot ingenting och nedläggning.

M trycker vapnet hårdare mot
huvudet.
M trycker av.
Köparen faller åt sidan,
snett höger, ur stolen, sedan
mot golvet.

Lars Ågestam tog tag i lampskärmen och förde den närmare, han ville se ordentligt, vara säker nu när han hade bestämt sig.

Han skulle inte komma hem den här natten.

Han skulle om en stund gå direkt härifrån till Åklagarmyndigheten och öppna förundersökningen igen.

Han reste sig upp och var på väg ut ur rummet när han fastnade framför två svartvita fotografier på väggen mellan två bokhyllor, en kvinna och en man, de var unga och förväntansfulla, de bar polisuniform och deras ögon levde.

Han hade undrat hur han sett ut, då, när han hade varit en annan.

– Har du bestämt dig?

Grens satt kvar där han lämnat honom, bland blå mappar och tomma glas vid ett vackert köksbord.

– Ja.

– Om du åtalar, Ågestam, det handlar inte längre om vanliga poliser. Jag ger dig ett polisbefäl. Ett ännu högre polisbefäl. Och en statssekreterare.

Lars Ågestam såg på tre A4-papper i handen.

– Men du påstår att det håller? Jag förutsätter att jag inte sett allt.

En övervakningskamera i Rosenbad med fem människor på väg in i ett av tjänsterummen. En inspelning med fem röster som deltar i ett stängt möte.

Du har inte sett allt.

– Det håller.

Ewert Grens log för tredje gången.

Lars Ågestam tyckte nästan att det såg naturligt ut, han log en aning tillbaka.

– Anhåll dom. Jag ordnar häktningsförhandlingar inom tre dagar.

HAN GICK NERFÖR trappan i det tysta huset.

Det var ganska många år sedan, det värkande benet slog mot trappans sten men han hade den här gången gått förbi hissen med handen hårt kring ledstången. Två av dörrarna hade när han passerade mött med hastiga steg mot dörrmattor och titthål, nyfikna ögon som ville se när han på fjärde våningen som aldrig använde trapporna plötsligt gjorde det. Längst ner och dörren närmast entrén, en väggklocka som började slå, han räknade, tolv gånger.

Sveavägen var nästan tom och det var fortfarande varmt, det kanske skulle bli sommar det här jävla året också. Han andades in, ett enda djupt andetag, släppte sakta ut luften.

Ewert Grens hade bjudit en annan människa till lägenheten.

Ewert Grens hade inte genast fått ont i bröstet och bett honom att gå.

Han hade aldrig gjort det förut, inte sedan olyckan, det var hennes plats och det var deras gemensamma hem. Han skakade av sig den försiktiga vinden och började gå västerut längs Odengatan, lika tomt, lika varmt, han tog av sig kavajen, knäppte upp skjortan i halsen.

Av alla människor, den välkammade åklagaren som han avskydde, som han mött och trotsat till förbannelse de senaste åren.

Det hade till och med nästan varit trevligt.

Han saktade in vid den lilla korvkiosken på Odenplan, ställde sig i kön med mobilungar som skickade sms till andra mobilungar, köpte en hamburgare och en dricka som smakade apelsin men saknade kolsyra. Han hade tackat nej till åklagarens förslag om en avslutande öl på juristpuben på Frescati, sedan ångrat sig och vandrat oroligt från rum till rum tills han hade varit tvungen att gå ut, bara någon annanstans, åtminstone för en stund.

Två råttor framför hans fötter, från ett hål under korvkiosken till parken för sovande män på träbänkar. Fyra unga kvinnor en bit bort, korta kjolar och högklackade skor, de sprang mot en av bussarna som just stängde dörrarna och avgick.

Han åt sin hamburgare utanför Gustaf Vasa kyrka, sedan höger och gatan han besökt flera gånger de senaste veckorna, hyreshus som strax skulle gå och lägga sig. Han speglade sig i den grova dörrens fönsterrutor, slog portkoden han nu kunde utantill och öppnade hissen som gnisslade när den närmade sig femte våningen.

Brevlådan hade en ny skylt. Det polska namnet var utbytt. Den bruna trädörren var ännu äldre än hans egen, han såg på den, mindes en blodfläck under ett huvud, små vimplar på väggarna, köksgolvet där Krantz säkrat fragment av narkotika.

Den hade börjat där.

Den död som skulle tvinga honom att ta beslut om mer död.

Vanadisvägen, Gävlegatan, Solnabron, han fortsatte i en mild natt, som om någon annan gick åt honom och han bara följde med, han tänkte inte, kände inte, inte förrän han stannade på Solna kyrkväg framför ett hål i staketet som kallades Grind 1 och var en av tio infarter till Norra begravningsplatsen.

Den väntade dubbelvikt i kavajens innerficka.

Han hade i månader haft den liggande en utsträckt hand bort på skrivbordet, så igår och utan att förstå varför hade han tagit den med sig hem, nu stod han här, höll kartan i handen.

Han frös inte ens.

Trots att han visste att det alltid var kallt på kyrkogården.

Ewert Grens följde den asfalterade vägen som skar sönder stora bitar grön gräsmatta och trängdes med björkar och barrträd han inte visste namnet på. Sextio hektar, trettiotusen gravplatser. Han hade undvikit att se på dem, hellre trädens grenar som levde än de grå stenarna som markerade saknad, men sneglade nu på några äldre gravar och dem som begravts som titlar och inte som människor, en postkontrollör, en tågmästare, en änkefru. Han fortsatte förbi stora stenar som stavades familjegraf med plats för dem som valt att alltid vila nära varandra, förbi andra stora stenar som reste sig stränga och stolta upp ur marken för att stirra på honom, till och med i döden lite viktigare än de andra.

Tjugonio år.

Han hade flera gånger varje dag under större delen av sitt vuxna liv levt med några sketna sekunder, *hon faller ut ur polisbussen, han hinner inte bromsa, bilens bakhjul fortsätter över hennes huvud*, och ibland, om han hade glömt bort att tänka på det, om han insett att det gått flera timmar sedan förra gången, hade han varit tvungen att tänka lite längre och lite mer, mest på det röda som varit blod och kommit från huvudet i hans knä.

Det gick inte längre.

Han såg på träden och på gravarna och till och med på minneslunden som låg därborta men det gick inte, han kunde inte hur mycket han än skällde på sig själv fokusera på hennes ögon som flackade eller hennes ben som krampade.

Det du är rädd för har redan hänt.

Han såg sig omkring, fick plötsligt bråttom.

Han genade över gravar i området som enligt skyltarna hette Kvarter 15B, vackra, lågmälda gravstenar, människor som hade dött med värdighet och inte behövde ropa så jävla högt efteråt.

Kvarter 16A. Han ökade steglängden. Kvarter 19E. Han

flåsade, svettades.

En grön vattenkanna på en ställning, han fyllde den med vatten från kranen intill, bar den med sig när han skyndade och den asfalterade vägen blev en grusgång.

Kvarter 19B.

Han försökte stå stilla igen.

Han hade aldrig varit här. Han hade försökt, det hade han, men det hade inte gått.

Det hade tagit ett och ett halvt år att promenera ett par kilometer.

Det svaga ljuset gjorde det svårt att se mer än ett par stenar framåt. Han lutade sig fram för att kunna läsa, varje ny skylt markerade en grav.

Gravplats 601.

Gravplats 602.

Han skakade, det var så svårt att andas. För ett ögonblick hade han varit på väg att gå därifrån.

Gravplats 603.

En bit uppgrävd jord, en provisorisk rabatt med något som var grönt, ett litet vitt träkors bredvid, inget mer.

Han lyfte vattenkannan och vattnade busken som saknade blomma.

Hon ligger där.

Hon som håller honom i handen medan hon tvingar honom att gå nära henne under långa promenader genom gryningsstockholm, hon som åker ostadigt på illa vallade skidor bredvid honom mellan Vasaparkens snötäckta kastanjeträd, hon som flyttar in tillsammans med en ung man i en lägenhet på Sveavägen.

Det är hon som ligger där.

Inte kvinnan som sitter i en rullstol på ett vårdhem, hon som inte känner igen mig.

Han grät inte, han hade redan gjort det. Han log.
Jag dödade inte honom.
Jag dödade inte dig.

Det jag är rädd för har redan hänt.

femte
delen

en dag senare

HAN TYCKTE OM det grova brödet, stora skivor med små frön på kanterna, han blev mätt och det knastrade lite när han tuggade. Kaffet var svart och apelsinjuicen pressad medan han såg på. Ett par minuter hemifrån, hörnet Odengatan och Döbelnsgatan, Ewert Grens hade ätit sin frukost här ett par gånger i veckan så länge han kunde minnas.

Han hade sovit i nästan fyra timmar, i sin egen säng, i den stora lägenheten och utan drömmen med någon som jagade och han som sprang. Han hade vetat att det skulle bli en bra natt redan när han stängt ytterdörren och suttit i det stora köket och sett ut genom fönstret, samlat ihop mappar och papper som legat kvar på köksbordets mitt, stått lite för länge och sjungit i den varma duschen, lyssnat på nattradions röster.

Grens betalade för frukost och för fyra kanelbullar och bad om att få ta dem med sig i en påse, en rask promenad längs bilar som väntade på varandra i den täta morgontrafiken, Sveavägen till Sergels Torg, Drottninggatan till Rosenbad och Regeringskansliet.

Vakten var ung och sannolikt nyanställd, granskade hans legitimation och jämförde hans namn en andra och en tredje gång med det i liggaren bland föranmälda besök.

– Justitiedepartementet?

– Ja.

– Du hittar till hennes rum?

– Jag var här för ett par nätter sedan. Men vi har aldrig setts.

Kameran satt mitt i korridoren i ansiktshöjd. Ewert Grens

såg in i den, precis som en av polisens infiltratörer hade gjort några veckor tidigare, log mot linsen, ungefär samtidigt som en säkerhetsansvarig några våningar längre ner i den stora regeringsbyggnaden öppnade en dörr till ett teknikrum och insåg att stålställningen med numrerade övervakningsband på två ställen var tom.

De väntade på honom vid det stora konferensbordet längst in i rummet.

Till hälften urdruckna porslinskoppar framför var och en.

Klockan var åtta på morgonen men de hade redan suttit en stund, de hade tagit honom på allvar.

Han såg på dem, ännu inte ett ord.

– Du begärde ett möte. Du har fått ett möte. Vi förutsätter att det kommer att vara kort. Vi är alla på väg till andra och *planerade* möten.

Ewert Grens såg på tre ansikten, ett i taget, tillräckligt länge för att vara för länge. De två första, om de var lugna, om de låtsades vara det. Göranssons däremot, pannan var blank, ögonen blinkade för ofta, läpparna blev skrynkliga när han tryckte dem hårt mot varandra.

– Jag har kanelbullar med mig.

Han la den vita påsen på bordet.

– För fan, Grens!

Hoffmann hade haft en familj.

Två barn som skulle växa upp utan en pappa.

– Någon som vill ha? Jag köpte var sin.

Om de sökte upp honom om några år? Om de frågade, vad skulle han svara?

Det var mitt jobb?

Det var min förbannade skyldighet?

Er pappas liv var för mig och samhället inte lika värdefullt som den kriminalvårdares liv han hotade?

– Inte? Då tar jag en själv. Göransson, räcker du mig en kopp?

Han drack kaffet, åt en kanelbulle, en till.

– Två kanelbullar kvar. Om någon ändrar sig.

Han såg på dem igen, en i taget som förut. Statssekreteraren mötte hans blick, hon var lugn, till och med ett svagt leende. Rikspolischefen satt helt stilla, en blick ut genom fönstret mot Slottets tak och Storkyrkans torn. Göransson stirrade ner i bordet, det var svårt att avgöra men det såg ut som om den blanka pannan bar små droppar.

Ewert Grens öppnade portföljen och tog fram en bärbar dator.

– Fina grejor det här. Sven hade med sig en likadan till södra USA. Han var där igår.

Han petade cd-skivan på plats med klumpiga fingrar, öppnade filen, en svartruta fyllde skärmen.

– Mycket knappar. Men jag börjar bli bra på det här. Och förresten, det var Erik Wilson som Sven träffade. Då när han hade sin dator med sig.

Övervakningskamerorna hade suttit på två ställen. Den ena någon meter upp på vaktkurens glas, den andra i korridoren på tredje våningen. Filmsekvensen han hade beslagtagit sent på kvällen två dagar tidigare var ryckig och aningen suddig, men alla kunde se vad den föreställde.

Fem personer som under några minuter går in i ett av Regeringskansliets tjänsterum.

– Ni känner igen dom?

Grens pekade på bilden.

– Ni kanske till och med känner igen rummet dom försvinner in i?

Han stannade filmen, en stillbild över hela skärmen, någon som står med ryggen mot kameran med armarna utsträckta, ytterligare någon bakom honom, med händerna mot hans rygg.

– Det sista som händer. Den första där, han med dom utsträckta armarna, är en kriminellt belastad person som när det här spelades in arbetade som infiltratör för Citypolisen. Han som står bakom, som håller sina händer mot infiltratörens rygg, det är en polisintendent som visiterar.

Grens såg på Göransson, lätt framåtböjd, mot bordet.

Han väntade, ingen ögonkontakt.

– Datorn tillhör polisen. Men det här är min egen.

Han hade letat i portföljens ytterfack, nu höll han en cd-spelare i handen.

– Jag fick den av Ågestam för nästan fem år sedan, vi hade haft en liten konflikt. En sådan där modern sak som ungar har, säg det inte till honom, men jag har inte använt den särskilt mycket. Tills för ett par veckor sedan. När jag började lyssna på ett par intressanta inspelningar.

Påsen med kanelbullar låg i vägen, han flyttade på den.

– Men dom här lånade jag på beslaget. Från ett lägenhetsinbrott på Stora Nygatan. Förundersökningen nedlagd. Beslaget hävt. Ingen som gjorde anspråk.

Han placerade två små högtalare på bordet och kopplade omständligt in dem.

– Om dom är bra ... vetifan om jag inte behåller dom.

Ewert Grens tryckte på en av knapparna.

Stolar som skrapar, ljudet av människor som rör sig.

– Ett möte.

Han såg sig omkring.

– I det här rummet. Vid det här bordet. Den tionde maj klockan femton och fyrtionio. Jag spolar fram en bit, tjugoåtta minuter och tjugofyra sekunder.

Han vände sig mot sin närmaste chef.

Göransson hade tagit av sig kavajen och blottat mörka fläckar på den ljusblå skjortan ungefär vid armhålorna.

– En person som talar. Jag tror du känner igen rösten.

– Du har hanterat liknande ärenden förut.

– Du lät mig, Sven, Hermansson, Krantz, Errfors och ...

– Ewert ...

– ... och en jävla massa polisassistenter arbeta i veckor med en utredning du redan hade svaret på.

Göransson såg på honom för första gången. Han hade börjat tala men Grens skakade på huvudet.

– Jag är snart klar.

Fingrarna över den spröda apparatens knappar, de hittade rätt efter en stund.

– Jag spolar lite till. Tjugotvå minuter och sjutton sekunder. Samma möte, en annan röst.

– Jag vill inte se det hända. Du vill inte se det hända. Paula har inte tid med Västmannagatan.

Ewert Grens såg på rikspolischefen.

Kanske började den inövade fasaden rämna något, det kändes så, det där som ryckte lite för mycket kring ögonen, händerna som gnuggades långsamt mot varandras flator.

– Ljug för dina kollegor. Bränn dina medarbetare. Ge viss kriminalitet immunitet för att lösa annan kriminalitet. Om det är framtidens poliser ... då är jag jävligt tacksam över att bara ha sex år kvar till pension.

Han väntade inte på något svar, rättade till högtalarna, de skulle stå rakt när han vände dem mot statssekreteraren.

– Han satt mittemot dig. Känns inte det märkligt?

– Jag garanterar att du inte åtalas för något som hänt på Västmannagatan 79. Jag garanterar att vi på bästa sätt ska bistå dig att slutföra ditt uppdrag inifrån fängelset.

– En mikrofon ungefär i knähöjd på en människa som satt på samma plats som jag nu sitter på.

– Och ... att vi efter avslutat arbete tar hand om dig. Jag vet att du då är dödsdömd, bränd i hela den kriminella världen. Vi ger dig ett nytt liv, ny identitet, pengar att börja om med utomlands.

Grens lyfte de små högtalarna, flyttade dem ännu närmare statssekreterarens plats.

– Jag vill vara säker på att du hör fortsättningen.

Hennes röst igen, precis där han nyss avbrutit henne.

– Det garanterar jag i egenskap av statssekreterare på justitiedepartementet.

Han sträckte sig efter den vita papperspåsen, först en kanelbulle till, sedan det sista av kaffet på koppens botten.

– Brottsrubricering underlåtelse att rapportera brott. Brottsrubricering skyddande av brottsling. Brottsrubricering stämpling till brott.

Han hade förberett sig på att de skulle be honom gå, hota med vakt, fråga vafan han trodde det var han höll på med.

– Brottsrubricering osant intygande. Brottsrubricering grovt tjänstefel. Brottsrubricering urkundsförfalskning.

De satt stilla. De sa ingenting.

– Ni kanske kan ännu fler?

Några fiskmåsar hade sedan mötets början rört sig i cirklar utanför rummets fönster.

Nu var deras höga rop det enda som hördes.

Det och regelbundna andetag från fyra människor kring ett bord.

Ewert Grens reste sig upp efter en stund, långsamma steg

genom rummet, först mot fönstret och fåglarna, sedan tillbaka till människorna som inte längre var på väg någonstans.

– Jag bär inte skuld. Inte längre. Inte en gång till.

Han hade tre dagar tidigare vågat ta det beslut han fruktat under ett helt arbetsliv – ett dödande skott mot en annan människa.

– Jag var inte ansvarig för hans död.

Han hade under natten vågat tillbringa flera timmar på en kyrkogård – en oansenlig grav han varit mer rädd för än något han kunde minnas.

– Jag var inte ansvarig för hennes död.

Hans röst, den var sådär märkligt lugn igen.

– Det var inte jag som mördade.

Han pekade på dem, en i taget.

– Det var du. Det var du. Det var du.

ännu
en dag senare

ETT PAR CENTIMETER ovanför stjärten, tredje och fjärde kotan, smärtan var emellanåt outhärdlig. Han rörde sig försiktigt, trampade i luften med fötterna, bara en i taget, det hördes ingenting då och intensiv värk släppte en aning.

Han kände inte lukten, den som var stark av urin och avföring, kanske under de första timmarna men det var så länge sedan, inte nu, inte längre.

Han hade haft ögonen öppna den första kvällen och natten och morgonen, letat efter det som inte gått att se, röster som skrikit och fötter som sprungit. Men han blundade nu, han gjorde det hela tiden, det tunga mörkret, han kunde inte se något i alla fall.

Han låg på fyrkantiga bitar av aluminium som fogats samman till ett långt och runt rör, han gissade på sextio centimeter i diameter, axlarna fick precis plats och om han sträckte armarna rakt uppåt kunde han hålla handflatorna mot rörets övre del.

Det tryckte fortfarande mot magen och han släppte dropparna som rann en bit längs låret, det kändes bättre då, oron lättade. Han hade inte druckit sedan morgonen strax före gisslantagningen, bara det urin han lyckats fånga och föra till munnen, ett par nävar fördelade på etthundra timmar.

Han visste att en människa kunde klara en vecka utan vatten men törsten var en galen besökare och läpparna och gommen och svalget hukade inför det torra. Han stod ut, precis som han stod ut med hungern och ledsmärtorna som blev av att ligga helt still och med mörkret som han vågat slappna av i sedan skriken och de springande fötterna tystnat. Det var nog värmen som ett par gånger hade fått honom att överväga att ge upp. All elektricitet hade stängts av i samband med röken och elden och när ventilationstrumman inte längre transporterat frisk luft hade temperaturen i det slutna röret stigit och blivit känslan av feber, de senaste timmarna hade han bara siktat ett par minuter i taget, nu fungerade inte ens det, han orkade inte så mycket mer.

Han skulle ha lämnat röret redan igår.

Det var så han hade planerat det, tre dygn medan adrenalin och förhöjd beredskap klingade av.

Men någon hade igår eftermiddag öppnat dörren och promenerat in i undercentralen. Han hade legat orörlig och lyssnat på stegen och andetagen från en vakt eller elektriker eller rörmokare någon halvmeter under honom. Fängelsets central för vatten och el besöktes bara någon gång i veckan, han visste det, men skulle för säkerhets skull vänta ytterligare tjugofyra timmar.

Han förde vänster arm mot ansiktet, såg på armbandsklockan som tillhört den äldre vakten.

Nitton och fyrtiofem. En timme kvar till inlåsning.

En timme och en kvart kvar till byte av personal när dagens vakter blev kvällens och nattens.

Det var dags.

Han kontrollerade att saxen låg kvar i byxfickan, den som stått i ett pennställ på skrivbordet i verkstadens kontorsutrymme och som han under det första dygnet klippt sitt långa hår med, armens och handens rörelser hade begränsats av rörets insida men han hade haft mycket tid att göra av med och det hade varit skönt att glömma bort ljudet av människor som sökte efter kroppsdelar. Han lirkade den ur fickan igen, armarna bakåt, han slog hårt med spetsen mot rörets insida tills fingertopparna kände ett hål och han med saxens ben kunde dra ett snitt i mju metall. Fötterna mot underlaget, han pressade kroppen bakåt, båda händerna mot hålets vassa kanter när han låg precis över det, han blödde kraftigt när röret gav vika och han sjönk genom aluminium och föll mot undercentralens stengolv.

Han räknade till femtiosju röda och gula och gröna små lampor på väggarna som kontrollerade vatten och el, räknade dem en gång till.

Inga steg, inga röster.

Han var säker på att ingen uppfattat hur en kropp landat på golvet i ett av de rum som hade en dörr direkt ut i den kulvert som länkade samman G-huset med centralvakten. Han grep med händerna i ett handfat, reste sig upp, han var yr men det som kröp i kroppen försvann efter en stund och han litade på den igen.

Han letade i oroligt mörker.

Det hängde en ficklampa i en ställning på väggen under ett proppskåp, han valde den istället för taklampan, en ficklampa kunde han tända och sakta låta ögonen vänja sig vid, det smärtade mer än han föreställt sig när mörker blev ljus och han skrek nog till när det kastades mot honom från en spegel ovanför handfatet.

Han blundade och väntade.

Spegeln slogs inte längre.

Han såg ett huvud som hade hår av varierande längd, stora tussar vilade löst, och han hämtade saxen på golvet, jämnade till och klippte det så kort han kunde, någon millimeter kvar. Rakhyveln hade legat i en låda i samma skrivbord och sedan i samma byxficka. Han blötte ansiktet och skalade bort bit för bit av det skägg han börjat odla redan på väg ut från mötet på Rosenbad och beslutet om att infiltrera innanför Aspsås höga fängelsemur.

Han betraktade spegeln igen.

Han hade fyra dygn tidigare haft långt, ljust hår och tre veckors skäggväxt.

Han var nu kortklippt och renrakad.

Ett annat ansikte.

Han lät vattnet rinna, klädde av sig naken och förde en bit skitig tvål som legat på handfatet mot droppar som inte var urin, han tvättade kroppen och väntade tills den torkat i det varma rummet. Han återvände till röret och det vassa snittet i metallen, letade med handen och fångade byltet av kläder som några dagar tidigare suttit på en kriminalvårdsinspektör som hette Jacobson, provisorisk huvudkudde för att rädda nacken och för att undvika att tyg blöttes ner av kroppsvätskor.

De hade varit ungefär lika långa och uniformen passade nästan perfekt, byxorna var kanske något korta, skorna kanske något trånga men det störde inte, syntes inte.

Han stod vid dörren och väntade.

Han borde vara rädd, stressad, orolig. Han kände ingenting. Tillståndet han hade varit tvungen att försätta sig i när förmågan att inte känna varit detsamma som att överleva, utan tankar och längtan, utan Zofia och Hugo och Rasmus, allt han hade haft som påminde om liv.

Han hade burit det sedan de första stegen in genom fängelsets grind.

Bara släppt det under två ögonblick.

När skottet skulle avlossas.

Han hade stått nära fönstret och rättat till öronsnäckan och en sista gång sneglat mot kyrkans torn. Han hade iakttagit mattan som dolt en kropp med sprängämnen och karet med diesel och bensin alldeles nära deras fötter och tändaren som vilat i hans hand. Han hade kontrollerat sin position, han skulle stå helt i profil, de skulle tvingas sikta mot huvudet och ingen kriminaltekniker skulle senare kunna ifrågasätta frånvaron av skallben.

Två ögonblick av dödsångest.

Han hade via mottagaren i örat uppfattat kommandot för skott. Han skulle stå kvar och vänta. Men benen hade på något sätt flyttat på honom för tidigt, de hade rört på sig utan att han hade haft för avsikt att göra det.

Han hade misslyckats två gånger.

Men tredje gången hade det återkommit, tillståndet av kontroll, att inte tänka och att inte känna och att inte längta, han hade burit det igen.

Skottet hade avlossats.

Han hade stått kvar.

Han hade haft exakt tre sekunder på sig.

Den tid det tog för ammunition att vid sju sekundmeters vindstyrka och arton graders temperatur lämna ett kyrktorn och på femtonhundratre meters avstånd träffa ett huvud i ett verkstadsfönster.

Jag får inte röra mig för tidigt, jag vet att skyttens observatör iakttar mig i en kikare.

Jag räknar.

Ett tusen ett.

Jag håller tändaren i handen med eld som är klar och levande.

Ett tusen två.

Jag tar ett hastigt steg framåt strax innan kulan slår mot fönstret och jag för lågan mot stubintråden som hör ihop med kroppen under mattan.

Skottet hade avlossats och objektet hade inte längre gått att se genom ett fönster som var kraftigt skadat.

Han hade nu haft ytterligare två sekunder på sig.

Den tid det skulle ta för stubintråden att brinna hela vägen fram till sprängkapsel, pentyl och nitroglycerin.

Jag springer till pelaren som jag tidigare valt ut, bara ett par meter bort, en av de fyrkantiga cementklumpar som bär taket.

Jag står bakom den när stubintrådens sista centimeter försvinner och det som virats och tejpats på en människas hud exploderar.

Mina trumhinnor spricker.

Två väggar, den mot kriminalvårdsinspektören och den mot kontoret, bryts sönder.

Det penetrerade fönstret pressas ut och faller ner mot fängelsets gård.

Tryckvågen söker mig men dämpas av cementpelaren och mattan kring gisslans kropp.

Jag är medvetslös men bara under ett par sekunder.

Jag lever.

Han hade legat kvar på golvet och med den tjutande smärtan i öronen när värmen från explosionen nått dieselkaret och en svart rök anfallit rummet.

Han hade väntat tills den sökt sig ut genom det hål som nyss varit fönster och blivit en gråsvart vägg som gömt och bäddat in en stor del av verkstadsbyggnaden.

Han hade tagit högen med uniformskläder som tillhört den äldre vakten och kastat den ut genom fönstret, sedan själv hoppat efter, mot det tak som funnits bara någon meter längre ner.

Jag sitter stilla och väntar.

Jag håller kläderna i famnen, jag ser ingenting i den tjocka röken och med trumhinnorna borta har jag svårt att höra, men jag känner vibrationer på taket jag står på från människor som rör sig nära mig, poliser som är där för att avbryta en gisslantagning, en av dem springer till och med på mig utan att uppfatta vem jag är.

Jag andas inte, jag har inte gjort det sedan jag hoppade ut genom fönstret, jag vet att andetag i den giftiga röken är detsamma som död.

Han hade rört sig nära dem som hört steg utan att förstå att de tillhörde den man de nyss sett dö, tvärs över taket mot de blanka plåtbitarna som såg ut som en skorsten, han hade klättrat ner i hålet och tryckt sina ben och armar hårt mot väggarna tills röret smalnat av och det hade varit svårt att få fäste, han hade släppt taget då, fallit den sista biten ner mot ventilationsschaktets botten.

Jag böjer mig ner och kryper in i röret som är sextio centimeter i diameter och som fortsätter in i huset.

Jag drar mig fram bit för bit med händerna mot metallen tills jag befinner mig i rummet som är en undercentral och som har sin dörr direkt mot fängelsets nedre kulvert.

Jag lägger mig ner på rygg, klädbyltet under huvudet som en kudde, jag ska stanna kvar i ventilationstrumman i minst tre dygn, jag ska pissa och skita och vänta men jag ska inte längta och inte känna, det finns ingenting, inte ännu.

Han la örat mot dörren.

Det var svårt att höra men det kunde vara någon som rörde sig, vakter som gick förbi i kulverten, inga interner så här dags, det var efter inlåsning och de var alla i sina celler.

Han kände med handen över ansiktet och hjässan, inget skägg, inget hår, längs låren och vaderna ingen intorkad urin.

De nya kläderna luktade av en annan människa, någon parfym eller något rakvatten den äldre vakten måste använt.

Rörelse därute igen, flera personer som gick tillsammans.

Han såg på klockan. Fem i åtta.

Han skulle vänta lite till, det här var vakter som kom från inlåsningen och var på väg hem, dem måste han undvika, de hade sett hans ansikte. Han stod kvar i femton minuter, undercentralens mörker och femtiosju gula och röda och gröna lampor omkring honom.

Nu.

Flera stycken, och så här dags, det kunde bara vara nattpersonalen.

De som började efter inlåsning, som aldrig träffade fångar och därför inte visste hur de såg ut.

Hans hörsel var kraftigt nedsatt men han var säker på att de hade passerat och hunnit förbi, han låste upp dörren, öppnade den, gick ut och stängde igen.

Tre vakter med ryggarna mot honom ungefär tjugo meter bort i den kulvert som länkade samman G-huset och centralvakten. En var i hans egen ålder, de andra betydligt yngre och sannolikt nyutbildade, på väg till ett av sina första arbetspass. Aspsåsanstalten präglades i slutet av maj alltid av det stora antal sommarvikarier som efter en enda timmes introduktion klädde på sig en uniform och efter ett par dagars snabbkurs deltog i arbete.

De hade stannat framför en av de låsta dörrar som delade upp kulverten i mindre sektioner och han skyndade närmare. Den lite äldre höll i en nyckelknippa och hade just låst upp när han hunnit nära deras ryggar.

– Är ni bussiga och väntar på mig?

De vände sig om, såg på honom, granskade honom.

– Jag är lite sen.

– Hem?

– Ja.

Vakten hade inte låtit misstänksam när han talat, det hade varit en vänlig fråga, kollegor emellan.

– Du är ny?

– Så ny att jag inte fått nycklar.

– Mindre än två dagar alltså?

– Kom igår.

– Precis som dom här två då. Tredje dagen för er alla imorgon. Er första nyckeldag.

Han gick bakom dem.

De hade sett på honom. De hade talat med honom.

Han var nu bara en av fyra vakter som förflyttade sig tillsammans i en fängelsekulvert mot centralvakten och den stora grinden som fanns där.

De skildes åt vid trappan som fortsatte upp mot A-huset och ett elva timmar långt arbetspass, han önskade dem en trevlig natt och de såg avundsjukt på kollegan som strax skulle komma hem till en ledig kväll.

Han stod mitt i ankomsthallen. Det fanns tre dörrar att välja mellan.

Den första snett framför honom, ett besöksrum för en kvinna eller en vän eller en polis eller en advokat. Det var där Stefan Lygás hade suttit när han tagit emot budskapet om att en infiltratör, en tjallare, fanns i organisationen, någon hade viskat och någon skulle sedan dö.

Den andra alldeles bakom honom, dörren som vette mot den korridor som slutade vid G-huset. Han skrattade nästan till, han skulle kunna promenera tillbaka till sin egen cell iförd uniform.

Han såg på den tredje dörren.

Den som var vägen förbi centralvaktens ständigt vakande tv-monitorer och de numrerade knappar som från den stora glasburen kunde öppna anstaltens samtliga låsta dörrar.

Det satt två personer därinne. En ganska fetlagd vakt vid luckan, mörkt och ovårdat skägg och en slips som hängde på hans ena axel. Bakom honom, ännu en, betydligt tunnare och med ryggen mot utgången, han kunde inte se ansiktet men gissade på femtioårsåldern och någon sorts chefsställning. Han andades djupt, sträckte på sig när han försökte gå rakt, explosionen som stulit två trumhinnor hade också slagit sönder delar av ett balanssinne.

– Hem i uniform? Redan?

– Förlåt?

Vakten med det runda ansiktet och glesvuxna skägget tittade på honom.

– Du är väl en av dom nya?

– Ja.

– Och du går redan hem i uniform?

– Det blev så.

Vakten log, han hade inte bråttom, ännu några tomma ord och kvällen skulle bli kortare.

– Det är varmt ute. En förbannat fin kväll.

– Det är det säkert.

– Direkt hem?

Vakten lutade sig något åt sidan och rättade till en liten fläkt som stod på skrivbordet, ny luft i det kvava utrymmet. Den andra vakten, han som var tunn och satt på stolen bakom, var därför lättare att se.

Han kände igen honom.

– Jag tror det.

– Någon som väntar?

Lennart Oscarsson.

Anstaltschefen han några dagar tidigare misshandlat i en cell på avdelningen för frivillig isolering, en knuten hand mitt i ansiktet.

– Bortresta. Men vi ska ses imorgon. Det var ett tag sedan.

Oscarsson slog ihop pärmen och vände sig om.

Han såg mot luckan, mot honom.

Han såg men reagerade inte.

– Bortresta? Jag hade det en gång, en familj alltså, men jag vet inte, det bara, du vet ...

– Du får ursäkta mig.

– Va?

– Jag har lite bråttom.

Slipsen låg fortfarande på axeln, det fanns matfläckar på den, eller om den bara var blöt och låg där och torkade.

– Bråttom? Vem fan har inte bråttom?

Vakten drog i sitt skägg, näsborrarna vidgade, ögon som var sårade.

– Men visst. Gå du. Jag öppnar.

Två steg till säkerhetsbågen.

Sedan två steg till dörren som öppnades inifrån glasburen.

Piet Hoffmann vände sig om, nickade mot vakten som viftade irriterat med handen framför sig.

Lennart Oscarsson stod fortfarande där, strax bakom.

Deras ögon möttes igen.

Han väntade på att någon skulle skrika, någon skulle springa.

Men inte ett ord, inte en rörelse.

Mannen som var nyrakad och hade kortklippt hår och bar vaktuniform när han försvann ut genom grinden och fängelsemuren kanske verkade bekant men hade inget namn, sommarvikarier har sällan det, den här log när hans ansikte mötte ljum vind, det skulle bli en vacker kväll.

ännu
ännu
en dag senare

EWERT GRENS SATT på sin skrivbordsstol framför en bokhylla med ett hål som var kvar hur mycket han än fyllde igen det och såg på damm som låg som raka linjer hur mycket han än torkade bort det. Han hade suttit så i snart tre timmar. Han skulle sitta kvar tills han begripit om det han just sett var något han måste bry sig om eller om det bara var ett sådant ögonblick som tycktes så viktigt men saknade betydelse om det inte efteråt delades med någon annan.

Det hade börjat med en vacker morgon.

Han hade sovit i den bruna manchestersoffan med öppet fönster mot polishusets innergård och vaknat av de första lastbilarna på Bergsgatan. Han hade stått en stund och tittat ut mot en blå himmel och stilla vind och sedan med en kaffekopp i varje hand gått mot hissarna och häktet några våningar upp.

Han hade inte kunnat låta bli.

Om det var tillräckligt tidigt och om det var tillräckligt klart väder kunde man under några timmar promenera längs den tydliga linje som solen alltid så dags formade i häktets korridor. Han hade den här morgonen gått precis där golvet blänkt som mest och sett till att passera nära de celler han visste att det på snart tredje dygnet och med fullständiga restriktioner satt anhållna och väntade. Ågestam hade varit noggrann när han sett till att låta dem vänta merparten av lagens alla sjuttiotvå timmar och Grens skulle senare samma dag besöka de häktningsförhandlingar som skulle hållas för en polischef, en rikspolischef och en statssekreterare vid justitiedepartementet.

Hålet i bokhyllan. Det var som om det växte.

Det skulle fortsätta att göra det tills han hade bestämt sig.

Han hade i två dagar spolat band från övervakningskameror på Aspsås kriminalvårdsanstalt fram och tillbaka, ruta för ruta genom låsta dörrar och långa kulvertar och grå murar och taggtrådsstängsel till de sekunder som blev explosioner och kraftig rök och döda människor, han hade granskat Krantz kriminaltekniska rapporter och Errfors obduktionsprotokoll och Svens och Hermanssons samtliga förhör.

Han hade fastnat länge på två ställen.

En utskrift mellan prickskytten och observatören strax före skottet.

När de hade talat om en matta som Hoffmann placerat över gisslan och bundit fast med någon sorts tråd, det utredningen visat var pentylstubin.

En matta som stänger in och riktar explosionens tryck nedåt och skyddar den som står nära.

Ett förhör med kriminalvårdsinspektören som hette Jacobson.

När Jacobson beskriver hur Hoffmann klätt gisslans hud med små plastpåsar fyllda med något slags vätska, det utredningen visat var nitroglycerin.

Nitroglycerin i så stora mängder att varje del av kroppen blir till fragment och aldrig kan identifieras.

Ewert Grens hade skrattat högt i kontorsrummet.

Han hade stått mitt på golvet och tittat på bandspelaren och utskrifterna på skrivbordet och fortsatt skratta också när han lämnat polishuset för att köra mot Aspsås och muren som dominerade samhället. Han hade i centralvakten begärt ut samtliga band från fängelsets övervakningskameror från klockan 14.26 den tjugosjunde maj och framåt. Han hade kört tillbaka, hämtat nytt kaffe från automaten och satt sig ner för att följa varje ögonblick sedan ett dödande skott hade avlossats från ett kyrktorn.

Grens hade redan vetat vad han letade efter.

Han hade valt ut kameran som hette nummer fjorton och som hängde någon meter ovanför luckan i centralvaktens glasbur. Han hade sedan snabbspolat och stannat för att studera varje människa på väg ut. Vakter, besökare, interner, leverantörer, huvud för huvud passerade med hårfästet nära ett objektiv, någon visade legitimation, någon skrev in sig i liggaren, de flesta vinkades förbi av en vakt som kände igen.

Han hade hunnit till bandet som spelats in fyra dygn efter skottet.

Ewert Grens hade genast förstått vad det var han såg.

En mycket kortklippt man i en av Kriminalvårdens uniformer hade klockan 20.06 tittat upp i kameran medan han gick ut, dröjt lite för länge med blicken, och sedan fortsatt.

Grens hade känt kraften i magen och bröstet, det som brukade vara raseri men som nu var något annat.

Han hade stannat bandet och spolat tillbaka, iakttagit mannen som talade en stund med vakten och sedan tittade upp i kameran precis som han hade gjort tre veckor tidigare vid en annan vakt i en annan glasbur, den i Regeringskansliet. Grens hade följt den uniformsklädde genom säkerhetsbågen och grinden och muren i de kameror som hette nummer femton och nummer sexton och sett en människa som hade stora problem med balansen, det hade varit en jävla smäll, den sorten som brukade slå sönder trumhinnor.

Du lever.

Det var därför han sedan tre timmar satt på sin skrivbordsstol och såg på ett hål som växte i en bokhylla.

Jag beslutade inte om död.

Det var därför han måste avgöra om det han just sett var något han måste bry sig om eller om det saknade betydelse när ingen annan visste.

Hoffmann lever. Ni beslutade inte heller om död.

Han skrattade igen medan han ur skrivbordslådan tog fram ett dokument, kallelsen till de häktningsförhandlingar han strax skulle gå till och som skulle bära hela vägen till fällande domar och långa straff för tre höga chefer som missbrukat makt.

Han skrattade högre, dansade mitt på golvet i det tysta rummet, nynnade efter en stund försiktigt och om någon hade gått förbi just då skulle de sannolikt ha uppfattat en melodi som kanske lät som sextiotalet, som *Tunna skivor* och Siw Malmkvist.

ännu
ännu
ännu
en dag senare

DET VAR SOM om himlen långsamt kom närmare.

Erik Wilson stod på asfaltgården och kände hur hans tunna kläder kliade och nervösa flugor letade bland svettdroppar. Nittionio grader Fahrenheit, strax över kroppstemperatur och det skulle bli mer om ett par timmar vid tidig eftermiddag, hettan brukade ha lagt sig tillrätta överallt så dags.

Han förde en redan våt näsduk över pannan och var osäker på om det var hud eller tyg som blev torrare. Det hade varit svårt att koncentrera sig i lektionssalen, byggnadens luftkonditionering hade havererat under morgonen och diskussionen kring fortsättningskursens *advanced infiltration* ebbat ut kraftlös också hos de polischefer från västra USA som annars tyckte om att lyssna på sina egna röster.

Han såg som han brukade genom stängslet och taggtråden som vette mot den stora övningsplanen, på sex svartklädda som försökte skydda en sjunde, sedan skottlossning från två låga byggnader när två av dem kastade sig över skyddsobjektet och bilen hastigt körde fram och iväg. Erik Wilson log, han visste ju hur det skulle gå, den här presidenten skulle också överleva och de elaka som sköt från husen också misslyckas, Secret Service vann varje gång, samma övning som tre veckor tidigare, andra poliser men samma övning.

Han vände ansiktet mot den molnfria himlen, som för att plåga sig, solen skulle väcka honom.

Han hade först skyllt på värmen. Men det handlade inte om den.

Han var bara inte där.

Han hade överhuvudtaget inte orkat vara närvarande de senaste dagarna, han hade deltagit och diskuterat och genomfört övningar men inte funnits i rummet, tanken och kraften hade lämnat hans kropp.

Det hade gått fyra dagar sedan Sven Sundkvist bett honom köra de sju milen till delstatsgränsen och Jacksonville för en lunch på en restaurang som hade plats för bärbara datorer med övervakningsbilder på sina vita dukar. Han hade sett Paulas ansikte i ett fängelsefönster och sedan en explosion och svart rök när skottet från en prickskytt trasat sönder människor.

De hade arbetat tillsammans i nästan nio år.

Paula hade varit hans ansvar. Och hans vän.

Han närmade sig hotellet, flydde hettan mot kinderna och pannan. Den stora lobbyn var sval, han trängdes med människor som dröjt sig kvar för att slippa gå ut, gick mot hissen och femte våningen, samma rum som tidigare.

Han klädde av sig och duschade kallt och la sig i morgonrocken på sängens överkast.

De brände dig.

De viskade och tittade sedan åt ett annat håll.

Han reste sig upp, det rastlösa var tillbaka, det ofokuserade. Han bläddrade i dagens USA Today och gårdagens New York Times, drunknade i tv:ns reklam för tvättmedel och lokala advokater. Han var inte där, hur mycket han än försökte. Han vandrade genom rummet, fastnade efter en stund på mobiltelefonerna han kontrollerat redan på morgonen, länken till samtliga infiltratörer, fem stycken bredvid varandra på skrivbordet sedan den kväll han anlänt. Det brukade räcka med någon gång om dagen, men rastlösheten och känslan av att vara frånvarande, han gjorde det igen.

Han lyfte upp dem, granskade dem, en i taget.

Tills han höll den fjärde telefonen i handen, han satte sig ner på sängkanten, skakade.

Ett missat samtal.

På den mobil han borde ha tagit bort eftersom infiltratören var död.

Du finns inte längre.

Men någon kontrollerar din telefon.

Han svettades igen men det var inte värmen, det här kom inifrån, en känsla som brände och skar, den liknade ingenting han känt förut.

Någon har kontroll över din telefon. Någon har hittat och slagit det enda nummer som finns lagrat i den.

Vem?

Någon som utreder? Någon som jagar?

Rummet var svalt, nästan kallt, han började frysa och slet upp bäddningen och kröp ner under lakan som luktade parfymerat sköljmedel och låg stilla tills han svettades igen.

Någon som inte vet vem som håller i den här telefonen. Någon som ringer till en abonnent som inte finns registrerad någonstans.

Han frös igen, mer än förut, det tjocka täcket skavde mot hans hud.

Han skulle kunna ringa upp. Han skulle kunna lyssna på rösten som svarade utan risk för att själv bli identifierad.

Han slog numret.

En ljudvåg som sökte fäste i tyngdlös luft, några sekunder blev timmar och år, sedan äntligen en svarston, ett långt gällt pip.

Han lyssnade på tonen som tre gånger rispade hans öra.

Och rösten han kände igen.

– *Uppdraget avslutat.*

Försiktiga andetag i luren, det lät åtminstone så, kanske var det bara signalen som var svag och sfäriska störningar som försökte ta plats.

– *Wojtek eliminerat på Aspsås.*

Han låg orörlig i sängen, rädd för att människan som talade skulle försvinna ur hans hand.

– *Vi ses på trean om en timme.*

Erik Wilson log mot rösten som blandades med en annan, ett återkommande högtalarutrop, sannolikt på en flygplats.

Han hade kanske långt långt inom sig anat, åtminstone hoppats.

Han visste nu.

Han svarade.

– Eller någon annan gång, någon annanstans.

från författarna

Tre sekunder är en roman om vår tids kriminella och de två myndigheter – Polismyndigheten och Kriminalvården – som möter och ansvarar för dem.

Och en roman ger författarna frihet.

Fakta och fiktion.

Tillsammans.

FAKTA POLISMYNDIGHETEN. Polismyndigheten har under många år använt kriminella som infiltratörer och informatörer. Ett samarbete som förnekats och gömts undan. För att kunna utreda grov kriminalitet har annan kriminalitet marginaliserats och ett antal förundersökningar och rättegångar därför genomförts utan korrekt underlag.

FIKTION POLISMYNDIGHETEN. Ewert Grens finns inte.

FAKTA POLISMYNDIGHETEN. Bara kriminella kan spela kriminella och har, om det så krävts, rekryterats redan i häktet. För att bygga anpassade och trovärdiga personbakgrunder har polisens spaningsregister och rapporter använts som verktyg. Att förfalska information väsentlig för ett rättssamhälle blev en arbetsmetod.

FIKTION POLISMYNDIGHETEN. Sven Sundkvist finns inte.

FAKTA POLISMYNDIGHETEN. Kriminella infiltratörer är vår tids fredlösa. När en kriminell infiltratör avslöjas förnekar den myndighet som anlitat hans tjänster, tittar bort medan organisationen som infiltrerats försöker lösa problemet. Polismyndighetens ledning är övertygad om att konventionella spaningsmetoder inte räcker för att komma åt organiserad brottslighet och vill i en framtid ytterligare utveckla arbetet med infiltratörer och informatörer.

FIKTION POLISMYNDIGHETEN. Mariana Hermansson finns inte.

FAKTA KRIMINALVÅRDEN. De flesta av alla som sitter i fängelse är missbrukare. Han eller hon som dömts till fängelsestraff kan fortsätta att missbruka också innanför murarna. En missbrukare som släpps ut efter avtjänat straff återfaller i brott för att kunna fortsätta missbruka och kunna betala skulderna för sitt missbruk under strafftiden.

FIKTION KRIMINALVÅRDEN. Kriminalvårdsanstalten Aspsås finns inte.

FAKTA KRIMINALVÅRDEN. Varje individ som arbetar med kriminella vet att missbruk är en drivkraft för fortsatt kriminalitet. Trots det är amfetamin i anstaltschefens gula tulpanbuketter, i vänstermarginalen på magasinerade biblioteksböcker med hårdpärm, i plastpåsar fästade med resårband och matsked i toalettstolens avloppshål, alla fungerande sätt att distribuera narkotika på ett fängelse i säkerhetsklass A. Kriminalvården kan – *herregud, ett fängelse är ett slutet system* – men avstår medvetet från att skära bort all införsel av droger.

FIKTION KRIMINALVÅRDEN. Lennart Oscarsson finns inte.

FAKTA KRIMINALVÅRDEN. Narkotika är effektiv ångestreducering och en tjackpundare som pillat i sig sitt amfetamin lånar högen med porrtidningar och försvinner in i sin cell och onanerar. Ett fängelsesystem utan droger blir därför ett fängelsesystem av kaos, av ångest och ställer helt nya krav på sin personal. Utan fångar höga på kemisk substans tvingas Kriminalvården till kompetenshöjning och kostar de pengar vi, samhället, inte har lust att betala.

FIKTION KRIMINALVÅRDEN. Martin Jacobson finns inte.

Vårt stora tack

till

Billy, Kenta, Lasse, C, R och *T,* ni som suttit eller sitter långtidsdömda, som levt längre innanför än utanför murarna, som i den här boken precis som i våra tidigare är vår förutsättning för kunskap, autenticitet, trovärdighet när vi skriver om kriminalitet, oavsett om det handlar om varför fyrtio grader inte är lika bra som femtio för en tulpan som snart ska fyllas med amfetamin eller vilken konsistens gummimassan som skyddar magsäcken måste ha eller hur toaletten utanför en fängelseverkstad på en A-klassad anstalt ser ut. Er tillit stärker oss i vår hållning att försöka skilja på dåliga människor och dåliga handlingar.

de kloka och modiga polismän som guidat oss genom den märkliga gråzon som förenar polis och kriminella, utan er hade vi varken haft förutsättningar eller legitimitet att i romanens form beskriva hur arbetet med infiltratörer och informatörer luckrar upp den rättssäkerhet i en demokrati som vi andra tar för given.

den fängelsepersonal – säkerhetsansvariga, kriminalvårdare, kriminalvårdsinspektörer och anstaltschefer – som när ni mött oss, när ni hjälpt oss, suttit klämda mellan ambitionen att försöka göra ett bra jobb och ett system som tvingat er att leta efter saxar för att klippa uniformer till biltvättslappar.

Reine Adolfsson för kunskap i sprängteknik, *Janne Hedström* för kunskap i kriminalteknik, *Henrik Hjulström* för kunskap om prickskyttar, *Henrik Lewenhagen* och *Lasse Lagergren* för medicinsk kunskap, *Dorota Ziemiańska* för att du talar polska bättre än vad vi gör.

Fia Roslund för att du finns där för oss och texten under hela skrivprocessen.
Niclas Breimar, *Ewa Eiman, Mikael Nyman, Daniel Mattisson* och *Emil Eiman-Roslund* för synnerligen kloka synpunkter.
Niclas Salomonsson, Tor Jonasson, Catherine Mörk, Szilvia Molnar och *Leyla Belle Drake* på Salomonsson Agency för energi, kompetens, närvaro här och bortom gränser.
Eric Thunfors för dina omslag som vi tycker så mycket om samt *Astrid Sivander* och *Lise-Lotte Olaisen* för slit med korrektur.
Mattias Boström, Cherie Fusser, Anna Hirvi Sigurdsson, Jonna Holmgren, Lasse Jexell, Madeleine Lawass, Anna Carin Sigling, Ann-Marie Skarp, Karin Wahlén och *Lottis Wahlöö* på Piratförlaget för att ni med genuin yrkeskunskap och uppriktig

värme får oss att känna oss välkomna varje gång vi öppnar ytterdörren och kliver in i förlagets korridor.

Ett särskilt tack till *Sofia Brattselius Thunfors*, vår förläggare.

LÄS MER

Extramaterial om boken och författarna

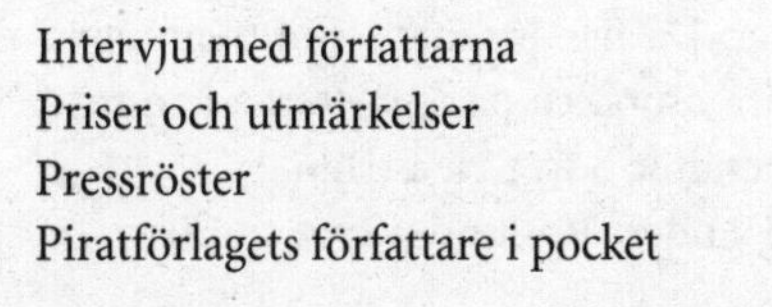

Roslund & Hellström tillbaka med en intensiv thriller i fängelsemiljö

För att skriva om att smuggla in knark på fängelset bör du testa hur det går till. Därför satt Anders Roslund och Börge Hellström förra året tillsammans med en före detta tungt kriminell kompis och skar upp biblioteksböcker, lade in vitt pulver i boksidorna och dolde pulvret med cigarettpapper.

Resultatet av efterforskningarna blev Tre sekunder *– en extremt driven thriller om infiltratören Piet Hoffmann som ska ta över knarkförsäljningen på svenska fängelser på uppdrag både av polsk maffia och av svensk polis.*

Infiltratören Piet Hoffmann har fått i uppdrag att ta över knarkförsäljningen på de svenska fängelserna. Den polska maffian Wojtek vill åt den enorma marknaden – 80 procent av alla intagna är beroende av narkotika. Men vad maffian inte vet är att Piet Hoffmann också jobbar på uppdrag av den svenska polisen. Han ser till att bli inspärrad på Aspsås, ett av Sveriges hårdaste fängelser. Innan han spärras in måste han smuggla in 200 gram amfetamin, det ska räcka för att slå ut de andra leverantörerna. Därför köper Piet Hoffmann 50 tulpaner. Och lånar sex böcker på det lokala biblioteket. Sex böcker som sedan länge har samlat damm i bibliotekets magasin. Nu ska de komma till användning igen.

– Snittblommor och låneböcker är fungerande sätt att smuggla in knark på svenska fängelser. De har förbjudit snittblommor i fångarnas celler men till andra områden på fängelserna kan man fortfarande ta in blommor, berättar Börge Hellström.

Han har tillsammans med Anders Roslund skrivit thrillern *Tre sekunder*. Arbetet med boken började som vanligt med månader av intervjuer, diskuterande, undersökningar och läsning. För att skriva en bok som till stor del utspelar sig på ett fängelse var det naturligt att göra omfattande research på ämnet.

– Vi har faktiskt tillgång till unika källor. Jag tror inte att någon annan hade lyckats hitta en säkerhetschef på ett fängelse som var villig att berätta var det bästa stället för en intagen att gömma sig är.

Börge Hellström har ett förflutet som missbrukare och dömdes i ungdomen för flera våldsbrott. Sedan mitten av 1990-talet är han helt ren och var en av grundarna till organisationen KRIS, Kriminellas Revansch i Samhället. Det var när SVT-journalisten Anders Roslund gjorde en dokumentär om KRIS som de träffade varandra första gången.

Det kanske inte uppstod något kungligt ”klick”, men de fortsatte i alla fall att träffas. Så småningom kom Roslund och Hellström på att de tillsammans satt på unika kunskaper och erfarenheter som kanske skulle kunna omsättas till något riktigt bra i bokform.

De hade rätt, både vad gäller resultatet och vägen dit – genom de kontakter de skaffat sig, bland annat genom sina jobb som övervakare, har de till exempel för *Tre sekunder* kunnat komma i kontakt med ”sväljare”. Roslund och Hellström använder ordet som om det vore allmängods. För läsare med färre kontakter i den undre världen är en ”sväljare” en person som sväljer stora mängder knark för att smuggla det över landsgränser.

– Vi ville ta reda på hur många gram man orkar svälja första gången och varför man lindar in narkotikan i gummimassa. För att göra det tog vi kontakt med en sväljare, säger Anders Roslund.

Det hade gått att hitta på. De hade kunnat uppskatta: Man kanske orkar svälja 300 gram? Det kanske tar fyra sekunder för en kula av en viss kaliber att färdas 1 500 meter? Men det är inte så Roslund och Hellström arbetar.

– Detaljerna måste stämma för att man ska kunna tro på resten. Därför sökte vi upp en prickskytteinstruktör som berättade hur fort en kula färdas i en viss sidvind och temperatur, säger Anders Roslund.

Bara det, att lyckas hitta en militär som kunde berätta om hur prickskyttar jobbar, tog flera månader. Men när de väl hittat honom fick de sin belöning i form av utförliga beskrivningar av hur prickskyttar tänker och arbetar. Börge Hellström fortsätter:

– Vi brukar säga att det är femtio procent sanning och femtio procent lögn i våra böcker. Läsaren ska inte riktigt veta vad som är vad. Att detaljerna stämmer handlar om vår stolthet också! Som sagt, sätten att smuggla in knark på i fängelset stämmer, men det är något kriminalvården aldrig skulle våga erkänna. Sanningen är ju att de enkelt skulle kunna strypa införseln av narkotika på svenska fängelser om de ville. Men ett fängelse fullt av narkotikaberoende människor som slutar få sina droger skulle kräva en helt annan och mycket dyrare vård. Fångarna skulle inte gå att hantera.

Med *Tre sekunder* ville Roslund och Hellström spegla kriminella på ett annat sätt än vanligt. De gillar inte att läsa skildringar av brottslingar som för tankarna till 70-talets distanserade, förenklade och romantiserande bilder av kriminella. I *Tre sekunder* är Piet Hoffmann både skurk och hjälte:

– Han är en riktig skitstövel som ljuger för alla och begår brott, men hans ändamål är goda. Frågan är om ett brott kan motivera att ett annat, kanske värre brott, får sin lösning? Blir antalet brott i ett samhälle verkligen färre tack vare infiltratörerna? Jag skulle säga att skurken i boken är systemet och de osynliga tjänstemän som bär upp det, säger Anders Roslund.

Det är två nöjda författare som nu kan pusta ut efter skrivandet av deras mest omfattande bok hittills. Den har tagit längre tid att få ihop, 24 månader i stället för de 18 som böckerna brukar ta. Enbart skrivfasen tog den här gången närmare ett år i anspråk.

Roslund och Hellströms fyra tidigare kriminalromaner är översatta till nitton språk. Samtliga har sålt i över 150 000 exemplar var bara som pocket i Sverige. Filmrättigheter för de fyra första böckerna är sålda till SVT Drama. Ewert Grens, som deras kommissarie heter, börjar bli ett hushållsnamn. Men han är en udd hjälte, om man ens kan kalla honom det. Ewert Grens driver inte själv historierna framåt likt en Wallander eller en Beck, utan är en karaktär bland många andra. Han får ofta finna sig i att vara en bricka i stora, obehagliga spel där han sorgetyngd och sur vankar runt i polishuset på Kungsholmen. Och han har hittills inte kunnat släppa taget om Siw Malmkvists musik, som påminner honom om en tid innan den stora sorgen drabbade honom.

– Det har varit väldigt intressant för oss att skapa en karaktär som får bearbeta sin sorg i fyra böcker för att i den femte långsamt börja gå vidare. Han inser att det han är rädd för redan har hänt, och vad gör man då? säger Anders Roslund.

Intervjun gjordes till Piratförlagets magasin våren 2009.

PRISER OCH UTMÄRKELSER

Odjuret
Glasnyckeln för bästa nordiska kriminalroman 2004

Guldpocket 2005 i kategorin Årets mest sålda svenska deckare (mer än 50 000 sålda exemplar)

Box 21
Nominerade till Svenska Deckarakademins pris för bästa svenska kriminalroman 2005

Tidningen Stockholm Citys pris för årets bok 2005

Platinapocket 2006 i kategorin Årets mest sålda svenska deckare (mer än 100 000 sålda exemplar)

Edward Finnigans upprättelse
Nominerade till Svenska Deckarakademins pris för bästa svenska kriminalroman 2006

Platinapocket 2007 i kategorin Årets mest sålda svenska deckare (mer än 100 000 sålda exemplar)

Flickan under gatan
Nominerade till Svenska Deckarakademins pris för bästa svenska kriminalroman 2007

Platinapocket 2008 i kategorin Årets mest sålda svenska deckare (mer än 100 000 sålda exemplar)

Tre sekunder
Svenska Deckarakademins pris för bästa svenska kriminalroman 2009

Stora läsarpriset inom kategorin spänning på bokcirklar.se

Pressröster

När Tre sekunder *utgavs fick den ett fantastiskt mottagande hos kritiker och recensenter. Här kommer ett urval av recensioner:*

”Plötsligt förstår jag vad en thriller är. Det har alltid varit ett vagt begrepp, ofta ett sätt att låtsas att en ganska trist bok är spännande. *Tre sekunder* är en verklig thriller, en bok där spänningen stiger och tempot stegras så till den milda grad att man kommer på sig själv med att hålla andan. … Vad gör då Roslund och Hellström? De beskriver samtidens kriminalitet men ur den vanliga människans synvinkel – en vanlig medborgare, rädd för att själv bli utsatt men som visar medkänsla med dem som far illa. De gör inga nidporträtt av makthavare för att beskriva samhällets ruttenhet. De gör sig inte till uttolkare eller analytiker, de gräver bara i samhällets mörka garderober och visar upp det de hittar. Det är en effektiv metod, långt ifrån andra författares lätt maskerade åsikter. … Men *Tre sekunder* är något annat, och precis som med *Edward Finnigans upprättelse* gör Roslund och Hellström ett språng i sin författarkarriär. Deras tämligen vardagliga prosa utan undertexter tycks plötsligt vara det enda tänkbara sättet att berätta denna historia, en möjlighet att trissa upp spänningsnivån utan några som helst longörer. Skickligt låter de infiltratörens skumraskvägar korsas med Ewert Grens, som naturligtvis vädrar gravade hundar och ger sig ut på jakt. Det är som att se två expresståg rusa i full fart mot varandra. Det hade räckt med detta för att kalla *Tre sekunder* för en alldeles ovanligt lyckad thriller, men i slutet av boken kommer också ett skickligt turnerat avslöjande som vänder upp och ned på allt. Det är då man inser att Roslund och Hellström inte bara går i deckarförfattarnas fotspår. De kan sina thrillerförfattare – Maclean, Bagley och framför allt Ludlum – minst lika bra. Och det är mycket mer sällsynt.”
Lotta Olsson, Dagens Nyheter

”Roslund & Hellström står i en klass för sig. … så infernaliskt skickligt och engagerat att jag sträckläser deras nya bok på nästan 600 sidor. … Slutet är hisnande och överraskande.”
Ingalill Mosander, Aftonbladet

”Den som tänker läsa Anders Roslunds och Börge Hellströms nya kriminalroman bör se till att de närmaste tio timmarna – eller hur lång tid man tror sig behöva för att läsa en roman på 600 sidor – hålls helt fria från störande moment av typen barn, arbete, vänner, telefon, tv, sömn. Denna bok är nämligen omöjlig att släppa ifrån sig innan man har läst den till slut. *Tre sekunder* är en thriller i ordets mest infernaliska bemärkelse – den lämnar oss i ovisshet om huvudpersonen kommer att överleva eller inte, en berättelse som bokstavligen är på liv och död. … Så mycket kan jag avslöja om denna roman som inte bara är Roslund & Hellströms överlägset bästa, utan som ren spänningskonstruktion ställer de flesta internationella konkurrenter i skuggan.”
Nils Schwartz, Expressen

”Alltsedan debuten 2004 har Anders Roslund och Börge Hellström tillsammans med ett fåtal andra intagit en särställning bland svenska kriminalförfattare. I stället för lamt ytliga psykologiseringar, övervåld och intetsägande inblickar i huvudpersonernas privatliv, har man effektivt borrat sig in i de mest fasansfulla företeelsernas kärna. … Aktuella *Tre sekunder* utgör inget undantag; tvärtom är den beviset för en i genren förbluffande litterär jämnhet. … Mer skall inte nämnas om handlingen, för det vore orättvist mot dess infernaliskt skickliga upphovsmän; deras mod att berätta om något väsentligt som de har stor insikt i förtjänar att belönas med läsning. Styrkan bottnar i förmågan att trovärdigt hantera de mörkaste mekanismerna hos oss alla, att gestalta dem och deras värddjur med empati. Att dessutom göra det med stilistisk skärpa är en enastående bedrift som oftast drunknar i mängden dussinprodukter. Roslund-Hellström har aldrig erhållit

Svenska Deckarakademins pris för årets bästa roman. Också det är anmärkningsvärt.”
Per Planhammar, Göteborgs-Posten

”Anders Roslunds och Börge Hellströms femte samskrivna roman om den slitne, envetne och gruffande kommissarie Ewert Grens håller ett tempo och en klass som får till och med ett gammalt läsarproffs som mig att sitta uppe alldeles för sent och nästan andlöst jaga vidare över sidorna … de hanterar ämnet med suverän sakkunskap och bastant tyngd. Dessutom är det gruvligt spännande. … Lika bra att säga det sist som först: skulle det komma ut en ännu bättre svensk thriller i år, så blir 2009 ett lysande år för den inhemska kriminalromanen. Och jag blir ganska förvånad.”
Bo Lundin, Sydsvenskan

”Duon Anders Roslund och Börge Hellström seglade för fem år sedan upp som ett av de intressantaste nya författarskapen i deckargenren. … De skriver snyggt, spännande och oerhört initierat om allt ifrån utslagna i storstaden till familjer i medelklassförorter till politiker och rättsröta. … I *Tre sekunder* faller allting på plats. Roslund och Hellström når ut med sin historia om gråzoner i rättssamhället samtidigt som de har blivit deckarmakare av rang. Romanen är en rasande bra blandning av klassisk svensk polis roman och regelrätt actionthriller. Är man det minsta rädd om sin nattsömn är det överhuvudtaget ingen idé att läsa den här 600 sidor tjocka boken. Den är nämligen helt omöjlig att lägga ifrån sig. *Tre sekunder* är en kriminalroman i världsklass.”
Maria Neij, Östgöta Correspondenten

”Roslund och Hellström bevisar att svensk kriminallitteratur just nu tillhör den absoluta världstoppen. Denna är dessutom tvivelsutan deras bästa bok hittills. 587 sidor för respekt med sig, men det finns inga longörer och det står aldrig stilla. Porträttet av

Grens är levande, men viktigare än poliserna är beskrivningarna av de kriminella och den värld som är deras. … Det är viktiga böcker som Roslund och Hellström skriver. Historier hämtade ur vår samtid som förhoppningsvis bär långt utanför deckarläsarnas kretsar och som måste ge upphov till åtskilliga diskussioner kring samhället. På köpet är det gränslöst spännande!"
Per Erik Tell, Kristianstadsbladet

"Duon Roslund & Hellström gjorde det igen! Fixade till en spännande, aktuell och överraskande bok. … Anders Roslund och Börge Hellström balanserar skickligt mellan känslosamma personporträtt och kyliga beskrivningar av myndighetsprocesser."
Marita Johansen, Nerikes Allehanda

"Jag läser utan uppehåll och 572 sidor försvinner på nolltid! Anders Roslund och Börge Hellströms senaste kriminalroman *Tre sekunder* är en vansinnigt gripande, explosiv och stark historia … Anders Roslund och Börge Hellström är en fantastisk författarduo som i den ena kriminalromanen efter den andra mycket trovärdigt beskriver den svenska verkligheten utifrån en angelägen diskussion om brott, straff och hämnd. … *Tre sekunder* är dessutom stilistiskt en nedrigt bra berättad historia som formligen spottar fram meningar skrivna i ett staccato-tempo som ger ett enormt driv. Intrigen är knivskarp och väl och finurligt genomförd. … Deckarvåren har kommit en bra bit på väg och jag har hunnit med att läsa massor. Men, ingenting har hittills gjort ett sådant intryck som *Tre sekunder*. Innehållet är lika explosivt som det eldsflammande omslaget och jag rekommenderar den utan förbehåll till alla!"
Gunilla Wedding, Skånska Dagbladet

"Anders Roslund och Börge Hellström skriver djävulskt spännande kriminalromaner. Men deras särtecken är den unika förmågan att sätta fingret på ömma punkter och trycka hårt. Det kan också

kallas samhällsengagemang och de skriver starkt, vackert och vredgat.”
Icakuriren

”En stark och välskriven kriminalroman med både mening och vådlig spänning. När det är så är det en fröjd att plöja 592 sidor.” (Betyg: 5 av 5 möjliga)
Hans Strandberg, Dagens Industri

”Roslund och Hellström är författarparet som har vuxit fram till att vara bland de viktigaste rösterna i den svenska kriminallitterära världen. Med sina böcker har de satt fingrarna på problem och företeelser i samhället som annars inte hade uppmärksammats. ... Som vanligt när det gäller Roslund och Hellström är skildringarna av såväl miljöer och personer grundliga och inträngande. ... *Tre sekunder* är en nästan oavbrutet spännande bok.”
Mats Palmquist, Borås Tidning

”Gör dig oanträffbar – den här boken lägger du inte ifrån dig förrän sista sidan är läst.”
City

”De har nu gett ut fem böcker och hör till det bästa som man kan läsa. Serien med den halsstarrige och envise kommissarien Ewert Grens är helt enkelt oslagbar om jag jämför med andra nutida kriminalromaner. Och då vet ni förstås att konkurrensen i Sverige inte är att leka med. ... Det här är en sådan där roman som jag önskar aldrig ska ta slut. ... *Tre sekunder* är en roman som har allt. Det är gestaltning av högsta klass. Piet Hoffmanns dubbelliv är så infernaliskt skickligt tecknat, som läsare är det otroligt lätt att ställa sig på hans sida. ... Ewert Grens är en annan gestalt som författarduon mejslat fram till den kanske mest spännande karaktären sedan Sjöwall-Wahlöö skapade Martin Beck. Och det är kring dessa två litterära kraftfält som Roslund & Hellström

har skapat en otroligt bra roman. Intrigen är i och för sig använd förr av andra författare: Ni vet hur det brukar vara när polis och politiker på hög nivå ska mörklägga och planera. Frågan är dock om någon gjort det bättre än Roslund & Hellström gör det i den här romanen. Jag är djupt imponerad av dem."
Anders Wennberg, Gefle Dagblad

"Måttet på spänning i en bok brukar ibland anges som 'jag kunde inte lägga ifrån mig den, när jag väl börjat läsa'. Det stämmer inte på den här. Den går ett steg till. Den är bitvis så gastkramande att jag måste lägga den ifrån mig, gå en runda i lägenheten för att hämta andan och försöka lugna ned mig. Tröstande ord om att det bara är fiction hjälper inte. Det är det som är det hemska med Roslund och Hellströms böcker: De är inte enbart fantasi utan även fruktansvärd verklighet. Hämtad från den värld och det samhälle vi lever i. ... *Tre sekunder* är som Roslund och Hellströms tidigare fyra böcker en spännande berättelse om och en kritik av det samhälle vi lever i. ... Det är fruktansvärt bra läsning."
Jaija Westberg, Västerbottens Folkblad

"Som i de föregående är tempot högt, språket speedat, miljöerna tuffa och polisarbetet slitsamt. ... Resultatet blir, än en gång, en slukarbok för de som passerat slukaråldern. Svår att lägga ifrån sig? Absolut. Boken drivs hela tiden framåt av det korthuggna språket och uppskruvade handlingen. Vill man ha slukarspänning – i så fall ett skäl att än en gång ge sig i kast med Roslund/Hellström. Men det tar förstås lite längre tid än tre sekunder att läsa boken. Tre dygn kanske, om man kortar ner nattsömnen en del. Det är svårt att sluta läsa när det är spännande."
Rolf Johnsson, Läns-Posten

”De blir bara bättre och bättre. Roslund & Hellström har precis släppt sin nya spänningsroman *Tre sekunder*. Hur bra som helst.”
Mikael Marklund, Medievärlden

”Vad som föreligger i den här romanen är en rasande spännande historia, berättad på ett sätt som saknar motstycke i svensk kriminallitteratur, ja kanske även sett ur ett internationellt perspektiv. Detta är en läsupplevelse utöver det vanliga.”
Gustaf Rothelius, BTJ-häftet

”En enastående thriller vars spänningsgrad ökar sida för sida. Boken är helt omöjlig att lägga ifrån sig innan man läst klart!”
Allers

Piratförlagets författare i pocket

Dabrowski, Stina Lundberg: Stinas möten
Dahlgren, Eva: Hur man närmar sig ett träd
Ebervall, Lena & Samuelson, Per E: Ers Majestäts olycklige Kurt
Edling, Stig: Vingbrännare
Edling, Stig: Det mekaniska hjärtat
Fant, Mikael: Grundläggande genetik – en roman om blåögdhet och halva sanningar
Forssberg, Lars Ragnar: Fint folk
Fredriksson, Marianne: Älskade barn
Fredriksson, Marianne: Skilda verkligheter
Giolito, Malin Persson: Dubbla slag
Guillou, Jan: Det stora avslöjandet
Guillou, Jan: Ondskan
Guillou, Jan: Coq Rouge
Guillou, Jan: Den demokratiske terroristen
Guillou, Jan: I nationens intresse
Guillou, Jan: Fiendens fiende
Guillou, Jan: Den hedervärde mördaren
Guillou, Jan: Vendetta
Guillou, Jan: Ingen mans land
Guillou, Jan: Den enda segern
Guillou, Jan: I Hennes Majestäts tjänst
Guillou, Jan: En medborgare höjd över varje misstanke
Guillou, Jan: Vägen till Jerusalem
Guillou, Jan: Tempelriddaren
Guillou, Jan: Riket vid vägens slut
Guillou, Jan: Arvet efter Arn
Guillou, Jan: Häxornas försvarare – ett historiskt reportage
Guillou, Jan: Tjuvarnas marknad
Guillou, Jan: Kolumnisten
Guillou, Jan: Madame Terror
Guillou, Jan: Fienden inom oss
Guillou, Jan: Men inte om det gäller din dotter
Haag, Martina: Hemma hos Martina
Haag, Martina: Underbar och älskad av alla (och på jobbet går det också jättebra)
Haag, Martina: Martina-koden
Haag, Martina: I en annan del av Bromma
Hergel, Olav: Flyktingen
Herrström, Christina: Glappet
Herrström, Christina: Leontines längtan
Herrström, Christina: Den hungriga prinsessan
Holm, Gretelise: Paranoia
Holm, Gretelise: Ö-morden
Holm, Gretelise: Krigsbarn
Holm, Gretelise: Ministermordet
Holt, Anne: Död joker
Holt, Anne & Berit Reiss-Andersen: Utan eko
Holt, Anne: Det som tillhör mig
Holt, Anne: Bortom sanningen
Holt, Anne: Det som aldrig sker
Holt, Anne: Presidentens val
Holt, Anne: 1222 över havet
Jacobsen, Steffen: Passageraren
Janouch, Katerina: Anhörig
Janouch, Katerina: Dotter önskas
Janouch, Katerina: Sommarbarn
Janouch, Katerina: Bedragen
Jonasson, Jonas: Hundraåringen som klev ut genom fönstret och försvann
Kadefors, Sara: Fågelbovägen 32
Lagercrantz, David: Himmel över Everest
Lagercrantz, David: Ett svenskt geni – berättelsen om Håkan Lans och kriget han startade

Levengood, Mark & Unni Lindell: Gamla tanter lägger inte ägg och Gud som haver barnen kär har du någon ull
Lindell, Unni: Ormbäraren
Lindell, Unni: Drömfångaren
Lindell, Unni: Sorgmantel
Lindell, Unni: Nattsystern
Lindell, Unni: Rödluvan
Lindell, Unni: Orkestergraven
Lindell, Unni: Honungsfällan
Lindqvist, Elin: tokyo natt
Lindqvist, Elin: Tre röda näckrosor
Lindqvist, Elin: Facklan – en roman om Leon Larsson
Lövestam, Sara: Udda
Marklund, Liza: Gömda
Marklund, Liza: Sprängaren
Marklund, Liza: Studio sex
Marklund, Liza: Paradiset
Marklund, Liza: Prime time
Marklund, Liza: Den röda vargen
Marklund, Liza: Asyl
Marklund, Liza: Nobels testamente
Marklund, Liza: Livstid
Marklund, Liza: En plats i solen
Marklund, Liza & Lotta Snickare: Det finns en särskild plats i helvetet för kvinnor som inte hjälper varandra
Mattsson, Britt-Marie: Bländad av makten
Mattsson, Britt-Marie: Snöleoparden
Mattsson, Britt-Marie: Maktens kulisser
Nesbø, Jo: Fladdermusmannen
Nesbø, Jo: Kackerlackorna
Nesbø, Jo: Rödhake
Nesbø, Jo: Smärtans hus
Nesbø, Jo: Djävulsstjärnan
Nesbø, Jo: Frälsaren
Nesbø, Jo: Snömannen
Ohlsson, Kristina: Askungar
Roslund & Hellström: Odjuret
Roslund & Hellström: Box 21
Roslund & Hellström: Edward Finnigans upprättelse
Roslund & Hellström: Flickan under gatan
Roslund & Hellström: Tre sekunder
Skugge, Linda: Akta er killar här kommer gud och hon är jävligt förbannad
Skugge, Linda: Men mest av allt vill jag hångla med nån
Skugge, Linda: Ett tal till min systers bröllop
Syvertsen, Jan-Sverre: Utan onda aningar
Syvertsen, Jan-Sverre: I det fördolda
Syvertsen, Jan-Sverre: Sekten
Tursten, Helene: En man med litet ansikte
Tursten, Helene: Det lömska nätet
Wahlöö, Per: Hövdingen
Wahlöö, Per: Det växer inga rosor på Odenplan
Wahlöö, Per: Mord på 31:a våningen
Wahlöö, Per: Stålsprånget
Wahlöö, Per: Lastbilen
Wahlöö, Per: Uppdraget
Wahlöö, Per: Generalerna
Wahlöö, Per: Vinden och regnet
Wattin, Danny: Stockholmssägner
Wattin, Danny: Vi ses i öknen
Wattin, Danny: Ursäkta, men din själ dog nyss

Läs mer om Piratförlagets böcker och författare på www.piratforlaget.se

7 Maj 2011

9^{30}/pm 2 × Oxycodon

1^{30}/am 2 × Oxycodon

4^{30}/am 1 × Hydrocodon

5^{00}/am ———— ————